Stefan Ulbrich (Hrsg.)

MULTIKULTOPIA

gedanken zur multikulturellen gesellschaft

Arun

CIP-Titelaufnahme der Deutschen Bibliothek

Multikultopia : Gedanken zur multikulturellen Gesellschaft / Stefan Ulbrich (Hrsg.). [Übers.: Claude Michel]. - Vilsbiburg : Arun, 1991
ISBN 3-927940-03-8
NE: Ulbrich, Stefan [Hrsg.]

Wölflau 88, 8313 Vilsbiburg
Umschlag- und Textgestaltung: Arun - Verlag
Übersetzungen: Claude Michel
Gesamtherstellung: Ortmaier-Druck, 8316 Frontenhausen

ISBN 3-927940-03-8

Inhaltsverzeichnis

Kulturelle Vielfalt Europa

"Dieses ganze Gerede von der multikulturellen Gesellschaft geht mir echt auf den Keks". So äußerte Daniel Cohn-Bendit, Dezernent für Multikulturelle Angelegenheiten in Frankfurt, seinen Unmut über den inflationären Gebrauch eines Begriffs, der derzeit in aller Munde ist. Anlaß dafür war ein Kongreß zum Thema "Kulturelle Vielfalt Europa", der im Herbst 1990 in Berlin tagte.

Veranstaltet von der Beauftragten der Bundesregierung für Ausländerfragen, dem Künstlerhaus Bethanien Berlin, der Kulturpolitischen Gesellschaft, dem Haus der Kulturen der Welt in Berlin, sowie der Senats- und Magistratsverwaltung für Kulturelle Angelegenheiten Berlin tagten und debattierten Vertreter der Bundesregierung (Lieselotte Funcke, Beate Winkler), der politischen Parteien (Anke Martiny/SPD, Cornelia Schmalz-Jacobsen/FDP), der Kirchen (Jürgen Micksch, Jürgen Moltmann) und sozialer, kultureller und staatlicher Einrichtungen aus dem In- und Ausland (György Konrad/PEN-Präsident, Vishnu Kare/Indien, Nicolaus Tummers/Europarat, Gavin Jantjes/British Arts Council, Mehmet Turgay/VHS Kreuzberg, u.a.).

Schon die Vorankündigung in den Kongreßunterlagen versprach interessante drei Tage intellektueller Arbeit zu einer der brennenden Zukunftsfragen der Menschheit. Egalitaristische Positionen wurden dabei bereits im Ansatz verworfen: "Europas Völker fühlen stärker als in den Jahren zuvor ihre Zusammengehörigkeit und - dies ist kein Widerspruch - besinnen sich dennoch stärker auf ihre Identitäten. Eine treffende Kurzformel für Europa lautet: Einheit in der Vielfalt."[1] Zwar fänden sich in den großen Städten Europas die Völker und Kulturen in einem Schmelztiegel ungeahnten Ausmaßes wieder, jedoch hätten sich in den unterschiedlichsten lokalen, regionalen und ethnischen Nischen neue kulturelle Ansätze herausgebildet, "die erst in ihrer Gesamtheit die Identität Europas darstellen."[2] Diesen multikulturellen Reichtum zu bewahren und seiner Vielfalt die richtige Pflege zukommen zu lassen, solle einer der zentralen politischen und administrativen Aufgaben der europäischen Gesellschaft sein. Auf diesem Weg sei auch das Risiko wachsender Fremdenfeindlichkeit zu berücksichtigen und die reale Gefahr eines zunehmenden Rechtsradikalismus zu erkennen. So gaben die Veranstalter u.a. als Aufgabe vor, "die gesellschaftlichen und politischen Vorausetzungen für ein multikulturelles Zusammenleben in Europa...zu untersuchen und konkrete Vorschläge daraus abzuleiten. ... Europäische Identität und die friedliche Koexistenz unterschiedlicher Kulturen müssen dann keine Utopie bleiben, wenn es gelingt, Schritt für Schritt jene tolerante multikulturelle Gesellschaft aufzubauen, die Europas Chance ist."[3]

Referenten wie Teilnehmer waren sich anfangs zwar darüber einig, daß die *multikulturelle Gesellschaft* einer der am häufigsten gebrauchten

Begriffe in den Diskussionen unserer gegenwärtigen gesellschaftlichen Situation sei, aber es enorme Schwierigkeiten bereite, diese "leeren Worthülse" zu deuten oder ihre politische, historische und gesellschaftliche Dimension auszuloten. Klar war, "daß das Problem brennt und den inneren Frieden unserer Gesellschaft beeinträchtigt", so Günter Coenen, Generalsekretär des Hauses der Kulturen der Welt.

Übereinstimmung gab es in der Beurteilung der aktuellen Situation und der zukünftigen Entwicklungen. Auf der Basis der Ergebnisse einer Arbeitsgruppe der Vereinten Nationen, wonach gegenwärtig etwa 500 Millionen Menschen weltweit auf der Flucht sind und sich diese Zahl bis zum Jahr 2000 wahrscheinlich verdoppeln wird, formulierte man seine Erkenntnisse. Angesichts weltweiter Kriege, ungehemmter Bevölkerungsexplosion, schlechter wirtschaftlicher Versorgung und zunehmender ökologischer Verwüstungen sei die Erkenntnis erforderlich, "daß die Zuwanderung aus EG und Drittstaaten unabänderlich ist. Sie ist die Folge des wirtschaftlichen und sozialen Ungleichgewichtes in der Welt, ebenso wie der weltweiten Wirtschaftsverflechtung und Arbeitsteilung, und der gegenläufigen demographischen Entwicklung im Norden und Süden unserer Weltkugel."[4] Die Fluchtbewegungen der Migranten gingen ja nicht hin *zu* Reichtum, sondern *weg* von der Armut. Der Entschluß, sein Heimatland zu verlassen, beinhalte nur einen geringen Grad an Freiwilligkeit. "Der Zwang in Form von Armut ist unpersönlich, massiv und flächendeckend."[5]

Göran Löfdahl, Vorsitzender der Schwedischen UNESCO-Kommission, artikulierte unter Berücksichtigung dieses Sachverhaltes die wichtigste Maßnahme für den Erhalt des sozialen Friedens in Europa: "Der zukünftige Migrationsdruck auf ein reiches und alterndes Europa von einem armen und wachsenden Asien und Afrika wird die Solidarität vor neue Herausforderungen stellen. Menschen müssen die Chance zu einer erträglichen Existenz in ihrer respektiven Region erhalten. Was sie brauchen, ist substantielle Hilfe zu wirtschaftlicher und sozialer Entwicklung, nicht in erster Linie eine Freistatt in Europa."[6] Löfdahl forderte weiter wesentlich erhöhte Quoten bei der Auswahl von Flüchtlingen, gab aber gleichzeitig zu erkennen, daß es die Aufgabe der Politik eines jeden Landes sein müsse, im eigenen Land keine Flüchtlingsströme entstehen zu lassen.

Der Abweisung der Migranten an den Grenzen eines vereinigten Europa, vor den Toren der *Festung Europa* sozusagen, wurde keine reelle Wirksamkeit eingeräumt. "Die Festung Europa", so Daniel Cohn-Bendit, "ist eine große Lüge. Es ist der Versuch durchgeknallter Politiker, eine Lösung zu finden, die keine ist. Käseloch Europa ist treffender. Polizeistaatliche Methoden werden die Migrationsströme nicht aufhalten. Das muß den Menschen hier ehrlich gesagt werden. Le Pen und die Republikaner sind die Gefahr unserer verlogenen Politik." Jetzt gelte es, nach den wenig ermutigenden Erfahrungen mit Assimilations- und Integrationsprojekten, ein Modell des Zusammenlebens zu entwerfen, das sowohl den Menschen hier wie auch den zugewanderten Fremden gerecht wird und konstruktive Antworten auf die Fragen und Probleme der Zukunft beinhaltet. Zum einen hätten die Grenzen, die gestern noch galten, heute schon ihre alte trennende Funktion verloren, zum anderen müsse bedacht werden, daß in dieser Grenzenlosigkeit und oft verwirrenden Vielfalt der eigene Standort gesichert und gefestigt bleibe, ohne das Fremde und Andersartige abzuwerten, zu verdrängen oder zu diskriminieren. Europa werde daher zwangsläufig einen Kurs fahren müssen, der sowohl den "Reichtum der geistigen und kulturellen Vielfalt bewahrt, zugleich aber auch die Einheit in dieser Vielfalt sichtbar macht."[7]

"Das heißt auf der einen Seite, Regelungen für die Einwanderung schaffen, damit sie für die einheimische Bevölkerung überschaubar bleibt, und die vorhandenen Ängste abbaut", erläuterte Funcke, und "auf der anderen Seite gilt es, die Rechte der Migranten mit zunehmender Dauer des Aufenthaltes zu stärken, mehr und mehr denen der einheimischen Bevölkerung anzugleichen."[8]

Das Zauberwort heißt Multikultur: - zum ersten Mal verwendet 1978 von Holger Börner, in einer Rede, die von Jürgen Micksch geschrieben wurde, dann aufgegriffen von Heiner Geißler, der damit 1983 einen tendenziösen Wahlkampf führte, und schließlich von ihm selbst in seinem Buch "Zugluft" gegen den Widerstand der CDU-Spitze in weiten Teilen revidiert. Martiny nahm dazu Stellung: "Es gibt nur wenige Begriffskombinationen, die derart kontrovers und polarisiert in unserer Gesellschaft diskutiert werden wie der Begriff der multikulturellen Gesellschaft, bei dem man die ganze Bandbreite der denkbaren Verschiedenheiten innerhalb ein und derselben Sprache und der nationalen Herkunft schlicht nicht zur Kenntnis nimmt und sich ausschließlich auf Verschiedenheiten konzentriert, die durch eine fremde Sprache, eine ferne Herkunft und möglicherweise eine andere Religion gekennzeichnet sind."[9] Moderne Industriegesellschaften wie die europäischen seien schon aufgrund ihres Wesens und ihrer Anforderungen an die Menschen Stätten von lebendiger Vielfalt und Heterogenität, und dies bereits ohne Ausländer. Die Gefahr der sogenannten Überfremdung unserer Kultur und unserer Sprache, die Gefahr des Verlustes der Identitäten, ja sogar die Zerrüttung der Homogenität der deutschen Gesellschaft sei schon deshalb irreal, weil das scheinbar bedrohte Gut ja gar nicht existiere.

Das notgedrungene, aber auch erstrebte Miteinander der deutschen und der ausländischen Bevölkerung bedeute jedoch nicht, in Übereinstimmung mit einer Empfehlung der Kultusministerkonferenz vom 29.11.85, daß die kulturellen Identitäten aufzugeben seien. Ganz im Gegenteil, wie Funcke versicherte: "Das Wort Multikultur wird vielfach mißverstanden und unterschiedlich interpretiert. Es geht nicht um ein Vermischen, sondern um ein Nebeneinander in gegenseitigem Respekt vor der Eigenart der jeweils anderen. Darum sprechen wir in diesem Kongreß lieber von der Vielfalt. Sie gilt es zu bewahren, niemand soll jemandem seine Identität, seine Wurzeln nehmen wollen...Monokultur, wenn es sie je gab und gibt, führt zu Radikalismus...Vielfalt der Kulturen aber gleicht aus, gibt Anstöße zur Fortentwicklung der Kulturen, bewahrt vor Erstarrung und ist in diesem Sinne eine Bereicherung. Und sie lehrt uns Toleranz."[10] Es ist also die intellektuelle und emotionale Akzeptanz des jeweils *Anderen*, des uns *Fremden*, die einen Pfeiler der multikulturellen Gesellschaft baut. Diese Akzeptanz soll selbstverständlich und kontinuierlich sein. Martiny hat versucht, dies näher zu erläutern: "Fremde Sprachen und andere, unvertraute kulturelle Äußerungsformen gehören zu unserem Alltag. Sie sind nicht in die Aura des Exotischen gekleidet, sondern ganz selbstverständlich täglich neben uns. Erst dann, wenn uns auffällt, daß wir Äußerungen und Verhaltensweisen der fremden Anderen schmerzlich vermissen, erst dann haben wir uns glücklich eingerichtet in einer Gesellschaft, in der viele Kulturen 'multikulturell' verankert sind."[11]

Jürgen Micksch, stellvertretender Direktor der Evangelischen Akademie Tutzing, hat versucht, den aktuellen Stand der Begriffsklärung in eine griffige Formel zu fassen: "Im Sinne von Artikel 3 des Grundgesetzes wird von einer multikulturellen Gesellschaft gesprochen, wenn Menschen mit verschiedener Abstammung, Sprache, Herkunft, Religion oder politischer Anschauung so zusammenleben, daß sie deswegen weder benachteiligt noch bevorzugt werden. Der Begriff der multikulturellen Gesellschaft geht davon aus, daß es zwischen verschiedenen kulturellen Prägungen Konflikte gibt, die nicht durch Ausgrenzung und Benachteiligung, sondern durch dialogische Formen des Umgangs miteinander gelöst werden. Voraussetzung für eine multikulturelle Gesellschaft ist daher die Gleichberechtigung."[12]

Der Begriff des Schmelztiegels oder der in rechten Kreisen so gern gebrauchte der *One World*, ist in der Diskussion um die multikulturelle Gesellschaft fehl am Platz, denn gerade hier geht es ja nicht um Vereinheitlichung, Vermischung, Einebnung. Letzteres passiere nicht und sei auch nicht erwünscht. Viel eher handele es sich um eine Art *Mosaik-Gesellschaft*, "die in der Buntheit den entscheidenden Wert des Humanen erkennt und würdigt" (Barbara John, Ausländerbeauftragte des Berliner Senats).

Die Tatsache, wonach die europäischen Gesellschaften schon immer in ihrer Geschichte einer multikulturellen Prägung ausgesetzt gewesen wären, wurde besonders betont. Es sei eine europäische Gemeinsamkeit, daß gerade in den Hoch-Zeiten der sogenannten Nationalstaaten die kulturelle Pluralität der Gesellschaften ein Faktum war. Als Beispiel wurde u.a. die preußische Einwanderungspolitik angeführt. Preußen sei damals Heimstatt vieler Menschen gewesen, die wegen religiöser Verfolgung aus ihrer Heimat auswandern mußten. Hugenotten, Salzburger, Böhmen, Juden u.a. hätten sich problemlos eingelebt, ja nicht selten seien aus anfangs rückkehrwilligen Migranten die glühendsten preußischen Patrioten hervorgegangen. Nicht die Nationalität war das entscheidende Kriterium zur Einbürgerung, sondern der soziale Stand des Migranten. Lediglich die Juden hätten sich wegen ihrer selbstgewollten kulturellen und religiösen Ghettoisierung von der Bevölkerung abgesondert. Die Nivellierungspolitik dagegen sei nie ein charakteristischer Ausdruck des preußischen Absolutismus gewesen, sondern hätte erst mit der Nationalisierung der Politik eingesetzt.

Neu dagegen ist die Tatsache, daß heute die Vielfalt der Kulturen enger zusammengerückt ist. Heute ist die Heterogenität in jedem Stadtviertel, in jedem geographisch noch so abgelegenen Dorf unausweichlich im täglichen Leben sicht- und spürbar. "Ökonomisch und politisch (und informationstechnisch, Anm.d.Verf.) befinden wir uns schon einige Zeit in der postnationalstaatlichen Phase. Die Innen-, Gesellschafts-, Kultur- und Bildungspolitik haben diese Entwicklung bisher nicht einmal halbherzig mitvollzogen."[13]

So verstand sich der Kongreß keineswegs nicht nur als Zusammenkunft zur Klärung theoretischer Fragen, sondern auch zur gegenseitigen Abstimmung von politischen Forderungen und pädagogischen Konzepten. Den Schwerpunkt des Kongresses bildeten die Arbeitsgruppen der Zukunftswerkstatt. Dort wurde u.a. versucht, die politischen und gesellschaftlichen Rahmenbedingungen der multikulturellen Gesellschaft zu erörtern, sowie den Zusammenhang von interkultureller Bildung einerseits und Soziokultur bzw. Medien andererseits aufzuzeigen. Weitere Themen waren die Analyse der Methoden zur Vermittlung von Kultur sowie die Diskussion über das "Planmodell einer multikulturellen Stadt".

Nachfolgend seien die Arbeitsgruppenergebnisse bzw. die Liste der politischen Forderungen wiedergegeben:

a: Deutschland ist ein Einwanderungsland - Europa ist ein Einwanderungskontinent.

Die bisherige Dimension der Einwanderung in die europäischen Länder ist nur die Spitze des Eisberges. Die Staaten Westeuropas befinden sich in einer Einwanderungssituation und haben dem dadurch Rechnung zu tragen, daß sie sich auch als Einwanderungsländer deklarieren und aus dieser Anerkennung ihrer sozialen und ethnischen Wirklichkeit Investitionen ableiten sollen. Es ist eine Zuwanderungspolitik auszuarbeiten, die auf einem möglichst breiten gesellschaftlichen Konsens aufbaut.

b: Staatsbürgerschaft für alle.

Die Staatsbürgerschaft kann heute nicht mehr ethnisch oder national definiert werden, "vielmehr sind den auf einem Territorium lebenden Menschen alle Bürgerrechte und Menschenrechte zu gewähren."[14] Generell ist das sogenannte "ius sanguinis" - das Vorrecht der deutschen Abstammung

- als Grundlage der Staatsbürgerschaft gegen das "ius soli", dem Territorialprinzip, auszutauschen. Ausländische Staatsangehörige sollen nach 5-8 Jahren Aufenthalt die Möglichkeit zur Einbürgerung und zum Erwerb einer Doppelstaatsbürgerschaft erhalten.

c: Bildung für alle.

Kindern ethnischer Minderheiten soll eine angepaßte schulische Förderung zuteil werden. Darüberhinaus muß das Recht auf den Besuch allgemeinbildender Schulen für Kinder von Asylbewerbern verbindlich eingeführt werden. Die Minderheitensprachen sind in den Regelunterricht als Schulfach aufzunehmen. Nach einer kurzen Aufenthaltszeit ist das Arbeitsverbot für Asylbewerber aufzuheben.

d: Einführung des kommunalen Ausländerwahlrechts.

Das Urteil des Bundesverfassungsgerichts ist auf allgemeines Unverständnis und Enttäuschung gestoßen. "Der Grundsatz der Demokratie ist hinter dem Gedanken der Nationalität zurückgeblieben."[15] Dagegen stützt man sich hoffnungsvoll auf die Aktivitäten des Europarates und des Europäischen Parlamentes, welche schon seit geraumer Zeit zu einer Überprüfung der restriktiven Wahlrechtsbestimmungen drängen. Toleranz hieße in diesem Sinne nicht nur, daß der "Andere" oder "Fremde" ungestört arbeiten kann. Toleranz vertraue auch darauf, daß sich der "Andere" durch eigenverantwortliches Handeln sinnvoll und zum beiderseitigen Nutzen in das Ganze einbringen kann. Den in Deutschland lebenden Ausländern die (kommunale) Mitbestimmung zu verweigern, setze gleichzeitig voraus, kein Interesse daran zu haben, daß diese mit Kraft und Lust ihre soziokulturellen Aktivitäten selbst in die Hand nehmen. (Göran Löfdahl verwies jedoch auf die schwedischen Erfahrungen, wonach 1976, nach Einführung des neuen Gesetzes, zwar 60% aller Wahlberechtigten Ausländer von diesem Recht gebraucht gemacht haben, ihr Anteil 1988 jedoch bis auf 43% gesunken ist.)

e: Verabschiedung eines Antidiskriminierungsgesetzes gegen Nationalismus und Rassismus.

Auf der Grundlage von Art.14 der Menschenrechtskonvention muß ein rechtliches und institutionelles Instrumentarium geschaffen werden, um Maßnahmen gegen die Diskriminierung ethnischer Minderheiten wirksamer zu machen.

(Wie so ein Antidiskriminierungsgesetz im konkreten ausgestaltet sein sollte und ob es Anleihen aus dem Entwurf der französischen Sozialisten machen sollte, wurde nicht diskutiert. Auf die diesbezügliche Frage des Verfassers an den Tagungsleiter Olaf Schwencke, dem Präsidenten der Kulturpolitischen Gesellschaft und Studienleiter der Evangelischen Akademie Loccum, konnte oder wollte dieser keine Antwort geben.)

f: Identität statt Assimilation.

"Ethnische Minderheiten haben ein Recht auf Wahrung, Pflege und

Fortentwicklung ihrer kulturellen Identität...Ihre Vereinigungen sind gemäß dem allgemein üblichen Förderungssystem zu unterstützen."[15] Auf die Minderheiten darf kein Assimilationsdruck ausgeübt werden.

Es ist darauf zu achten, daß die kulturellen Äußerungen der ethnischen Minderheiten nicht zur folkloristischen und exotischen Anreicherung des deutschen Kulturbetriebes entarten. Ausländische Kulturaktivitäten sollen vielmehr normaler Bestandteil des Kulturprogramms in der BRD werden.

g: Multikulturelle Kulturpolitik.

In Einklang mit der Resolution Nr. 1 der VI. Konferenz der europäischen Kulturminister 1990 in Palermo sind folgende Leitlinien für den Bereich "Kultur und ihre Vermittlung" vorgegeben worden:

"Veranstaltungen, Einrichtungen und Institutionen zu unterstützen, deren Aufgabe die Förderung spezifischer kultureller Identitäten ist, unabhängig davon, ob es sich um solche lokaler, regionaler, in der Volkskultur wurzelnder oder auch solche ethnischer und sprachlicher Minderheiten handelt, und dies mit besonderer Betonung des Dialogs zwischen den Kulturen...Bessere Kenntnis von und Achtung vor alten und neuen Zivilisationen - in denen einige regionaler oder andere Gemeinschaften ihre Wurzeln haben - zu fördern, damit die Gesamtbevölkerung den Beitrag, den diese Gemeinschaften zur Kultur der Mehrheit leisten können, aus einem neuen Blickwinkel sehen und positiver beurteilen kann."[17]

Die in Deutschland lebenden Ausländer sollen gleichberechtigt an der Gestaltung des Kulturangebotes beteiligt werden. Dazu soll jährlich von der Bundesregierung ein Sonderfonds "Kulturelle Vielfalt Europa" mit einem Etat von 100 Millionen DM bereitgestellt werden.

h: Multikulturalität ist gleich Multiethnizität.

Die multikulturelle Gesellschaft der Zukunft wird zwangsläufig immer eine multiethnische sein. Die Bewältigung dieser multiethnischen Probleme, die sich aus dem versäumten Aufbau angemessener sozialer Infrastrukturen ergeben, stellt die Vielvölkergesellschaft vor eine große Kraftprobe.

(Der Kulturwissenschaftler Prof. Pino Poggi machte die Kulturschaffenden auf dieses Problem aufmerksam: "Unsere Beiträge müssen strategisch gezielt und mutig diese Tatsachen, die uns belasten, benennen. Wir müssen bei jeder Gelegenheit die kulturellen Auffassungen, die wir kennen, vermitteln: - in der Bildenden Kunst, Film, Literatur, Theater und Video. Auf allen diesen Gebieten muß die multiethnische Gesellschaft, die wir inzwischen geworden sind, in den Vordergrund gerückt werden. Dieses System kann nur funktionieren, wenn es sich öffnet für die Vielfalt der Kulturen."[18]

Martiny ergänzte: "Ich wage die Behauptung, daß (die türkische Schauspielerin, Anm.d.Verf.) Renan Demirkan für die Akzeptanz der Menschen aus der Türkei mehr getan hat, als so manches aufwendige staatliche Förderprogramm."[19])

Besondere Aufmerksamkeit galt dem thematischen Schwerpunkt "Die multikulturelle Stadt". Einerseits wachse mit der zunehmenden Verschmelzung ethnischer, sprachlicher und regionaler Elemente in den großen europäischen Städten das Bewußtsein der Besonderheit der unterschiedlichen Kulturen und der Vielfalt des Gesamten, andererseits könne eine sich abzeichnende soziale Katastrophe nicht geleugnet werden. Elend, Gewalt und Leid drängen sich immer mehr in den Vordergrund, begünstigt durch politische Konzept- und Ideenlosigkeit und der Abstinenz einer planenden Politik.

"Wir haben es inzwischen mit einer sehr differenzierten Lage zu tun: mit unterschiedlichen kulturellen und/oder aus ihrer Notlage geborenen Verhaltensformen verschiedener ethnischer Gruppen; mit ganz unterschiedlichen Zeitpunkten der Zuwanderung ausländischer Arbeitnehmer, Asylanten und Aussiedler; ergo mit diversen Stufen der kulturellen Identität, Integration und Assimilation im Verhältnis zur Bevölkerungsmehrheit; mit verschiedenen Konfliktsituationen der ethnischen Minderheiten im eigenen Kontext, untereinander und gegenüber der deutschen Bevölkerung; und mit diversen Fehlinterpretationen, Vorurteilen und Pauschalierungen auf deutscher Seite."[20] Konfrontiert mit dieser sowohl ungeplanten als auch ungewollten Realität sei das Planmodell einer multikulturellen Stadt zwar nur ein Versuch eines Korrektivs, jedoch einer mit sehr guten Chancen.

Dabei kann man auf die Erfahrungen des Frankfurter Amts für Multikulturelle Angelegenheiten zurückgreifen. Je zur Hälfte arbeiten hier deutsche und nicht-deutsche Angestellte in den Bereichen Vermittlung, Beratung und Hilfe zur Selbsthilfe. Das Amt besitzt zwar keine Exekutivkompetenz, aber es hat die Autorität eines städtischen Amtes, dessen Anregungen öffentliche Wirkung haben. Man dürfe nicht vergessen, so Cohn-Bendit, daß die multikulturelle Gesellschaft in den Städten nicht das Ergebnis einer freien Entscheidung darstellt und multikulturelle Städte nie geplant worden sind. Daraus resultieren Probleme, die nicht totgeschwiegen oder durch utopische Lobeshymnen überwuchert werden dürfen. Notwendig sei eine realistische Sicht der Probleme und Konflikte, die sich nicht mehr an der vergangenheitsorientierten Frage *dafür oder dagegen?* entzündet, sondern die Fragestellung der Zukunft im Auge hat: *wie wird es sich entwickeln*? - und bereit ist, einen schonungslos offenen Dialog zu führen. Es ginge jetzt eben darum, neue Strukturen zu schaffen, die es erlauben, zukünftige Konflikte überschaubar auszutragen. Die im Amt tätigen Städteplaner konzentrieren sich deshalb auf die Schaffung sogenannter nutzungsneutraler Räume, die es wieder zulassen, daß Stadtviertel komplexe und organisch gewachsene Strukturen aufweisen, Unterschiede haben und charakteristische Milieus entfalten. Die Monodimensionalität der Funktion weicht einem Komplex der unter- und miteinander vernetzten Elemente Leben, Arbeiten, Wohnen, Freizeit, etc. "Multikulturalität ist kein Sozialfall, sondern Zukunftsinvestition", bemerkte Herterich, ein Mitarbeiter Cohn-Bendits, und visionierte weiter: "Multikultur ist das Markenzeichen moderner, prosperierender Städte." Steve Austen, Direktor des Niederländischen Theaterinstitutes, widersprach der Auffassung, daß multikulturelle Städte geplant werden können. Seiner Meinung nach ist die Stadt einfach da und wächst. Die Stadt sei ein selbstregulierender Prozeß in sich. Übermäßige Organisationswut schaffe nur unnötige Trennungsgrenzen und eine formelle Struktur. Daneben aber taucht überall, von oben, unten, links und rechts eine informelle Struktur auf, die die formelle grundsätzlich in Frage stellt und erodiert. Die multikulturelle Stadt sei die erste Vorstufe zur kosmopolitischen Stadt: "Amsterdam ist ein kosmopolitisches Dorf. Multikulturalität ist eines der vielen Kennzeichen dafür. Aber ein Planmodell? Nein, das geht nicht!"

Der Kongreß stand jedoch nicht nur im Zeichen allgemeiner Übereinstimmung, sondern verdeutlichte anhand wichtiger Detailfragen und der sich daraus ergebenden Meinungsunterschiede, daß die gemeinsame Diskussion erst in den Kinderschuhen steckt. So gab das fast skandalöse Negieren des Indianerproblems (Mohawk!) von Seiten der kanadischen Soziologieprofessorin Danielle Juteau Anlaß genug für die Erkenntnis, daß das kanadische Modell des Multikulturalismus hier kein Vorbild sein kann, da die "imperialistische" Vorherrschaft des *White Anglo Saxon Protestant* dabei nie in Frage gestellt ist. Überhaupt kamen die zweifellos vorhandenen postkolonialen und egalitaristischen Modelle bei den Kongreßteilnehmern nicht gut an. Michael Haerdter, Leiter des Künstlerhauses Bethanien, wurde ausgelacht und mußte sich entschuldigen, als er den in England lebenden und mit einer Hamburgerin verheirateten farbigen Südafrikaner Gavin Jantjes als "Kosmopoliten und Europäer, wie er im Buche steht" bezeichnete. Anwesende Moslems und Antiuniversalisten griffen das von der französischen Migrantenorganisation *France Plus* propagierte Integrationsmodell heftig an. Den damit verbundenen republikanischen Feminismus, sowie die marxistisch-aufklärerischen Tendenzen sahen sie als gegensätzlich zum Islam und zu den traditionellen Strukturen ihrer Familien. Offen und kontrovers blieben auch die Fragen nach den grundlegenden gemeinsamen Werten einer multikulturellen Gesellschaft und das Problem einer Kontingentierung der Zuwanderung.

Man war sich einig, daß Multikulturalität von den Menschen nur dann akzeptiert werden kann, wenn dies nicht zugleich die Aufgabe der eigenen Identität bedeutet. Bereicherung und Austausch zwischen Völkern und Kulturen könne nur dort stattfinden, wo es etwas zu tauschen gibt. Göran Löfdahl richtete in diesem Sinne eine eindeutige Warnung an den Kongreß: "Heute werden ganze Kulturen infiziert von dem, was über uns via Satellit, Kabel und Video herfällt, von westlichem Kulturkonsum amerikanischer Prägung. Heute werden ganze Kulturen weggerafft wie einst die Maya und Inkavölker von den Infektionskrankheiten der spanischen Kolonisatoren und dieser

Verlust der Seele wird nur in den wenigsten Gebieten mit materiellem Wohlstand beschwichtigt. Wo Identitätsverlust mit Verarmung und nationaler Perspektivlosigkeit zusammenfällt, ist der Triumph antirationaler, restaurativer Bewegungen absehbar."[21] Gegen Amerikanisierung und Multiverblödung trat auch Pino Poggi auf: "Diese europäische Kultureinheit, die ja genaugenommen kein Novum ist...ermöglichte auch die selbstbewußte Absage an die durch die Medien vermittelte Vorstellung einer globalen Einheitskultur auf dem Niveau bildgläubiger Analphabeten."[22]

Nicht zuletzt auch Cohn-Bendit wendete sich gegen die Amerikanisierung der europäischen Gesellschaften: "Die Horrorvision der US-Gesellschaft darf keine self-fullfilling-prophecy werden." Gerade Cohn-Bendit hat dabei niemanden im Unklaren darüber gelassen, was wir zu erwarten haben. Multikulturelle Gesellschaft bedeute eben nicht nur Toleranz, sondern auch Auseinandersetzung. "Wir leben in einer Gesellschaft, die aus den Fugen gerät und Subgewaltpotentiale entwickelt." Aber es gelte, diese Konflikte kreativ zu nutzen und lieber die Reibung der Unterschiede der Identitäten in Kauf zu nehmen, als für eine durch Assimilationsdruck herbeigeführte Zerstörung der Identitäten verantwortlich zu sein. Unter teils heftigem Protest des Kongreßauditoriums zog er ein Resümee der relativen Erfolgslosigkeit der Multikulturalisten. Sie hätten immer nur vom *Frieden* geredet, obwohl jeder sähe, daß *Krieg* vor der Tür steht. "Wir setzen uns nicht durch , weil wir keinen ehrlichen Diskurs führen...Wir müssen an die Kraft unserer Demokratie glauben und eine lebenswerte und realistische Alternative entwickeln."

So war dieser Kongreß vielleicht der erste große seiner Art, sicherlich aber nicht der letzte. Das Konglomerat aus hochkarätigen Referenten, einflußreichen Politikern und Multiplikatoren aus Presse, Kultur- und Sozialarbeit läßt erwarten, daß die Ergebnisse sich in den politisch-kulturellen Konzepten der nahen Zukunft wiederfinden werden.

Sicherlich klingen einige Ansätze sehr utopisch, aber man täusche sich nicht: Utopien bestimmen das politische Leben mindestens ebenso nachhaltig wie Realitäten. "Eine Gesellschaft, in der ein freies demokratisches multikulturelles Zusammenleben möglich ist, ist jene Utopie, nach der wir uns künftig ausrichten sollten."[23]

Anmerkungen:

1: Programmschrift des Kongresses "Kulturelle Vielfalt Europa"; 05.11.90 - 07.11.90 in Berlin.
2: aaO.
3: aaO.
4: Lieselotte Funcke: Manuskript des Referates, S.3.
5: Göran Löfdahl: Manuskript des Referates, S.1.
6: aaO., S.8f.
7: Funcke: aaO., S.6.
8: aaO., S.4.
9: Anke Martiny: Manuskript des Referates, S.6.
10: Funcke: aaO., S.5.
11: Martiny: aaO., S.45f.
12: Jürgen Micksch: Manuskript des Referates, S.1.
13: Gabriele Erpenbeck: Manuskripft des Referates, S.2.
14: Micksch: aaO., S.2.
15: Funcke: aaO., S.4.
16: Erpenbeck: aaO., S.4.
17: Mehmet Turgay: Manuskript des Referates, S.1.
18: Pino Poggi: Manuskript des Referates, S.2.
19: Martiny: aaO., S.39.
20: Michael Haerdter: Manuskript des Referates, S.2.
21: Löfdahl: aaO., S.11.
22: Poggi: aaO., S.5.
23: Martiny: aaO., S.47f.

Argus beschaut den Kampf um Multikultopia

Claus - Martin Wolfschlag

Geboren 1966 in Bad Wildungen, studiert derzeit Geschichte, Kunstgeschichte und Politikwissenschaft an der J.W. von Goethe-Universität in Frankfurt a. M. Aufsätze in verschiedenen Zeitschriften.

I. Elemente der Propagierung einer "multikulturellen Gesellschaft"

"Interkulturelle" Pädagogik - Erziehung zur geistigen Anerkennung des "Neuen Menschen"

"Die Herausforderung: Verdutzt entdeckte Sozialkundelehrerin Mechthild Lauchwitz-Kneisseler eines Tages, daß nachdem sie es geschafft hatte, die Kursraumtüre zu schließen und die Edukandi zu sammeln, sie selbst die einzige anwesende Person war, deren Sprache, Erscheinungsbild und Reisepaß unzweifelhaft die deutsche Nationalität ihrer Trägerin bezeugten. Ein sonderbares Gefühl beschlich die Lehrperson im teilzerstörten Werkraum der Gebrüder-Grimm-Grundschule Berlin-Neukölln, offensichtlich hatte sich seit ihrem Examen vor siebzehn Jahren etwas verändert."[1]

In dem hier ironisch beschriebenen Fall würde es sich vielleicht erübrigen, auf eine "interkulturelle Pädagogik" zurückzugreifen. Der eine Teil des "Inter-", der des Gastvolkes, hätte sich endlich bis auf eine geringe Zahl von Lehrpersonen aufgelöst. Doch soweit scheint es noch nicht, die heutigen Pädagogen können noch, wie Generationen vor ihnen, versuchen, ihre gesellschaftspolitischen Vorstellungen durch demgemäße Erziehung der kindlichen Zukunft zu verwirklichen. Worum handelt es sich bei "interkultureller Pädagogik"? "Als einer der ersten hat wohl Jan Vink (Ausländerreferent der Katholischen Deutschen Studenten Einigung, Anm.d.Verf.) 1974 in der Bundesrepublik diesen Begriff und das ihm zugrunde liegende Konzept dargestellt und auf die Migrationssituation angewendet....Seit etwa 1978 wird der Begriff auch von der Berliner Arbeitsgruppe um Ü.Akpinar, H.Essinger, G.Hoff, J.Zimmer u.a. verwendet."[2] Zuerst nur problemorientiert, um die Konflikte zwischen den Kulturen zu begrenzen, wurde der Begriff dann immer optimistischer, als Reformprogramm, ausgedrückt. Die Vorstellung von den positiven Folgen einer "multikulturellen Gesellschaft" begann sich durchzusetzen. Etwa 1980 hatten sich Begriff und Konzeption soweit stabilisiert, daß sie feste Bestandteile der pädagogischen Diskussion wurden. Es fanden nun Interpretationen der Probleme im Licht allgemeiner Theorien und universaler Grundsätze statt.[3]

Eine gute Zusammenfassung "interkultureller Strategie" lieferte eine Sammelbands-"AG 6" unter dem Titel "Interkulturelle Begegnung und interkulturelles Lernen"[4]:

"Interkulturelle Erziehung legt den Akzent auf die Aufgabe, die Heranwachsenden auf ein Leben in einer Gesellschaft vorzubereiten, in der dauerhaft mehrere Kulturen nebeneinander und miteinander existieren."[5]

Die gegenwärtige Situation erfordere ein "Umdenken", d.h. Einrichten auf den dauerhaften Aufenthalt von Minderheiten. Gelingen könne dies nur bei einer politischen Anerkennung der "multikulturellen" Gesellschaft und des "Rechts der Minoritätsangehörigen auf Erhaltung ihrer Eigenheit, d.h. darauf, sich nicht umstandslos assimilieren zu müssen, um dauerhaft in der Bundesrepublik Deutschland leben zu können und sich am sozialen und politischen Leben wirksam beteiligen zu dürfen."[6] Die deutsche Gesellschaft soll also kulturell und politisch "befremdet" werden.

3 Aufgaben der "interkulturellen Erziehung" wurden genannt:

1. Erkennen von Verständnisproblemen zwischen den Kulturen, somit Überwindung des Ethnozentrismus, also der beschränkten Sicht auf und alleinige Wertung aus der eigenen Kultur.[7]

2. Umgang mit der Befremdung, also der "Verunsicherung" im Alltag durch das "Exotische", Fremde und der folgenden Abwehr. Da der emotionalen Reaktion der "Fremdenfeindlichkeit" nicht durch Information, durch rein kognitives Lernen beizukommen sei, müsse man eine emotionale Beteiligung in inszenierte Konfrontationserlebnisse einbringen, u.a. in "pädagogisch gelenktem Spiel".[8]

3. "Einüben in Formen vernünftiger Konfliktbewältigung".[9]

Die nächste Auseinandersetzung bezog sich auf die gegenwärtige geistige Situation, bzw. "Kulturrelativismus und Kulturkonflikt".

Dabei wurde eine selbstkritische Haltung zum abendländischen Dünkel eingenommen, man stelle die höchste Stufe der Kulturentwicklung dar, deren Gegenteil die sogenannte "Unterentwicklung" sei. Die sich im Liberalismus verkörpernde geistige Situation der Zeit wurde darin erkannt, daß z.Z. kein allgemein gültiger Wertmaßstab bestehe, folglich solange, bis ein solcher gefunden sei, von der prinzipiellen Gleichwertigkeit der Kulturen auszugehen sei.

Doch, als wäre man über den eigenen Gedanken erschrocken, erfolgte prompt die Teilrevision des propagierten Liberalismus, welche die Zweischneidigkeit allzu lautstarken Toleranzgebarens von linker Seite offenbart:

"Nun gerät jedoch auch diese Position in einige Schwierigkeiten. Nach dem hier zugrundeliegenden Kulturbegriff wäre auch der Faschismus (Was das ist, bleibt offen. Anm.d.Verf.) eine Kultur, und auch den engagierten Vertretern eines agnostizistischen Wertrelativismus müßte bei der Konsequenz unheimlich werden, diese 'Kultur' gleichberechtigt neben den anderen akzeptieren zu sollen. Wegen solcher Unerträglichkeiten- aber auch aus weniger edlen Motiven, die hier unerörtert bleiben sollen- wird nach Wegen einer begründeten Überwindung des Kulturrelativismus gesucht."[10]

Derer werden vier genannt:

1. Überethnische Werte als Voraussetzung für kulturellen Pluralismus (Smolicz).

Nur dadurch könne eine multikulturelle Gesellschaft politisch stabil bleiben. An solchen Werten wird die Anerkennung kultureller Verschiedenheit, parlament. Demokratie, einheitliche Verkehrssprache, eine Wirtschaftsform (z.B. Marktwirtschaft) und die Freiheit des Individuums genannt.[11]

2. Weltweit anerkannte Menschenrechte (Nitschke).[12]

3. Ethischer Universalismus.

Der "erreichte Stand" an Humanität im europäischen Kulturkreis sei unhintergehbar. Ein hoher Freiheits- und Entfaltungsraum werde als Voraussetzung kultureller Vielfalt gesehen. Man gehe von einer stufenweisen "aufsteigenden Moralität" bei Einzelmenschen, Gesellschaftsformationen und Ethnien aus (Piaget und Kohlberg). Dieses Stufenschema der "Moralentwicklung" eigne sich auch zur Beurteilung der "Moralität" von Kulturen.[13]

4. Kommunikative Ethik (Ansätze von Apel und Habermas).

Zu inhaltlichen Ableitungen solle man nicht nur aus Aussagen konkreten von historischen Mentalitäten geprägten Gedankengutes kommen, sondern durch ein Verfahren vernünftiger Kommunikation, das die Argumente jedes Beteiligten sachlich zur Geltung bringe. Dieses Verfahren diene nicht nur, wie Kritiker meinen, für den akademischen Diskurs. Schließlich sei auch im Alltag, wo bisher fraglos gültiges Wissen die Aufgaben des Alltages nicht mehr hinreichend bewältigen hilft, ein Bemühen um Rechtfertigung und Umstrukturierung vernehmlich.[14]

Setzt man in Punkt 1, wohl auch in 2, einen durch die Pädagogen gesetzten Werte-Rahmen voraus, innerhalb dessen sich nur eine kulturelle Freiheit ausleben dürfte, geht man in Punkt 3 gar ethnozentrisch von *einer* Moral aus, welche über Wert und Unwert verschiedener Kulturen entscheidet, so übersieht man in dem "Diskurs"-Punkt 4 gänzlich die natürliche emotionale Komponente. Der Mensch kann so nur als Konsumroboter verstanden werden, da andere Ziele als gewisse Elementarbedürfnisse emotionaler Natur sind, auch wenn die Diskussion um deren Durchführung im Diskurs erfolgen kann. Schließlich nannte die AG6 ihre "Prinzipien interkultureller Erziehung für einen vernünftigen Umgang zwischen Minorität und Majorität untereinander":

1. Grundlegung von Toleranz, selbst wenn Teile einer anderen Kultur den eigenen Wertüberzeugungen widersprechen. Toleranzgrenzen liegen in den Basisbedingungen menschlichen Zusammenlebens in einem staatlich organisierten Sozialverband.[15]

2. Akzeptanz von Ethnizität, der Anerkennung kultureller Andersartigkeit, eingeschlossen ein reflektierter Umgang mit dem Fremdheitserlebnis durch "Auseinandersetzung" und "Infragestellen" des eigenen Kulturzentrismus.[16]

3. Ermunterung zur Solidarität, statt "verachtender Abgrenzung", auch "der Minoritätsangehörigen untereinander"(!). "Minderheitenschutz" kann folglich nur "mit tätiger Unterstützung durch Angehörige der Majorität erreicht werden".[17]

4.Einüben von Formen vernünftiger Konfliktregelung.[18] Allgemein wurde dabei erkannt, daß eine größere "Offenheit" der Bevölkerung gegenüber fremden Lebenswelten am ehesten im frühen Lebensalter zu erreichen sei. Dabei wurden drei Bevölkerungsgruppen unterteilt:

- Die "Überzeugten" bzw. "Engagierten", eine kleine Gruppe, welche "Angebote für interkulturelle Begegnungen" annehmen. "Sie muß nicht von der Notwendigkeit eines vernünftigen Umgangs über Lebensweltgrenzen hinweg überzeugt werden; ihre Mitglieder sind interessiert an Bereicherungen ihres eigenen Lebensstils durch Elemente aus anderen exotisch wirkenden Lebenswelten und an Formen eines vernünftigen Umgangs mit kulturbedingten Konflikten."[19] Also eine Gruppe, die sich aufgrund eines Gefühls eigener kultureller Verarmung vermeintliche Interessen bestimmter Minoritäten zu eigen macht, und die folglich auf jedem "multikulturellen" Gassenfest barfuß in orangener Pluderhose durch rythmisches Hüpfen meint, "Lambada" nachtanzen zu können.

- Die "Indifferenten", welche Distanz zu anderen Kulturen und anderen Lebenswelten innerhalb der eigenen Nationalkultur ausüben, ohne deshalb feindselig zu sein. Diese Gruppe bildet das potentielle Erziehungsobjekt linker Pädagogen. "Sie würde sich einer intensiven Ansprache nicht verschließen, mit der auf die Wichtigkeit des Anliegens hingewiesen würde...Um die erwachsenen Indifferenten für diese gesellschaftliche Aufgabe zu sensibilisieren und zu interessieren, sind vermutlich die Massenmedien der einzig wirksame Weg, die Heranwachsenden können über die Schule erreicht werden."[20]

- Die "Aversiven", "eine zwar kleine, aber nicht zu unterschätzende Gruppe" von mutmaßlich Unbelehrbaren, "die grundsätzlich fremdenfeindlich ist, auch gegenüber den anderen Lebenswelten (Beispiel: "Alternatives Wohnprojekt" Hafenstraße, Anm.d.Verf.)[21] innerhalb der eigenen Nationalkultur schroffe Grenzen aufrechterhält...Ihre Deutungsmuster werten alles Fremde, Andersartige sofort und ohne stichhaltige Begründung als minderwertig und bedrohlich ab."[22] Es wurde also das Bild von Menschen gezeichnet, die, aufgrund von Schwierigkeiten bei der Aufdrängung pädagogisch genehmer Denkmuster, weitgehend nicht in der Lage wären, ihre Deutungsmuster sachlich zu begründen. Es wurde deshalb zur Behandlung dieser Menschen erwogen, sie "in langandauernden Kommunikationssituationen in engen, verpflichteten (!) Zusammenhängen" mit der "Fragwürdigkeit ihrer Auffassungen" zu konfrontieren.[23]

Ziel "interkultureller" Kindes-Erziehung ist also, die Bedrohungsempfindung gegenüber Fremden durch "interkulturellen Unterricht" abzubauen, letztlich einen gleichberechtigten Umgang mit Ausländern zu erreichen.

Eine an der Idee der Nation orientierte Bildung wird als veraltet betrachtet und heftigst bekämpft, sei doch die Nationalstaatsbürgerschaft höchstens nur noch *eine* Bedingung menschlichen Lebens. Dabei glaubt man keineswegs an das Ende des Kulturmenschen. Kultur wird aber meist insoweit entpolitisiert, daß sie nunmehr als reine Privatsache gelten kann.

Mit einer Ablehnung von Nivellierungstendenzen durch eine Assimilationspolitik des traditionellen Staates, fördert man letztlich eine viel umspannendere Nivellierung. So versucht man hier, die "Balance" zwischen Segregation, die an die "Apartheid" erinnert, und einer "Germanisierung" zu halten.

Multikulturalität wird so als das Feld zwischen getrennter Entwicklung und völliger Integration gesehen! Von beidem wird soviel entnommen, daß sich eine Art "Schwebezustand" erzeugen läßt. Schlägt das Pendel in eine der beiden Richtungen stärker aus, wäre es vorbei mit dem interkulturellen Durcheinander.

Dies ist auch der Grund, weshalb manche "interkulturellen" Aufsätze für den gegnerischen Leser beinahe akzeptabel erscheinen. Er liest nur die Elemente, denen er zustimmt, ohne zu erkennen, daß sich diese, nicht konsequent durchgeführt, wirkungslos in ihr Gegenteil verkehren.

Die Bausteine des "interkulturellen" Systems werden so weitgehend aus den bereits bestehenden Mehrheitskulturen der Heimatländer, sowie des Gastlandes bezogen. Dieses System praktiziert keinen aufgesetzten Internationalismus, wie es in der Vergangenheit entwickelt wurde, sondern führt letztlich durch die eklektische Kombination der traditionellen Kulturen diese ad absurdum, bzw. beraubt diese langfristig ihrer kollektiven Bindungskraft.

Das beschriebene Bild der "interkulturellen" Schule trägt dabei offen utopische Züge, die wenig mit der Realität heutigen "multikulturellen" Schulalltages gemein haben: "Sie würde Projekte durchführen, die etwas mit der Verbesserung der Lebensqualität zu tun haben, sei es daß öde Klassenzimmer wohnlich eingerichtet werden, der Schulhof zum Spielplatz oder mit Eltern zusammen ein Hinterhof zum kleinen türkisch-deutschen Treffpunkt ausgestaltet wird."

Dabei wird das, vielleicht entscheidende, Grundelement der Multikulturalisten deutlich. Der eigenen Kultur ist man derart entfremdet, daß man ihr nicht mehr, ohne direkte Anleihen bei Fremden, die Kraft zutraut, sich alleine ein schönes Umfeld zu schaffen.

Hier böte sich der Gegenseite die Möglichkeit, diese Auffassung durch praktisches, bewußtes und repräsentatives "Leben" der eigenen Kultur zu widerlegen.

Hybrid - oder der schöne, kluge, erfolgreiche, vermarktete "Neue Mensch"

Die langfristige Folgerung aus dem "multikulturellen" Projekt wurde im August 1989 in einem Artikel der Szene-Zeitschrift "Wiener" anschaulich vorgestellt. "Cross Culture" wird das verherrlichte Modell genannt, und man kann seine Anziehungskraft auf weite Teile der kulturell interessierten Jugend gar nicht hoch genug einschätzen.

Der Aufsatz begann mit der Geschichte einer 26jährigen Marketing-Managerin eines deutschen Versicherungskonzerns, die von einer Dienstreise nach New York zurückkommt, und ihren Freunden erzählt, sie habe die Zukunft gesehen.

"Ihre Geschäftspartner, sagt Michaela, seien zwar noch immer 'the same old breed' (die alte Mischung) aus langweiligen Oberschichttypen...In der Kulturszene aber kämen jetzt die Cross Culture-Leute nach vorne. Michaela war total begeistert. 'Das sind Leute- halb schwarz, halb weiß, halb oriental- die einfach eine Bereicherung sind. Witzig, unterhaltsam, intelligent, kreativ, eine Wahnsinns-Mischung. Und dazu', grinst die blonde Michaela, 'sind sie wunderschön.'"[24]

Nun kann man über Geschmack streiten, hier jedoch geht es um mehr, d.h. einen "Geschmack", welcher erst durch die weltumspannenden Medien, zum geringeren Teil auch durch Szene-Zeitschriften wie "Wiener" oder "Tempo", gefördert wird:

"Michaelas Freunde bekommen ihre These derzeit am Fernsehschirm belegt. In den Video-Clips von MTV etwa zieht Cross Culture vor: Roland Gift von den Fine Young Cannibals, Nenech Sherry oder Prince sind Trendsetter aus der Cross Culture-Szene."[25]

Unter "Cross Culture People" werden also Menschen verstanden, deren Eltern aus verschiedenen Kulturkreisen, am besten aus verschiedenen Rassen, stammen. Neu sei diese "Durchrassung" nicht, sondern allenfalls, daß sie heute von der Umgebung positiv aufgenommen würde.

"Vor allem dank der weltweit meinungsmachenden Medien-, Musik- und Werbeindustrie. Wo Produkte global vermarktet werden, wo etwa Umwelt- oder Rüstungsprobleme nicht mehr Völker, sondern die ganze Menschheit bedrohen, wo trennende Ideologien oder Religionen allgemeingültigeren Denkmustern Platz machen, sind Cross Culture People die Boten einer Welt der Zukunft."[26]

Der findige Leser bemerkt, daß diese Thesen nur bei einer jugendlichen Schicht großstädtischer "Trendis" unkritisch angenommen werden können. Es bleiben viele Fragen offen, so man erkennen könnte, daß ein propagandistisches Bild erzeugt wird. Jede Ideologie besitzt ihren "idealen Menschen" den sie darstellt. Die Darstellung des "arischen Menschen" während der nationalsozialistischen Herrschaftszeit lief in ähnlichen Mustern ab. In der Wirklichkeit bezieht sich das Idealbild jedoch in der Regel auf eine elitäre Schicht ihrer Träger. So existieren zwar die erwähnten Pop-Idole, aber deshalb wird die Mehrheit der Rassenmischlinge natürlich keinesfalls automatisch schön, klug und Prince vergleichbar gestylt durch die Metropolen stolzieren. Ebensowenig entsprachen alle Hitlerjungen dem ästhetischen Idealbild der Wochenschauberichte, waren alle Mädchen vom Reichsarbeitsdienst so betörend schön, wie auf den Briefmarken der Großdeutschen Post. Der Glaube der Höherentwicklung des Menschen durch Rassereinheit ist dem durch Kulturvermischung, dem "Quirl", gewichen.

Die Ungereimtheiten dieses "Trendsettings" werden deutlicher, wenn man sich die vorgebrachten Behauptungen durchdenkt: "Durchrassung" sei nichts Neues, nur seine positive Aufnahme durch die mehr oder weniger "reinrassige" Umgebung. Die "Durchrassung" kann also in der Vergangenheit nur für einen kleinen Teil der Bevölkerung gegolten haben, der zudem noch negativ bewertet wurde, sonst wäre heute gar kein Material für die "Cross Culture" da. Doch was ist aus den angeblich "Durchrassten" geworden? Haben sich ihre übermenschlichen Fähigkeiten in der Vergangenheit bemerkbar gemacht? Und wie kann man, angesichts der offenkundigen Abneigungen weiter Bevölkerungskreise gegen dieses Modell, von dessen positiver Aufnahme sprechen?

Dies geschieht wohl aus dem elitären Anspruch heraus. "Umgebung" ist hier die "scene". Die gemeine Bevölkerung existiert, wenn überhaupt beachtet, allenfalls als belächelte Karikatur unter der, dem Zeittrend folgenden, Edelkultur.

Da diese Edelkultur durch die Medien globale Verbreitung findet, regt sich anscheinend nirgendwo die Spur eines Erschreckens, gänzlich zum Spielball weltweiter Konsumindustrien werden zu können.

Belustigend ist dann allerdings, wenn sich der Schreiber ans Philosophieren macht: "..wo trennende Ideologien oder Religionen allgemeingültigeren Denkmustern Platz machen". Als ob nicht fast alle Ideologien oder Religionen bislang (leider ?) einen globalen Anspruch gehabt hätten. "Allgemeingültig" meint hier wohl nur den geringen , inhaltslosen, "gemeinsamen Nenner" jener humanitaristischen Oberflächlichkeiten, wie er einem in langweiligen "rassenübergreifenden" Poptexten a lá "Why can't we live together?" etc. entgegenschallt.

"Ayin ist ein Cross Culture-Mädchen, der ihre bikulturelle Herkunft- ihr Vater ist ein orientalischer Gastronom, ihre Mutter ist eine deutsche Lehrerin- nur Vorteile bringt. Ayin ist Fotomodell und wohnt in Bremen. Sie wuchert gern mit der Aura ihres ethnischen Geheimnisses."[27]

Wo der "multikulturelle" Übermensch beschworen wird, in dem sich "die besten Erbanlagen Südwestasiens mit denen Mitteleuropas verbinden", darf das Gegenbild nicht fehlen. Die "bloß Deutschen" "vom Dorf", die

ZUKUNFTSWELT

Wiener 8/89

Cross Culture

Seit die Welt immer enger zusammenrückt, brechen uralte Denkmuster zusammen. Sind Schwarze kräftiger und Weiße schlauer? Und Asiaten geschickter? Wem gehört die Welt von morgen? Die Boten der multikulturellen Zukunftsgesellschaft sind schon da. Ein Essay von Roger Thiede.

Mit Cross Culture schafft sich die Zukunft ihre eigene Population. Das provinzielle Paarungsverhalten von gestern erzeugt allenfalls Menschen, die, aus der historischen Distanz betrachtet, bei ihrem Erscheinen schon Auslaufmodelle sind.

sich nicht "jeder stumpfen Einheitlichkeit" widersetzen: "In der multikulturellen Gesellschaft muß es nicht länger der Hans mit der Grete treiben."[28] Deutschtum wird an dieser Stelle mit dem "Zusammengehen der Wimbledon-Stars Steffi Graf und Boris Becker"[29] verbunden, somit auf die Ebene des noch Banaleren gebracht, um dann, und ein Zitat Spenglers benutzend, zu behaupten, daß es ja gar keine Völker gebe, da in der langen Menschheitsgeschichte ohnehin schon jeder mit jedem ein Nümmerchen geschoben habe. Dann war es also doch keine Minderheit von "Durchrassten" in der Vergangenheit?.

Autor Thiede versteht es geschickt, die Bedürfnisse der scene-Jugend anzusprechen: Er verspricht ein abwechslungsreiches Leben, eine Model-Karriere, Intelligenz, Schönheit, exotische BettgefährtInnen, das Gefühl, der "Rasse" der Zukunft anzugehören. Und damit es auch keiner vergisst, sucht Thiede sich schon jetzt seine Nachfolger: "..hat Ayin...ja als Medienarbeiterin die besten Möglichkeiten, culture crossing in unsere Köpfe zu bringen. Im Kopf fängt der Siegeszug von Cross Culture an, nicht etwa in einem anderen Körperteil. Der Mensch von morgen, die kommenden Eliten, haben die Gelegenheit zur kulturübergreifenden Familienbildung. Sie sind überall zu Hause. Innerhalb von Stunden durch moderne Verkehrssysteme, innerhalb von Sekunden durch moderne Kommunikation...".[30]

Im Zusammenhang der Verknüpfung "multikulturellen" Gedankengutes mit dem von Großkonzernen geförderten "lifestyle" erscheinen zwei Werbekampagnen erwähnenswert:

"Come together..." - Eine Werbeaktion des Reemtsma - Konzerns

Die Werbeaktion des Jahres 1990 für die Zigarettenmarke "Peter Stuyvesant" streift die "multikulturelle" Linie: Unter dem Slogan "Come together" (-and learn to live as friends) erschienen auf Plakaten und großformatigen Zeitschriftenanzeigen lachende Menschenpaare verschiedener Rassenzugehörigkeit. Die Zeitschrift "Wiener" berichtete in ihrer Augustausgabe des Jahres 1990 von dem damit verbundenen Großhappening: "Im Herbst werden fünf junge Deutsche als 'Botschafter'in ferne Länder reisen. Sie werden mit Beduinen und Indianern leben, in Peking und in Wolgograd. Sie verstehen sich als Eisbrecher: Sie wollen Vorurteile besiegen, Freundschaft bringen, Botschafter der Menschlichkeit sein".

Da es die "Jungen" erreicht hätten, die Blöcke aufzutauen, schmelzten jetzt die Grenzen weg, die Welt werde "kleiner". Aus diesem Grund wurden "30 junge Deutsche" aus der "Generation der Eisbrecher" zum Schulungszentrum "Grube Louise" gebracht, um die fünf deutschen "Botschafter" zu werden, welche auf Kosten des Reemtsma-Konzerns in die Welt reisen dürfen.

"Die 'Grube Louise'ist ein merkwürdig meditativer Ort auf einem Höhenzug südlich von Köln. Alles hier erinnert ein wenig an übriggebliebenen 68er und an baghwanbeseelte Späthippies. In dieser Bastion gegen das deutsch-deutsche Spießertum werden..Psycho-Trainigs für die Spitzen des bundesdeutschen Managements durchgeführt....Niemand weiß genau, was Kippen und 'Come Together' miteinander zu tun haben. Aber der Konzern beharrt darauf, daß es eine Verbindung gibt...225.000 Deutsche haben sich für eine Reise als Botschafter beworben, 40.000 haben sich einem peniblen Fragebogen unterzogen. Die 30 Kandidaten für die 'Grube Louise'hat ein verschärftes Computer-Programm ausgewählt...Wichtig waren nicht das Geschlecht, das Alter oder etwa die Rauchgewohnheiten. Gefragt waren soziale Offenheit, Sprachkenntnis und körperliche Fitness."[31]

Betrachtet man sich die Teilnehmer auf den Fotos genau, wird deutlicher, welches Publikum mit der Aktion angesprochen werden soll: Die "Normalität" der etwas gesetzten jüngeren Leute, mit dem Schwerpunkt der 25- bis 30-jährigen. Man wirkt nett, fröhlich, kleinbürgerlich "offen". Allerdings steht den Gesichtern eine Physiognomik aufgedrückt, die es nicht leicht macht, sich vorzustellen, daß betreffende Personen in kritischer Haltung zu dominierenden "Zeitgeist"-Ideen stehen könnten.

In dem Schulungszentrum wurden aus den letzten dreißig Personen die fünf Geeignetsten ausgewählt: "Es wird ein hartes Wochenende. Das 'Come Together'-Camp bedeutet Streß: Es gibt keine Uhren, es gibt weder Nacht noch Tag. Es gibt kaum Schlaf, keinen Alkohol und kein vernünftiges Essen. Dafür gibt es Hirsebrei, Wasser und Reisen in den Grenzbereich des eigenen Charakters am Rande des Nervenzusammenbruchs. Wer dieses Camp durchsteht, der steht alles durch."[32] (Das selbe behaupten die Ausbildungslager der "Nationalistischen Front" oder der "Wiking-Jugend" auch) Einen "Botschafter" "erwartet kein Luxusurlaub. Den erwarten fremde Menschen und fremde Sitten: ob in einem Beduinenzelt in Afrika oder auf einer Farm im australischen Busch."[33]

Doch es geht weniger um einen touristischen Einblick in eine andere Kultur, als vielmehr die modernen Transportmittel zur Transmission von diskursiven Weltverbrüderungsideen zu nutzen. "Das ist die Idee, die hinter der 'Come together'-Kampagne steckt: Menschen begegnen sich, Menschen reden miteinander, Menschen verstehen sich. Menschen kommen zusammen und lösen gemeinsam ihre Probleme."[34] Diese Erklärung des "Wiener" erscheint jedoch immer noch unzureichend. Denn um seine Probleme zu lösen, bedarf ein Beduine nicht der verständnisvollen Ohren eines ihm unbekannten, penetranten deutschen Studenten. Hier geht es in erster Linie darum, Hemmschwellen gegenüber Fremden "spielerisch" abzubauen: "Chinesen, sagt eine Referentin, transpirieren nicht unter der Achsel, sondern über die Kopfhaut. Wenn es schwül ist und du in Peking in einen überfüllten Bus steigst, dreht es dir die Zehennägel hoch. Da wird dir wirklich übel."[35]

Das ganze findet in einem süßlich-emanzipatorischen Milieu statt: "Später inszenieren die Veranstalter ein paar gruppendynamische Spiele, eine kleine Phantasiereise, eine Eso-Show mit Räucherstäbchen und Oberton-Musik. Es wirkt. Die Leute reden miteinander. Sie lachen, sie weinen, sie berühren sich....Hast du 'nen Freund? fragt Dirk. Nee, sagt Nicole. Schlimm? fragt Dirk. Nee, gut, sagt Nicole. Warum gut? fragt Dirk. Weil ich frei bin und nicht so fixiert, sagt Nicole. Ich auch, sagt Dirk, meine Freundin ist abgehauen, weil ich immer unterwegs war. Aber ich hab 'nen Hund. Den liebe ich....Manuela ist 29, Uni-Dozentin aus Meppen, Volkswirtschaft. Sie weint. Jemand hat mich ohne Begründung flippig und oberflächlich genannt, sagt sie, das ist Scheiße, das trifft mich. Reiner nimmt Manuela in den Arm. Na und, sagt er, ich mag dich trotzdem."[36] Bei den vorhergehenden Zeilen handelt es sich um ein Originalzitat aus dem "Wiener"-Bericht, nicht um eine Satire des Autors!

Die Eisbrecher gehen in eine neue Zukunft. Sie tun es mit 'Come together'- aber sie können es auch allein. Das Eis bricht. Jetzt machen sie sich auf den Weg. Jetzt oder nie."[37] Die Aktion streift den Komplex "multikulturelle" Gesellschaft nur am Rande, doch fördert sie ein kosmopolitisches

Bewußtsein, beziehungsweise aktiviert dessen jugendliches Potential, das dann später im "multikulturellen" Sinne übertragen werden kann.[39]

"United Colors of Benetton"

Die zweite Werbeplakataktion geht, wenngleich netter gestaltet, in eine ähnliche Richtung. "Zwei Männerhände in Großaufnahme, die eine schwarz, die andere weiß. Mit Handschellen aneinandergekettet. Der nackte Oberkörper einer schwarzen Frau, die ein weißes Baby an ihrer Brust stillt, Kontraste, die im Konsum vereinen sollen: United Colors of Benetton....Eine internationale Kampagne, die Miteinander thematisieren, Zärtlichkeit, Zutrauen, Verständnis und Freundschaft zum Ausdruck bringen will...Seit sieben Jahren wirbt Benetton mit Bildern von Gleichheit und Brüderlichkeit. Farbig die Menschen, farbig die Mode. Man reicht einander die Hände, hat Spaß."[39] Auch hier begegnet einem jene infantile Verbindung von Kommerz und Kosmopolitismus. Kindern gleich wird argumentiert - verschiedene Rassen werden inhaltlich reduziert zu verschiedenen "Farben", die man mag, weil sie so schön bunt sind. Lebensziel scheint allein "Spaß"; und "Spaß" meint hier allein sozialen Kontakt und Konsumieren. Darüber hinaus gehen auch Kinder nicht, sie wollen mit anderen Kindern spielen und Dinge gekauft bekommen. Und sie beurteilen weltpolitische Entscheidungen aus Erfahrungen des kleinen privaten Umkreises. "Zärtlichkeit" und "Freundschaft" zwischen verschiedenen Rassen, bestehend aus Milliarden von Menschen, werden in dieser beschränkten kindlichen Vorstellungswelt zur realen Möglichkeit.

"Unter dem Motto 'Benetton- All Colors in the World'hat Oliviero Toscani immer wieder neue, kunterbunte Szenarien ins Bild gesetzt. Luciano Benetton, Initiator und Kopf des internationalen Klamottenimperiums, hatte Toscanis Fotos in der italienischen Vogue gesehen. In ihnen schien seine gesamte Firmenideologie verwirklicht...Benetton sei nämlich 'das erste Unternehmen, das wirklich weltweit Lifestyle vermarktet'. Von einer 'Philosophie'ist da die Rede, die für die 'Harmonie zwischen den Rassen und Weltfrieden'plädiere."[40]

Die in Handels- und Werbekreisen kursierende Humanitätsideologie wird noch genauer erläutert: "'Wir sind stark interessiert am Frieden und einer gewissen Universalität. Unsere Kleidung findet Anklang in den verschiedensten Ländern der Welt, und Menschen, die dasselbe Produkt konsumieren, haben einen Weg mehr, sich zu verständigen.' Toscani macht mit seinen Bildern glauben, der Traum von der Völkerfamilie könne Gestalt annehmen." Hier wird nochmals die Verquickung von wirtschaftlichem Kalkül internationaler Konzerne mit naivem Humanitarismus deutlich. Natürlich brauchen Konzernchefs auch deshalb den Frieden, damit das universale Konsumieren nicht gestört wird. Der Mensch kann so aber auch zu einem befriedeten Käufer degenerieren, dem jede historische Prägung, jedes tiefere ideelle Ziel beschnitten wird.

"Aber so einfach funktioniert es nicht. Die Engländer kritisieren die Aufnahme eines weißen Mädchens in Schwesterntracht, das einem schwarzen Kind das Lesen beibringt. In den USA wollte man ein als Indianer verkleidetes Kind nicht, aus Angst, eine indianische Minderheit zu verletzen.

Weder in Italien noch in Frankreich konnte die Anzeige gestartet werden, die einen orthodoxen Juden in Umarmung mit einem Araber zeigt, eine Weltkarte in der Hand, aus der augenscheinlich Banknoten hervorquellen. Die Empörung ging so weit, daß man in Frankreich Fensterscheiben von Benetton-Läden einschlug und mit Tränengasbomben warf. Die Vorfälle in Paris wurden damit erklärt, sie seien Ausdruck der Wut über den Rassismus in Toscanis Bildern. Der Vandalismus in Südfrankreich dagegen, so die Firmensprecher, sei das Werk fanatischer Rechtsextremisten gewesen, die eine solch massive Ansammlung schwarzer Haut neben weißer in den Auslagen der Läden nicht ertragen könnten."[41]

Einer antirassistischen Kampagne wurde nun also teilweise "Rassismus" unterstellt. Und obwohl man eigentlich gar kein politisches Konzept verfolgen wollte (das erklärt auch den versöhnlichen Charakter zahlreicher Kinderfotos, dem auch ein Gegner "multikultureller" Gesellschaft eine gewisse rührige Schönheit nicht absprechen müßte) wurde man von der Politik eingeholt.

"'Mit einer Vermischung der Kulturen, wie wir sie bereits jetzt erleben, geht eine immer härtere Konfrontation einher', erklärt die Soziologin Laura Balbo von Italia Razzista, einer Gruppe von Wissenschaftlern zur Erforschung von Rassismus und Intoleranz in Italien.'Rassistische Reaktionen werden unvermeidlich sein- für eine lange Zeit.'"[42]

Was für Amerika, England oder Italien gelte, scheine in Deutschland unproblematisch: "Es sind Aufnahmen, die zuallererst ins Herz gehen; da denkt man doch erst mal gar nicht."[43]

Dennoch, auch da gibt es Kritik: "Eine junge Frau redet sich in Rage...: 'Die Schwarzen sind halt gerade modern, und deshalb werden sie jetzt total vermarktet.'Klar sähen die Bilder toll aus, ließen in Sachen Ästhetik nichts zu wünschen übrig. Die Idee sei ja auch ganz gut, die Vorstellung, daß es so was geben könne. Aber: 'Das mit der multikulturellen Verbrüderung wäre ja alles super, aber ist halt nun mal nicht machbar. Man muß sich doch nur mal anschauen, was mit den ganzen schwarzen Babys passiert, die jetzt von den Weißen adoptiert werden. Solange die im Kinderwagen sitzen oder in einem Alter sind, wo sie drollig aussehen, würde sie jeder noch am liebsten einpacken und mit nach Hause nehmen, weil er auch so was Niedliches zum Rausputzen und Herzeigen haben will. Aber wenn sie mal älter sind, oder vielleicht sogar einen Weißen heiraten, dann sollte man die mal fragen! Es sieht alles so einfach aus auf Bildern, aber die Leute müssen nun mal akzeptieren: Weiß und Schwarz passen einfach nicht zueinander!'"

Doch aufgrund von einigen Protesten will Benetton die Werbekampagne niemals stoppen: "'Unsere Bilder müssen die Leute schockieren, sonst erinnern sie sich nicht dran.'

Und wie werden die Deutschen, diese Hundefreunde, auf die jüngste Kampagne reagieren, die einen weißen Terrier mit einer schwarzen Katze so allerlei treiben läßt...".[44]

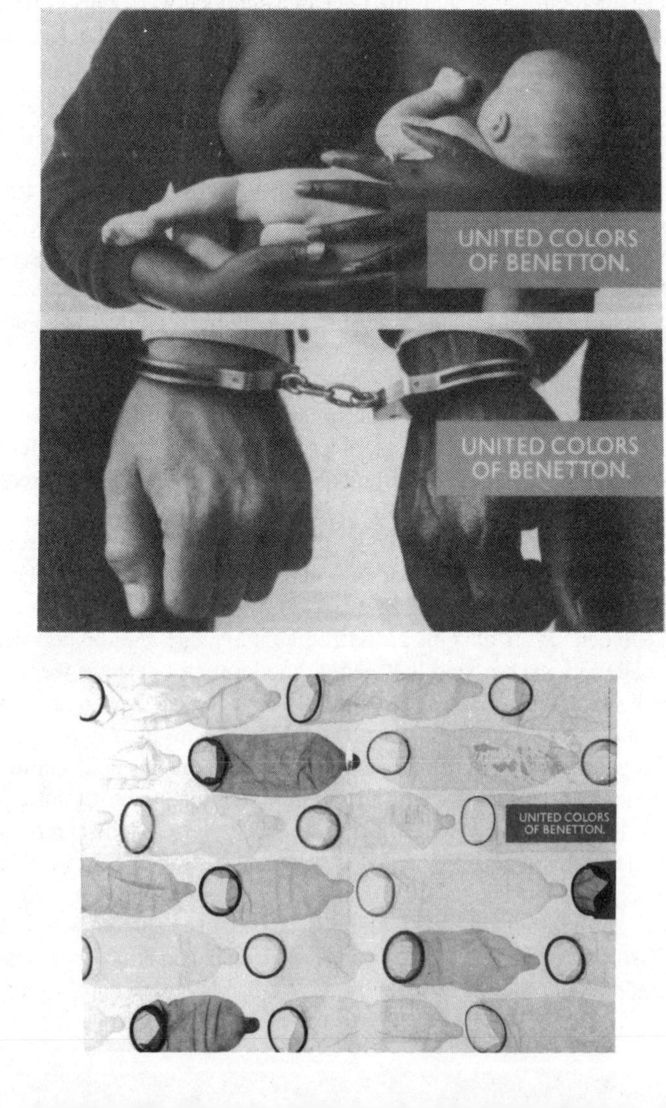

Die ganze Weltgeschichte als Einwanderungsstory

Ein Phänomen ist der Versuch einer historischen Legitimation von Masseneinwanderung und "Multikultureller Gesellschaft". Dies wird dann nicht als Ergebnis der Moderne mit ihrem verstärkten Kommunikations- und Infrastrukturnetz behandelt, sondern als geschichtlicher Normalfall dargestellt. Um zu "legitimieren", weshalb beispielsweise jeder vierte Pflichtschüler in Wien ein Ausländer ist[45] oder weshalb es für das "aussterbende" Wien eine "einzigartige Chance" darstelle, wenn drei Millionen Osteuropäer sich "einen neuen Lebensraum suchen" würden und sich in Richtung Westen auf den Weg machten, druckt man Serien über den "multikulturellen" Charakter der Stadt in "der guten, alten Zeit". Mit "Jeder fünfte Wiener war ein Böhm'"[46] oder "Was wäre Wien ohne seine Juden?[47] beschreibt man das Bild einer idyllischen "multikulturellen" Vergangenheit, welche erst durch den aggressiven Nationalismus zerstört worden wäre, und an welche es nun anzuknüpfen gälte. Am beliebtesten scheint die Legitimation aus der Völkerwanderungszeit: "In den Regionen des heutigen Österreichs ist man dabei seit Jahrhunderten stets mit Einwandererströmen ganz anderen Ausmaßes als jenen der unmittelbaren Gegenwart konfrontiert gewesen. Ja mehr: Österreich ist schlechthin immer Europas wichtigster Schmelztiegel gewesen. Dieses Argument kann man nun in Bezug auf jedes Land hören, gleich ob Deutschland, Frankreich, Rußland etc. In diesem Punkt entwickeln "Multikulturalisten" erstaunliche nationale Ergeize, denn jeder scheint gerade in dem Land wohnen zu wollen, das schon immer am allermeisten "multikulturell" war und heute ist. Man kommt zu der Erkenntnis, daß die ganze Welt seit ewigen Zeiten eine einzige "multikulturelle" Super-Orgie gewesen sein muß. Bloß kann das nur bedingt erklären, weshalb es so etwas wie Völker offensichtlich noch immer gibt. Nie konnte dabei klar zwischen Einwanderern aus politischen und solchen aus wirtschaftlichen Motiven unterschieden werden. Offenbar geht seit grauer Vorzeit vom Donauraum eine gewisse Faszination aus. Nur literarische Zeugnisse beweisen dabei den Drang von den Völkerwanderungsstämmen Awaren, Magyaren, Slawen und Türken nach dem fruchtbaren und mit Handelsstraßen durchzogenen Ostalpen- und Donauraum. Nur noch Oberitalien und Flandern haben in der europäischen Geschichte ähnliche Faszination ausgeübt."[48] Historische Völkerverschiebungen von Jahrhunderten evolutionärer Entwicklung werden so in einigen Zeilen im Zeitraffer dargestellt und zusammengemischt, um die "Normalität" der modernen Völkerwanderung beweisen zu wollen.

Türken gegen Langeweile - Ausländer als "kulturelle Bereicherung"

Immer wieder ist das Argument von der "kulturellen Bereicherung" durch einströmende Ausländermassen zu hören. Sie ist, neben humanitären

Gefühlen, wohl der eigentliche Beweggrund für die Propagierung einer "Multikulturellen Gesellschaft", also einer Verhinderung sinnvoller Assimilation. Die "Multikulturalisten" sind der eigenen Kultur in solcher Weise entfremdet, daß sie in dieser nurmehr Öde erkennen. Folglich hoffen sie, durch Anleihen bei fremden Völkern "Farbe" in ihre trostlose Lebenssicht zu bringen. Unter der Fettdruck-Parole "Ausländer rein!" stellte der "Wiener" im April 1988 einige Neu-Österreicher, alle fremdstämmiger Herkunft, in flippigen Fotographien vor. Die Mustermenschpalette reichte von der italienischen Blues-Sängerin, dem chinesischen Tischtennis-Nationalspieler bis zum russischen Ballettstar. Im Vorwort war hierzu zu lesen: "Herr Karl meint, es gibt zu viele Fremde auf der Welt. Doch der WIENER sagt an: ohne unsere Ausländer ist Österreich weltfremd. Denn die Neo-Österreicher sorgen für Internationalität in der Waldheimat. Und sind oft die besten Österreicher."

Gegen Ende des Artikels erwähnte man sogar noch eine Theorie über diejenigen Österreicher, welche sich den Ansichten Herrn Karls dennoch zugeneigt fühlen: "...wir brauchen die Ausländer. Auch weil eine internationale Genebene für das Zusammenleben förderlich sei, wie der Sexforscher und Auslandsösterreicher Ernest Bornemann erklärt: 'In meiner Tätigkeit als Sexualberater ist mir aufgefallen, daß Menschen mit schwacher geschlechtlicher Identität und geringem sexuellen Selbstvertrauen zu Ängsten gegenüber allem Ungewohnten neigen. Wer dem Sexualpartner vertraut, vertraut dem Mitmenschen. Vermutlich sind die Xenophoben Gefühlskrüppel, die ihre Lebensangst nur dadurch kompensieren können, daß sie sich einbilden, andere Menschen seien noch weniger wert als sie selber. Regressive Maßnahmen gegen Minderheiten enthüllen sich nicht selten als verzweifelte Reaktion auf die Existenz von Andersartigen, denen man größere Potenz zuschreibt.'"[49] Zwei Gründe bieten sich als Erklärung für den Abdruck derartiger Abstrusitäten an: 1. "Sex and crime" steigern die Verkaufszahlen. 2. Sexuelle Anspielungen setzen den politischen Gegner immer in lächerliches Licht, ob der Behauptung, das dessen Überzeugung wahrlich nur Ausgleich für bestimmte Unterleibsverklemmungen sei.

Wiener 4/88

Ein anderes Beispiel für die Rolle ausländischer Einwanderer als "Kultur-Bereicherer" aus der "Wochenpresse" vom 16.3.1990: "In der Tat bietet die einstige Vielvölkermetropole Wien heute ein eher eintöniges Bild. Mit 10,6 Prozent ist der Anteil an Ausländern zwar deutlch höher als im übrigen Österreich (nur in Vorarlberg sind es mehr), liegt aber weit unter dem für europäische Weltstädte typischen Niveau. In Frankfurt leben etwa 22 Prozent Ausländer..., in London, Paris und Madrid ist der Anteil noch höher." Je größer der prozentuale Ausländeranteil, desto höher das herbeigesehnte "Weltstadtflair", schließt man aus dieser Aufzählung.

Ausländer als wirtschaftliche Notwendigkeit

Schon in diesem Artikel wurde darauf hingewiesen, daß der Ausländerzuwachs ungeahnte wirtschaftliche Vorteile biete, denn "Einwanderer bringen neue Produkte, neue Nachfragen und neue Gewohnheiten". In der selben Zeitschriftenausgabe forderte Clemens August Andreae einen "Markt für Flüchtlinge", in dem zur wirtschaftlichen Entwicklung Arbeitszertifikate, also Einladungen, an potentielle Einwanderer im Ausland verteilt werden sollten: "Die Amerikaner verdanken einen großen Teil ihres Reichtums dem Erfindergeist, dem Arbeitseifer und der Initiative von Flüchtlingen, die sie im Laufe ihrer Geschichte aufgenommen haben. Die 'fremdrassigen Elemente', die Hitler ihnen zuletzt zutrieb, konstruierten jene Atombombe, mit der sie Hitler endgültig schlugen (?, Anm.d.V.)...Es werden soviele Zertifikate ausgegeben, wie die Regierung jährlich an fremden Arbeitswilligen ins Land lassen will...Es steht der Regierung jederzeit frei, Zertifikate zu erwerben und sie Flüchtlingen zu schenken. Das gleiche können karitative Organisationen tun. Aber auch jeder einzelne kann auf diese Weise seine Humanität demonstrieren: Statt eine Spende abzuliefern, von der er nicht weiß, wo sie versiegt, kann er ein Zertifikat erwerben und einem Flüchtling damit ein Weihnachtsgeschenk bereiten."[50] Interessant scheinen in diesem Zusammenhang Untersuchungen über die unterschiedlichen Zuwandereranteile unter Annahme verschiedener wirtschaftlicher und politischer Osteuropa-Entwicklungen in der Zukunft.[51] Auch in seriösen Publikationen finden solche Wirtschaftlichkeitsüberlegungen Eingang. In der Beilage zur Wochenzeitung "Das Parlament" "Aus Politik und Zeitgeschichte" vom 10.6.1988 wurde sich mit solchen Thesen befasst. Dietrich Thränhardt forderte die Akzeptierung der Bundesrepublik als "Einwanderungsland", um die Xenophobie abzubauen, Wolfgang Däubler wandte sich gegen den "Ausländer als Untertan" und Regine Erichsen betonte die wichtige wirtschaftliche Bedeutung der 4,5 Millionen Ausländer als Konsumenten, Sparer, Renten- und Steuerzahler. Ausländer der zweiten und dritten Generation könnten so in den kommenden Jahrzehnten wesentlich dazu beitragen, den zu erwartenden Bedarf an qualifizierten Arbeitskräften zu decken.

Mit Gott "gegen Nationalismus und Rassismus"

Gerade in den Kirchen erstarkt in letzter Zeit, aufgrund des egalitaristischen christlichen Weltbildes, das "multikulturelle" Engagement.

Dr. phil. Jürgen Micksch, 1941 geboren, war bis 1984 Oberkirchenrat beim Kirchenamt der EKD in Frankfurt/Main für Ausländerfragen. Seitdem ist er stellvertr. Direktor der Evangelischen Akademie Tutzing. Außerdem ist er Mitglied der Rassismus-Arbeitsgruppe des Ausschusses der Kirchen für Ausländerfragen in Europa (Brüssel) und Vorsitzender des Ökumenischen Vorbereitungsausschusses zur Woche der ausländischen Mitbürger und der bundesweiten Arbeitsgruppe PRO ASYL.

Seit 1989 darf er sich stolzer Autor einer "multikulturellen" Propagandaschrift nennen, welche als Beispiel für "Antirassismus" aus christlicher Wurzel dienen kann.[52]

Grundsätzlich geht es ihm dabei um den Aufbau einer neuen Haltung zur Überwindung "nationalistischer und rassistischer Vorurteile", welche allerdings auch nicht durch "Aufklärung" abgebaut werden könnten. Aufgebaut wird dabei auf die Geschichte ökumenischer Beschäftigung mit dem Thema "Rassismus".[53] Als entscheidenden Durchbruch wertet er die 1968 erfolgte 4.Vollversammlung des Ökumenischen Rates der Kirchen in Uppsala, welche den "mutigen" Entschluß zu einem "Antirassismusprogramm" gefaßt und sich somit die "Position der Entrechteten zu eigen gemacht" hätte.[54]

Den Ausgangspunkt stellt hierbei das antivölkische, christliche Menschenbild dar: "Die christliche Anthropologie geht vom biblischen Menschenbild aus, nach dem die ersten Menschen nicht Angehörige eines bestimmten Volkes sind. Adam und Eva sind die Stammeltern der ganzen Menschheit und nur insofern auch diejenigen Israels. Dies ist auffällig, denn in vielen anderen Schöpfungsmythen sind es die Ahnen des eigenen Volkes, die als erste Menschen erschaffen werden[55]...Von diesem Menschenverständnis her wird in den biblischen Schriften gegen eine Diskriminierung und Ungleichbehandlung argumentiert. Die Befürwortung einer Ungleichbehandlung von Menschen wegen ihrer unterschiedlichen 'Rasse' muß nach der christlichen Tradition als Sünde bezeichnet werden. Im Gehorsam gegenüber dieser Botschaft haben sich immer wieder einzelne Christen und ganze Kirchen für Menschen anderer Herkunft und ihre Rechte eingesetzt.[56]"

Das neue Testament habe hierzu nur eine Weiterentwicklung dargestellt, sei doch das Christentum in einer "kulturell...gemischt(en)" Umwelt entstanden.[57]

Der Bogen wird nach diesem Ausflug in das biblische Palästina zur Situation in der Bundesrepublik Deutschland gespannt. Micksch verweist auf Artikel 3, Absatz 3 des Grundgesetzes, den er antinational und "multikulturell" auslegt, welcher ursprünglich für die jüdische Minderheit und Vertriebene, ab 1955 für die südeuropäische, später die außereuropäische Einwanderung Geltung gehabt hätte.[58]

Doch das Zusammenleben sei erst partiell verwirklicht, auch weil Einheimische und Einwanderer dazu nicht bereit wären. Monokulturelles Denken herrsche noch vor, was isoliere und Konflikte fördere, die man dialogisch lösen müßte.

Allerdings vollziehe sich in der BRD eine langsame Veränderung: "Inzwischen wird nämlich immer deutlicher, daß durch die Einwanderer neue kulturelle Impulse hierher gekommen sind. Damit sind nicht nur die italienische Pizza, der griechische Bauernsalat, der türkische Kebab, die spanische Paella oder die chinesische Frühlingsrolle gemeint, die auch viele deutsche Haushalte erobert haben. Neben der italienischen setzt sich auch die griechische Musik durch. Deutsche Frauen üben Bauchtanz. Türkische Dichtung wird in die deutsche Sprache übertragen, und türkische und arabische Erzähler erreichen in deutschsprachigen Veröffentlichungen große Auflagen...In Gottesdiensten werden biblische Texte in verschiedenen Sprachen gelesen, und Liedgut und liturgische Formen aus verschiedenen kulturellen Hintergründen wirken erfrischend. Solche kulturellen Impulse haben das gegenseitige Verständnis gefördert. In diesem Sinne heißt es in der Stellungnahme der Päpstlichen Kommission Justitia et Pax 'Die Kirche und der Rassismus' vom Februar 1989: Es geht darum, 'zu einer positiven Einschätzung der komplementären Vielfalt der Völker zu erziehen. Ein wohlverstandener Pluralismus löst das Problem des geschlossenen Rassismus'".[59]

Auch die europäische Integration erlaube dem homogenen Nationalstaat keine Zukunft. "Was ist zu tun?" lautet die theologische Frage. Die Antwort ist ein Katalog von Geboten:[60]

- Du sollst zuerst den Rassismus in Dir selbst bekämpfen.

- Du sollst alle Menschen gleich behandeln. Dies aus Interesse für die Demokratie, da sonst der Nationalismus droht. (Haben Demokratie und Nationalismus in der Geschichte immer Gegensätze dargestellt?)

- Du sollst erkennen, daß das Zusammenleben mit Fremden nicht zur Überfremdung führt. Durch mehr "Offenheit" gegen den "Sündenbock-Komplex".

- Du sollst Bündnisse der großen gesellschaftlichen Gruppen unterstützen, die gemeinsam "gegen Nationalismus und Rassismus" aufrufen.

- Du sollst Politik für soziale Gerechtigkeit betreiben, um "rechtsextremen" Trittbrettfahrern in Krisenzeiten den begehrten Sitzplatz wegzuschnappen.

Schon "die parlamentarische Versammlung des Europarates hat so festgestellt (Empfehlung 968 vom 27.September 1983), daß die Bildung von 'multikulturellen Gesellschaften innerhalb Europas aufgrund des fundamentalen Rechts der Bewegungsfreiheit ein nicht mehr umkehrbarer und sogar anstrebbarer Tatbestand ist im Sinne der Förderung des europäischen Ideals und Europas weltweiter Mission'."[61]

- Du sollst abschwören dem Patriotismus. "Es gehört zur *geistigen Hygiene* in Europa, sich mit der Ideologie einer angeblich 'homogenen' deutschen Nation kritisch auseinanderzusetzen."[62] (Interessant ist in diesem Zusammenhang, daß ein Kirchenmann auf das Vokabular aus dem "Wörterbuch des Unmenschen" zurückgreift.)

- Du sollst die juristische Gewalt für ideologische Ziele gebrauchen, denn "das Recht spielt ...eine bedeutende Rolle im Kampf gegen Nationalismus und Rassismus".

Verwiesen wird hier auf das internationale Übereinkommen vom 29.12.1965 zur Überwindung jeder Form von Rassendiskriminierung[63] und auf einklagbare "Antidiskriminierungsrechte" in Großbritannien. "Angesichts des Antisemitismus in der Bundesrepublik, den Problemen von deutschen Sinti, Roma und Schwarzen sowie Ausländern sind hier neue Initiativen erforderlich. Solange sich der Gesetzgeber zurückhält, sollten unabhängige Organisationen wie Kirchen, Gewerkschaften und Menschenrechtsinitiativen überlegen, ob sie gemeinsam eine Meldestelle für rassistische Ausschreitungen einrichten können."[64]

- Du sollst die Polizisten, die unter Druck rassistischer Teile der Bevölkerung stehen schulen. Dieses durch Zusammenführung mit andersethnischen Kollegen, Trainigskurse, spezielle Polizeieinheiten für ethnische Konflikte etc.

- Du sollst journalistische "Antipreise" für "nationalistische und rassistische" Arbeiten vergeben, orientieren sich doch die Medien, trotz einer wachsenden Zahl kritischer Journalisten, an verkaufssteigernden "rassistischen und sexistischen" Schlagzeilen.

- Du sollst "Interkulturelle Bildung" betreiben, gibt es "rassistische Vorurteile" doch schon im Kindergarten: "Bevor ein deutsches Kind einen Schwarzen zu Gesicht bekommt, hat es bestimmt schon einen gegessen: als Negerkuß oder Mohrenkopf. Wer kennt nicht das Lied von den 'zehn kleinen Negerlein'? Wer ist nicht im Spiel als Kind vor dem 'schwarzen Mann' davongerannt?"[65]

- Du sollst immer wieder christliche Orientierungen predigen ,und das multireligiöse Zusammenleben durch Übernahmen fremder Liturgien fördern.

- Du sollst kulturelle Vielfalt erlebbar machen, durch interkulturelle Veranstaltungen, z.B. am "internationalen Tag zur Beseitigung der Rassendiskriminierung"[66], Tourismus und Ausländer in einheimischen Sportmannschaften.

Unterstützt wird Mickschs Agitation durch trotzig untertitelte Propagandafotos, welche entweder lachende Ausländerkinder oder hausbackene

Jugendliche im Gespräch zeigen. Dabei wirken manche Fotos fast gestellt in ihrer Fadheit und monotonen Zwanghaftigkeit, auch möglichst alle Rassen auf einem Bild vereinigen zu können.

Bsp. 1:[67] Eine Gruppe aus häßlichen, Tracht tragender, weißer Mädchen und Jungen im Mormonen-Styling unterhält sich mit zwei Asiatinnen. Zwischen beiden Gruppen, praktisch als blickfangender Bildmittelpunkt, hat man ein ungelenk stehendes Negermädchen postiert. Wuchtiger Untertitel: ”Auch wenn es manche nicht wahrhaben wollen: Multikulturelles Zusammenleben ist eine Realität.”

Bsp. 2:[68] Eine Gruppe grinsender, halbwüchsiger Araber befindet sich hinter einer Blondine im feschen Jeans-Look der 70er-Jahre, welche ihr “multikulturelles” Bewußtsein im Schlagzeugspielen auszudrücken versucht. Nichtssagender Untertitel: “Musik überwindet nationale Vorurteile”.

Jürgen Micksch will, mit der Bibel in der Hand, den “Rassismus” bekämpfen. Die Gefahr ist nur, daß man schnell selbst zum “Rassisten” gemacht werden kann:

“Mit fünf Kollegen vom Ökumenischen Rat der Kirchen waren wir in Friesland segeln gegangen. Einer meiner schwarzen Kollegen ging in Heeg an Land. Einige kleine Jungen riefen ihm in aller Harmlosigkeit nach:’Ein Schwarzer, ein Schwarzer!’ Ich wies sie zurecht...Dann entschuldigte ich mich bei meinem schwarzen Freund. Er aber betrachtete mich mit Mitleid. ‘Rassist!’, sagte er. ‘???’’Ja natürlich bist du ein Rassist. Nun bin ich mit euch segeln gegangen, und du hast mich wie einen Weißen behandelt. Dann kommen kleine Jungen in einem friesischen Dorf und erkennen mich als das, was ich bin: ein schwarzer Mann. Aber ihr liberalen Weißen könnt das nicht zulassen. Jedermann sollte weiß sein wie ihr selbst. Sonst zählt er nicht.’”

Die Kirchen haben viele Metamorphosen in ihrer Entwicklungsgeschichte durchgemacht. Sie haben sich mit dem Königtum und mittelalterlichen Kaisertum verbunden, haben Waffen gesegnet, wenn Kriegseuphorie ausbrach, und diese ebenso verdammt, wenn der Pazifismus die Oberhand behielt, haben dem “Führer” gehuldigt, und ihn verdammt, sich mit den Kommunisten arrangiert und gegen sie revoltiert. Weshalb sollten sie also nicht auch die “multikulturelle” Gesellschaft unterstützen, wo es doch so leicht fällt, dabei Rückgriffe auf das ur-christliche Menschenbild machen zu können? Man schwenkt das Fähnlein nach dem Wind, um das Abwandern der “Schafe” bremsen zu können. Auf der anderen Seite versucht man dann das fehlende Geld mit dem weinerlichen Hinweis auf die Abnahme der deutschen Bevölkerung durch Spenden von dieser herbeizuschaffen.[69]

Jürgen Micksch kann so, trotz totgeschwiegener Gegenstimmen[70], für sich beanspruchen, eine im Klerus mehrheitsfähige Strategie entworfen zu haben.

Ohne Gott gegen "Rassismus" - S.O.S. Rassismus...

...dafür mit Udo Lindenberg, welcher das Vorwort des Buches "S.O.S. Rassismus" verfaßt hat.[71]

Dieses in einer Sprache, welche im altrockigen Opa-Hascher-Milieu seiner Fans verstanden wird: "Der immer unerträglicher werdende Rassenhaß, der Rassismus, die Ausländerfeindlichkeit...-dagegen müssen wir angehen! Gerade in diesem Land, mit dieser braunen Vergangenheit, müssen wir zeigen, daß endlich Schluß gemacht werden muß mit dem ganzen Mist!"[72] Er schloß seinen insgesamt 20-zeiligen Grundtext: "Die Begegnung verschiedener Kulturen, daß ist wirklich eine tolle Sache. Darum unterstütze ich auch die Aktion 'Mach meinen Kumpel nicht an!', das ist eine Initiative vom Deutschen Gewerkschaftsbund für mehr Gemeinsamkeit mit unseren ausländischen Freunden, erst recht in diesen harten Zeiten zunehmender Arbeitslosigkeit."[73]

Ilse Brusis, Mitglied im geschäftsführenden Bundesvorstand des DGB, erklärte in ihrem Aufsatz "Stärker gegen Ausländerfeindlichkeit Position beziehen", wie "ran", die politische Jugendzeitung des DGB, sich von Idee und Aktionsformen der französischen Organisation "S.O.S. racisme" inspirieren lies: "Ausländerfeindlichkeit zerstört aber auch wie ein Gift unsere Demokratie....sei doch daran erinnert, daß der Anti-Semitismus ein durchaus fruchtbarer Boden für die Nazidiktatur gewesen ist. Selbst wenn offen ausländerfeindlich agierende Parteien wie die NPD nur geringen Zulauf haben, so muß dies nicht von Dauer sein....Diese (Ausländerfeindlichkeit, Anm.d.V.) ist ja nicht nur Ausdruck von Verunsicherung, sondern auch von Dummheit, Intoleranz, Überlegenheitswahn- allemal Nährboden autoritärer Herrschaftsformen...Die Politik der derzeitigen Bundesregierung hat bisher wenig dazu beigetragen, Ausländerfeindlichkeit wirksam zu bekämpfen: Im Gegenteil- Maßnahmen zur Verminderung des Ausländeranteils wie das Rückkehrförderungsgesetz...schüren nicht nur Konflikte, sondern helfen indirekt denen, die in den ausländischen Mitbürgern die Ursache aller Übel sehen."[74]

Es wird also behauptet, daß "Ausländerfeindlichkeit" und Demokratie unvereinbare Kategorien seien. Um die Demokratie zu erhalten - und Frau Brusis ist sich hier bewußt, daß die demokratische Staatsform von der übergroßen Bevölkerungsmehrheit bevorzugt wird - sei es, so darf man schlußfolgern, unbedingt notwendig, gewisse "multikulturelle" Vorgaben des DGB-Vorstandes zu bejahen. Die Aktion "Mach meinen Kumpel nicht an" war insofern ein gewerkschaftlicher Flop, als überdurchschnittlich viele Genossen den DGB daraufhin verließen. Das dürfte dann als Indiz dafür dienen, daß der DGB lange Jahre mit "Antidemokraten" gefüllt gewesen wäre. Noch schlimmer: Wer "multikulturelles" Gedankengut nicht annehme, sei gleichzeitig verunsichert, dumm, intolerant und von Überlegenheitswahn durchtrieben. Daß der politische Gegner schlichtweg eine andere Auffassung des Geschehens haben könnte, liegt fern gewerkschaftlicher Vorurteile. Gekrönt wird der Aufsatz schließlich durch das Auf-den-Kopf-Stellen der Problematik, so der Bundesregierung vorgeworfen wird, daß, indem sie versuche, die Lage durch eine Ausländerbegrenzung zu entschärfen, dem politischen Gegner recht gäbe.

Was "Rassismus", der "bekämpft" werden soll, ist, ergibt sich aus dem säkularisierten, dennoch quasi-religiösen Glaubenssatz des politischen "Antirassismus": "Überall in der Welt engagieren sich heute Männer und Frauen, damit diese 5 neuen Gebote anerkannt und respektiert werden:

- das Recht eines jeden, frei nach seinen Wünschen zu lieben und zu leben,
- das Recht eines jeden, frei nach seiner Wahl sich zu bewegen,
- das Recht eines jeden, frei einen Ort zum Leben zu wählen und dort zu wohnen,
- das Recht eines jeden, frei nach seiner Überzeugung zu wählen,
- das Recht eines jeden, frei nach seinen Ansichten sich auszudrücken und sich zusammenzuschließen.

Wir Initiatoren, Verwahrer und Unterzeichner dieser fünf neuen Gebote geloben (!),

- jeden direkten oder indirekten Ausdruck, jede Manifestation von Rassismus, Antisemitismus, Fremdenfeindlichkeit oder Diskriminierung öffentlich zu machen und anzuzeigen,
- für die Gleichheit von Männern und Frauen zu handeln, sie voranzutreiben und jede Aktion zu ihren Gunsten zu unterstützen."[75]

Wer diesem Glaubenssatz widerspricht, könnte ‚nach "antirassistischem" Selbstverständnis, der Sparte "Rassismus" zugeordnet werden.

Rechts das Kampagnenlogo des DGB, links die Antwort der Nationalistischen Front unter Verwendung des gleichen Motivs. Quelle: Siegried Jäger, Rechtsdruck.

Deutlicher wird das historische und gesellschaftliche Selbstverständnis des "Antirassismus" im Aufsatz "Ausländerfeindlichkeit- die bundesrepublikanische Spielart des Rassismus: 'Ausländer raus' und 'Türke verrekke'" von Peter-Christian Löwisch. "Dies ist die erschreckende Wirklichkeit in der Bundesrepublik 1985...In den Jahren 1933 bis 1945 wurden in Deutschland Millionen Menschen vernichtet, vergast, erschossen, erhängt, zu Tode gequält. Namen wie Bergen-Belsen, Auschwitz, Birkenau, Dachau, Neuengamme sprechen für sich. Es waren damals Juden, 'Zigeuner' und andere Minderheiten, die es traf. Die ideologischen Hintergründe waren die Rassenwahn-Theorien Hitlers und Rosenbergs und die Theorie, daß die Deutschen ein Volk ohne Raum wären. Um vorzugreifen: Diese Theorien finden wir heute wieder in den Schlagworten von Überfremdung und begrenzter Aufnahmefähigkeit der Bundesrepublik.

Als 1945 der Zweite Weltkrieg beendet war und Hitler und seine Schergen in Deutschland einen Trümmerhaufen übriggelassen hatten, begann sehr schnell der Wiederaufbau...Was nicht eintrat, war eine Bewältigung deutscher Vergangenheit...Es ist nicht zu übersehen, daß viele ehemalige Nationalsozialisten in der damals neu gegründeten konservativen Partei der CDU Unterschlupf fanden...Unter diesen Voraussetzungen wundert es nicht, daß ein grundlegender Sinneswandel in den größten Teilen der Bevölkerung ausblieb."[76]

Es wird also eine deutliche Kontinuitätslinie von der NS-Zeit zur gegenwärtigen Ausländerproblematik gezogen. "Rassismus", d.h. die Ablehnung egalitär-"multikultureller" Vorstellungen, als "fester Bestandteil der bestehenden Machtverhältnisse", ergäbe sich somit aus der mangelnden Abwendung der Bundesrepublik von der nationalsozialistischen Ära. Da die NS-Zeit ausschließlich mit negativen Ereignissen in Verbindung gebracht wird, versucht man also, diesen negativen Eindruck auch auf den vermeintlichen "Rassismus" übertragen zu können, ihn also zu diskreditieren.

Dabei wird suggeriert, daß Gewalt und Brutalität nur von den Angehörigen der Gastvölker gegen die Fremden ausgingen. Von einer Gewalttätigkeit beispielsweise von Banden jugendlicher Ausländer, in Realität und Tagespresse oft erfahrbar, hört man aus diesen Kreisen nichts:

"Die Ausschreitungen der Bevölkerung in Frankreich, aber auch in England und Dänemark gegenüber Ausländern, insbesondere auch Asylsuchenden, sind brutal und gewalttätig. Brutaler und gewalttätiger als es z.Z. in der Bundesrepublik der Fall ist. Das Gefährliche des in der Bundesrepublik wieder auflebenden Rassismus ist jedoch gerade, daß er sich nicht in Gewalttaten manifestiert, sondern daß er durch die Regierung die Legitimierung durch Gesetze erhalten hat. Hier in der Bundesrepublik ist es also nicht eine Stimmungsmache von relativ wenigen, sondern Politik von Leuten, die angeblich das gesamte deutsche Volk repräsentieren sollen. Die rassistischen

Handlanger im Bürokratieapparat der Bundesrepublik, vor allem in den Verwaltungsbehörden, sind daher mit juristischen Mitteln nicht belangbar. Daher hat es eine Gegenbewegung in der BRD auch sehr viel schwerer, weil das Unrecht nicht offensichtlich ist. Wir werden uns sicher auf einen langen Kampf einstellen müssen."[77]

Judenverfolgung und Asylantenfrage - oder wie man wenig und doch alles miteinander gemeinsam haben kann

Solcherlei Vorstellungen tragen Früchte. Zum Beispiel findet man die einfache Gleichsetzung vom Judenproblem der NS-Zeit und der heutigen Ausländerproblematik häufig in linksgerichteten Schülerzeitungen. Das erklärt sich aus zweierlei Gründen: Erstens sind die deutschen Schüler bestens über die NS-Zeit unterrichtet. Genauer ausgedrückt, es wurde ihnen die Beurteilung dieser Epoche als eindeutig negativ erfolgreich vermittelt. Zweitens erreicht man durch die simple Gleichsetzung damaliger Verhältnisse mit einer zeitgenössischen Polit-Auseinandersetzung die negative Übertragung der erzeugten Schüleremotionen. Das meint einfach, weil die jüdische Minderheit so sehr gelitten hat, müßte man nun verhindern, daß "der ausländischen Minderheit" "Gleiches" widerfahre. Der Unterschied zwischen einer rassistischen Theorie gegen die Verkörperung des weltgeschichtlichen "Bösen" und dem heutigen Phänomen ungeheurer Massenbewegungen und sozialer Umwälzungen durch die technische Entwicklung bleibt bei dieser Propaganda unaufgeklärt.

Drei Beispiele:

1. In einer Zeitung einer Juso-Schülergruppe[78] erschienen für Schüler leicht verständliche Karikaturen. Auf einem Bild forderte eine Menschenmasse unter einem großen Transparent "Ausländer raus!". Die Menschenmasse hatte sich allerdings in Form eines Hakenkreuzes formiert. Auf einem anderen Bild erkennt man eine grobklotzige Hitlerkariktur, die "Juden raus" an eine Wand malt. Hinter dieser befinden sich Särge mit den Aufschriften diverser Konzentrationslager. Daneben sieht man eine kleine Michael Kühnen-Karikatur "Ausländer raus" malen. Überschrift des Bildes: "Paralellen einst und jetzt". Paralellen, die in ihrer falschen Vereinfachung geradezu vorbestimmt sind, von Schülern aufgenommen zu werden.

2. Anläßlich "der 50.Wiederkehr der Progromnacht" am 9./10. 11. 1988 startete die Stadt Offenbach eine Veranstaltungsreihe, welche sich mit dieser Geschichte auseinandersetzen sollte und außerdem politische Paralellen zog. In der Programmschrift befanden sich neben zahlreichen Ausstellungen zur Geschichte der Juden und NS-Zeit auch Veranstaltungen, wie eine Lesung Ralph Giordanos über "Die zweite Schuld" oder ein, vom Deutschen Freidenkerverband organisierter, Vortrag Dr. Joachim Kahls (Marburg) über Alain de Benoist. Der als linksextremistisch eingestufte VVN-Bund der

Antifaschisten war mehrfach eingebunden. Sogar der Fritz-Müller-Club der DKP wurde in der offiziellen Liste geführt. Am interessantesten aber das Vorwort der Kulturdezernentin Beul: "Anamneses- das 'Sich-erinnern' ist ein zentraler Begriff der Lehre Platons...Leider hat uns die Geschichte Deutschlands in diesem Jahrhundert gelehrt, daß diese Fähigkeit verlorengehen kann, und zwar gerade dann, wenn das Ausmaß des Geschehens so bedrohlich für unser Menschsein wird, daß wir uns der Trauerarbeit verweigern...Das war vergessen, dessen sollten wir uns erinnern, und das sollte für alle gelten: gestern für die Juden, heute für die Ausländer und Asylanten."[79]

Wieder begegnen wir der Gleichsetzung zweier grundverschiedener historischer Situationen. Das "für die Ausländer" wird dabei höchstwahrscheinlich egalitär ausgelegt.

Aus Mitleid erwächst die Solidarität mit Ausländern

Die Situation in der Fremde lebender Ausländer wird in der Regel negativ dargestellt. Vereinsamt, entrechtet und von einer scheinbar feindlichen Umgebung abgestoßen - eine Situationsbeschreibung, welche bei einheimischen Majoritätsangehörigen das humanitäre Gewissen aktiviert. Aus teilweise gerechtfertigtem, persönlichem Mitgefühl wird daraufhin "Solidarität" mit den Minoriätsangehörigen geübt. Eine "Solidarität", in der egalitäre Vorstellungen die Oberhand behalten.

Ein Beispiel dafür ist der journalistisch äußerst fragwürdige Versuch des "Enthüllungs-Schriftstellers" Günter Wallraff in seinem "Erfahrungsbericht" "Ganz unten" (Köln 1985). Wallraff verkleidete sich hierin als Türke "Ali" und beschrieb seine darauffolgenden Erlebnisse. Daß es sich hierbei meist um bewußt herbeigeführte bzw. provozierte Situationen handelte, in denen sich Wallraff seine ohnehin schon feststehenden Vorstellungen nur bestätigen ließ und daß viele der Situationen für den Leser nicht nachprüfbar waren, spielte keine Rolle. Das Buch schuf eine Solidarisierungswelle, die mentalitätenprägend wirkte. Wer sich mit "Ali" solidarisierte, hatte keine Bedenken mehr gegen eine "multikulturelle" Gesellschaft, wenn jener nur wieder fröhlich werden könnte.

So berichtete der "Wiener" vom Juli 1989 von der sogenannten "Tschuschen"-Szene der etwa 300.000 Gastarbeiter in Österreich. Es wurden dabei z.B. deren Probleme erwähnt, Einlaß in bestimmte Diskotheken zu finden: "Auch für die Kurzweil ist gesorgt. Wer von der Öde des Seins pausieren will, der mischt sich unter die Szene. Im 'Soul Seduction' oder am Bermuda-Dreieck wird man Zoran und Co. kaum begegnen. Erstens läßt man sie oft nicht rein, ohwohl sie immer frisch gekampelt und geschneuzt sind und in der heißesten Schale...stecken...Zweitens sind Buden wie das 'U4' nicht unbedingt ihr Geschmack...'Wenn wir mit Österreichern zusammen sind, gibt es immer Probleme', sagt Djordje. 'Und geh' ich neben einem österreichischen Mädchen, dann sagt gleich wer, schau, die ist mit einem Tschuschen!' Da läßt er lieber die Hände vom Aufriß. Pech für die Wienerinnen. Denn Djordje sieht verdammt gut aus."[80] Es geht also um das Problem der Akzeptanz von "Tschuschen" (zu deutsch "Kanacken"). Dies stellt allerdings gar kein spezifisches Problem allein der ausländischen Herkunft dar, denn beigefügte ungeschönte Fotographien weisen, aufgrund Haltung, Kleidung, Pysiognomik, diese "Tschuschen" als Angehörige eines niederen Sozialmilieus aus, welches weniger durch Geld, als durch Stand, Bildung und Lebensstil zu beschreiben ist. In bestimmte Diskotheken kommen auch keine österreichischen "Prolos", nur wird dann nicht auf eine scheinbare Hautfarben-Diskriminierung verwiesen.

Symbole, wie die Hand der Aktion "Mach meinen Kumpel nicht an" fanden Eingang in Schimanski-Krimis.[81] Auch Filme, wie der im Januar 1987 ausgestrahlte Streifen "Feuer für den großen Drachen", ein Krimi des Soziologie-Professor Horst Bosetzky unter der Regie des Sozialdemokraten Eberhard Itzenplitz, lösten "Entsetzen" und Solidarisierung aus - auch wenn "rechtsradikale deutsche Rocker" nur filmisch gestellt das Türkenviertel von Berlin-Kreuzberg abbrannten.[82]

Dazu ein kleiner Exkurs, zu einer in ähnliche Richtung zielenden Medien-Gattung: der Karikatur. Die NS-Paralellisierungen einmal außer acht gelassen, kann man drei Haupttypen von "multikultureller" Karikatur wahrnehmen: 1.Ausländer werden von übermächtigen Deutschen bedroht. 2."Ausländerfeindliche" Deutsche werden als kurzdenkende Dummköpfe dargestellt, welche über ihre eigene Blödheit überrascht sind. 3."Ausländerfeindliche" Deutsche werden durch Strafe zum "Denken" gebracht.

Von der Solidargemeinschaft der Ausländer zum "Klassenkampf" - Instrument

Neben den deutschen Ansprechpartnern, welche durch ihr humanitäres Gewissen zur Solidarität mit ausländischen Arbeitnehmern und zur aktiven Anerkennung der "Multikulturellen Gesellschaft" gebracht werden sollen, existiert der ausländische Adressat. Diesem werden die Gefühle der Benachteiligung und Entrechtung vermittelt, um ihn für die gesellschaftliche Veränderung zu aktivieren und auch um ihn als "Klassenkampf"-Instrument zu nutzen. Die Suggerierung von "Ausländerfeindlichkeit" besitzt insofern instrumentellen Charakter, als diese den politischen Konkurrenten oftmals unüberprüft zugeschoben wird, um keine anderen Behandlungsmuster gegenüber der angesprochenen Zielgruppe zuzulassen.

Zur Selbstfindung existiert hierbei die Sparte der Ausländerliteratur, in der Gastarbeiter aus verschiedenen Ländern ihren Alltag und ihre Probleme in der Bundesrepublik anhand von Gedichten und Erzählungen widerspiegeln.[83]

Etwas zielgerichteter erschien das Ausländer-Lesebuch "Zu hause in der Fremde"[84], welches, aus einem DKP-nahen Verlag, feste politische Vorstellungen vermittelte: "Sie wurden geholt und halfen mit, das Wunder unserer Wirtschaft fortzusetzen. Seit Jahren stagniert es nun, und die Parole wird laut: der Gastarbeiter hat seine Schuldigkeit getan, der Gastarbeiter kann gehen. Wohin, zurück in das alte Elend?...Es gibt noch andere Schauermärchen. Etwa, die deutsche Kultur sei in Gefahr, sie ginge durch Überfremdung verloren. Man kann nur erstaunt zurückfragen, ist sie es nicht schon? Was ist deutsche Kultur? ist es Goethe? Den natürlich kein türkischer Arbeiter liest, aber auch kein deutscher...Oder ist unsere Kultur nicht längst eine aus TV, Comics, Disco und Mc Donalds? Was gibt es in dieser noch Bewahrenswertes? Sollten wir nicht angesichts der vielfältigen Kulturen der Ausländer einmal unsere deutschen Hornbrillen putzen?...Dieses Buch wartet nicht mit soziologischen Analysen auf, die finden sich reichlich in anderen Veröffentlichungen, sondern möchte als ein Forum der Betroffenen verstanden werden: allzuoft mundtot gemacht, haben sie viel zur Sprache zu bringen...Inzwischen sind sie selbstbewußter geworden, fordern mit Recht unsere Aufmerksamkeit....Und von einem Konflikt, der auf den ersten Blick gar keiner von Ausländern zu sein scheint, wird auch gesprochen: dem Exil Deutscher in der Bundesrepublik Deutschland."[85]

Die literartische Palette des Sammelbandes war vielgestaltig. 58 deutsche und ausländische Autoren beschrieben in Erzählungen, Gedichten, Aufsätzen, Reportagen, Gesprächen und Bildern die Situation von Ausländern in der BRD. Dabei stand die Darstellung von dümmlicher deutscher "Fremdenfeindlichkeit" und den schlechten Erfahrungen von Ausländern im Vordergrund. Unter anderem wurde eine Karikatur abgedruckt, welche einige Ausländer aus dem Urlaub zurückkehren zeigt, die ein völlig verdrecktes Deutschland vorfinden.

Im ähnlicher Weise erschien im Oktober 1990 eine Ausgabe der Leipziger Zeitschrift "Blattform", in der sich Sensibilität, unter anderem für "die naive Kunst der Roma", mit deutschfeindlicher Angstmache paarte: "Heute die meisten von uns, die älteren, wenn, wenn wir sehen ,daß sich wieder ein neues Großdeutschland formt, geben zu, daß wir wieder eine furchtbare Angst vor der Zukunft haben..."[86]

Den nächsten Schritt in Richtung Militanz bildet die "klassenkämpferische" Symbiose von Deutschen und Ausländern, wie sie in Manfred Budzinskis "Aktionsbuch Ausländer" vorgestellt wurde (Bornheim-Merten 1983). Neben der Erwähnung der schlechten Lebensverhältnisse von Ausländern und der Beschäftigung mit der wachsenden "Fremdenfeindlichkeit" wurden auf über hundert Seiten "Aktionen von Deutschen und Ausländern" angeregt und vorgestellt. Darin wurde auch nicht vor skeptisch zu bewertenden Handlungen zurückgeschreckt, wie "Mahnwachen" gegen "ausländerfeindiche" Lokale oder eine "Belagerung" der NPD-Zentrale.

Eine Stufe weiter geht noch die Ausländerzeitung "DIE BRÜCKE", welche militant für eine von einigen Ausländerfunktionären geformte "Völkerverständigung" eintritt. Dabei werden deutlich gegen Deutschland gerichtete Äußerungen abgegeben, um einen Solidarisierungseffekt unter der ausländischen Leserschaft zu erreichen. "Dieses Land ist- zu unserem Bedauern- nach Auschwitz nicht untergegangen" (Nr.32/1986, S.8) wird geschrieben. Asylantenwohnheime werden auf die Stufe von Konzentrationslagern gesetzt: "Ein Artikel, der es ermöglicht, die Flüchtlinge als eine bedrohliche Masse abzuwerten, ihnen Grundrechte wie Arbeit, Freizügigkeit, Meinungsäußerung...abzuerkennen, sie in Sammellagern einzuquartieren, die sich nur noch in wenigem von Konzentrationslagern unterscheiden." (Nr.33/1986, S.4) Karikaturen werden gezeigt, in denen ein als Vogel erscheinender Asylant angelockt wird, um ihn mit dem Schlachtermesser zu töten. In aggressivster Form wird hier für die "multikulturelle Gesellschaft" "gekämpft": "Es werden in Europa keine Katastrophen entstehen, wenn hundert oder zweihundert Millionen Afrikaner oder Asiaten in Europa einwandern. Dieser Kontinent kann sie reichlich ernähren, und sie haben einen Anspruch darauf, weil hier die Früchte ihrer Arbeit gehortet und verzehrt werden. Solange der nordische Mensch Angst vor einem bunt gemischten Europa hat, solange er Angst vor den Flüchtlingen hat, die sich zu den 'Fleischtöpfen' hinbewegen, solange verdient er keinen Frieden." (Nr.33/1986, S.5)

Die Konsequenz hieraus würde eine Art "black power" sein, wie in den U.S.A.: " Die Strategie ist meist die gleiche: Push unterzieht große Unternehmen einer Überprüfung, um herauszufinden, wie viele Schwarze in welchen Positonen sitzen. Aber die Organisation will auch wissen...ob es gemeinnützigen schwarzen Organisationen Geld spendet. Kommt ein Unternehmen bei der Überprüfung schlecht weg...macht Push Druck. Zuerst über öffentlichkeitswirksame Aktionen, und wenn das nicht zieht, über den Aufruf zum Boykott. Viele Unternehmen fürchten die Konfrontation mit Push- und geben lieber nach."[87] Zum Teil erfolgte hier schon wieder die Forderung nach einer umgekehrten "Apartheid", wenn rassisch getrennte Schulklassen gefordert werden, weil Schwarze sonst benachteiligt würden.[88]

Das kann sich dann bis zu einer Art "Rassismus aus einer anderen Ecke" steigern, wenn sich die dargestellte Bösartigkeit immer nur auf den deutschen Teil überträgt. In Wilhelmine Saylers "Bausteinen zur interkulturellen Erziehung" (Saarbrücken 1987) erkennt man z.B. ein Spiel, welches einen blonden, gepflegten und einen dunkelhaarigen, offensichtlich ausländischen, ungepflegten Jungen zeigt. Es gilt zu erraten, was beide hinter ihrem Rücken versteckt halten. Die Auflösung: Der Blonde einen Knüppel, der Dunkle eine Blume!

Das es ein Potential für eine "klassenkämpferische" Aktivierung von sich deklassiert fühlenden Ausländern geben könnte, scheint anhand von Umfrageergebnissen möglich. Es werden Schwierigkeiten beim Übergang von der alten Kultur zur neuen, eine Art Kulturschock, erkennbar. Die materiellen Wünsche seien zwar meist erfüllt, es existiere aber ein Unwohlbefinden in Deutschland. Ebenso scheint eine Tendenz zu negativer Bewertung der Deutschen: "Personen und Fälle werden verallgemeinert und nicht differenziert. Wenn der 'deutsche' Vorarbeiter, Kollege, Beamte oder Nachbar sie ihrer Empfindung nach schlecht behandelt hat, so werden ihre Eindrücke und Gefühle auf alle deutschen übertragen."[89]

Und aktivierte Ausländer bedanken sich dann bei den deutschen Helfern, welchen die Nation schon immer ein ideologischer Dorn im Auge war. So schrieb die Türkin Sevim Türkoglu in der kommunistischen "Deutschen Volkszeitung" vom 5.10.1990 anläßlich der Wiedervereinigung: "Der Größenwahn der Deutschen kann nur durch die gesammelten Kräfte der Opposition im Lande selbst gestoppt werden."

II. Elemente der Ablehnung der "multikulturellen" Gesellschaft

Sicherlich gibt es ihn, den realen Rassismus und Ausländerhaß. Dieser grassiert vor allem in gewissen Kreisen der jugendlichen Subkultur (Skinheads), welche sich in ihren Auffassungen von der Praxis der täglichen (und tätlichen) Auseinandersetzung mit bewaffneten und konkurrierenden Türkengangs etc. in vergleichbaren Sozialmilieus leiten lassen. Realer Rassismus wird vor allem bei den Neonationalsozialisten formuliert. Die Auseinandersetzung stützt sich auf eine Ablehnung der multikulturellen Gesellschaft durch die Ablehnung verschiedener Ausländergruppen als minderwertig und volksschädigend: "Jeder Nationalsozialist weiß, daß in Deutschland kein Platz für Millionen von Ausländern fremder Rassen ist. Es darf nicht sein, daß Deutsche erwerbslos sind, während Türken, Neger, Vietnamesen usw. hier arbeiten und ein schönes Leben führen...Wir Nationalsozialisten sind dazu berufen, zu verhindern, daß in Deutschland eine Eurasisch-Negroide Zukunftsrasse entsteht. Wir wollen nicht wie primitivgesichtige Kanaken aussehen, noch wollen wir, daß in unserem Land milchkaffeebraune Gestalten umherlaufen und unsere Großstädte durch Rassenkrawalle erschüttert werden!"[90]

Ausgangspunkt dieser grob vereinfachenden Bilder ist ein biologistisches Menschenbild, daß von der Rasse als entscheidendem politischen und charakterlichen Kriterium ausgeht. Geworben wird unter anderem mit Aufklebern, welche Ausländerkarikaturen unter dem Sinnspruch "Wir müssen draußen bleiben" zeigen. Man sollte so etwas allerdings nicht überbewerten: An jedem alternativen Ramschtisch sind Aufkleber mit Polizisten-Karikaturen unter derselben Parole zu finden, und kaum jemand erregt sich darüber. Die Strickmuster der Polemik gegen eine abgelehnte Gruppe bleiben immer gleich.

Nicht berücksichtigt sei hier, daß ein unformulierter "Rassismus" durch uns alle geht, d.h. ein wahrscheinlich natürliches Abneigungsgefühl gegen manche fremde Mentalität, eine abgelehnte Lebensart, einen anderen Geruch etc. Dies tritt meist erst bei direkter Berührung mit diesen Phänomenen auf, und zwar aufgrund einer sich verstärkenden Enge des menschlichen Zusammenlebens. "Interkulturelle" Pädagogen glauben, dieses Gefühl, das sie zuerst in sich selber bekämpfen wollen, durch Erziehung gänzlich auslöschen zu können. Der Verfasser kann darin nur einen Irrtum vermuten, zumindest solange es unterschiedliche Menschenarten gibt. Gelingen könnte allerdings eine zeitlich begrenzte Unterdrückung dieses Gefühls - aufgrund einer Isolationsfurcht gegenüber einem "multikulturellen" Zeittrend oder aufgrund der autoritären Machtposition der Pädagogen.

Rassistischer Aufkleber der FAP

Dieser reale Rassismus ist der Hauptangriffspunkt "interkultureller" Pädagogik und "multikultureller" Propagierung, gefährdet er doch am weitreichendsten das Gelingen des "multikulturellen" Projekts. Die Werthaltungen der "deutsch-nationalen", "biologistischen" und "ethnopluralistischen" Zirkel werden da meist in einem Aufwasch der "rassistischen" Schiene zugeordnet, wohl in der Hoffnung, sie dadurch ausreichend diskreditiert zu haben, und, aufgrund der materiellen und publizistischen Unterlegenheit dieser Geistesrichtungen, dem Neudurchdenken festgefahrener Ideologiefronten ausweichen zu können.

Die geistige Ablehnung des "multikulturellen" Experiments vollzieht sich in der Regel außerhalb größerer Publikationsbreiten. Obwohl die Bevölkerung in übergroßer Mehrheit ablehnend gegenübersteht, bekunden nur verhältnismäßig wenige Personen des "öffentlichen Lebens" diese Ablehnung öffentlich. Dies mag einerseits mit jener noch immer erfolgreichen Stigmatisierung als "rechtsbelastet" oder als "Ausländerfeind" zusammenzuhängen, andererseits mit einer offenkundigen Vorherrschaft der Ethnie entfremdeter Emanzipationsideen in einem vielleicht noch immer von "1968" bestimmten Universitätsmilieu, welches jede Führungspersönlichkeit durchlaufen muß. Allgemein jedoch hat dieses Phänomen etwas mit der sogenannten "Schweigespirale" zu tun, welche seinerzeit von Elisabeth Noelle-Neumann anschaulich dargelegt wurde: Die kulturell dominierende Schicht, die scheinbare "Mehrheit" verleitet ihre Anhänger zu selbstsicherem offensivem Auftreten, während die "Minderheit" (in unserem Falle die "schweigende Mehrheit") aus Isolationsfurcht wider besseres Wissen und entgegen des eigentlichen Willens in Schweigen verfällt.

Abgesehen von konservativen CDU-Politikern, wie Alfred Dregger, Jürgen Todenhöfer und Heinrich Lummer[91], welche die "multikulturellen" Äußerungen ihres Parteikollegen Heiner Geißler nicht mittragen wollen, spielte sich die offenkundige Ablehnung der multikulturellen Gesellschaft anfänglich weitgehend in jenem, als "nationales Lager" bezeichneten, Milieu ab. Insgesamt kann man hier drei Phasen der Beschäftigung mit der Ausländerproblematik feststellen:

1. Erkennen des Gastarbeiterproblems und Propagierung von Rückführungsaktionen:

Die publizistische Auseinandersetzung mit dem Ausländerproblem setzte verstärkt Anfang der 80er Jahre ein. Befasste man sich zwar schon früher mit der Stellung des Volkes und dem Phänomen des "Völkerschwundes"[92], so kann man letztlich das "Heidelberger Manifest vom 17.Juni 1981" als Fanal werten.

Erstmals wandte sich hier eine Anzahl akademischer Persönlichkeiten gegen eine verhängnisvolle Entwicklung in der Ausländerpolitik. Entgegen nichtdifferenzierender Angriffe gegen das angeblich "rassistische" Manifest von "Antifa"-Seite[93], kann man hier, trotz einer immer noch starken Beschränkung auf die deutsche Position, durchaus langsame Wendungen zu ethnopluralistischen Standpunkten festmachen:

"Mit großer Sorge beobachten wir die Unterwanderung des deutschen Volkes durch Zuzug vieler Millionen Ausländer und ihrer Familien, die Überfremdung unserer Sprache, unserer Kultur, unseres Volkstums....Der Zuzug der Ausländer wurde von der Bundesregierung aus Gründen des heute als fragwürdig erkannten hemmungslosen Wirtschaftswachstums gefördert. Die deutsche Bevölkerung wurde bisher über Bedeutung und Folgen nicht aufgeklärt. Sie wurde auch nicht darüber befragt. Deshalb rufen wir zur Gründung eines parteipolitisch und ideologisch unabhängigen Bundes auf, dessen Aufgabe die Erhaltung des deutschen Volkes und seiner geistigen Identität auf der Grundlage unseres christlich-abendländischen Erbes ist. Auf dem Boden des Grundgesetzes stehend wenden wir uns gegen ideologischen Nationalismus, gegen Rassismus und gegen jeden Rechts- und Linksextremismus.

Völker sind (biologisch und kybernetisch) lebende Systeme höherer Ordnung mit voneinander verschiedenen Systemeigenschaften, die genetisch und durch Tradition weitergegeben werden. Die Integration großer Massen nichtdeutscher Ausländer ist daher bei gleichzeitiger Erhaltung unseres Volkes nicht möglich und führt zu den bekannten ethnischen Katastrophen multikultureller Gesellschaften. Jedes Volk, auch das deutsche Volk, hat ein Naturrecht auf Erhaltung seiner Identität und seiner Eigenart in seinem Wohngebiet..."[94]

Diese Antwort auf die abgelehnte Entwicklung wurde in der späteren Zeit maßgebend. Sie ging von der massiven Rückkehrförderung gegenüber den Ausländern aus, bei dem Angebot, die Lebensbedingungen in deren Heimatländern verbessern zu helfen:

"Welche Zukunftshoffnung verbleibt den Hunderttausenden von Kindern, die heute sowohl in ihrer Muttersprache wie in der deutschen Sprache Analphabeten sind? Welche Zukunftshoffnung haben unsere eigenen Kinder, die in Klassen mit überwiegend Ausländern ausgebildet werden?...Allein lebensvolle und intakte deutsche Familien können unser Volk für die Zukunft erhalten. Nur eigene Kinder sind die alleinige Grundlage der deutschen und europäischen Zukunft...

Das Übel an der Wurzel zu packen heißt, durch gezielte Entwicklungshilfe die Lebensbedingungen der Gastarbeiter in ihren Heimatländern zu verbessern- und nicht hier bei uns. Die Rückkehr der Ausländer in ihre angestammte Heimat wird für die Bundesrepublik als eines der am dichtest besiedelten Länder der Welt nicht nur gesellschaftliche, sondern auch ökologische Entlastung bringen."[95]

In der Folgezeit fanden diverse Broschüren und kleinere Bücher Verbreitung, darunter Hubert Dröschers "Bevölkerungs-Entwicklung in West-Deutschland. Gefahr und Ausweg" (Bremen 1981), die Schrift Wolfgang Seegers "Ausländer-Integration ist Völkermord" (12.Aufl. Pähl 1984), Bernhard Barkholts Buch "Ausländerproblem- eine Zeitbombe? Entscheidung zur Jahrtausendwende" (Berg am See 1981).

Diesen Schriften war meist eigen, daß sie einer rein "deutschnationalen" Sichtweise verhaftet blieben. Die Zuwanderung bzw. Vermehrung der ausländischen Bevölkerung wurde primär als ein Problem des biologischen Überlebens des deutschen Volkes gesehen. Dröscher schrieb hierzu unter der Überschrift "Die Gefahr": "Das deutsche Volk innerhalb der Bundesrepublik Deutschland wird gegenwärtig Zug um Zug durch fremde Volksgruppen ersetzt, ohne sich bisher auch nur im geringsten dagegen zu wehren...Eine Volksbefragung, ob wir durch fremde Völkerschaften abgelöst werden wollen, hat es nie gegeben. Versuche, solche in Gang zu setzen, wurden schon im Keim erstickt, zuletzt 1980 in Nordrhein-Westfalen."[96] Man befindet sich also im Denken der Gegnerschaft verschiedener Völker im Kampf um Lebensraum. Dabei wird eine biologistische Sichtweise geübt. Auch eingebürgerte Ausländer werden als "Fremdstämmige" und somit, durch "deutschfeindliche" Politiker gefördert, als Teil der Bedrohung des Überlebens des eigenen Volkes angesehen. Entscheidend sei hierbei der deutsche Geburtenrückgang bei gleichzeitiger Vermehrung des Ausländeranteils.

Diese Grundgedanken wurden bei Wolfgang Seeger weniger plump dargestellt. In "Ausländer-Integration ist Völkermord" erläuterte er: "Auf den ersten Blick scheint der Titel dieser Schrift reichlich kraß. Kein Ausländer und kein Einheimischer kommt durch den Zuzug und bei seinem Hiersein ums Leben...Warum also von Mord reden?

Dennoch trifft aber der Titel genau den Kern. Die Einwanderung von Millionen Ausländern und ihre Aufnahme in den deutschen Volkskörper zerstört nämlich die Identität, ihre Volkseigenart, und zwar sowohl der Eingewanderten wie der Einheimischen. Sie verändert das Erscheinungsbild, die Gefühlsart, sowie Sitte und Kultur der Deutschen und setzt die Ausländer dem Schicksal der Assimilation aus.

Nach dem Völkerrecht ist das 'Völkermord', denn nach der Völkermord-Konvention der UNO vom 9.12.1948 wird unter dem Begriff 'Völkermord' nicht nur die Tötung von Mitgliedern andersartiger Gruppen erfaßt, sondern auch wenn eine 'nationale, ethnische, rassische oder religiöse Gruppe als solche' vorsätzlich unter Lebensbedingungen gestellt wird, die geeignet sind, ihre körperliche Zerstörung ganz oder teilweise herbeizuführen."[97]

Rechtsradikale Propaganda - Die Verteidigung des Abendlandes

Die Integrationsabsichten deutscher Politiker wurden entschieden zurückgewiesen, "da die Naturgesetze es nicht zulassen, daß man durch Erlernung einer fremden Sprache und Annahme der fremden Sitten und Gebräuche ein Angehöriger eines anderen Volkes werden kann, denn das angeborene Wesen und Gefühlsleben eines Menschen läßt sich bekanntlich nicht ändern!...dagegen bleibt ein Türke usw., der die deutsche Staatsangehörigkeit erhalten hat, in diesem Sinne ein Ausländer, denn die Staatsangehörigkeit ist eine Äußerlichkeit, die angenommen und wieder abgelegt werden kann, während man die Volkszugehörigkeit, das angeborene Wesen und

Gefühlsleben, das ja rassisch und volkstümlich bedingt ist, nicht ändern kann."[98]

Von dieser Ansicht ausgehend wurden erste Schritte in Richtung auf ethnopluralistische Werthaltungen gemacht, wobei man fragen kann, ob dies hier nicht noch aus gewissen taktischen Vorsichtsüberlegungen geschah: "..wird den Ausländern fremde Lebensart und Lebensweise aufgedrängt, die Verbindung zu Volk und Heimat gelöst; kurz: sie werden entwurzelt...Jede 'Integrationspolitik' ist also eine 'Entwurzelungspolitik'!"[99]

Deshalb wurden auch die pädagogischen Auflösungsversuche der Nationalklassen für Ausländerkinder an den Schulen scharf kritisiert.

Doch es komme noch schlimmer, denn auf die Entwurzelung folge ein Anstieg von Kriminalität: "Seelisch geschädigte und entwurzelte Menschen geraten außerdem leicht auf die kriminelle Bahn, da die Verbindung zur Heimat fehlt, die dem Menschen Geborgenheit bietet. Dies zeigt sich auch in der Tatsache, daß der Anteil der Ausländer an den Straftaten in der Bundesrepublik Deutschland entsprechend hoch ist."

Der "Cross-Culture-Mensch" wurde folglich ganz anders bewertet als im "Wiener": "Die Integration der Ausländer führt früher oder später zur Vermischung mit der einheimischen Bevölkerung. Diese so entstehenden Mischlinge seien ebenfalls Entwurzelte - sie wüßten nicht, wohin sie gehören, wo ihre Heimat ist. Das von den beiden Elternteilen stammende jeweilige Erbe läge nebeneinander im Unterbewußtsein, erzeuge gegensätzliche Gemütsbewegungen und ließe den Menschen innerlich nicht zur Ruhe kommen; Vermischungen schüfen somit zwiespältige bzw. vielspältige Persönlichkeiten... Daher wiesen Mischlinge häufig kriminelle Eigenschaften auf (z.B. Charakterlosigkeit, Hemmungslosigkeit, Willensschwäche)..."[100]

Der Fall der sich nicht zur "Cross-Culture" vermischenden "Multikulturellen Gesellschaft" wurde aus ganz anderen Gründen abgelehnt: "Was aber tritt ein, wenn sich größere ausländische Volksteile nicht integrieren lassen, das heißt: ihre Eigenart behalten wollen (z.B.die Türken, die deshalb ihre Kinder in die 'Koranschule'schicken)? Hier zeigen viele Beispiele in der Geschichte, daß es überall dort, wo sich volkliche Minderheiten in einem fremden Volkskörper oder Staat befanden und befinden, zu Rassen- und Volkstumskämpfen kam und nach wie vor kommt..."[101] Seeger verwies vor allem auch auf die Gefahren, welche vom militanten Islam drohen.

Der Kampf gegen "Rassismus" und "Ausländerfeindlichkeit" wurde von ihm also auf eine ganz andere Weise angegangen. Er forderte spitzfindig, erst gar keine Entwicklung eintreten zu lassen, welche eine solch negative Wendung zulasse: "Bevor sich die Ausländerfeindlichkeit noch mehr verstärkt und gegebenenfalls in Tätlichkeiten, also Rassenkämpfen, übel bemerkbar macht, sollte man die Ursache dieser Ausländerfeindlichkeit beseitigen, d.h. der Anteil der Ausländer in unserem Land muß Schritt für

Schritt verringert werden. Auf andere Weise kann man eine Ausländerfeindlichkeit nicht beseitigen, denn jedes Volk lehnt eine Überfremdung seines Landes durch Zuwanderung und Verbleib von Ausländern mit Recht ab. Jedes Volk hat bekanntlich das Recht, sich in seinem Lande frei zu entfalten, und braucht sich seinen Lebensraum nicht durch Fremde einengen zu lassen. Vorfälle wie die Aufschrift 'Deutsche raus'...verstärken die sogenannte Ausländerfeindlichkeit."[102]

Doch an eine einheitliche "Cross Culture"-Welt glaubte Seeger trotz der Angst vor einem Aussterben der Deutschen nicht: "Das riesige Römerreich trug schon bei seiner Entstehung den Todeskeim in sich, weil es rücksichtslos eine Völkervermischungspolitik betrieb. Und genauso wie dem Römerreich wird es allen Staaten, auch den sogenannten Supermächten, ergehen, wenn sie weiterhin die Notwendigkeit der Erhaltung der einzelnen Völker mißachten."[103]

Die "deutsch-nationalen" Biologisten leben noch in völliger Gewißheit der unerschütterlichen Kraft der Völkerwelt. Daß es, dank moderner Infrastruktur und Informationstechnologie möglich werden könnte, eine neue, nicht mit dem "alten Rom" - der Begriff wurde vom Kulturpessimisten Gustav Sichelschmidt populär gemacht - vergleichbare, Entwicklung einzuleiten, scheint noch fern ihrer Vorstellungswelt.

1981 erschien dann noch das Taschenbuch "Ausländerstop. Handbuch gegen Überfremdung" (Kiel 1981) des Studienrates und Weinheimer NPD-Stadtrates Günther Deckert. Es stellte insofern eine Zusammenfassung der "Ausländerstop"-Arbeit dar, als zusammengetragenes Material, verschiedene Memoranden und Manifeste, die Adressen und Kurzbeschreibungen bis dahin agierender "Ausländerstop"-Initiativen, diverse Handlungsmöglichkeiten veröffentlicht wurden.

Außerdem erfolgte wohl erstmals eine gewisse kritische, und etwas ausführlichere Auseinandersetzung mit Argumenten des politischen Gegners. So wurde die These bestritten, Deutschland sei schon immer in vergleichbarer Weise ein Einwanderungsland gewesen. Ebenso konnten die primitiv vereinfachten Thesen, "die Deutschen" hätten doch die Ausländer gerufen, und von der Rolle jener als Wohlstandsmehrer, leicht zum Wanken gebracht werden. Auch die "Drecksarbeiten"-These geriet so in die Kritiklinie.

Grundsätzlich kann man sagen, daß die in dieser Phase entwickelten Grundgedanken bis zum gegenwärtigen Zeitpunkt bei den Gegnern der "multikulturellen" Gesellschaft dominierten.

2. Die Beschäftigung mit der Asylproblematik:

Im Laufe der 80er Jahre gewann durch den explosionsartigen Anstieg zuwandernder Asylbewerber, bzw. den vermehrten Mißbrauch des bundesdeutschen Asylrechts, die verstärkte Behandlung dieses Themas an Bedeutung. Die Flugblätter des "Schutzbundes für das deutsche Volk e.V." nahmen verstärkt die Asylproblematik auf. Der stilistisch nicht erschütternde Roman "Das Heerlager der Heiligen" des Franzosen Jean Raspail(Tübingen-Zürich-Paris 1985), welcher die Vision eines Massenansturms von Flüchtlingen aus der Dritten Welt und eines darauf folgenden "Sturzes des Abendlandes" beschrieb, wurde ins Deutsche übersetzt. Es erschienen die Broschüre "Asyl- gestern und heute" (Weinheim 1987) des nimmermüden Günther Deckert, Bernhard Barkholts Buch "Asylbetrug und Überfremdung- Kann Deutschland deutsch bleiben?" (München 1989) und Joachim Siegerists "Zauberwort Asyl" (1989).

Die Spitze dieser Gattung stellte Manfred Ritters populär geschriebenes Buch "Sturm auf Europa. Asylanten und Armutsflüchtlinge" (München 1990) dar, womit sich auch die zunehmende Ausweitung der Thematik in die gesellschaftliche Auseinandersetzung ankündigte.

Die "Grünen" zeigten Ritter wegen des Verdachts der "Volksverhetzung" an. Es erschienen Verrisse des Buches in der "taz", der "Süddeutschen Zeitung", dem "SPIEGEL", und in der "Zeit". Und als Höhepunkt wurde Manfred Ritter wegen der heiklen Themen, die er in diesem Buch ansprach, vom CSU-Innenminister Stoiber, einem Parteikollegen, von der Landesanwaltschaft beim Ansbacher Verwaltungsgericht zur Immobilienabteilung der Nürnberger Autobahndirektion versetzt. Dieses nur als Beispiel, daß Gegner "multikultureller" Entwicklungen durchaus mit möglichen negativen Konsequenzen rechnen können, die sich aus der Öffentlichmachung ihrer persönlichen Ansichten ergeben können.

Allerdings erschienen nach einer Weile auch eher positive Besprechungen in der "FAZ", der "Welt am Sonntag", der "Bayrischen Staatszeitung" und dem "Rheinischen Merkur". Das Verfahren wegen "Volksverhetzung" wurde später von der Staatsanwaltschaft am Landgericht München I eingestellt.

Ritter begann mit einer Lageeinschätzung: "Mehr als eine Milliarde Menschen leben an der Hungerschwelle und haben keine Aussichten, daß sich ihre Situation bessern könnte.... Entscheidende Ursache des Hungers ist die Bevölkerungsexplosion in den Entwicklungsländern. Eine durchschnittliche Zuwachsrate von 80 Millionen Menschen pro Jahr läßt die Weltbevölkerung bis zum Jahr 2000 auf ca. 6 Milliarden ansteigen. Die Nahrungsmittelproduktion kann mit dieser Entwicklung nicht mithalten. Im Gegenteil - die Bevölkerungsexplosion zwingt zu rücksichtsloser Ausbeutung der Natur. Durch Klimaveränderungen und Erosion werden jedes Jahr gewaltige Flächen fruchtbares Land vernichtet und die Wüste rückt unaufhaltsam weiter vor. Diese Zerstörungen können auch durch Produktionssteigerungen mittels moderner Technik, künstlicher Düngung und biologischer Forschung langfristig nicht ausgeglichen werden. Ist es bei dieser hoffnungslosen Situation in den meisten Entwicklungsländern nicht verständlich, daß ihre Bewohner voll Sehnsucht in die reichen Industrieländer blicken, in denen Milch und Honig zu fließen scheinen?....Es bedarf keiner großen Phantasie, um sich vorzustellen, daß weltweit 1-2 Milliarden Menschen sofort bereit wären, in eines dieser 'paradiesischen' Industrieländer auszuwandern, wenn sich die Möglichkeit dazu böte."[104]

Vor einer dergestaltigen Entwicklung wurde gewarnt: "Wehe dem Industrieland, das seine Pforten diesen Einwanderungsströmen öffnet. Es würde in kürzester Zeit so mit Menschen überschwemmt, daß es selbst zum Hungerland würde."[105]

Eindringlich wurde hierbei darauf hingewiesen, daß das weltweite Bevölkerungswachstum allein bei der deutschen Bevölkerung rückläufige Tendenz zeigte. Die ökologischen Folgen dieses Bevölkerungswachstums äußerten sich katastrophal. Man sei hier an Herbert Gruhl erinnert, der sich schon Ende der 70er Jahre aus Gründen ökologischer Überlastung gegen einen starken Ausländerzuzug gewandt hatte. Dabei wurden "multikulturelle" Problemlösungen abgelehnt:

"Die Ideen von One-World, brüderlichem Sozialismus und von der multikulturellen Gesellschaft entstammmen einer ideologischen Betrachtungsweise, die die menschliche Natur völlig ignoriert."[106] Selbst die Sowjetunion habe es in siebzig Jahren mit aller Propaganda und eingesetzter Gewalt nicht geschafft, die volklichen Gegensätze abzuschaffen. "Nicht nur der Gruppenegoismus, sondern auch der individuelle Egoismus sind zum Überleben notwendig."[107]

Ritters Betrachtungsweise der Völker ließ deutlich biologische und ethnopluralistische Bezugspunkte erkennen: "Die Völker und Rassen sind durch die Anpassung an ihre natürliche Umwelt entstanden und haben es der Menschheit ermöglicht, die gesamte Erde vom Äquator bis in die Regionen des ewigen Eises in Besitz zu nehmen[108]...Es ist eine Illusion, durch Vermischung der Völker einen begabteren und an seinen Umwelt besser angepaßten Einheitsmenschen schaffen zu können. Das Gegenteil, nämlich eine wesentlich verminderte Anpassungsfähigkeit wäre die Folge - und dies kann für die Nachkommen tödliche Folgen haben...Die Differenzierung, die die Natur also zwecks Anpassung an eine feindliche Umwelt vorgenommen hat, würde daher durch künstliche Vermischung wieder rückgängig gemacht werden.[109]...Die Natur jedoch ist der größte Künstler, da sie eine unglaubliche Vielfalt der Lebensformen hervorgebracht hat. Wer diese Vielfalt etwa durch Ausrottung von Tierarten oder durch Vermischen der Völker zerstört, begeht ein Verbrechen an der göttlichen Schöpfung...Wer Völker vernichtet, zerstört damit aber auch einmalige göttliche 'Kunstwerke', die in jahrtausendelanger mühsamer Entwicklung entstanden sind."[110]

Er übersah an dieser schön beschriebenen Stelle, daß die moderne Entwicklung, auch die moderne "Völkerwanderung", allgemein anti-natürliche Züge offenbart. In einer Welt der Zentralheizung, Warmwasserdusche, des öffentlichen Verkehrsnetzes, des Supermarktes mit Erdbeeren im Dezember, der neu gestylten Generation von Bürostühlen spielt die natürliche Anpassung eine etwas untergeordnetere Rolle.

Der Anhänger "multikultureller" Zuwanderung geriet, aus Ritters Absichten erklärbar, in die Schußlinie seiner Kritik. Da heute anstatt eines ausgewogenen Gemeinschaftsgeistes der individuelle Egoismus überstark betont werde, wurde gefragt, weshalb gerade die Anhänger dieses Egoismus in Asylfragen so selbstvergessen seien: "Liegt es daran, daß sie unbewußt merken, daß sie die altruistische Seite ihrer Natur unterdrücken und daher ein schlechtes Gewissen haben?"[111]

Doch es gäbe auch eine andere Seite: "Die meisten Humanitätsapostel bringen nämlich in Wirklichkeit kein persönliches Opfer, sondern fordern die Opfer immer nur vom Staat und der Allgemeinheit...Der besser verdienende 'Ausländerfreund' wohnt auch nicht in den Vierteln, in denen Asylanten und Gastarbeiter wohnen. Seine Kinder gehen in der Regel auch nicht in Kindergärten oder in Schulen, wo die Ausländer bereits in der Mehrheit sind. Die Ausländer sind zudem auch keine Konkurrenten um seinen Arbeitsplatz. Welche Anmaßung ist es daher, wenn solche Leute für eine Masseneinwanderung eintreten, die doch zunächst fast ausschließlich dem kleinen Mann unzumutbare Opfer abverlangt!"[112]

Dabei griff Ritter auch auf einige der Thesen des bekannten Verhaltensforschers Irenäus Eibl-Eibesfeldt zurück, welcher der "Multikultur" größte Skepsis entgegenbringt: "'Eine Menschengruppe kann sich durchaus so verhalten, daß sie ihrer eigenen Verdrängung den Weg bereitet. Wir

Europäer laufen gegenwärtig Gefahr, dies zu tun. Wir praktizieren einen einseitigen Altruismus auf Kosten der Chancen unserer Enkel...Bereits heute haben Länder wie England und Frankreich Schwierigkeiten mit ihren nichteuropäischen Einwanderern aus den ehemaligen Kolonien, da diese unter anderem durch eine höhere Fortpflanzungsrate als das Wirtsvolk relativ zu diesem zunehmen. Aus der Anthropologie wissen wir, daß solche Prozesse auf die Dauer zur biologischen Verdrängung des Wirtsvolks führen können...und das sollte uns vor Experimenten dieser Art warnen. Das bedeutet nicht die Ablehnung des humanitären Engagements für andere und Rückfall in einen krassen Gruppenegoismus, erforderlich ist aber ein Suchen nach der vernünftigen Balance, bei der man Selbstschädigungen vermeidet.'"[113]

In dem Buch wurden auch Nebenfragen angesprochen, wie die Anziehungskraft des Islam angesichts eines absterbenden Christentums[114], oder die Rolle "der Politiker". In der Hauptsache beschäftigte sich Ritter natürlich, als typisches Produkt jener, noch nicht beendeten Phase, mit der praktischen Handhabung des Asylrechts, die er scharf kritisierte. Ebenso ausführlich kritisierte er gewisse Grundprinzipien des sich auf eine NS-Verantwortung stützenden Asylrechts.

Allgemein kann man auch für diese Phase sagen, daß zwar der offizielle Widerhall stark gedämpft war, aber eine nicht zu übersehende indirekte Bedeutung darin lag, Themen, die aus bestimmten Gründen vorhanden waren, aber ignoriert wurden, aufzugreifen und als Druck- bzw. heimliches Bestärkungsmittel gegenüber der "etablierten" Politik zu nutzen.

3. Das ethnopluralistische Gegenbild?

Der Begriff "Ethnopluralismus" wurde entscheidend von Henning Eichberg geprägt. Er begriff jedes Volk als Wert an sich, den es angesichts weltweiter Nivellierungstendenzen zu wahren gab. Unter der Überschrift "Ethnopluralismus gegen Universalismus" schrieb er 1978: "Die Kritik des Ethnopluralismus wendet sich im zentralen Punkt gegen den Universalismus, also gegen alles Denken, das so schnell mit dem 'Allgemeinmenschlichen' zur Hand ist. Und das nur gar zu schnell bereit ist, alles Abweichende als 'unmenschlich'oder 'primitiv', als 'unzivilisiert'oder 'archaisch' zu denunzieren. Und auszumerzen."[115] Die von Eichberg, in Frankreich u.a. von Alain de Benoist, entscheidend mitgeprägte ethnopluralistische Haltung hatte seit Mitte der 70er Jahre zunehmenden Einfluß auf die national-politische Auseinandersetzung. Auch in den bisherigen Phasen der kritischen Beschäftigung mit einer "multikulturellen" Gesellschaft in Deutschland haben wir gesehen, wie ethnopluralistische Elemente übernommen wurden. Das geht bis in Organisationsteile jener "alten Rechten", welche sich aus den starren Strukturen althergebrachten Denkens zu lösen versuchen.

Mehr ein Ahnen, das sich da breit macht in letzter Zeit. Das Unbehagen am reinen Ablehnen - besser ausgedrückt: Verschließen gegenüber - einer Entwicklung wächst. Die Hoffnung auf eine baldige Rückführung aller Ausländer ist der Aktivität, zumindest den Neuzuzug weitgehend zu verhindern, gewichen. Der Warner vor der "multikulturellen" Gesellschaft erregt sich zwar noch über die Nachrichtenmeldungen von den negativen Auswirkungen der realen "multikulturellen" Gesellschaft[116], erbaut sich unter Umständen an selbstbestärkenden Verlautbarungen "nationaler Wochenpresse"[117]. Und das war es?

Die Entwicklung ethnopluralistischer Gegenkonzepte zur "multikulturellen" Gesellschaft wird sich in der nächsten Zeit bemerkbar machen. Das reine Verschließen wird aufhören zugunsten der Öffnung gegenüber der "multikulturellen" Auseinandersetzung. Das Brodeln unter der Oberfläche nationaler Selbstgenügsamkeit ist dem sensitiven Individuum vernehmbar. Vielleicht ist der Ausbruch sogar schon erfolgt.

III. Eine ethnopluralistische Antwort

Staatliche Integration - Kulturelle Assimilation

Ich möchte in der Auseinandersetzung um die Befürwortung und Ablehnung der "Multikulturellen Gesellschaft" noch ein eigenes Resümee ziehen. Dies geschieht gesondert, um die vorhergehende Analyse nicht unnötig zu belasten.

Ich gehe dazu auch auf ein Buch ein, welches wohl als das bislang noch stilistisch wie inhaltlich brillianteste Werk eines Kritikers des "multikulturellen" Experiments anzusehen ist. Es handelt sich um das Buch "Die Endlösung der Deutschen Frage" des Osnabrücker Soziologie-Professors Robert Hepp.

Mit Hilfe demographischer Tabellen, die unter anderem das Verhältnis von steigendem Hundebesitz zu abnehmender Kinderzahl darstellen, versucht Hepp die Abnahme der deutschen Bevölkerung und ihre Ersetzung durch die ausländischen Einwanderer aufzuzeigen. Dabei geht er von der Überlegung aus, daß die BRD-Bevölkerungsgeschichte nur das letzte Kapitel der Geschichte des Weltkrieges darstellen würde, in dem die Deutschen die gegen sie gerichteten alliierten Nachkriegspläne a lá Ehrenburg, Morgenthau, Kaufman nun freiwillig erfüllen würden.

Hepp zeichnet ein kritisches, teils provokantes, Bild der politischen und gesellschaftlichen Wirklichkeit der Bundesrepublik Deutschland. Die verschiedensten Problempunkte werden angesprochen, wie der grassierende Pazifismus, den er als Vorstufe von Fremdbestimmung sieht, die starke Abtreibungsrate, die durch die "Vergangenheitsbewältigung" gelähmte BRD-

Politik, "Multikulturelle" Grundgesetz-Artikel, die er als Folge der "Ahnungslosigkeit" der "Männer der ersten Stunde" wertet, der Liberalismus, der den nationalen Gefahren gleichgültig gegenüberstehe, da er die Kategorie des Volkes nicht kenne, die intellektuelle Minderheit, welche die Mehrheit des "einfachen Volkes" praktisch diskriminiere.

Hepp, der sich bewußt ist, daß seinen Schlußfolgerungen nur folgen kann, wer seine Prämissen teilt, kritisiert eine Verteilung der Völkerschaften über eine Welt von Nationalitätenstaaten, da es hierbei nicht darum gehe z.B. die deutsche Kultur zu bereichern, sondern Deutschland um Kulturen zu bereichern. Doch jene Länder, die über die meisten Kulturen verfügten, besäßen in der Regel am wenigsten Kultur. Es erfolge also eine typische - materialistische Verwechslung von Quantität und Qualität, mit dem einzigen Ergebnis: der politischen Neutralisierung nationaler Identität. Wir werden noch auf Hepp zu sprechen kommen.

Das Hauptinteresse der ethnopluralistischen Gegner jenes "multikulturellen" Projekts liegt in der Erhaltung der Völkerwelt, welche man durch einen "Völkerbrei" gefährdet sieht.

In der Ablehnung ist man sich einig, aber nicht in dem Weg, wie man der Entwicklung Herr werden könnte.

Es äußert sich jedoch in letzter Zeit auf "rechter" Seite vereinzelt das Bedürfnis nach einem Weg, die gängigen Stereotypen reiner Ablehnung hinter sich zu lassen: "Festzuhalten ist, daß die Gegner von Immigration, dauerndem Bleiberecht, gar der Integration neuer millionenköpfiger Bevölkerungsteile, am kürzeren Hebel sitzen, was die pädagogische Flankierung eventueller administrativer Einschränkungsmaßnahmen anlangt. Realistischerweise ist davon auszugehen, daß die pädagogisch-medialen Subsysteme unserer Gesellschaft fest in linksliberaler Hand sind, ein Handicap, das die Einwanderungsfeinde auf die Strategie verweist, populistisch-kurzatmig parteipolitischen Nutzen aus dem Gemisch von sozialer Deklassierung, Neid, Xenophobie und Aggression im unteren Bevölkerungsdrittel zu ziehen. Dieser Weg schleust maximal einige weitere Krakeeler kurzfristig ins Parlament, an veränderungsrelevante Schalthebel der Gesellschaft führt dieser Weg 'von oben'durch die ephemeren Proteststimmen der 'Kanacken-raus'-Prolos 'von unten'keineswegs...Die Regierung bremst die Zuwanderung, immerhin. Aber Rückführung? Wie sollte eine Regierung zustandekommen, die mehr als sechs (in Zahlen: 6) Millionen (!) Menschen von deutschem Terrain wiese. Machen wir uns nichts vor: wir haben sie und sie bleiben auf unabsehbare Zeit dort, wo sie heuer sind. Wer anderes behauptet, will entweder täuschen oder ist ein für uns alle gefährlicher Traumtänzer der Marke Liebenfels, Darré, Streicher, Günther etc.; es ist an der Zeit, daß die Rechte sich mit diesem unangenehmen Fakt abfindet- und jenseits solch grobklotziger "Polit"-Sujets wie Überfremdung und Türkenhaß endlich an die Konzeptualisierung eines operativ-substanziellen "rechten" Paradigmas geht.- Zweifelsohne nervt uns Rechte die interkulturelle Umerziehungsreihe, dennoch versagt man dem linken Know-how die Anerkennung dafür nicht, daß es ihm immer wieder gelingt, seiner intellektuellen Hydra Köpfe nachwachsen zu lassen, die sich auf die taktisch-praktische Umsetzung seiner ideelen Restbestände verstehen. Dazu gehört der Inter-Nationalismus als Kultur-Egalitarismus mit universalem Wohlstands-Transfer; diesen letzten verbliebenen Wehrturm behauptet die Linke mit Zähnen und Klauen, denn er kann später, wenn der Wind sich wieder dreht, zum Brückenkopf einer Renaissance weiterer linker Dogmen werden."[118]

Umso enttäuschender verspürt man derzeit gerade in den jüngeren Teilen dieser Kreise, eine (narzistische?) Neigung, sich gegenüber dem "multikulturellen" Projekt verhängnisvollen Illusionen hinzugeben, also die "positiven Seiten" der Entwicklung beachten zu wollen. Daß man sich, möglichenfalls für den Preis, auch mal in einem "interkulturellen" Sammelband mitschreibseln zu dürfen, dabei der eigenen Gedankenbasis "Volk" bzw. "Nation" berauben könnte, scheint den "Jung-Nationalisten" nicht in den Sinn zu kommen.

Listen wir doch mal auf, welche Möglichkeiten von Reaktionen heute möglich sind:

1. Man fordert "Alle Ausländer raus". Das ist eine gängige Parole die bei einfacheren und bequemen Gemütern ankommt. Dagegen sprechen eine realistische Einschätzung der politischen Möglichkeiten, sowie humanitäre Gründe. Ebenso kann diese starre Ablehnung, wie wir gesehen haben, der "antifaschistischen" Unterfütterung "multikultureller" Humanitarismen dienen.

2. Man plädiert für eine Apartheidsgesellschaft, also eine strikte Trennung der verschiedenen Ethnien auf engstem Territorium. Das südafrikanische Beispiel sollte eines besseren belehrt haben. Wo bei ausgedehnten Landschaften und Staatsgebilden ein friedliches Nebeneinander verschiedener Volksgruppen vorhanden ist, gedeiht dieses bei andersethnischer Gruppierung von Straßenzug zu Straßenzug schwerer. Ebenso bietet eine dennoch vorhandene wirtschaftliche Verflechtung der verschiedenen Bevölkerungsteile Egalitaristen jederzeit Gelegenheit, die Gruppen gegeneinander auszuspielen und das wackelige Trennungssystem letztendlich zu durchbrechen.

3. Man vertraut in eine "Multikulturelle Gesellschaft". Diese werde schon nicht zur Einebnung aller ethnischen Unterschiede führen. Außerdem werde sich die Frontstellung der Völker untereinander auflösen, zugunsten einer neuen Frontstellung der vereinigten, "volkstumstreuen" Traditionalisten gegen die vereinigten Universalisten. Ein blindes Vertrauen wäre hier aber verhängnisvoll, da es von einem rein intellektuellen Menschenbild ausgeht.

Mag es in der Auseinandersetzung des geistigen Lebens durchaus richtig sein, diesen Frontstellungswechsel zu vollziehen, so muß man sich der quasi natürlichen Instinkte der Volksmassen bewußt bleiben. Denn durch zunehmende Dichte werden die Probleme zwischen den Völkern nicht verschwinden, sondern sich eher verstärken. Je mehr man "together" kommt, umso mehr gerät man erst einmal aneinander.

Verließe man den Bezug zur Bevölkerung in einem rein polit-philosophischen Diskurs, findet sich also die Gemeinschaft der "Traditionalisten" in ein paar Dutzend konservativen Intellektuellen wieder, beraubte man sich langfristig des "Materials" zur Umsetzung eigener Vorstellungen.

Dabei ist es ein Trugbild, die Völker könnten, ohne repressive Trennungsmaßnahmen, friedlich auf gemischtem Land nebeneinander herleben, ohne ihre traditionellen Identitäten aufgeben zu müssen.

Mögen die Eltern ihre Kinder noch so traditionell erziehen, irgendwann beachtet der muslimische Nigerianer Ali, während er gelangweilt im "interkulturellen Unterricht" seinen Blick durch die Klasse schweifen läßt, daß der blonden Katholikin Sabine schon richtig große Brüste gewachsen sind. Und Sabine bemerkt bald Alis wilde Blicke und rätselt, ob die Wunderdinge wirklich stimmen, die sich die Mädchen von den Negern erzählen - und lächelt zurück. Und nach einiger Zeit kommt aus dieser Liason der kleine Roberto heraus. Und der wird sich bald fragen, was er denn ist: Muslim? Katholik? Nigerianer? Deutscher? Und was wird erst dessen Tochter rätseln, nachdem er sich mit einem anderen "Mischlings"-Mädchen eingelassen hat: 1/4 Muslim, 1/4 Katholik, 1/2 Buddhist? 1/4 Chinese, 1/8 Inder, 3/8 Deutscher, 1/4 Nigerianer? Sie wird sich feste Ersatzidentitäten in der Jugend- oder Subkultur suchen, welche von den internationalen Medien und Konzernen angeboten werden. Das "Großkapital" erzeugt sich den idealen Konsumenten.

Die "Multikulturelle Gesellschaft" ist also nur die langsame Vorbereitung auf die Cross Culture, auch wenn das einige Pädagogen durch süßliche Redewendungen verschleiern mögen! Sie ist die Zwischenphase, vielleicht der letzte Blutrausch der traditionellen Bindungen, vor der Ruhe einer Welt einheitlichen Konsumierens. Das bestätigen auch "interkulturelle" Pädagogen:

"Idealtypisch wäre, interkulturelles Lernen als Prozeß zu verstehen, in dem sich die unterschiedlichen Ausformungen verschiedener Kulturen miteinander zu einer neuen Form von Kultur verbinden."[119]

Die eigentliche Alternative spielt sich also zwischen Ethnopluralismus und Cross Culture ab. Ist erst einmal die Zwischenstufe der "Multikulturellen Gesellschaft" erreicht, ist es höchste Eisenbahn, vorausgesetzt man will Völker oder Traditionen erhalten, die Weichen anders zu stellen.

4. Staatliche Integration - Kulturelle Assimilation: Zusammenschluß und Angleichung

"Wer will die Schichten voneinander trennen, die hier, beiderseits des zehnten Längengrades, zu einem populativen Amalgam verquickt sind, das auf unserem Planeten seinesgleichen sucht? Gelassenheit: lehren wir auch die heutigen Arbeitszuwanderer neben der dritten die erste Strophe jener Hymne, in der sich unser Wesen ausspricht! Halten wir sie, verleiben wir sie uns ein - dann werden neben den französischen, böhmischen, ungarischen, polnischen Namen auf unseren Heldendenkmälern dereinst auch türkische oder gar afrikanische Namen vom Opfersinn ihrer Träger künden. In den konventionellen Kriegen der postatomaren Ära werden die universalen Bindungen, die seit dreissig Jahren den Deutschen zuwachsen, von unschätzbarem Vorteil sein; der verhockt-provinzielle Grübler, der Hurra-tumbe Komisskopp, der treu-biedere Kraut-Michel- sie sind zum Nutzen Deutschlands passé. Wenn die Welt uns schon nie lieben wird- uns und die Israeliten- dann soll sie uns beständig fürchten."[120] Es muß nicht gleich so blutrünstig werden, dennoch steckt in der Aussage ein konstruktiver Kern.

Ich erinnere mich, daß in meinem Bekanntenkreis lange Zeit die einzige Person, welche des öfteren "Ein Herz für Deutschland"-Äußerungen von sich gegeben hat, ausgerechnet eine Halbperserin war, während sich gleichzeitig eher "arische" Personentypen in ihrer Rolle als "Kosmopoliten" gefielen. Warum also die persönliche Erfahrung nicht in die politische Auseinandersetzung einbringen? "Deutsche durch Bekenntnis, nicht durch einen biologischen Zufall"[121], hatte einst Ernst von Salomon betont, und damit die rein biologistische Politik der Nationalsozialisten kritisiert. Heute würde er sicher dafür eintreten, in Deutschland lebenden Ausländern die Wahlmöglichkeit einzuräumen, bewußte Deutsche - und dies nicht nur auf dem Papier - werden zu können.

Vertreter dieses Konzeptes müssen sich natürlich im Klaren darüber sein, nicht überall auf Beifall zu stoßen. Die altrechten Biologisten werden aufschreien, falls Neubürgern türkischer oder indischer Herkunft die Möglichkeit gegeben werde, das herausragende Erbgut blonder Hafenstraßenbesetzer zu besudeln. Ebensowenig wird es dicklichen Soziologen, wie dem Frankfurter Professor H.Müller, gefallen, wenn ihre lustvollen Schilderungen unintegrierbarer Fremdmassen, die "es den Deutschen mal zeigen", wie Seifenblasen zerplatzen sollten.

Robert Hepp erwähnt, wie er, wegen eben solchen Konzeptionen, in die Schußlinie beider Lager geraten ist: "Es war nicht zu übersehen, daß ich das Konzept einer 'multikulturellen Gesellschaft' ablehnte; da ich jedoch der Alternativstrategie einer 'pronatalistischen Bevölkerungspolitik' offenbar nur geringe Chancen einräumte, schien meine Argumentation auf die Empfehlung hinauszulaufen, faute de mieux bei der 'Wanderungspolitik' zu bleiben, aber die Einwanderer wenigstens zu assimilieren. Während ich bei einem Teil der Rechten deshalb in den Ruf eines 'Defätisten' geriet, blieb ich bei meinen linken Freunden der 'Ausländerfeind' und 'Rassist'. Da war also eine Richtigstellung fällig."[122]

Die Kritik und die Angst vor der Assimilationskraft des Gastlandes durchläuft weite Teile der pädagogischen Diskussion. Beispielsweise wird behauptet, daß die historische Situation so gewandelt sei, daß eine Assimilation unmöglich erscheine: "Gelegentlich wird behauptet, Einwanderer würden sich allmählich und unvermeidlich kulturell so assimilieren, daß spätestens in der dritten Generation keine bemerkenswerten Unterschiede zur Aufnahmekultur mehr zu beobachten seien. In diesem Zusammenhang wird gern auf das Beispiel der ins Ruhrgebiet eingewanderten Polen verwiesen. Deren von staatlicher Seite erzwungene Assimilation fand jedoch unter so andersartigen historischen Bedingungen statt..., daß man diesen Prozeß der vollständigen Anpassung nicht mit der gegenwärtigen Situation der Minoritäten in der Bundesrepublik Deutschland vergleichen kann."[123]

Man darf gespannt sein. Tagtäglich begegnen mir dunkelhäutigere Mädchen, die Kopftücher und Rock gegen fast perfektes Madonna-Styling eingetauscht haben. Eine Assimilation findet unter bestimmten Bedingungen statt, auch wenn sie sich weitgehend in amerikanisierter Form vollzieht.

Einen bemerkenswerten Ansatz bietet dagegen ein 1984 über bikulturelle Erziehung erschienenes Buch.[124] Hier werden die Grundpositionen der Bund-Länder-Komission von 1977 und der sozialliberalen Bundesregierung dargelegt, welche von Ablehnung einer Einwanderungslandposition, von Anwerbestop und Rückkehrförderung geprägt waren. Der Mensch wird dabei als Kulturwesen erkannt, als Mitglied einer jeweiligen Kultur, die gleichwertig, verschieden und optimal ist. Ein Kulturwechsel erfolge über die freundliche, freiwillige Annahme der Werte einer anderen Kultur. Der interessanteste Teil des Werkes ist aber die Position des sozialdemokratischen Ex-Bundeskanzlers Schmidt, welcher sich für das Grundmodell nationaler Assimilation ausspricht: "'Wir wollen kein Nationalitätenstaat werden. Deshalb würden wir uns freuen, wenn die jungen Menschen später nach Hause gehen oder wenn sie hier bleiben, Deutsche werden. Entweder das eine oder das andere.'"[125] Diese Position blieb selbst in der SPD lange mehrheitsfähig.

Michele Borelli hingegen beschreibt, mit dem "interkulturellen" Pädagogen eigenen Unbehagen, mögliche Konsequenzen der "Bikulturalität": "...nationalorientierte Theoretiker in diesem 'Inter' die Gefahr der Preisgabe nationalen Gedankengutes sehen, andere wiederum die Vermischung der Völker, somit einen 'Völkerbrei' oder sogar den 'Volksuntergang' vermuten. Es wäre zu untersuchen, ob auch der Begriff der 'Bikulturellen Erziehung' auf analoge Ideologeme zurückgeht: 'Bikulturalität' wurde und wird auch so verstanden, daß den ausländischen Kindern die 'Möglichkeit'eingeräumt wird, sich für 'die eine'oder 'andere Kultur' zu entscheiden. Krasser formuliert könnte das bedeuten: 'Bikulturalität'bereitet die ausländischen Kinder auch auf den 'Rausschmiß'aus diesem Lande vor! Manche politische Rede spricht leider dafür, daß dieser Rausschmiß ernst gemeint ist."[126]

Sicher hängt viel von der Integrationsfähigkeit der verschiedenen Ausländergruppen ab, auch von der Möglichkeit der Beschränkungen eines zu großen Zuzugs, welcher die Integrationsleistung stören, bzw. zu ihrem Kollaps führen würde. Dennoch scheint das integrative Konzept realistische Verwirklichungsmöglichkeiten zu besitzen. Dabei darf es natürlich nicht bei einer rein staatlichen Integration zur Steigerung politischer Effizienz bleiben. Das Streben nach traditioneller, kultureller "Vertrautheit" stellt ein menschliches Grundbedürfnis dar, welches sich politisch äußern wird. Die staatliche Integration muß sich, will sie gelingen, in einer kulturellen Assimilation fortsetzen, da ansonsten der Bezug zum volklichen Ursprung, eine Identitätsgrundlage des nationalen Staates, verloren ginge. Assimilation ist nichts Verwerfliches, da der freie Entschluß der Neubürger, die Brücken hinter sich zu lassen, der Verlust der alten Identität, mit dem Gewinn einer neuen, in diesem Falle der deutschen, belohnt wird. Gerade "interkulturelle" Pädagogen äußern ja immer wieder, daß ihnen der Verlust der Identität eines Volkes nicht viel bedeutet:

"Dem Begriff des 'Verlustes' dieser, jedem Volke, 'vorgeschriebenen' Identität, gehen natürlich pädagogische Vorentscheidungen voraus: der konservative Traum, Bildung bestünde aus dem 'Bewahren'des Institutionalisierten, des jeweils Historisch-Etablierten."[127]

Warum dann nicht Ausländern etwas Gutes tun und ihnen die moderne deutsche Staatsbürgerschaft schmackhaft machen?

Um dem Vorwurf mangelnder Wertschätzung fremder Kulturen vorzubeugen, müsste man umgekehrt dem Ausland ausdrücklich das Recht zugestehen, auch aus Deutschen gute Italiener, Türken...."zu machen". Ein Mensch verläßt seine alte Heimat, um sich in der Gemeinschaft eines neuen Volkes bewähren zu dürfen. Nur so kann Ethnopluralismus in einer Zeit zunehmender Mobilität möglich bleiben.

Zum Gelingen bedarf es dabei eines Staates, der Kulturpolitik nicht allein als Bezuschußung einiger Aktionskünstler ansieht, sondern eine staatliche und nationale "Gemeinschaft", d. h. feste, traditionelle Bezüge, Rituale, Ent-Anonymisierung etc., über die Kultur fördert, ohne in totalitäres Fahrwasser abgleiten zu müssen. Das stellte natürlich auch die kulturtragende Schicht vor die Aufgabe, "Deutschtum" attraktiv zu machen, d.h. es aus dem Gefängnis nationaler Kulturverbände zu lösen, die es auf dem Stand von 1940 eingefrohren haben.

Robert Hepp erklärt hierbei, warum trotz schwacher Rückkehrwünsche, die Integrationsabsichten von Ausländern noch so gering ausfallen: "Obwohl viele Ausländer mit nur allzu hohen 'sozialen Erwartungen' in die Bundesrepublik kommen, sind nur die wenigsten bereit, ihre nationale Identität gegen das Linsengericht einer 'gesellschaftlichen Emanzipation' einzuhandeln...Die jungen Ausländer nehmen zwar die 'sozialen Angebote', die ihnen reichlich zuteil werden, gerne an, sie sind jedoch nicht geneigt, von ihrer 'sozialen Anerkennung' irgendwelche 'politischen Konsequenzen' zu ziehen."[128] Das große Vorbild stellt für Hepp das Frankreich der Vorkriegszeit dar: "Im Unterschied zur BRD, die ihren Bürgern hauptsächlich 'Menschenrechte', 'Wohlstand' und 'soziale Sicherheit' bieten will, verstand sich die Dritte Republik als Nationalstaat mit einer unverwechselbaren Kultur; sie erwartete von den Fremden, daß sie sich den französischen Werten und Normen unterwarfen. Nicht die Eingliederung in ein 'Sozialsystem' und in eine abstrakte Verfassungsordnung, sondern die 'Assimilation' war das Ziel dieser 'Integrationspolitik'. Wer zur bedingungslosen Identifizierung mit der französischen Nation (samt Sprache, Sitten und Gebräuchen) fähig und bereit war, wurde als 'Mitbürger' akzeptiert. Wer diese Bedingungen nicht erfüllte, wurde dagegen als Fremder behandelt.. Gerade weil er ein unverwechselbares Gesicht hatte und von seiner besonderen Mission überzeugt war, hatte dieser Nationalstaat die Kraft, Fremde nicht nur anzuziehen, sondern sie auch zu assimilieren."[129] In der Bundesrepublik scheint dies derzeit noch nicht denkbar: "Sie ist 'das Vaterland von niemandem', weil sie das Vaterland von jedermann sein möchte."[130]

Das zeige sich in der deutschen Intellektuellen-Mentalität: "Unsere Bildungsphilister bewundern zwar derlei Eigentümlichkeiten bei den fremden Stämmen, die sie als Touristen besuchen, aber auf die 'Folkways' des eigenen Volkes schauen sie mit Verachtung herab. In Köln genieren sie sich zu schunkeln, aber in Carnac tanzen sie nach dem Dudelsack. In Altötting belächeln sie die Rosenkranzweiblein, aber in Madura murmeln sie Mantras nach...Weitgereist, wie sie sind, fühlen sie sich überall zu Hause und gehören doch nirgends hin...Seit man auf gebahnten Straßen in den letzten Dschungel gekarrt wird und im tropischen Regenwald den Komfort eines europäischen Grandhotels genießt, breitet sich der Verdacht aus, es sei 'im Grunde überall gleich'. Aber im Vergleich zu den beengten Verhältnissen der Heimat hat die Fremde doch meist noch zusätzliche Reize zu bieten, und seien es nur Sonne, Palmen und Strand....Indem die 'emotionale Ortsbezogenheit' zur eigenen Heimat schwindet, wächst die Bereitschaft, sie jedermann zur gefälligen Mitbenützung zu überlassen. So betrachtet ist die 'Entfremdung' der Deutschen eine Voraussetzung der 'Überfremdung' ihres Landes. Es ist nicht auszuschließen, daß viele unserer Landsleute die Einwanderung der Ausländer sogar schon als eine Art passiven Tourismus willkommen heißen: Statt in die Türkei zu reisen, läßt man sie sich kommen; mit Kreuzberg hat man dann Istanbul vor der Haustür."[131]

Und das kann sich dann bis zum Antigermanismus steigern: "Die Grünen fochten mit derselben umwerfenden Logik, mit der sie gleichzeitig für die völlige Freigabe der Abtreibung und für den kompromißlosen Schutz der Froschlaiche eintraten, für die 'kulturelle Eigenständigkeit' der Türken oder 'Sinti' und gegen den 'Neonazismus' jener Deutschen, die für sich gerne dasselbe Recht in Anspruch genommen hätten. Wenn es um Ausländer ging, scheuten sie sich nicht, von deren 'Volkstum' zu sprechen, ...während sie außer sich gerieten, wenn ein Deutscher es wagte, das deutsche Volk auch nur als ein solches zu bezeichnen. Dieselben Leute, die sich angewöhnt hatten, die Vertreibung der Deutschen aus ihrer Heimat eine bloße 'Umsiedlung' zu nennen, behängten die 'Rückkehrförderung' mit dem Etikett 'Vertreibung'."[132]

Meine Freunde Patrick und Brigitte belächeln mich immer ungläubig, ob des kulturellen "Spagates", zu dem man als womöglicher Ethnopluralist genötigt ist: "Deutschtümelnde Sprüche und danach in die Hip-Hop-Diskothekenscene, wie verträgt sich das denn?" Ja, darf man denn nur schnapsnäsig in einem Burschenschaftlerkostüm Marschlieder schmettern, wenn man der Völkerwelt eine gewisse Empfindsamkeit entgegenbringt? Wenn man etwas auf seine kulturelle Lebendigkeit hält, kann man sich den Wellen neuer Kunstströmungen, den mannigfaltigen Ausformungen von "Pop"-Musik, den Video-Clips, den Modetrends gar nicht verschließen. Einströmungen fremden oder universellen Kulturgutes sind nichts Neues, und es ist in der Vergangenheit weitenteils gelungen, diese im eigenen Sinne umzuformen, in unserem Falle "einzudeutschen". Weshalb versuchen das heute nicht mehr Kulturschaffende? Vielleicht ist ja in Zukunft möglich, daß deutsche Acid-DJs, statt des obligaten "smilies" oder "peace"-Signets, wenn es denn sein muß, die Odalrune auf der Brusttasche ihrer Lederjacke tragen. Ist der nationalen Kultur erst einmal wieder die Anziehungskraft zurückgegeben worden, die sie heute an Coca-Cola-Reklame verloren hat, werden sich in dieser Kultur lebende Fremdstämmige gerne mit ihr verbinden. Dann öffnen sich einem liebliche Zukunftsaussichten: Ehemalige Thaimädchen in drallen Dirndln? Jodelnde Ex-Japaner? Türkenkinder mit der Deutschlandfahne in der Hand? Plattdeutsch sprechende Neger? Das klingt doch nett. Und nun an die Feinarbeit...

Anmerkungen:

1: Fünfte "Etappe", Bonn 1990, S.134.
2: Manfred Hohmann, Hans Reich: Ein Europa für Mehrheiten und Minderheiten, Münster 1989, S.5.
3: Man vergleiche hierzu: Volker Nitzschke (Hg.): Multikulturelle Gesellschaft- multikulturell Erziehung, Tübingen 1982; Helmut Essinger, Ali Ucar (Hg.): Erziehung in der multikulturellen Gesellschaft, Baltmannsweiler 1984. Michele Borelli (Hg.): Interkulturelle Pädagogik, o.O., 1986. Ulrich Schmidt (Hg.): Kulturelle Identität und Universalität. Interkulturelles Lernen als Bildungsprinzip, Frankfurt 1987.
4: Landesinstitut für Schule und Weiterbildung NRW, Ursula Schneider-Wohlfahrt: Perspektiven interkulturellen Lernens für die multikulturelle Gesellschaft, Soest 1988, S.177ff.
5: Ebd., S.177.
6: Ebd., S.178.
7: Ebd., S.179.
8: Ebd., S.179f.
9: Ebd., S.180.
10: Ebd., S.181.
11: Ebd.
12: Ebd., S.181f.
13: Ebd., S.182.
14: Ebd.
15: Ebd., S.183.
16: Ebd.
17: Ebd., S.184.
18: Ebd.
19: Ebd., S.185.
20: Ebd.
21: Es bleibt zu fragen, ob die "Opfer" der "Aversiven" nicht ebenso von Aversionen heimgesucht werden. Beispielsweise lassen die aggressiven Äußerungen zahlreicher Anhänger "alternativer Lebensformen" (Autonome, Punker etc.) gegen die bürgerlichen "Spießer" diese Vermutung zu.
22: Schneider-Wohlfahrt, S.185f.
23: Vgl. ebd., S.186.
24: Wiener, 8/1989, S.58.
25: Ebd., S.58.
26: Ebd., S.58.
27: Ebd., S.59.
28: Ebd., S.59.
29: Ebd., S.60.
30: Ebd., S.60.
31: Wiener, 8/1990, S.108f.
32: Ebd., S.109.
33: Ebd.
34: Ebd., S.110.
35: Ebd.
36: Ebd., S.110f.
37: Ebd., S.112.
38: Die Reaktion der Gegenseite war ein Aufkleber mit der Abbildung zweier kommunizierender Schimpansen und dem Text: "Come together. Multikulturell? Nein Danke." Überhaupt sind Vergleiche aus der Tierwelt sehr beliebt: Die Ausländerbeauftragten der DDR und des Magistrates von Berlin veröffentlichten seinerzeit das Bild eines Nashorns vor einer mit dem Spruch "Elefanten raus" verzierten Wand, welches "Wohlstand für alle Nashörner" forderte.
39: Trans-Atlantik, 10/1990, S.66. Das Thema wird auch in Claus Leggewies jüngstem Buch "Multiculti" angesprochen.
40: Ebd.
41: Ebd.
42: Ebd., S.67.
43: Ebd.
44: Ebd, vgl. "Extradienst" 20/1989.
45: Die Presse, 18.9.1990.
46: Ebd., 14.10.1989.
47: Ebd., 18.10.1989.
48: "Das Boot war nie voll. Alle Österreicher waren irgendwann einmal Zuwanderer." aus: "Wochenpresse", 23.3.1990.
49: Wiener, 4/1988, S.56.
50: Wochenpresse, 16.3.1990, S.16.
51: Vgl. profil, 23.4.1990.
52: Jürgen Micksch: Kulturelle Vielfalt statt nationaler Einfalt. Eine Strategie gegen Nationalismus und Rassismus, Frankfurt 1989.
Es sei an dieser Stelle eine Nachricht der Offenbach-Post von Sylvester 1990 erwähnt, wonach die Arbeitsgemeinschaft "Pro Asyl" "einen verstärkten Bau von Wohnraum für Flüchtlinge in der Bundesrepublik forderte....Notwendig sei 'das größte Wohnraumbeschaffungsprogramm aller Zeiten'." In der ersten Phase sollen so 250 000 Wohneinheiten gebaut werden. Bei einem Krieg am Golf solle das Bauprogramm verdoppelt werden.
Da freut sich die Betonindustrie.
53: Ebd., S.28.
54: Ebd., S.30.
55: Ebd., S.30f.
56: Ebd., S.31.
57: Ebd., S.32.
58: Ebd., S.33.
59: Ebd., S.34f.
60: Ebd., S.36f.
61: Ebd., S.37.
62: Ebd.
63: Ebd., S.38.
64: Ebd., S.39.
65: Ebd., S.41.
66: Ebd., S.46.
67: Ebd., S.35.
68: Ebd., S.45.
69: Auszug aus einem Brief des Evangelischen Kirchengemeindeverbandes Offenbach a.M. an die Gemeindemitglieder, Dezember 1990: "Wie sie wissen, ist die Zahl der evangelischen Christen in Offenbach rückläufig. Dies ist nicht nur auf Kirchaustritte zurückzuführen, sondern vielmehr darauf, daß die deutsche Bevölkerung erheblich abgenommen hat und die Zahl der Sterbefälle die der Geburten bei weitem übersteigt....Aus diesem Grunde bitten wir Sie um einen 'Kirchengroschen'. Täglich ein Groschen ergibt im Jahr DM 36.-!"
70: Als Beispiel diene hier der Theologe Alexander Evertz mit seiner Schrift "Kirche und Volk. Ein Ja zum Vaterland" (Asendorf 1985, S.64f.): "Es müssen Mittel und Wege gefunden werden, um den Deutschen und Ausländern zu helfen. Es sollte Klarheit darüber herrschen, daß die Bundesrepublik aus verschiedenen Gründen kein Einwanderungsland werden kann. Sie darf gerade auch um der Ausländer willen in ihrem begrenzten Raum nicht grenzenlos Menschen aus aller Welt aufnehmen. Sie kann sich um unseres Volkes willen nicht einer gefährlichen Überfremdung aussetzen."
71: Verband der Initiativgruppen in der Ausländerarbeit-Regionalverband Nord e.V. (Hg.): S.O.S. Rassismus, Berlin 1985.
Der säkular-antirassistische Ansatz ist auch in der Beschreibung eines Projektauftrages der Robert-Bosch-Stiftung von 1985 erkennbar: Gudrun Jahnbeit und Hubertus Schröer: Interkulturelle Arbeit im Kindergarten und Stadtteil, München 1985, hg. vom Projekt "Deutsche und Ausländer im Stadtteil-Integration durch den Kindergarten".
72: Ebd., S.8.
73: Ebd., S.8.
74: Ebd., S.10.
75: Ebd., S.15.
76: Ebd., S.21.
77: Ebd., S.24f.
78: "Der rote Löwe", Nr.1, Offenbach 1983.
79: Veranstaltungsprospekt "zur 50.Wiederkehr der Progromnacht", herausgeben von der Stadt Offenbach a.M..
80: Wiener, 7/1989, S.54.
8: Vgl. das am 5.2.1991 erfolgte Gespräch im dritten

Flernsehprogramm des hessischen Rundfunkes über das Theaterstück "Die Schutzflehenden" in der Inszenierung von Lore Stefanek.
82: Vgl. die negative Meldung hierzu in "Deutscher Anzeiger" vom 21.1.1984.
83: Vgl. Franco Biondi...(Hg.): Im neuen Land, Bremen 1980.
84: Christian Schaffernicht (Hg.): Zu Hause in der Fremde. Ein bundesdeutsches Ausländer-Lesebuch, Fischerhude 1981.
85: Ebd., S.11ff.
86: Blattform, 10/90, S.5. Der tschechische Autor kritisiert Präsident Vaclav Havel dafür, daß er sich für die Vertreibung und teilweise Ermordung von insgesamt über drei Millionen Sudetendeutschen nach dem zweiten Weltkrieg durch Tschechen entschuldigte. Zu solch einer Handlung gäbe es keinen Grund.
87: Die Zeit, 28.9.1990.
88: APA/AFP- Meldung vom 10.10.1990.
89: Vgl. die Umfragen bei Vassiliki Chatzinkolau Marasli: Griechische Kinder im Spannungsfeld zweier Kulturen, Frankfurt 1987.
90: "Unser Weg", Nr.1, hg. vom Gau Rhein-Westfalen der verbotenen Aktionsfront nationaler Sozialisten/Nationale Aktivisten.
Zit. nach Bundesverfassungsschutzbericht, Bonn 1984.
91: Vgl. Jürgen Todenhöfer: Ich denke deutsch, Erlangen 1988
und Heinrich Lummer: Standpunkte eines Konservativen, Krefeld, 2.Auflage, 1989.
92: Vgl. Heinrich Schade: Völkerflut und Völkerschwund, Neckargmünd 1974.
93: Vgl. u.a. Siegfried Jäger (Hg.): Rechtsdruck. Die Presse der Neuen Rechten, Berlin-Bonn 1988, S.79.
94: Günther Deckert: Ausländerstop. Handbuch gegen Überfremdung, Kiel 1981, 32 ff.
95: Ebd.
96: Hubert Dröscher: Bevölkerungs-Entwicklung in West-Deutschland. Gefahr und Ausweg, Bremen Juni 1981, S.5.
97: Wolfgang Seeger: Ausländer-Integration ist Völkermord. Das Verbrechen an den ausländischen Volksgruppen und am deutschen Volk, Pähl 1984, Umschlag-Vorwort.
98: Ebd., S.2.
99: Ebd., S.3.
100: Ebd., S.11f.
101: Ebd., S.12.
102: Ebd., S.18.
103: Ebd., S.29.
104: Manfred Ritter: Sturm auf Europa. Asylanten und Armutsflüchtlinge, München 1990, S.7. Es sei hier auf das Buch von William Nicholson, "Der Marsch. Der Aufbruch der Massen nach Europa. Das Drama des Nord-Süd-Konfliktes", Horizonte-Verlag, verwiesen, welches sich mit einer ähnlichen Problematik befasst.
105: Ritter, S.8.
106: Ebd., S.55.
107: Ebd.
108: Ebd., S.63.
109: Ebd., S.64.
110: Ebd., S.65f.
111: Ebd., S.57.
112: Ebd., S.57f.
113: zit. nach Ritter, S.33f.
114: Vgl. Beat Christoph Bäschlin: Der Islam wird uns fressen! Der islamische Ansturm auf Europa und die europäischen Komplizen dieser Invasion, Tegna 1990.
115: Henning Eichberg: Nationale Identität, München-Wien 1978, S.8.
116: Vgl. hierzu die allmonatliche Rubrik "Nachrichten von der Überfremdungsfront" in der Zeitschrift "Nation und Europa. Deutsche Monatshefte" oder die Meldungen unter der zynischen Überschrift "Multikulturanien, wie es grunzt und quiekt" in den von Hans-Michael Fiedler geleiteten "Nachrichten des Studentenbundes Schlesien" 3/1990.
117: Vgl. "Kein Wahlrecht für Ausländer. Wie die Mehrheit der Deutschen denkt." in: "Deutsche National-Zeitung" vom 7.8.1987.
118: Fünfte "Etappe", Bonn 1990, S.136. Es handelt sich um eine Buchbesprechung zweier Sammelbände der Reihe "Interkulturelle Erziehung in der Grundschule" aus dem Beltz-Verlag.
119: AG 5 der Mitarbeiter/innen des Stadtteilladens "Regenbogen": Thesen zur interkulturellen Arbeit im Stadtteil, in: Landesinst. f. Schule und Weiterbildung NRW (Hg.)/Ursula Schneider-Wohlfahrt: Perspektiven interkulturellen Lernens für die multikulturelle Gesellschaft, Soest 1988, S.164.
120: Fünfte "Etappe", Bonn 1990, S.135.
121: Ernst von Salomon: Der Fragebogen, Reinbek bei Hamburg, Mai 1961, S.368.
122: Robert Hepp: Die Endlösung der Deutschen Frage. Grundlinien einer politischen Demographie der Bundesrepublik Deutschland, Tübingen-Zürich-Paris, 1988, S.12.
123: AG 6: Interkulturelle Begegnung und interkulturelles Lernen, in: Schneider-Wohlfahrt, Soest 1988, S.177.
124: Lajios Konstantin, Kiotsoukis Simeon: Ausländische Jugendliche. Probleme der Pubertät und der bikulturellen Erziehung, Opladen 1984.
125: Ebd., S. 105.
126: Michele Borelli: Interkulturelle Pädagogik, 1986, S.2.
127: Ebd., S.3.
128: Hepp, S.77.
129: Ebd., S.78.
130: Ebd., S.79.
131: Ebd., S.163.
132: Ebd., S.86.

Zugluft - Die multikulturelle Gesellschaft

Dr. Heiner Geißler

Heiner Geißler ist Philosoph und Volljurist. Er war Landes- und Bundesminister und 12 Jahre Generalsekretär der CDU. Heute ist er Mitglied des CDU-Präsidiums, stellv. Vorsitzender der CDU/CSU-Bundestagsfraktion und Vize-Präsident der Christlich Demokratischen Internationale.

Der Beitrag ist eine aktualisierte Fassung des 5.Kapitels aus seinem Buch "Zugluft", erschienen bei Bertelsmann, München 1990.

Mimi, Fußpilz und Gulasch

Mein alter Freund und JU-Weggefährte Siegbert Alber, der Spitzenkandidat der baden-württembergischen CDU für die Wahlen zum Europäischen Parlament 1989, fabrizierte, wie der "Express" schrieb, in Offenburg beim Nominierungsparteitag der CDU eine "Bruchlandung im Fettnapf". Was war passiert?

Siegbert Alber, immerhin Vizepräsident des Europa-Parlaments, hatte zunächst Griechen und Franzosen gleichzeitig und gleichmäßig vor das Schienbein getreten. Dem damals amtierenden EG-Präsidenten und griechischen Ministerpräsidenten Andreas Papandreou, der sich wegen der Stewardeß Mimi gerade in einem Scheidungsprozeß befand, bescheinigte Alber, daß er "biologisch" sowohl seinem Amt als EG-Präsident als auch seiner jungen Freundin nicht gewachsen sei. Und der französische Käse wurde von ihm mit der Bemerkung apostrophiert, daß dessen Geschmack daher komme, daß "dort der Großvater mit Fußpilz in der Milch rührt". Dann wandte er sich mir zu, polemisierte gegen den von mir in einem "Zeit"-Interview formulierten Begriff der "multikulturellen Gesellschaft" und meinte, die Deutschen dürften nicht in einem "Bevölkerungsgulasch" verschwinden. Ziel müsse es sein, daß die Ausländer daheim Arbeit fänden. Niemand sei gerne Gastarbeiter. Und kein Mensch verlasse mit Freude für eine lange Zeit seine Heimat.

In dem genannten Interview hatte ich am 28.Oktober 1988 gesagt, ich könne nicht einsehen, warum Ausländer, die in der Bundesrepublik wohnen und arbeiten und sich hier integrieren wollen - Portugiesen, Griechen oder Menschen aus anderen Kulturen -, eine Gefahr für uns bedeuten sollten. Es bedeute im Gegenteil eine Chance für uns, solche Menschen bei uns zu haben. Außerdem müsse derjenige, der an den europäischen Binnenmarkt denkt, eine republikanische Öffnung für richtig halten und eine nationale Abschottung für falsch. Das habe etwas mit dem, wie ich das nenne, anthropologischen Optimismus zu tun. Für ein Land in der Mitte Europas sei die Vision einer multikulturellen Gesellschaft eine große Chance. Deshalb müßten wir das Land offenhalten für Ausländer und Aussiedler. Das seien zumeist mutige, dynamische Menschen, die Risiken auf sich nehmen und anpassungsbereit sind. Dies alles dürfe nicht heißen, daß z.B. ausländische Drogenhändler unter Mißbrauch des Asylrechts bei uns Unterschlupf fänden. Die "Zeit" stellte eine Nachfrage: "Bei ihrer republikanischen Öffnung haben Sie die Türken nicht erwähnt, nur zufällig?" Ich antwortete: "Die Türken gehören zu den fleißigsten und tüchtigsten Arbeitnehmern, die wir in unseren Fabriken beschäftigen. Im Ruhrgebiet sind es die Türken, die unter Tage fahren. Also auch hier: keine Berührungsängste." Der Begriff "multikulturelle Gesellschaft" mobilisierte die Geister, und es antwortete ein vielstimmiger Chor.

Auf hoher Regierungsebene lehnte der damalige parlamentarische Staatssekretär im Bundesinnenministerium, Carl-Dieter Spranger, die multikulturelle Gesellschaft entschieden ab: "Wir wollen kein Land mit mehreren gleichberechtigten Kulturen nebeneinander." Bei einer Fachtagung der Jungen Union, auf der diese Bemerkung fiel, wollten Teilnehmer wissen, wie Europa ohne multikulturelle Gesellschaft denn eigentlich funktionieren solle? Die ebenfalls anwesende Ausländerbeauftragte der Bundesregierung, Liselotte Funcke, wollte nicht von "multikulturell", sondern lieber von "interkulturell" sprechen. Spranger warnte gleichzeitig davor, daß in einer multikulturellen Gesellschaft Fundamentalisten aus dem Islam Einfluß gewännen, die unter der Überschrift "autonome Kultur" die Gleichberechtigung der Frau beeinträchtigen und die religiöse Toleranz gefährdeten.

Alfred Dregger meinte am 29.November 1988 vor der Bundestagsfraktion, eine multikulturelle Gesellschaft und die Wahrung der "nationalen Identität" schlössen sich aus. Die nationale Identität in einem Nationalstaat oder in gesicherten Volksgruppen sei ein Grundbedürfnis der Menschen, das es zu sichern gelte. Für ein besonders Epiphonema, einen Knalleffekt der ganzen leidigen Diskussion, sorgte in bewährter Weise der bayrische Innenminister Edmund Stoiber, indem er vor einer "durchrassten und durchmischten Gesellschaft" warnte. Zum Glück für die Union entschärfte er diese gefährliche Zeitbombe durch ein rasches Dementi. Nicht so glimpflich kam in der Union Rita Süssmuth davon, die laut "Welt" vom 20.März 1989 in der Fraktionsführung für erheblichen Unmut sorgte, weil sie im Rahmen eines Kolloquiums "Europa gegen den Rassismus" im Hinblick auf die Wahlerfolge der "Republikaner" in Berlin sowie der NPD und der "Republikaner" in Hessen meinte, daß "rassistisches Denken und Fremdenfeindlichkeit unter den Menschen weiter verbreitet ist, als wir angenommen hatten." Auch die Verweigerung gleichen Rechts für Ausländer sei ein Beweis für Fremdenfeindlichkeit. Um ein multikulturelles Zusammenleben zu ermöglichen, sei es nötig, klare Rechtsbedingungen zu schaffen. Unter der Überschrift "Und deutsche Richter blättern im Koran" erklärte Edmund Stoiber in der "Welt", das Gerede von der multikulturellen Gesellschaft lege die Axt an die Wurzeln unserer in Jahrhunderten entwickelten nationalen und kulturellen Identität, führe Ausländer in eine unhumane Isolation, importiere bei uns nicht lösbare innenpolitische Probleme anderer Länder, Völker und Volksgruppen und zerstöre schließlich gesellschaftliche Solidarität im Sinne einer gewachsenen Verantwortungsgemeinschaft.

Deutschland ist ein Einwanderungsland

Nun könnte man den ganzen Streit einschließlich der Frage, was um Himmels willen denn nun eigentlich unter "multikultureller Gesellschaft" zu verstehen sei, getrost ad acta legen, wenn absehbar wäre, daß die

Deutschen nach Ablauf der nächsten Jahre und Jahrzehnte wieder unter sich sein könnten. Man würde wahrscheinlich auch zur Tagesordnung übergehen, wenn die Zahl der Ausländer etwas zurückginge oder wenigstens nicht anstiege. Sowohl die eine wie die andere Erwartung gehört in das Reich der frommen Illusion.

Karl Friedrich Fromme schrieb am 10.Juni 1989 in der "FAZ": "In der Bundesrepublik leben 60 Millionen Einwohner auf einem Gebiet zusammengedrängt, daß um ein Drittel kleiner ist als das Deutsche Reich in den Grenzen von 1937, also vor Hitlers Eroberungen. Diesen Staat ein Einwanderungsland zu nennen, zeugt von Realitätsverlust."

In der Bundesrepublik leben derzeit rund 5 Millionen Ausländer. Fast zwei Drittel dieser Ausländer sind schon zehn Jahre oder länger in der Bundesrepublik Deutschland, über zwei Drittel der ausländischen Kinder und Jugendlichen sind in der Bundesrepublik geboren.

Von 1985 bis 1990 sind im Durchschnitt jährlich ca. 100000 Asylbewerber in die Bundesrepublik Deutschland gekommen, und nur die wenigsten sind wieder zurückgegangen. Diese Zahl entspricht in der Relation zur Gesamtbevölkerung ungefähr der Zahl der Einwanderer, die das klassische Einwanderungsland USA pro Jahr legal einreisen läßt. Es wird noch leichter sein, in die Bundesrepublik Deutschland einzuwandern, wenn 1993 der europäische Binnenmarkt beginnt.

Der eigentliche Realitätsverlust besteht in dem Ignorieren der Tatsache, daß die Bundesrepublik Deutschland längst ein Einwanderungsland geworden ist.

Ein vergreisendes und sterbendes Volk

Ein Einwanderungsland müssen wir auch bleiben, denn der Bevölkerungsrückgang und der Altersaufbau machen aus den Deutschen innerhalb weniger Jahrzehnte ein vergreisendes und sterbendes Volk.

Seit 1989 ist diese Tatsache in den Hintergrund getreten und aus der öffentlichen Diskussion verdrängt worden, weil die große Anzahl von Übersiedlern und Aussiedlern - im Jahre 1989 waren es über 700.000 - die Schlagzeilen produzierte und die Kommentarspalten füllte. Der große Zustrom Deutscher aus der früheren DDR und deutscher "Volkszugehöriger" aus Osteuropa, der sich im Jahre 1990 fortsetzte, wurde von der überwiegenden Mehrzahl der Bundesbürger begrüßt; die Bedenken kamen erst später. Manche erhofften sich von dieser Völkerwanderung eine Veränderung der generativen Entwicklung der Deutschen. Aber diese Hoffnung täuscht. Zwar kommt es in der Bundesrepublik zu einer Verjüngung der Gesamtbevölkerung, weil die Zahl der jungen Aus- und Übersiedler höher ist als die der alten, aber die negative Bevölkerungsbewegung insgesamt wird dadurch nicht verändert.

Die Bundesrepublik Deutschland gehört seit 1972 zu den Ländern, die eine schrumpfende Bevölkerung haben. Die sogenannte Fruchtbarkeitsrate, d.h. wie viele Kinder eine Frau während ihres ganzen Lebens zur Welt bringt, liegt unter 2,1 Kindern. Die Deutschen haben im Durchschnitt der letzten beiden Jahrzehnte das größte Geburtendefizit aller Länder der Welt. Ihre Zahl wird kontinuierlich abnehmen. Nach Schätzungen von Experten, die vor der Revolution in der damaligen DDR gemacht wurden, sollten in der Bundesrepublik im Jahr 2000 noch ca. 55 Millionen Deutsche leben, im Jahre 2010 noch ca. 52 Millionen und ihre Zahl bis zum Jahre 2030 auf unter 40 Millionen absinken.

Auch in der früheren DDR werden seit Beginn der 70er Jahre zu wenig Kinder geboren. Nach einer Prognose von Mitarbeitern der Ostberliner Akademie der Wissenschaften, die noch vor Beginn des Übersiedlerstromes erstellt wurde, mußte in der damaligen Noch-DDR ab dem Jahre 2000 mit einem wachsenden Anteil an Menschen im Rentenalter und einer sinkenden Zahl von Menschen im arbeitsfähigen Alter gerechnet werden. Nach der Schaffung der Einheit Deutschlands haben diese Prognosen jeweils für sich genommen ihre Gültigkeit verloren, jedoch zusammengesehen nicht ihre Aussagekraft für Gesamtdeutschland: Die Deutschen insgesamt werden älter und weniger.

Die Zahl der Übersiedler ändert nichts an diesem Sachverhalt. Auch die Zuwanderung der Aussiedler, das heißt der Deutschen oder deutscher Volkszugehöriger aus Osteuropa, wird das Geburtendefizit in Deutschland nicht ausgleichen. In den osteuropäischen Aussiedlungsgebieten gab es 1990 noch ca. 3,5 Millionen Deutsche, davon ungefähr 2 Millionen in der Sowjetunion, 1 Million in Polen, 300000 bis 350000 in Rumänien, 200000 bis 250000 in Ungarn. Zu den potentiellen Zuwanderern aus Polen gehören auch diejenigen, die in der sogenannten Abteilung III der deutschen Volksliste während der deutschen Besatzung Polens im letzten Weltkrieg gestanden haben. In dieser Volksliste III waren von den NS-Besatzern während des Weltkrieges diejenigen registriert, die nach den erbbiologischen Kriterien als "eindeutschungsfähig" galten.

Nachdem die Bundesrepublik seit Ende 1989 festgelegt hat, daß für das Aussiedeln das sogenannte D-Verfahren gilt, d.h. jeder Aussiedlungswillige das Anerkennungsverfahren von seiner heutigen Heimat aus betreiben muß, die Zugehörigkeit zur Volksliste III schon heute von einigen Ländern der Bundesrepublik nicht mehr als Nachweis anerkannt wird, und eine große Anzahl von Volkszugehörigen die alte Heimat ohnehin nicht verlassen will, belaufen sich Schätzungen aus dem Bundesinnenministerium darauf, daß von den 3,5 Millionen maximal zwei in die Bundesrepublik Deutschland kommen werden. Aus diesem Grunde ist es klar, daß es auch durch die Aussiedler nur zu einer kurzfristigen Verbesserung der Situation kommen wird.

Der Altersaufbau in Deutschland gleicht einer auf dem Kopf stehenden Pyramide. Nehmen wir die für die alte Bundesrepublik vorliegenden Zahlen, so werden im Jahre 2000 14,9 Millionen Deutsche in den alten Bundesländern älter als 60 Jahre sein, im Jahre 2010 15,9 Millionen und im Jahre 2020 16,8 Millionen. Nicht jeder fünfte Einwohner, wie heute, sondern jeder dritte wird dann zu den älteren Mitbürgern gehören. So etwas nennt man bevölkerungspolitisch kollektives Altern eines Volkes. Unsere Gesellschaft altert und schrumpft zugleich und verändert dadurch ihr inneres Gefüge.

Nun ist Deutschland ein dicht besiedeltes Land, und niemand wird etwas dagegen haben, wenn sich die Dichte der Besiedelung etwas auflockert. Deutschland kann es sich jedoch ökonomisch und sozialpolitisch nicht leisten, von Jahr zu Jahr und Jahrzehnt zu Jahrzehnt immer mehr ältere Menschen zu bekommen, die zudem auch noch wesentlich länger leben, während gleichzeitig immer weniger junge Menschen als Arbeitskräfte und Beitragszahler zur Verfügung stehen.

Weniger Beitragszahler und Nobelpreisträger

Schon heute fehlen bei der Feuerwehr, der Polizei, den karitativen Organisationen, den Rettungsdiensten, der Altenpflege Zehntausende von jungen Leuten. Dem Handwerk fehlten 1989 60000 Lehrlinge in fast allen Lehrlingsberufen, von den Schreinern angefangen bis zu den Bäckern.

Die Bevölkerungsentwicklung war der wichtigste Grund für die Rentenreform. Die Erhöhung des Rentenalters, die Nettoanpassung der Renten, höhere Beiträge und höhere Bundeszuschüsse haben die leistungsbezogenen Renten für die Zukunft gesichert, allerdings nur bis zum Jahre 2015. Darüber hinaus ist das jetzige Rentensystem, wenn die deutsche Wirtschaft und die deutsche Sozialversicherung nur auf deutsche Beitragszahler angewiesen bleiben, nicht mehr zu finanzieren. Kurt Biedenkopf hat darauf hingewiesen, daß die Altenlast innerhalb von vierzig Jahren höher sein wird als die gesamte Soziallast heute. Mit der Zahl der alten Menschen werden auch die Aufwendungen für Krankenversicherung und Pflege steigen. Es ist noch völlig unklar, wer eigentlich die Pflegebedürftigen, die heute noch zu 90 Prozent in der eigenen Familie betreut werden und deren Zahl erheblich zunehmen wird, versorgen soll. Immer mehr Familien lösen sich auf. Es gibt immer mehr Singles und kinderlose Ehepaare oder Ehepaare mit nur einem Kind. Im vereinigten Deutschland werden sich diese Probleme, um es noch einmal zu betonen, wegen der negativen Bevölkerungsstruktur in den neuen Bundesländern noch verschlechtern.

Kurt Biedenkopf versucht des Problems Herr zu werden, indem er vorschlägt, die zukünftigen Leistungen der Rentenversicherung einzuschränken und dafür die private Vorsorge zu verstärken, um die Altenlast in der gesetzlichen Rentenversicherung und dadurch die Beiträge für die nachkommende Generation zu vermindern. Dieser Vorschlag beseitigt aber nicht die Ursache des Problems, denn er ändert nichts an der Vergreisung Deutschlands. Offen ist außerdem, wie hoch der einzelne für seine Privatversicherung zusätzlich belastet werden kann. Zur Finanzierung des bisherigen Rentenniveaus ab dem Jahre 2015 wäre ein Beitragssatz von über 25 Prozent erforderlich. Wenn man von einem zumutbaren Beitragssatz in der gesetzlichen Rentenversicherung von 18 bis 20 Prozent ausgeht, dann müßte für die private Vorsorge ungefähr 7 Prozent des Bruttoeinkommens aufgewendet werden. Diese Belastung werden die meisten Lohnempfänger nicht tragen können. Die Erwerbstätigen in den neuen Bundesländern werden erst recht nicht in der Lage sein, den entsprechenden privaten Teil für ihre Altersvorsorge aufzubringen.

Die Zahl der Geburten deutscher Kinder pro Jahr hat sich in den alten Bundesländern seit Mitte der 60er Jahre von über einer Million auf ca. 600.000 im Jahre 1988 verringert. Diese annähernde Halbierung der Jahrgänge bedeutet auch einen entsprechenden Verlust von 50 Prozent an Vitalität und an Begabungen in unserer Bevölkerung. Jede Gesellschaft braucht aber genügend junge Leute, die belastbar und gut ausgebildet sind und über die neuesten fachlichen Kenntnisse verfügen.

So, wie die Dinge liegen, wird sich die "Alterssklerose" der Deutschen verschlimmern. Diese Vergreisung wird sowohl die kulturelle als auch die ökonomische Wettbewerbsfähigkeit gefährden.

In einem Aufsatz mit dem Titel "Europa als geistige Lebensform", schrieb Wolf Lepenies 1989 in der "Zeit", daß "die Vereinigten Staaten seit 1970, vor allem aus asiatischen Ländern, mehr legale Einwanderer akzeptiert haben als der Rest der Welt zusammengenommen. Amerikanische Autoren stellten nicht ohne Stolz fest, daß die Vereinigten Staaten jetzt erst zu einem wahren melting pot werden." Er beschreibt die Dinge, wie sie sind: Die meisten europäischen Länder, die Bundesrepublik an erster Stelle, kultivieren Anti-Immigrationsdenken und Fremdenabwehr; die Amerikaner aber sehen in den Einwanderern vornehmlich die Chance zu einer Regeneration der intellektuellen und ökonomischen Ressourcen ihres Landes. "Bereits im nächsten Jahr", so Lepenies, "werden die USA eine jüngere Bevölkerung haben als ihre fünf stärksten ökonomischen Rivalen zusammen. 1990 wird es in Japan prozentual gesehen doppelt so viele Rentner geben wie in den Vereinigten Staaten."

Von den 114 Amerikanern, die zwischen 1945 und 1984 einen der medizinischen oder naturwissenschaftlichen Nobelpreise erhielten, waren 36 nicht in den USA geboren. Die Amerikaner lassen Zehntausende von jungen Asiaten, die hungrig nach Wissen und leistungsbereit sind, in das Land. Sie erwarten von ihnen einen intellektuellen Push nach vorne. 1988 stellten die sogenannten Asian-Americans, die insgesamt 2 Prozent der amerikanischen

Bevölkerung ausmachen, 14 Prozent des Anfängerjahrgangs der Harvard University. Diese Verjüngungs- und Anpassungsfähigkeit hat die amerikanische Gesellschaft schon heute dem alten Europa voraus.

Nicht Ausländer raus, sondern Ausländer rein

Was ist zu tun? Pessimisten reden von einer unvermeidbaren Katastrophe, ganz Verwegene hoffen darauf, daß die Deutschen mehr Kinder auf die Welt bringen, und wieder andere setzen - auf die Dauer vergebens - auf den Zustrom von Aussiedlern. Nur die Lösung, die mit Sicherheit helfen würde und auch realistisch ist, wird aus irrationalen Gründen verworfen. Oder doch nicht?

Zwei Bundesminister haben sich bemerkenswert mutig geäußert. Bundesforschungsminister Heinz Riesenhuber erklärte: "Nur, wenn mehr Ausländer für ein Studium und erste Berufstätigkeit in Deutschland gewonnen werden, kann das drohende Defizit an qualifizierten Wissenschaftlern gemindert werden." Und Wolfgang Schäuble, damals noch Bundesminister im Kanzleramt, sagte Ende 1987: "Wir werden langfristig nicht umhin können, die Schrumpfung der deutschen Bevölkerung zumindest teilweise durch einen verstärkten Zuzug von Ausländern auszugleichen. Dies wird schon der Arbeitsmarkt erzwingen. Ihr Anteil an der Gesamtbevölkerung wird wachsen und damit auch die kulturellen und sozialen Probleme."

Edzard Reuter, der Vorstandsvorsitzende von Daimler-Benz, hielt im September 1989 einen Vortrag vor dem Verein deutscher Lebensversicherer unter der Fragestellung "Alternde Bevölkerung - schrumpfende Wirtschaft?", in dem er sich mit den langfristigen Folgen des Geburtendefizits für die deutsche Wirtschaft auseinandersetzte. Er kam zu dem Fazit, daß die Folgen der absehbaren Verschiebung in der Altersstruktur der arbeitsfähigen Bevölkerung bisher "bei weitem nicht ausreichend durchdacht" worden seien und schlußfolgerte: "Wir haben uns durch die Geburtenentwicklung der letzten dreißig bis vierzig Jahre unausweichliche Handlungszwänge zugezogen, die wir bewältigen müssen, wenn nicht große Opfer und soziale Probleme entstehen sollen. Es geht darum, die gesamten Belastungen aus diesen Veränderungen möglichst niedrig zu halten. Eine Öffnung der Grenzen für unbegrenzte Einwanderung ist gewiß kein Patentrezept. Läßt man sie aber im richtigen Maße zu, kann allein dies auf Dauer die Anpassungslasten erheblich vermindern und dazu führen, daß unerträgliche Folgen des Geburtenrückgangs vermieden werden." Es ist bemerkenswert, daß diese Ausführungen von einem Unternehmer stammen, dessen Konzern Spitzenlöhne zahlt und vorbildliche Sozialleistungen gewährt und der deshalb kaum Probleme hat, qualifizierte und geeignete Mitarbeiter zu finden. Reuter hat begriffen, daß dies nicht unbedingt ein ewiger Zustand bleiben wird, sondern politische Konsequenzen gezogen werden müssen.

Das im Jahre 1989 von Wolfgang Schäuble initiierte Ausländer-Gesetz kann als ein Schritt in die richtige Richtung und als ein Fortschritt gegenüber den bis dahin geltenden gesetzlichen Regelungen angesehen werden. Daß es nicht zu weitreichenden Änderungen gekommen ist, lag nicht daran, daß Bundesinnenminister Schäuble oder der innenpolitische Sprecher der CDU/CSU-Bundestagsfraktion, Johannes Gerster, nicht die Einsicht in die mittel- und langfristigen demographischen Probleme gehabt hätten, sondern war darin begründet, daß wegen der Widerstände einzelner Länder, wie Bayern, nur ein Kompromiß erzielt werden konnte.

Falsch war von Anfang an die in der Diskussion um das Ausländerrecht immer wieder vorgetragene Behauptung, daß ausländischen Arbeitnehmern aus Nicht-EG-Staaten der Zuzug verboten werden müsse, da innerhalb der EG mit weiteren Wanderungen, aber auch mit einem anhaltenden Zugang von Übersiedlern und Aussiedlern gerechnet werden müsse. Daß Aussiedler und Übersiedler an der langfristigen Vergreisung und am Aussterben des deutschen Volkes nichts ändern, habe ich bereits dargelegt. Aber auch die Ausländer aus westeuropäischen Ländern werden uns langfristig nicht helfen können, da inzwischen auch in Frankreich, Italien und Spanien die Bevölkerung schrumpft. Die heutigen Länder der Europäischen Gemeinschaft werden nach 1993 rund 340 Millionen Einwohner haben. Das Deutsche Institut für Wirtschaftsforschung sagt voraus, daß die Einwohnerzahl bis 2040 auf unter 300 Millionen sinken wird. Es ist daher ziemlich illusorisch zu erwarten, daß das Geburtendefizit auf Dauer durch EG-Ausländer ausgefüllt werden könnte.

Auch die Steigerung der Frauenerwerbsquote, die immer wieder ins Feld geführt wird, kann nicht weiterhelfen. Je mehr Frauen erwerbstätig sind, desto schwieriger wird es für sie werden, die Doppel- und Dreifachbelastung durch Berufstätigkeit, Kindererziehung und Pflegetätigkeit zu bewältigen. Die Folge wird wahrscheinlich sein, daß noch weniger Kinder auf die Welt kommen.

Manche glauben, daß der Nachwuchsmangel nicht so schlimm ei, weil mit der fortschreitenden Rationalisierung Arbeitsplätze wegfielen. Der Produktionsfortschritt wird sich allerdings auf die Bereiche konzentrieren, in denen Computer eingesetzt werden und Roboter den Menschen ersetzen können. Die Rationalisierung wird sich auch auf Dienstleistungsbetriebe ausdehnen, die bisher von der Computerisierung nur teilweise erfaßt wurden, also z.B. auf Versicherungen, das Bankenwesen und den Öffentlichen Dienst. Dem dadurch bedingten Wegfall von Arbeitsplätzen steht aber der zunehmende Bedarf an Arbeitskräften vor allem bei den Sozial- und Pflegeberufen und im kulturellen Bereich gegenüber.

Die Behauptung, die Bundesrepublik Deutschland sei kein Einwanderungsland, ist durch die Realität längst überholt. Wir werden künftig mehr

Ausländer bei uns haben. Es gehört zu einer glaubwürdigen Politik, dies dem deutschen Volk auch zu sagen. Man kann es noch härter sagen: Wir brauchen Ausländer, um die Zukunft Deutschlands zu sichern. Darauf muß sich die deutsche Bevölkerung einstellen.

Die Ängste der Deutschen am Stammtisch

Viele Arbeitnehmer und Mittelständler sehen sich plötzlich einer wirklichen oder angeblichen Konkurrenz auf dem Arbeits- und Wohnungsmarkt ausgesetzt. Griechische Restaurants, türkische Schneider, portugiesische Baukolonnen machen dem Mittelstand Konkurrenz.

Für das Fehlen preiswerten Wohnraums und die Unsicherheit des Arbeitsplatzes werden an den Stammtischen nicht die Wohnungsbaupolitik von Bund und Ländern und der Strukturwandel in der Wirtschaft, sondern Aussiedler, Übersiedler, Asylbewerber und Ausländer verantwortlich gemacht.

In Wirklichkeit aber nehmen Ausländer den Deutschen keinen Arbeitsplatz weg. Sie sind vielmehr, wie Meinhard Miegel vom IWG feststellt, “Lückenbüßer für die Verkrustungen des Arbeitsmarktes, der von sich aus nicht mehr in der Lage ist, Angebot von und Nachfrage nach Arbeit zur Deckung zu bringen. Die Ausländer sind im eigentlichen Sinne des Wortes Resteverwerter deutscher Wohnungen und deutscher Arbeitsplätze, die von den Deutschen selber mangels Qualität oder mangels finanzieller Ausstattung oder Entlohung gar nicht mehr genutzt werden.”

Suchen die Bauern und die Winzer in der Pfalz Saisonarbeitskräfte, um im Frühjahr den Salat auf den Feldern zu ernten, im Herbst in den Weinberg zu gehen oder das Obst von den Bäumen zu holen, bekommen sie vom Arbeitsamt die Auskunft, daß es solche Arbeitskräfte nicht gibt. Nehmen sie aber die Asylbewerber, die per Verordnung von oben in den Dörfern tatenlos herumsitzen müssen, mit auf die Felder und werden erwischt, werden sie zur Kasse gebeten, weil in den ersten fünf Jahren die Arbeitsaufnahme von Asylbewerbern verboten ist.

In Versammlungen bekommt man die Wut darüber zu spüren, daß derselbe Staat, der den Asylbewerbern aus Steuermitteln die Sozialhilfe zahlt, gleichzeitig verbietet, daß die Asylbewerber für das Geld, das sie vom Steuerzahler bekommen, auch arbeiten. Die Kinder von Asylbewerbern dürfen in der Mehrzahl der Bundesländer weder arbeiten noch in die Schule gehen. Man braucht sich nicht darüber zu wundern, wenn manche Kinder in der Drogenszene und im Gefängnis landen. Deutschen Kindern würde unter ähnlichen Verhältnissen dasselbe blühen. Die Aufhebung des Arbeits- und Ausbildungsverbotes für Asylbewerber und ihre Familienangehörigen ist überfällig. Es ist gut, daß das Innenministerium dem allgemein verbreiteten Vorurteil entgegentritt und klarstellt, daß die steigende Zahl von Straftaten, vor allem im Bereich der Gewaltkriminalität, nicht allein den in der Bundesrepublik Deutschland lebenden Ausländern, also auch nicht den Asylbewerbern, angelastet werden kann. "Erwachsene Ausländer sind in Straftaten prozentual nicht wesentlich höher beteiligt als deutsche Staatsangehörige." Aber das Bundesministerium weist zu Recht darauf hin, daß alleinstehende Personen im jugendlichen Alter ohne Berufsausbildung und ohne befriedigende Zukunftsperspektiven leichter in Gefahr geraten, Straftaten zu begehen. Daß diese jungen Menschen dadurch in "kriminogenen Situationen" leben, haben die Bundesländer durch ihre inhumane Praxis und das Parlament wegen gesetzgeberischer Untätigkeit zu verantworten.

Unser Wohlstand wäre gefährdet, gäbe es in der Bundesrepublik nicht über fünf Millionen Ausländer. Die Ausländer sind zunächst einmal Konsumenten. Sie kaufen Lebensmittel, technische Geräte, fahren Bus und Eisenbahn, kaufen sich Autos und mieten Wohnungen. Im Bergbau ist jeder dritte Arbeitnehmer ein Ausländer, im Hotel- und Gaststättengewerbe hat jeder fünfte Mitarbeiter ausländische Eltern, die Beschäftigten in der Eisen- und Stahlindustrie sind zu einem Viertel Ausländer. Sie sind keine Gäste, sondern sind längst Mitbürger geworden, die alle Pflichten außer der Wehrpflicht zu erfüllen haben, denen aber entscheidende Rechte vorenthalten werden.

Die multikulturelle Gesellschaft

Ein CDU-Abgeordneter sagte am 10.November 1988 im Bundestag: "Sind wir nicht verpflichtet, die Einheit der Nation zu bewahren, statt eine multinationale und multikulturelle Gesellschaft zu wollen?" Natürlich wollen wir die Einheit der Nation. Dies steht aber nicht im Widerspruch zu einer multikulturellen Gesellschaft. Außerdem geht es nicht mehr darum, ob wir eine multinationale und multikulturelle Gesellschaft wollen: wir haben sie bereits. Die Frage ist nicht mehr, ob wir mit Ausländern zusammenleben wollen, sondern nur noch, wie wir mit ihnen zusammenleben werden.

Wir müssen uns darauf einstellen, in der Zukunft mit Millionen von Menschen zusammenzuleben, die eine andere Muttersprache, eine andere Herkunft, ein anderes Lebensgefühl, andere Sitten und Gebräuche haben. Deswegen werden wir unsere nationale Identität nicht verlieren. Man kann sein Vaterland lieben und gleichzeitig Europäer, Humanist, ja sogar Kosmopolit sein. Natürlich ist jeder Mensch, ob Deutscher oder Türke, in seiner Heimat verwurzelt. Nicht nur die Sprache, auch Erfahrungen der Eltern und Großeltern werden vererbt und weitergegeben. Jeder ist in der Geschichte seines Volkes verhaftet. Dies wird sich auch nicht ändern, wenn er Bürger eines anderen Landes geworden ist. Aber das kann doch gerade den Reichtum des Zusammenlebens von Menschen ausmachen, die aus verschiedenen Ländern kommen und zusammenleben wollen. Manfred Rommel erzählte einmal eine Geschichte von dem jungen Mann, der auf die Frage, "Bist du

Ausländer?" antwortete: "Noi, i bin e Türk." Dieser junge Mann empfindet sich als Deutscher, genaugenommen als Schwabe. Aber er betet wahrscheinlich in einer Moschee und nicht in der Stuttgarter Eberhardskirche. Er liest den Koran und nicht die Bibel. Ihm wird möglicherweise sein ganzes Leben lang Hammelfleisch besser schmecken als Schweinefleisch. Aber vielleicht hört er auch lieber Beethoven oder amerikanische Rockmusik als die türkische Monotonalität. Und er wird als glutäugiger Anatolier der zweiten Generation wahrscheinlich niemals ein Thaddäus Troll werden, aber vielleicht einmal ein Thomas Gottschalk sein können. Auf jeden Fall wird er beide verstehen und über beide lachen können und die Geschichten des einen wie des anderen vergnüglich finden, vielleicht sogar mehr, als die Ostfriesen die in ihren Augen exotischen Veranstaltungen eines Schuhplattlertrios aus Reit im Winkl.

Multikulturelle Gesellschaft bedeutet die Bereitschaft, mit Menschen aus anderen Ländern und Kulturen zusammenzuleben, ihre Eigenart zu respektieren, ohne sie germanisieren und assimilieren zu wollen. Das heißt auf der anderen Seite, ihnen, wenn sie es wollen, ihre kulturelle Identität zu lassen, aber gleichzeitig von ihnen zu verlangen, daß sie die universellen Menschenrechte und die Grundwerte der Republik, z.B. die Gleichberechtigung der Frau und die Glaubens- und die Gewissensfreiheit, achten und zweitens die deutsche Sprache beherrschen. Unter diesen Prämissen ist Zusammenarbeit und gegenseitige Akzeptanz möglich. Für die multikulturelle Gesellschaft in Europa wird die gemeinsame Sprache wahrscheinlich Englisch sein.

Vögelchen zu Vögelchen

Pankraz, Pseudonym für einen sonst gar nicht schlechten Glossenschreiber in der Tageszeitung "Die Welt", schrieb eine Glosse über mich und die multikulturelle Gesellschaft. Er fragte, wo ich denn die Chance multikultureller Gesellschaften eigentlich sähe: Etwa in den Massakern zwischen Hindus und Moslems oder in Ceylon, wo sich Singhalesen und Tamilen blutig bekriegten, oder in Burundi, wo die Tutzi die Hutu abschlachteten, oder in Marseille, wo Araber und Franzosen sich gegenseitig aufheizten? Dann prophezeite er, daß in der multikulturellen Gesellschaft der Zukunft die kulturellen Volksgruppen ihre heimischen Konflikte auf deutschem Boden austragen würden: Kroaten gegen Serben, Griechen gegen Türken, PLO gegen Hisbollah. Die multikulturelle Gesellschaft widerspreche nicht nur der menschlichen Natur, sondern der Natur überhaupt. Jeder Maikäfer, jeder Waschbär, jedes Rotkehlchen, so Pankraz, verteidige sein eigenes Territorium und verhalte sich nur solange friedlich, als gewisse territoriale Regelungen von den Artgenossen respektiert würden. Bei den Menschen sei es auch nicht anders. Nicht der multikulturelle, sondern der "territoriale Imperativ" gelte. Der Mensch also als höheres Tier, eine Art Rotwaschbärenkäfer, der "nur solange friedlich bleibt, als man ihm seine Identität nicht wegnimmt" - "allmählich sollten es auch deutsche Politiker wissen." Und damit auch gleich die rassischen Prioritäten klar sind, meint Pankraz: Einen gewissen Zustrom assimilierungswilliger gesetzestreuer Ausländer könne die Bundesrepublik aufnehmen, aber: "Besonders gern werden natürlich Deutschstämmige aufgenommen, die sich zur autochthonen Kultur bekennen."

Aber warum soll der deutsche Autochthone aus Kasachstan leichter "integrierbar" sein als ein Italiener oder sogar ein Türke? Er trägt zum "Multikulturellen" in unserer Gesellschaft in der Bundesrepublik Deutschland mindestens genausoviel bei wie andere Menschen, die aus dem Ausland kommen. Er hat auch mindestens dieselben, wenn nicht noch größere Integrationsprobleme als, sagen wir einmal, ein Norweger, Engländer oder Spanier. Aber er bekommt, wie gesagt, sofort seinen deutschen Paß. Der in Rüsselsheim geborene Iraner, der hessisch babbelt wie Heinz Schenk, kriegt ihn nicht. Das alles wegen eines Ausländerrechts, das auch in seiner neuen und dank Wolfgang Schäuble und Johannes Gerster besseren Fassung letztlich doch ein Fremdenabwehrrecht geblieben ist.

Das ist keine Überraschung. Sagt uns nicht der Glossist, daß jedes Vögelchen sein eigenes Territorium verteidige und sich nur so lange friedlich verhalte, als das Territorium von den Artgenossen respektiert wird? Er steht damit in Deutschland nicht allein. Auf einer höheren wissenschaftlichen Ebene wird dies von Verhaltensforschern wie Irenäus Eibl-Eibesfeldt - so in einem Artikel in "Welt am Sonntag" - wortreich bezeugt: "Im Bemühen ums Überleben konkurrieren Organismen um begrenzte Ressourcen, wobei Mitglieder der eigenen Art wegen der gleichen Ansprüche besonders scharfe Konkurrenten sind. Um Ressourcen zu besetzen, sichern viele Landsäugetiere Territorien, die sie einzeln oder als Gruppe abgrenzen und verteidigen. Gesellige Säuger sind mit den Mitgliedern der Gruppe verbunden. Sowohl für das Wetteifern als auch für kooperative freundliche Interaktionen sind die höheren Säugetiere mit ihren angeborenen Verhaltensprogrammen ausgestattet."

So seien eben auch wir Menschen, lautet die Conclusio aus solcher Verhaltensforschung. Dies begründet Eibl-Eibesfeldt so: "Dieses soziale Verhalten wird in einem größeren Umfang von stammesgeschichtlichen Anpassungen mitbestimmt. So zeigten bereits Säuglinge affiliativ freundliche und agonal abweisende Reaktionen auf den Mitmenschen, und zwar ab dem sechsten Monat zeigten Säuglinge Fremden gegenüber eine Mischung von Reaktion der Zuwendung und sichtlich angstmotivierter Abkehr."

Nun ist aber der Mensch erwiesenermaßen kein Rotkehlchen und der erwachsene Mensch kein Säugling. Man kann den Menschen als Landsäuger, sicher auch als geselligen Säuger bezeichnen. Aber wo bleibt der *homo sapiens*, fragt der aufgeklärte Zeitgenosse? Ausländerpolitik als Resultat von "Verhaltensleistungen", eines "Wachstumsprozesses der zugrundeliegenden Neuronenpopulationen", als Ergebnis von "im Erbgut festgelegten Entwicklungsanweisungen", als Ergebnis "stammesgeschichtlicher Anpassungen", als "Aktion der angeborenen Verhaltensprogramme höherer Säugetiere"?

Ohne den Glauben an die geistige und moralische Kraft des Menschen, nicht nur mit großen Problemen fertig zu werden, sondern auch mit Menschen anderer Muttersprache und anderen Sitten und Gebräuchen zusammenleben zu können, wird es keinen menschlichen Fortschritt geben. Oder sollen wir hinter Paulus zurückfallen, der den Christen gepredigt hatte, sie sollten keine Heiden und keine Juden mehr kennen?

Zum Glück für Eibl-Eibesfeldt ist Goehte, der den kulturellen Chauvinismus ausrotten wollte, schon lange tot. Es gibt "keine nationale Kunst und keine nationale Wissenschaft" (so zu Eckermann). Ihm zufolge gehörten die einzelnen Kulturen, wie alles Gute, der ganzen Welt. Und deswegen war ihm der Chinese genauso lieb und wäre ihm der Türke genauso teuer gewesen wie der Aussiedler aus Kasachstan, der kein Wort Deutsch redet und dessen Urahnen einmal Deutsche oder "Deutschstämmige" waren.

Daß der Mensch mit Graugänsen und Rotkehlchen auf eine Stufe gestellt wird, nimmt man verblüfft und traurig zugleich zur Kenntnis. Als ob es keine Aufklärung, keine Erziehung und außer der Zugehörigkeit zum eigenen Stamm keine weiteren Identifikationsbedürfnisse mehr gäbe. Wo bleibt das Wissen um die Evolution, wo der Glaube an die Macht des Geistes, die Gewalt des Wortes, die Kraft der Überzeugung und der Erziehung? Warum ist eigentlich für die Anhänger des territorial-nationalen Imperativs das Multikulturelle etwas Gutes, wenn es um die Banater Schwaben und die Siebenbürger Sachsen in Rumänien geht, aber offenbar etwas Verwerfliches, wenn es sich um die Türken in Kreuzberg handelt?

Sind die Vereinigten Staaten nur für schlechte Beispiele tauglich? Ist Kunst nicht schon immer Eigentum aller Nationalitäten und aller Völker gewesen? Haben sich nicht Franzosen und Deutsche, Japaner und Chinesen in der gemeinsamen Begeisterung für Beethoven, Bach und Strawinsky wiedergefunden?

Die Graugänse und Adolf Hitler

Der "ethnologische" Verhaltensforscher sieht es natürlich gern, wenn Boris Becker nicht mit einer Mulattin, sondern mit einer Hamburgerin befreundet ist. Aber in der multikulturellen Gesellschaft, die inzwischen schon globalen Charakter hat, "muß es der Hans nicht länger mit der Grete treiben" (Roger Thiede). Klassische Musik ist wie Rock'n'Roll und Popmusik rassenübergreifend. Heute kann man sich in Frankfurt und in Singapur, in

Madrid und in Tokio gleichermaßen zu Hause fühlen. Was zu Römers Zeiten Cäsar und Cleopatra, waren in unsere Zeit z.B. John Lennon und Yoko Ono. Kreuzung der Kulturen. Jedem Autochthonen ein Greuel. "Jeder Maikäfer, jeder Waschbär, jedes Rotkehlchen verteidigt sein eigenes Territorium und verhält sich nur solange friedlich, als gewisse territoriale Regelungen von den Artgenossen respektiert werden." "Mein Kampf" ist allgegenwärtig. Blutschänderische Rassenkohabitation gleich Sodomie. Wie heißt es in "Mein Kampf"?: Die begrenzte Form "der Fortpflanzung" ist ein "ehernes Gesetz". "Jedes Tier paart sich nur mit Genossen der gleichen Art." "Meise geht zu Meise, Fink zu Fink, der Storch zur Störchin, Feldmaus zu Feldmaus, Hausmaus zu Hausmaus, der Wolf zur Wölfin usw." Also der Mensch zum Menschen? Richtig. Aber für Adolf Hitler waren eben Juden, Zigeuner, Neger, Slawen und Mongolen keine Menschen.

Wird sich der Glaube an die menschlichen Werte wieder stärker erweisen als die Dummheit, Borniertheit und Überheblichkeit? Der Geist der Freiheit und der Gerechtigkeit hat sich gegen den Nationalsozialismus und den Kommunismus, aber noch nicht überall gegen den Rassismus durchgesetzt, der den Wert des Menschen nach seiner Hautfarbe und seiner Zugehörigkeit zu einer Volksgruppe bemißt. Was für eine engstirnige, kleinkarierte Mentalität, die es für unmöglich hält, daß der Mensch, der ins Weltall fliegt und die Atom- und Genspaltung erfunden hat, nicht fähig sein soll, als Deutscher mit einem Türken, als Christ mit einem Moslem, als Weißer mit einem Schwarzen zusammenleben zu können! Nicht Populationshygiene oder Kulturpessimismus, sondern anthropologiscehr Optimismus entspricht der Entwicklung der Menschheit, den Errungenschaften der europäischen Geistesgeschichte, unserer kulturellen Tradition der Aufklärung, den großen Deutschen wie Schiller und Goethe und der Musik eines Kosmopoliten wie Ludwig van Beethoven.

Bischof und Bundeskanzler

Natürlich hat das etwas mit Erziehung und geistiger Führung zu tun. Wenn in einem Dorf vier Asylanten aus Ghana leben, dann ist das zunächst ein Problem für Leute, die noch nie einen Schwarzen aus der Nähe gesehen haben. Wie sich die Menschen verhalten, hängt ganz von ihren Überzeugungen ab. Bei den vier aus Ghana sind sie in der Regel unsicher und wissen nicht, wie sie sich verhalten sollen. Und wie meistens, wenn Menschen unsicher sind, hören sie auf diejenigen, die für sie Autorität haben. Sagt der Ortsbürgermeister, das sei eine Gefährdung für "unser Dorf" und die müßten so rasch wie möglich weg, dann werden viele im Dorf dasselbe sagen, vor allem dann, wenn möglicherweise noch der Landrat in der Zeitung ähnliche Gedanken äußert. Sagt der Ortsbürgermeister nichts, dann werden die Leute auf die nächsthöhere Instanz hören, und das ist dann eben der Landrat, oder

der Regierungspräsident, der Ministerpräsident, der Bundeskanzler und der Bischof. Wenn die Autoritäten sagen: Liebe Leute, das sind Menschen, die zu uns gekommen sind, weil sie sich verfolgt und bedroht fühlen, und wir werden eine Zeit mit ihnen zusammenleben müssen. Das ist auch gar nicht schlimm. Wir sind ein reiches Land, und außerdem können sie den Friedhof in Ordnung halten und den Wald sauber machen. Wenn der Pfarrer in der Kirche genauso redet und vielleicht an die Heilige Familie erinnert, die nach Ägypten fliehen mußte, und wenn das Fernsehen in dieser Richtung informiert, dann werden die Leute die vier Schwarzen in ihrem Dorf akzeptieren.

In den Ballungszentren ist es teils leichter, teils schwerer. Aber eine friedensstiftende und vernünftige Information ist auch in den Großstädten unverzichtbar. Wichtig ist die Schule. Es gibt heute Schulen in den Großstädten, in denen von 25 Schülerinnen und Schülern 3 Deutsche sind und 22 Ausländer verschiedener Nationalität. Die Zahl solcher Schulen nimmt zu. In Flächenstaaten wie Nordrhein-Westfalen ist im Schnitt jeder zehnte Schüler Ausländer, in Großstädten zumindest jeder Dritte. In Frankfurt sind 15 Prozent der Gymnasiasten und 60 Prozent der Hauptschüler Ausländer. An manchen Schulen sind bis zu 28 Nationen vertreten, am stärksten, wie fast überall, die Türken. Noch sind das Extremfälle, die aber, wie z.B. in Paris, zur Normalität werden können. Es gibt in den Bundesländern gemischte nationale Klassen oder, wie im Kurssystem, gemischt-nationale und nationale Klassen oder gemischt-nationale Klassen mit interkultureller Erziehung und eigenem kulturellen Angebot für Ausländer. Entscheidend wird sein, daß in diesen schulpolitischen Modellen Ungerechtigkeit und Benachteiligung sowohl für Deutsche als auch für Kinder von Ausländern verhindert werden. Streit und Unfrieden entstehen durch Diskriminierung. Dies gilt für die Schule wie für das Zusammenleben in der Gesellschaft.

Blutbäder im Namen der Freiheit

Mit der Behauptung, in einer multikulturellen Gesellschaft würden die Kämpfe der Volksgruppen, die heimischen Konflikte der Griechen und Türken, der Palästinenser und der Juden auf deutschem Boden ausgetragen werden, verhält es sich wie mit der Sentenz, vergewaltigte Frauen hätten die Schändung provoziert und heimlich gewünscht. Nach der Ermordung des Priesters Popieluszko hieß es in kommunistischen Zeitungen, im Grunde sei der Pfarrer an seinem Tod selber schuld. Warum mußte er dauernd Unruhe stiften? Konnte er nicht mit dem Sozialismus zufrieden sein? Daß Basken Spanier erschießen und evangelische Bürger in Nordirland katholische Iren umbringen und umgekehrt, oder Türken Kurden und Serben Albaner, hat ausschließlich damit zu tun, daß die eine Gruppe - in der Regel diejenige, die in der Mehrheit ist - der anderen Gruppe, die sich in der Minderheit befindet, Rechte vorenthält und sie diskriminiert. Gerade dadurch, daß man ihnen die eigene Sprache verwehrt, die Autonomie abspricht oder, wie in Nordirland, Katholiken von Protestanten sozial diskriminiert werden, daß Volksgruppen durch zentralistische Macht an ihrem Eigenleben gehindert werden, wie lange Jahre in Südtirol, wird das Gegenteil von multikulturell praktiziert und Unfrieden produziert. Streit, Mord und Totschlag zwischen Volksgruppen gibt es nur bei rechtlicher Diskriminierung, wenn Sparta fröhliche Urständ feiert, wenn verhindert wird, daß in einem Staat multikulturell gelebt werden kann, und wenn Zwei-Klassen-Systeme mit unterschiedlichen Rechten für die Menschen errichtet werden. Werden multikulturelle Gesellschaften behindert und unmöglich gemacht, wird menschliches Zusammenleben in der Zukunft überhaupt fragwürdig werden.

Der Aufruhr der nationalen Gruppen, der die Sowjetunion beschäftigt, wird von vielen westlichen Beobachtern als ein Aufstand für die Freiheit angesehen. Armenier, Georgier, Aserbaidschaner, Litauer, Letten und Esten wollen sich von der russischen Unterdrückung befreien. Das ist nicht ganz falsch. Aber rasch nimmt die Geschichte eine andere Wendung, und die Revolutionen, die im Namen nationaler Freiheit beginnen, enden oft in einer neuen Diktatur oder auch in wüsten Massakern völkischer Mehrheiten an nationalen Minderheiten. Die Diskriminierung der Armenier in Berg-Karabach und der dadurch ausgelöste Protest und Widerstand in Armenien war der Ursprung der Unruhen. Die nationalistische Irredenta in Aserbaidschan war nicht von der Freiheit, sondern vom fundamentalistischen Schiismus und dem Haß auf die christlichen Armenier inspiriert.

Die Nachbarländer Rumänien und Bulgarien schüttelten ungefähr zur gleichen Zeit die kommunistische Diktatur ab. Aber während die neue rumänische Führung die zuvor von Ceausescu verfolgten Banater Schwaben und Siebenbürger Sachsen bat, im Land zu bleiben oder nach Rumänien zurückzukommen, entwickelten sich im Nachbarland Bulgarien pogromartige Ausschreitungen der bulgarischen Mehrheit gegen die türkische Minderheit.

Das ist alles nichts Neues. Die Freiheitskriege gegen Napoleon waren in den Augen der Völker, zumindest der Deutschen, eine nationale Sache der Freiheit, sicher nicht in den Augen des Zaren Alexander, des preußischen Königs Friedrich Wilhelm oder des Kaisers Franz und seines Außenministers Metternich. Diese Freiheitskriege endeten in der Quadrupelallianz, hatten die Restauration und das von Metternich ausgebaute Spitzelsystem in weiten Teilen Deutschlands und Italiens zum Ergebnis. Johann Gottfried Herder, dessen Vorstellungen übrigens die Tschechen ihren Nationalstaat mit zu verdanken haben, sagte einmal "Völker sind Gedanken Gottes". Die Folgen seiner blasphemischen Volksgeistideologie konnte er nicht voraussehen. Nicht nur der tschechische Nationalismus, sondern sogar der säkulare arabische Nationalismus hat seine ideengeschichtliche Herkunft in der Nationalphilosophie der deutschen Romantik. Im Namen des türkischen Nationalismus von Kemal Atatürk geschah der Massenmord an den Armeniern Anfang der 20er Jahre, der erste in einer langen Reihe von Genoziden dieses Jahrhunderts. Noch heute werden auf der Grundlage dieser Philosophie die Kurden verfolgt.

Der völkische Nationalismus hat sich auf der ganzen Welt breitgemacht, zum Teil auch als Ergebnis eines Freiheitskampfes gegen die alten Kolonialherren. In vielen multiethnischen Gesellschaften Asiens und Afrikas rechtfertigt der Ethnizismus wie zuvor in Europa eine Politik der Unterdrükkung, der Assimilierung und Vertreibung ethnischer Minderheiten oder führt zu politisch explosiven Forderungen nach Separation und Gründung eigener Volks- und Kulturnationen. Wenn das Nationale zur alleingültigen kulturellen Identität eines Volkes erhoben wird, wird es zur Ursache für die Unterdrückung anderer Kulturen und der Menschen anderer Herkunft. Der Kulturimperialismus der Hindus gegen die Sikhs, der Religionsimperialismus der protestantischen Iren gegen die katholischen Iren oder der islamische Koranimperialismus gegen alle anderen Regionen und Religionen der Welt haben dieselbe ideologische und nationalistische Ursache und sind eben das Gegenteil von dem, was wir unter einer multikulturellen Gesellschaft zu verstehen haben. Dieser Nationalismus hat mit Freiheit fast nichts zu tun, ist aber verantwortlich für die Blutbäder, die heute und in der Vergangenheit an nationalen Minderheiten, an Anderssprachigen, an Andersdenkenden begangen wurden, und ist die Ursache für die blutigen Tragödien zwischen Aserbaidschanern und Armeniern, Türken und Bergtürken, Albanern und Serben, Basken und Spaniern.

Deutschland und Deutschtum

Die Deutschen müssen aufpassen, daß sie nicht wieder vom Volksgeist der deutschen Romantik übermannt werden. “Nicht dort ist unser Vaterland, wo es uns endlich einmal wohl ergeht. Unser Vaterland ist vielmehr mit uns, in uns. Deutschland lebt in uns; wir stellen es dar, mögen wir wollen oder nicht, in jedem Lande, dahin wir uns verfügen, unter jeder Zone.” Dieser Satz von Leopold von Ranke war im Januar 1990 Vorspann eines Leitartikels in einer deutschen Tageszeitung. Wenn der Historiker das DM-Imponiergehabe deutscher Massentouristen an den Küsten Italiens hätte erleben können, hätte er auf diese Art des Deutschtums im Ausland wahrscheinlich gerne verzichtet. Man sollte diese Hymne an das Deutschtum dort lassen, wo sie entstanden ist, nämlich 1836, im letzten Jahrhundert. Die Dichter und Denker der deutschen Romantik konnten nichts wissen von Oradour und Lidice, von Stalingrad und Buchenwald. Preisen wir sie glücklich. Die Deutschen sind nicht schlechter, aber auch nicht besser als Franzosen, Türken oder Engländer. Die gute Zeit der Deutschen waren die Perioden ihrer Geschichte, in denen sie sich nicht nationalstaatlich organisiert hatten, in einem offenen Land lebten und liberal genug waren, den Gedanken der Auklärung zu folgen und das Universale über das Nationale zu stellen. Das gilt im übrigen auch für das Josephinische Österreich. Der spätere deutsche Nationalstaat hatte, im Gegensatz zum französischen, das universale Erbe der Aufklärung leider vergessen.

Der französische Kultursoziologe Alain Finkielkraut schreibt in seinem Buch "Der Niedergang des Denkens", im Jahrhundert der Nationalismen habe Frankreich - "darin lag sein Verdienst und seine Originalität" - die Verwurzelung des Geistes (im Nationalismus) abgelehnt. Und in der Tat sind die Franzosen mitten im überschäumenden Nationalismus der letzten Jahrhundertwende im Herzen immer "Republikaner" geblieben. Finkielkraut beschwört auch für heute die, wie er sie nennt, "Dreyfusards", Männer wie beispielsweise Zola, Jaures und Clemenceau, die in der Dreyfus-Affäre Ende des letzten Jahrhunderts auf der Seite des unschuldig verurteilten jüdischen Hauptmannes standen und öffentlich für ihn eintraten. "Dreyfusards" seien Menschen, deren Einstellung sich aus den universalen abstrakten Werten der Aufklärung ableite und nicht aus der Zugehörigkeit zu einem Kollektiv. Finkielkraut zitiert den polnischen Schriftsteller Gombrowicz, der seinen Landsleuten, die vom "Polentum" fasziniert waren, Frankreich als Vorbild hinstellt: "Ist etwa ein Franzose, der für nichts Augen hat als für Frankreich, mehr Franzose? Oder weniger Franzose? Aber wirklich Franzose sein, heißt doch gerade dies: Etwas anderes außer Frankreich sehen können."

Gilt dies etwa für Deutschland nicht? Ist etwa ein Deutscher, der noch etwas anderes sieht als Deutschland, ein schlechterer Deutscher? So wenig wie Frankreich sich auf das Franzosentum beschränken läßt, so wenig kann Deutschland sich auf das Deutschtum beschränken lassen.

Allerdings haben wir einiges nachzuholen und zu lernen. Frankreich, das seinen Sprach-Patriotismus wahrlich pflegt, war immer offen für die Kulturen anderer Völker, aber auch für Menschen, die aufgrund ihrer kulturellen Identität, ihrer Religion, ihrer politischen Einstellung Asyl gesucht haben. Die französische Geschichte war auch eine Geschichte der Emigranten in Frankreich. Heinrich Heine und Lion Feuchtwanger sind Beispiele für viele. Auch andere Länder waren offen für Verfolgte: Marx und Engels in London, Thomas Mann, Albert Einstein, Bertolt Brecht in den Vereinigten Staaten. Wem boten die Deutschen Zuflucht? In unserer jüngeren Geschichte der letzten hundertfünfzig Jahre fällt mir niemand ein. Früher, vor dem Nationalstaat, war Deutschland Zuflucht für viele. Für die Hugenotten aus Frankreich, die Jesuiten in Schlesien und in Preußen.

Heute kommt es entscheidend auf die Erkenntnis an, daß die Deutschen, wie Golo Mann sagt, ein europäischer Teilstamm sind. Die Zukunft kann nicht im restaurativen Blick auf das Vergangene gestaltet werden, sondern nur in der Besinnung auf das Wichtigere, auf Europa. Staat, Nation und Europa sind keine Gegensätze. Auch in der Zukunft wird es innerhalb eines vereinigten Europas Staaten und Nationen geben. Aber Europa ist unsere Zukunft und nicht der Nationalstaat. Dies entspricht im übrigen auch der gesamten europäischen Geschichte. Alles Wichtige war das Ergebnis europäischer Arbeit, europäischer Politik, europäischer Kultur: Die universale Geltung der Menschenrechte ebenso wie die Entdeckung Amerikas und der übrigen Welt.

Die europäische Elite des Umberto Eco

Die multikulturelle Gesellschaft wird die Gesellschaft der Europäischen Gemeinschaft sein. Wahrscheinlich werden Historiker rückblickend einmal feststellen, daß mit der Einführung des europäischen Binnenmarktes ab 1993 eine Binnenwanderung innerhalb Europas begonnen hat, wobei wir Mittel- und Osteuropa einbeziehen müssen. Innerhalb der nächsten Jahre werden Polen, Ungarn, die Tschechoslowakei, möglicherweise sogar die Sowjetunion Mitglied der Europäischen Gemeinschaft werden. Was wird die Folge des europäischen Binnenmarktes sein? Die deutschen Unternehmen werden in erheblich größerem Maße als bisher gezwungen, innerhalb der Europäischen Gemeinschaft - auch mit deutschen Mitarbeitern - Produktionsstätten und Vertriebsorganisationen aufzubauen. Wer im "EG-Ausland" wirtschaftlich erfolgreich sein will, muß die Sprache und die Kultur, den Lebensstil und die Mentalität dieser Länder kennen. Dies gilt nicht nur für die Manager und Techniker, auch Facharbeiter und Angestellte werden europäisch denken und arbeiten müssen. Es wird immer mehr ausgebildete und motivierte junge Menschen geben, die eine berufliche Tätigkeit in Frankreich, Italien, Spanien, Großbritannien, Griechenland, Portugal, Polen und Ungarn als Anregung, als Chance und als Herausforderung begreifen, sie gerne nutzen und bestehen wollen. Schon heute leben 1,4 Millionen Ausländer aus den EG-Staaten bei uns.

Die mentalen und sprachlichen Barrieren, die heute noch die Niederlassungsfreiheit eher behindern, werden immer weiter abgebaut werden. Der Schüler-, Studenten- und Wissenschaftleraustausch wird intensiver werden. Hunderttausende von Deutschen werden mehrere Jahre im west- und osteuropäischen Ausland verbringen. Nicht nur zwischen Studenten, sondern auch zwischen Arbeitnehmern wird es zu unzähligen menschlichen Begegnungen kommen. Umberto Eco hat einmal eine konkrete Vision für einen Teilbereich der europäischen Einigung entworfen. Er schrieb über das europäische Studentenaustauschprogramm Erasmus: "Dieses Projekt wird bewirken, daß jeder Student der Europäischen Gemeinschaft ein Jahr im Ausland verbringt. Bei dieser Wanderung von Tausenden von Studenten wird es zu Zehntausenden von Mischehen kommen. Innerhalb von dreißig Jahren wäre die europäische Elite europäisch im echten Sinne des Wortes."

Ein Europa der praktizierten Freizügigkeit kann dann dazu führen, daß man in der Bundesrepublik Deutschland geboren wird und aufwächst, in Großbritannien studiert, später in Deutschland oder in Frankreich arbeitet, um dann in Italien sein "aktives Alter" zu verbringen. In Deutschland wird der Nachbar Belgier, der Arbeitskollege Türke, die Schwiegertochter Dänin und der Vereinskamerad Spanier oder Ungar sein. Schon heute vollzieht sich eine Europäisierung, ja sogar Internationalisierung unseres Lebens. Eine europäische Vielfalt der Produkte, des Essens und des Trinkens, der Literatur, der Musik und der Malerei, wie wir sie schon seit Jahrhunderten haben, der Wissenschaft und der Forschung, der Mode, des Designs wird - und das ist neu - ein Massenerlebnis des Alltags werden. Es sind die Merkmale einer bereits existierenden und wachsenden multikulturellen Gesellschaft.

Spartiaten, Perioken und Heloten

Nicht nur im Vergleich mit dieser europäischen Zukunft, sondern auch gemessen an der Wirklichkeit in Deutschland, ist der Begriff Ausländer ein schlechter Witz. Die meisten Ausländer in der Bundesrepublik sind hier geboren und leben in der zweiten und der dritten Generation bei uns. Von den 1,4 Millionen Türken waren im Jahre 1988 57 Prozent zehn und mehr Jahre im Land, von den 591000 Jugoslawen waren es sogar 78 Prozent und von den 537000 Italienern 67 Prozent. Trotzdem haben wir die niedrigste Einbürgerungsquote unter allen vergleichbaren europäischen Ländern. Nur 14000 Ausländer werden in der Bundesrepublik Deutschland jährlich eingebürgert. Allein 73000 Kinder ausländischer Eltern wurden aber 1988 in der Bundesrepublik geboren. Barbara John, die Ausländerbeauftragte des Berliner Senats, hat auf dem Parteitag der CDU in Bremen 1989 darauf hingewiesen, daß wir demnächst von Ausländern der fünfundzwanzigsten Generation sprechen müßten, wenn es mit der Einbürgerung so weiterginge wie bisher.

Das neue Ausländerrecht bringt Verbesserungen und macht die Einbürgerung dadurch attraktiver, daß z.B. der Antrag zwischen dem 16. und 21.Lebensjahr gestellt werden kann und die Wartefrist von zehn auf acht Jahre reduziert wird. Außerdem wird der Familiennachzug erleichtert.

Aber eine prinzipielle Veränderung bringt das neue Ausländerrecht nicht. In der Wirklichkeit der Bundesrepublik Deutschland sind und bleiben diese Ausländer Inländer ohne deutschen Paß. Der Ausländerstatus ist ein größeres Intergrationshemmnis als die Sprahbarriere, die es bei jungen Ausländern überhaupt nicht mehr gibt, oder als eine unvollständige Schulausbildung. Diese Menschen werden durch den Ausländerstatus ausgegrenzt, auch wenn sie bei uns geboren sind und seit Jahren bei uns leben. Sie brauchen für das Land, in dem sie geboren sind, eine Aufenthalts- und eine Arbeitserlaubnis und haben nur geringe Möglichkeiten der freien Berufswahl. Es ist richtig, daß die Bereitschaft der Ausländer, sich einzubürgern, relativ gering ist. Bei den Kindern und den Enkeln ist die Bereitschaft, in Deutschland zu bleiben, naturgemäß größer. Dennoch gibt es eine Reihe von Motiven, die dazu führen, daß sich viele Ausländer nicht um eine Einbürgerung bemühen. Nach einer Umfrage des Jahres 1985, die vom Bundesinnenministerium veröffentlicht wurde, wurden als die zwei wichtigsten Gründe, keinen Antrag auf Einbürgerung zu stellen, die Absicht, Staatsangehöriger des Heimatlandes zu bleiben (38,7 Prozent) und der Zwang zur Aufgabe der bisherigen Staatsangehörigkeit (13,8 Prozent) genannt. Es liegt jedoch in der Hand der Bundesrepublik, diese Gründe zu beseitigen, und zwar dadurch, daß den Ausländern über die im jetzigen neuen Ausländerrecht vorgesehenen Härtefälle hinaus die Doppelstaatsangehörigkeit ermöglicht wird, so wie dies z.B. auch in den Vereinigten Staaten der Fall ist. Die immer wieder als Gegengründe angeführten Probleme der Loyalitätskonflikte und der Rechtsunsicherheit sind angesichts eines zusammenwachsenden Europas und einer immer kleiner werdenden Welt von immer geringerer Bedeutung.

Viele in unserem Land finden es unerträglich, mit Menschen auf Dauer zusammenzuleben, die aus einer anderen Kultur kommen, eine andere Muttersprache und eine andere Lebensphilosophie als die Deutschen selber haben. Für mich ist es dagegen unerträglich, daß in unserem Land Millionen von ausländischen Mitbürgern mindere Rechte haben als die Deutschen. Der Stuttgarter Oberbürgermeister Manfred Rommel vergleicht unsere Gesellschaft mit dem alten Sparta, seinen Spartiaten, Perioken und Heloten, einer Drei-Klassen-Gesellschaft mit Bürgern höheren und minderen Rechts.

Republikanische oder völkische Verfassung

Früher war die Toleranz gegenüber den Menschen aus anderen Ländern die Grundlage des Zusammenlebens. Aus der Toleranz ergab sich die Integration und die teilweise biologische Vermischung. Daraus erfolgte dann die Assimilierung, d.h. die Angleichung der Ausländer an die Zivilisation und die Kultur des Stammvolkes. Die nationale Identität war bei diesem Prozeß der Orientierungs- und Kristallisationspunkt für die Integration. Dieser Werdegang war ja für das deutsche Volk nicht schlecht gewesen, führte allerdings zu einer konsequent durchmischten Gesellschaft. Zuckmayer hat in "Des Teufels General" die Ahnenreihe eines deutschen Offiziers aus dem Rheinland beschrieben: "Der römische Feldhauptmann, ein schwarzer Kerl, braun wie eine reife Olive, der seinem blonden Mädchen Latein beigebracht hat, der jüdische Gewürzhändler, der Christ geworden war, der griechische Arzt, der keltische Legionär, der Graubündner Landsknecht." Diese Ahnengalerie des Durchschnittsdeutschen läßt Zuckmayer in dem Satz enden: "Es waren die besten, die besten der Welt, und warum?" Zuckmayer gibt sich selber die Antwort: "Weil sich die Völker dort vermischt haben." Die Mischlinge neuerer Zeit sind die Libudas und die Kuzorras. Aber wie sieht es aus mit dem Freistilringer Ahmet Cakici aus Goldbach und dem Wasserballspieler Armando Fernandez aus Mexiko, die als Deutsche für Deutschland Weltmeisterschafts- und Olympiawettkämpfe bestritten haben?

Die Integration, die bei den Vorfahren Stan Libudas möglich und richtig war, wird in der Zukunft längst nicht mehr alle Ausländer erreichen, die bei uns leben werden. Assimilation und völkisch-kulturelle Integration werden weitgehend der Vergangenheit angehören. Türken und Jugoslawen, Italiener und Spanier, Marokkaner und Japaner, Tamilen und Inder, Iraner und Libanesen kann man nicht zu Germanen machen. Sie werden, wenn wir das Einbürgerungsrecht richtig gestalten, Deutsche werden. Aber sie werden Europäer sein mit türkischem, mit serbischem, mit jugoslawischem, mit japanischem, mit indischem Hintergrund. Alle, ob Deutsche oder Türken oder Portugiesen, werden in der europäischen Entwicklung einen neuen Status bekommen, nämlich den Status des europäischen Bürgers deutscher Staatsangehörigkeit und islamischer oder buddhistischer oder katholischer Religionszugehörigkeit.

Noch langfristiger gedacht werden wir auf das Weltbürgerrecht zugehen, von dem schon Immanuel Kant gesprochen hat. Wichtig für unser Land wird sein, daß die Menschen, die in ihm leben und arbeiten, sich mit ihm identifizieren. Nicht wichtig ist, daß sie alle von den gleichen Ahnen abstammen, die gleiche Religion und Konfession haben. Im Gegenteil, kulturelle Vielfalt erhöht die Differenzierung und die Qualität eines Gemeinwesens. Dies gilt auch für die Kultur unserer Städte, deren Qualität, so sagt Manfred Rommel, schon immer mit dem Differenzierungsgrad der Stadtbevölkerung etwas zu tun hatte.

Zu Auseinandersetzungen wird es nur dann kommen, wenn Millionen von Menschen in der Zukunft in Deutschland in einem modernen Sparta leben müßten, in dem sich die Bevölkerung in eine oder mehrere Herren- und Dienerkasten aufteilt.

Soll das neue Deutschland eine Republik mit Menschen sein, die sich zu diesem Staat bekennen und die alle dieselbe Würde, dieselben Grundrechte und dieselben Menschenrechte haben, oder wird es sich um ein nationalstaatlich geprägtes Gebilde handeln, in dem nicht der universale Anspruch der Menschenrechte, sondern die völkische Herkunft ausschlaggebend ist?

Die Gesetze, die regeln, wer Deutscher ist oder Deutscher werden darf, sind ohnehin fragwürdig und widersprüchlich. Auf der einen Seite gilt für die deutschen Staatsangehörigen grundsätzlich das jus sanguinis. Bis 1953 war der Deutscher, dessen Vater ein Deutscher war. Hatte er eine deutsche Mutter, aber einen Ausländer zum Vater, war er nicht Deutscher. Erst nach 1953 konnte auch eine deutsche Mutter die deutsche Staatsbürgerschaft an ihre Kinder weitergeben. Neben diesem jus sanguinis ist auch jemand deutscher Staatsbürger, wenn er deutscher Volkszugehöriger ist, wozu diejenigen gehören, die sich in Osteuropa z.B. zum deutschen Volkstum bekannt haben, sofern dieses Bekenntnis durch bestimmte Merkmale, wie Abstammung, Sprache, Erziehung und Kultur bestätigt wird. Hier genügt es, wenn ein Elternteil durch das Bekenntnis zum deutschen Volkstum geprägt ist. Wenn diese Volkszugehörigen als Aussiedler ihre Heimat verlassen und in die Bundesrepublik Deutschland einreisen, bekommen sie sofort einen deutschen Paß, auch wenn sie kein Wort Deutsch sprechen und zunächst einmal mühsam in Sprachkursen Deutsch lernen müssen.

Was ist eigentlich mit einem Chilenen, dessen Vorfahren vor 200 Jahren von Deutschland nach Valparaiso ausgewandert sind, und der einen "einwandfreien" deutschen Stammbaum bis heute besitzt? Ihm nützt seine deutsche Ahnengalerie nicht viel. Er ist Chilene, und wenn er Deutscher werden will, geht es ihm genauso wie den Spaniern und Türken, wenn sie Deutsche werden wollen.

An die Stelle der völkisch-nationalen Identität als Grund oder zumindest als wichtiger Teilgrund des Selbstverständnisses unseres Staates sollte der gemeinschaftsstiftende Charakter der Grund- und Freiheitsrechte treten, ein "Verfassungspatriotismus", wie ihn Dolf Sternberger einmal genannt hat, der Stolz der Bürger auf ihre freiheitliche Ordnung und die damit verbundenen politischen Erfolge. Der wirtschaftliche Aufschwung der Bundesrepublik Deutschland, ihre starke Stellung in Europa und in der Welt sind nicht das Ergebnis des deutschen Nationalcharakters, sondern die Resultate einer Verfassung, in der die freie Entfaltung der Persönlichkeit und der Sozialstaatsgedanke in der Sozialen Marktwirtschaft eine allen anderen politischen Ordnungen überlegene Symbiose eingegangen sind. Auch in anderen erfolgreichen Staaten der Welt ist der Verfassungspatriotismus Grundlage ihres staatlichen Selbstverständnisses, in der Schweiz ebenso wie in den Vereinigten Staaten von Amerika, Kanada und Australien.

Bürgerrechte und Menschenrechte

Um dies zu erreichen und um der Faszination der europäischen Zukunft willen müssen wir die verfassungsrechtlichen Schlagbäume im eigenen Denken niederreißen.

Die Väter unseres Grundgesetzes, der besten Verfassung, die die Deutschen je hatten, haben versucht, Verfassungspatriotismus und Nationalstaat miteinander zu verbinden. Das Ergebnis kann nicht voll befriedigen. Die Würde des Menschen ist der Ober- und Überbegriff des Grundgesetzes und die daraus resultierenden Grundrechte der Freiheit der Person, der Gleichheit vor dem Gesetz, der Glaubens- und Meinungsfreiheit, der Entfaltung der Persönlichkeit stehen allen Menschen zu, unabhängig davon, welcher Nation sie angehören. Andere Grundrechte, z.B. die Versammlungs-, Vereinigungs-, die Berufsfreiheit, das Recht auf Freizügigkeit sind dagegen "nur" für

Deutsche bestimmt. Dies ist ein Widerspruch in sich. Nach Artikel 3 des Grundgesetzes sind alle Menschen vor dem Gesetz gleich, und niemand darf wegen seiner Abstammung, Rasse, Sprache, Heimat und Herkunft benachteiligt oder bevorzugt werden. Artikel 16 postuliert außerdem, daß politisch Verfolgte Asylrecht genießen. Damit wird sogar Menschen ein Grundrecht gewährt, die nicht in der Bundesrepublik Deutschland leben.

Das Problem der Unterscheidung von Bürger- und Menschenrechten kann gelöst werden, wenn das deutsche Einbürgerungsrecht vom republikanischen Charakter unserer Verfassung geprägt wird und die deutsche Staatsbürgerschaft nicht von deutschen Ahnen, also der Zugehörigkeit zu einem Kollektiv, sondern vom individuellen, persönlichen Bekenntnis zu unserer Verfassung und dem Willen abhängig gemacht wird, für diese Republik einzutreten, in ihr auf Dauer zu leben und die Rechte und Pflichten eines Staatsbürgers wahrzunehmen. Dies entspräche auch den Vorstellungen des größten deutschen Philosophen Immanuel Kant, eines großen Verteidigers des republikanischen Gedankens, der während der Befreiungskriege alle vor der "Aufforderung der Gecken zum Nationalstolz" gewarnt hatte.

Der Verfassungspatriotismus ist in einer Epoche, in der die Völker zusammenwachsen, die Konzeption der Zukunft. Ein Staat, der sich in erster Linie als Nationalstaat definiert, in dem Bürgerschaft durch völkische Zugehörigkeit begründet wird, ist in seinem Selbstverständnis in die Vergangenheit gerichtet.

Ich weiß, daß das neue Ausländerrecht nach langen und schwierigen Auseinandersetzungen zustande gekommen ist und daß der gefundene Kompromiß ein Erfolg und ein Fortschritt ist. Dennoch leidet auch das neue Recht daran, daß es von dem Grundsatz ausgeht, Einbürgerung setze die Integration voraus. Dadurch werden die Anforderungen an eine Einbürgerung viel höher geschraubt, als wenn die Anforderungen des Verfassungspatriotismus, nämlich das Bekenntis zu diesem Land und seiner Verfassung, der Wille, auf Dauer hier zu leben und die deutsche Sprache zu beherrschen, zur Grundlage der Einbürgerung gemacht werden würden. Im geltenden Ausländerrecht wird nicht berücksichtigt, daß wir langfristig einen Zuzug von Ausländern auch von außerhalb der EG geradezu brauchen. Die damit verbundenen Widersprüche werden leider auch in Zukunft zu Auseinandersetzungen führen. Vor allem besteht die Gefahr, daß das Zwei-Klassen-Recht für Millionen von Mitbürgern un die damit verbundene Diskriminierung, Auseinandersetzungen zwischen den Deutschen und den ausländischen Bevölkerungsgruppen provoziert. Deshalb wäre zu wünschen, daß die noch vorhandenen Widersprüche aufgelöst werden.

Es gibt zur Zeit einen Anwerbestopp und ein Zuzugsverbot für Ausländer außerhalb der Europäischen Gemeinschaft, gleichzeitig Freizügigkeit für alle Europäer innerhalb der Europäischen Gemeinschaft, zur selben Zeit haben jedoch Asylbewerber und Flüchtlinge de facto ungehinderten Zugang in die Bundesrepublik Deutschland. Richtig wäre, eine bestimmte Anzahl von Ausländern in die Bundesrepublik legal einwandern zu lassen, und zwar auch Ausländer außerhalb der Europäischen Gemeinschaft. Die Zahl müßte die Bundesregierung von Jahr zu Jahr regeln und nach Bedarf erhöhen. Dies setzt aber voraus, daß die Asylfrage geklärt wird und der unkontrollierte Zugang verhindert wird. Die Lösung des Asylproblems ist daher ein wichtiger Bestandteil einer vernünftigen Ausländerpolitik.

Es ist richtig, daß das neue Ausländerrecht und die dem Ausländerrecht vorangegangenen praktischen Regelungen den Zuzug oder die Einreise von Asylbewerbern gegenüber früher einschränken und auch die Abschiebung rechtskräftig abgelehnter Asylbewerber erleichtert. Dennoch ist eine entscheidende Verbesserung für die Lösung des Asylproblems nur dadurch zu erreichen, daß der Deutsche Bundestag endlich in die Lage versetzt wird, ein Ausführungsgesetz zum Grundrecht auf Asyl zu verabschieden. Es ist nicht zu begreifen, warum zu Artikel 16 nicht genauso ein Gesetzesvorbehalt gehören soll wie zu anderen Grundgesetzartikeln auch. Artikel 4, Abs. III gibt jedermann das Recht, unter Berufung auf sein Gewissen den Wehrdienst mit der Waffe zu verweigern. Im zweiten Satz dieses Grundrechtes ermächtigt jedoch der Verfassungsgeber das Parlament, das Nähere durch ein Gesetz zu regeln. Dieses “Nähere” der Kriegsdienstverweigerung aus Gewissensgründen ist normiert in 25 des Wehrpflichtgesetzes und im Zivildienstgesetz. Wenn diese beiden Gesetze nicht vorhanden wären, wäre das Kriegsdienstverweigerungsrecht nicht praktikabel und würde zu rechtlich ähnlich unbefriedigenden Situationen führen, wie wir sie im Asylbereich zur Zeit haben. Es steht auch nicht zu befürchten, daß ein solches Gesetz zu einer Einschränkung des Grundrechtsschutzes führen würde, denn, so schreibt Artikel 19 des Grundgesetzes vor, solche Ausführungsgesetze dürfen den Kerngehalt des Grundgesetzes nicht antasten. Zudem können sie vom Bundesverfassungsgericht überprüft werden. Das Grundrecht auf politisches Asyl würde also nicht angetastet. Aber ein Ausführungsgesetz könnte Voraussetzungen einer Anerkennung von Asylbewerbern näher umschreiben. Dadurch entstünde Rechtsklarheit, die Verwaltungsverfahren und die Verwaltungsgerichtsverfahren könnten entsprechend abgekürzt werden. Die Hauptverantwortung für den heutigen, unbefriedigenden Stand der Gesetzgebung liegt bei der Sozialdemokratischen Partei, die bis jetzt verhindert hat, daß das Grundgesetz ergänzt wird, denn dazu wäre ihre Kooperation wegen der erforderlichen Zwei-Drittel-Mehrheit im Deutschen Bundestag notwendig. Eine gesetzliche Regelung würde im übrigen auch eine gemeinsame Asyl- und Flüchtlingspolitik der Europäischen Gemeinschaft erleichtern.

Es wäre wünschenswert, wenn in der neuen Legislaturperiode noch einmal der Versuch unternommen werden würde, eine Lösung des Asylrechtes in diesem Sinne zu erreichen und auf der anderen Seite das Ausländerrecht so fortzuentwickeln, wie es im Ansatz bereits durch das neue Ausländerrecht angelegt ist.

Kreuz und Schador

Kurz nach dem Einmarsch der Sowjetunion in Afghanistan sprach ich auf einer Veranstaltung des RCDS im vollbesetzten Auditorium maximum der Hochschule der Universität in Karlsruhe. Die Mehrheit der anwesenden Studenten war sich mit mir einig in der Ablehnung dieser Aggression. Ein Student vom MSB Spartakus begründete den Einmarsch der Sowjets mit einem bemerkenswerten Argument. Er sagte nämlich, in Afghanistan herrsche ein theokratisches Gewaltsystem, und die Russen seien einmarschiert, um zu verhindern, daß z.B. den Frauen in Afghanistan die Klitoris abgeschnitten werde. Das Publikum raste. Auch mir kam dieses Argument damals nicht ganz geheuer vor. Heute, Jahre später, frage ich mich auch, ob unter dem Gesichtspunkt der Menschenrechte die Ablösung der Kommunisten durch islamische Fundamentalisten für die betroffene Bevölkeung immer ein Vorteil sein muß.

Der Streit in Frankreich um die Frage, ob mohammedanische Mädchen in der laizistischen Schule unseres Nachbarlandes den traditionellen muslimischen Schleier, den Schador, tragen dürfen, ist nur ein Abklatsch desselben Problems. Der Schador kann als Ausdruck der kulturellen, der religiösen Selbständigkeit und Identität der Menschen betrachtet werden, die sich zum Islam bekennen. Der elterliche und kirchliche Zwang, den Schleier zu tragen, kann aber auch ein Instrument der Unterdrückung der Frau durch die islamischen Männer sein. Die kulturelle Identität hat in der multikulturellen Gesellschaft eine Grenze. Moslems, Hindus, Freigeister und Agnostiker, Materialisten, Existentialisten, Sektierer, Polytheisten, Dämonenverehrer, Positivisten, Gottesleugner und Christen, sie alle müssen die universalen Menschenrechte, wie sie der europäischen Geistesgeschichte und damit der europäischen Kultur entsprechen, achten. Religions- und Kulturimperialismus stoßen in einer freiheitlichen Gesellschaft an die immanenten Schranken der modernen Verfassung.

Folter und Diskriminierung bleiben Verletzungen der Menschenrechte, gleichgültig, ob sie im Namen Allahs oder der Weltrevolution oder der Inquisition praktiziert werden. Es gibt keine Kultur dort - so Alain Finkielkraut -, "wo man über Delinquenten körperliche Züchtigungen verhängt, wo die unfruchtbare Frau verstoßen und die Ehebrecherin mit dem Tode bestraft wird, wo die Aussage eines Mannes so viel wert ist wie die von zwei Frauen, wo eine Schwester nur Anspruch auf die Hälfte des Erbes hat, das ihrem Bruder zufällt, wo die Frauen beschnitten werden, wo die Mischehe verboten und die Polygamie erlaubt ist."

Das Minarett und Notre Dame

In Frankreich spitzt sich die Auseinandersetzung um die *societé multiraciale* auf den Streit mit dem Islam zu, und zwar mit dem Islam in seiner fundamentalistischen Form.

Die Franzosen haben die Frage nach der französischen Identität im wesentlichen immer mit dem Satz beantwortet: Franzose ist, wer an der "république", an der res publica mitwirkt, unabhängig davon, ob er Vietnamese aus Hanoi, Mulatte aus Martinique oder Mohammedaner aus Marokko ist. Zu den Grundsätzen der Republik gehört der Laizismus, d.h. daß Religion Privatsache ist und in öffentlichen Einrichtungen wie den Schulen nichts zu suchen hat. Die Franzosen leben, wie Joachim Fritz Vannahme in der "Zeit" schildert, friedlich und gut mit den Chinesen und Vietnamesen im Chinatown des dreizehnten Bezirkes in Paris zusammen. Der Vorsitzende der kommunistischen Gewerkschaft CGT ist ein Pole aus Warschau und heißt Henry Krasucki. Bei Renault wurden schon vor zehn Jahren für die Moslems Gebetsräume eingerichtet. Die Mohammedaner aus Marokko und Algerien, aus den übrigen afrikanischen Gebieten waren sowohl im Ersten wie im Zweiten Weltkrieg als Soldaten im Kampf gegen die Deutschen willkommen. Stern und Halbmond wurden als Feldzeichen des Propheten im Kampf gegen die Deutschen erlaubt, und Marschall Lyautey erklärte beim Bau der ersten Moschee in Paris im Jahre 1922 unter dem Beifall ganz Frankreichs, hier werde nun ein Minarett ein Gebet mehr zum Himmel schicken und die katholischen Türme von Notre Dame würden darob gewiß nicht neidisch werden.

Heute würde der Marschall nicht mehr überall Beifall bekommen. In Dreux gewann Marie France Stirbois, die Witwe des bei einem Autounfall getöteten früheren Generalsekretärs der Front National (Le Pen: "la veuve Stirbois"), bei den Nachwahlen zum französischen Parlament die absolute Mehrheit, und in Marseille erzielte der Kandidat derselben Partei 42 Prozent der Stimmen. Rassistische Parolen bleiben auch im Land der Aufklärung 200 Jahre nach der französischen Revolution nicht ohne Wirkung.

Frankreich hat ein vorbildliches liberales Einbürgerungsrecht. Wer in Frankreich geboren wird, hat einen Rechtsanspruch auf französische Staatsbürgerschaft. Aber die Franzosen brauchen zusätzlich eine zahlenmäßige Beschränkung, d.h. eine Kontingentierung zukünftiger Einwanderer.

Wie überall, so auch hier: Aufklärung tut not. Heute behauptet die Nationale Front unter der Führung von Le Pen, Frankreich werde das Opfer kraushaariger Diebe und Mörder. Das werden sie erst dann, wenn ein die Andersfarbigen diskriminierender Staat so redete und handelte wie Le Pen und seine germanischen Adepten.

Es wäre falsch, diesen Nationalisten vorzuwerfen, sie wollten alles assimilieren und alles Fremde einschmelzen. Nicht der "melting pot" ist ihr

Ziel, sondern die Quarantäne. Sie wollen nicht integrieren, sondern ausgrenzen, separieren, diskriminieren.

Nicht in der Motivation und nicht von der Gesinnung her, aber im Ergebnis treffen sie sich mit jenen falschen Multikulturellen, die uns sagen, jede Kultur, auch die Islamische, sei unantastbar, habe keinen einen Anspruch auf Absolutheit und es gebe nicht das "eurozentrische Recht", die Rechtsordnung des Koran zu "unterjochen" und die mohammedanisch geprägten Hierarchien der Familien zu beseitigen. Außerdem, so sagt z.B. der Religionsphilosoph und Erfinder des Bildungsnotstandes der 60er Jahre, Georg Picht, sei der europäische Vernunftbegriff einschließlich der auf ihm aufgebauten Doktrin der Menschenrechte in der eigenen europäischen Heimat unwiderruflich zerbrochen. Deswegen sei eine Menschenrechtsordnung mit globalem Charakter nichts anderes als ein leerer Wahn. Die Menschen anderer Kulturen müßten vor der Überheblichkeit des Universalitätsanspruchs der europäischen Menschenrechtsordnung geschützt werden. Sie könnten das europäische Denken schon vom Ansatz her ohnehin nicht verstehen.

Wer gesteinigt und hingerichtet werden soll, wer gefoltert und diskriminiert wird, kann allerdings, ohne längere Deduktionen, kulturelle Identität hin, nationale Identität her, leicht begreifen, welche unmittelbaren Vorzüge der Universalitätsanspruch der Menschenrechte ihm bedeutet. Er wird sich den "Rassismus" gerne gefallen lassen, der darin besteht, daß Demokraten, auch aus fernen Ländern und fremden Kulturen, sich für seine Befreiung und für die Abwendung der bevorstehenden Hinrichtung einsetzen.

Wenn der Schador Ausdruck der vom Islam begründeten Minderwertigkeit der Frau gegenüber dem Mann ist - warum läuft denn der moslemische Herr der Schöpfung nicht damit herum? -, dann kann er ebensowenig geduldet werden, wie die Legalisierung des Harems eines Mohammedaners in Bottrop im Wege des Familiennachzuges. Das Verbot für einen Mohammedaner, mehrere Ehefrauen gleichzeitig zu haben, kann allerdings nicht, wie das Bundesinnenministerium meint, damit begründet werden, daß die Monogamie zu den grundlegenden soziokulturellen Wertvorstellungen unserer Gesellschaft gehört, sondern ist deswegen zwingend, weil das legale Halten eines Harems gegen die Menschenwürde der Frauen verstößt. Die Vielweiberei des Islam kann auch nicht als Ausübung der Religionsfreiheit gewertet werden, sondern ist ein besonderer Ausdruck religiös begründeter Frauendiskriminierung. Denn schließlich darf nach mohammedanischem Recht eine Mohammedanerin auch nicht gleichzeitig vier Männer haben.

Die Menschenrechte gelten für alle in der Republik. Ist der Schador nur Ausdruck eines religiösen Bekenntnisses, so mag dies infolge der besonderen laizistischen Verfassung der französischen Schule in Frankreich zu beanstanden sein. In der Bundesrepublik Deutschland ist dies so wenig ein Problem, wie wenn eine Katholikin ein Kreuz an der Halskette und eine Grüne einen violetten Schal trägt.

New York ist die Zukunft von Berlin.
In New York ist ganz charakteristisch die absolute Abgrenzung einer Nationalität gegen andere. Es gibt in New York ein großes polnisches Viertel, wo die älteren Einwohner kein Wort englisch sprechen. Sie haben es nie gelernt und lernen es auch nicht mehr. Sie leben völlig in Polen. Und das wird in Berlin auch eintreten. Es wird kein Schmelztiegel, es wird wie eine Collagegesellschaft, so wie sie ganz auffällig in Kalifornien und Los Angeles jetzt schon existiert. Da gibt es eine riesige vietnamesische Stadt in Los Angeles, sie ist absolut vietnamesisch, nichts anderes. Und eine chinesische Stadt ist dort chinesisch. Die schwarzen Ghettos, das mischt sich noch am ehesten traditionell. Aber das ist, glaube ich, die Struktur der Zukunft: die Collage. Es gibt einen polnischen Teil Berlins, einen türkischen Teil, es wird auch einen russischen Teil geben.

Heiner Müller

Plakat: Senatsverwaltung für Gesundheit und Soziales - Ausländerbeauftragte, Berlin.

Im Gespräch

Dr. Anke Martiny

Studium der Musik- und Theaterwissenschaften, Germanistik und Soziologie. Seit 1965 aktiv in der SPD im Bereich Kulturpolitik. Mitglied des SPD-Parteivorstands und stellv. Vorsitzende der SPD-Medienkommision. Zur Zeit des Interviews war sie Senatorin für Kulturelle Angelegenheiten in Berlin. Das Gespräch fand im Rahmen des Kongresses "Kulturelle Vielfalt Europa" statt.

Frau Martiny, nach dem Kongreß ist es klar, daß Ihnen vielleicht, ähnlich wie Herrn Daniel Cohn-Bendit, der diese einleitenden Worte zur vierten Arbeitsgruppe gesprochen hat, die Diskussion um die multikulturelle Gesellschaft "etwas auf den Keks geht". Ich möchte Sie trotzdem bitten die Frage zu beantworten, in Kürze vielleicht, wie Sie den Begriff multikulturelle Gesellschaft definieren oder umreißen würden, wenn Ihnen eine Definition zu endgültig scheint?

Ich mag das Wort nicht besonders gern. Es ist von Geißler als Kampfbegriff gebraucht worden in der Wahlkampfauseinandersetzung 1983. Bis dahin war der Begriff einigermaßen wertneutral und sollte eigentlich nichts anderes bezeichnen, als daß in Deutschland, obgleich es kein Einwandererland ist, viele Menschen unterschiedlicher Herkunft auch in Gruppen, so daß sie wahrnehmbar sind, miteinander leben und einen unterschiedlichen kulturellen Ursprung haben. Eine andere Sprache vielleicht auch und trotzdem in einem Land miteinander leben über viele lange Jahre.

Geißler hat das dann als Abgrenzungsbegriff gebraucht, weil die CDU ja heftig Wahlkampagnen gemacht hat, um weitere Asylsuchende in Deutschland abzuschrecken und diejenigen Ausländer, die bei uns leben, also insbesondere die Türken, aufgrund der damals sehr wahrnehmbaren Arbeitslosigkeit nach Möglichkeit zur Rückkehr in ihre Heimat zu bewegen. Die CDU hat darauf beharrt, daß es nur eine Kultur, nämlich eine deutsche, geben soll und daß alles andere, was hier in Deutschland lebt, hier nicht hergehört. Ja, und daß dieses *multikulturell* etwas ist, das man ablehnen muß. Das hat die CSU dann noch verschärft. Ich war damals Bundestagsabgeordnete der SPD in Bayern und habe mich über diesen Begriff immer geärgert. Denn ich denke, daß es seit dem 2.Weltkrieg in ganz Europa, wenn man so will in der ganzen Welt, wirklich Millionen und Abermillionen von Menschen gegeben hat, die ihren Geburtsort, ihr Geburtsland verlassen und sich anderwärtig niedergelassen haben. Zum Teil aus Kriegsgründen, zum Teil aus der materiellen Not heraus, zum Teil auch wegen politischer Verfolgung, auch wenn kein Krieg war. Und die Einäugigkeit, mit der das in Deutschland betrachtet wurde, die hat mich immer empört. Wenn jemand aus dem damals noch bestehenden Ostblock kam, also den Anschein erweckte, er war von kommunistischen Regimen unterdrückt, dann war er oder sie automatisch legitimiert. Wer hingegen aus Chile kam oder aus Vietnam oder mit schwarzer Hautfarbe aus irgendeinem afrikanischen Land, den hat man zurückschicken wollen und behauptet, dort sei kein totalitäres Regime und da gäbe es praktisch keine Not, aus der heraus man als politischer Flüchtling um Asyl nachsucht. Diese Einäugigkeit, wie gesagt, hat mich immer empört.

Ich denke, wir sind ein Land, in dem Menschen unterschiedlicher Hautfarbe, Rasse, Herkunft, Sprache sich auch als kulturelle Gruppe wiederfinden können müssen, denn auch Deutschland ist gekennzeichnet von den

Wanderungsbewegungen in Mitteleuropa bzw. in der ganzen Welt. Die bei uns lebenden Ausländer sind weniger zahlreich als beispielsweise in England oder Frankreich und sie müssen bei uns nicht nur eine politische Heimat finden, wenn sie politisch verfolgt wurden, sondern sie müssen sich auch kulturell in ihrer Heimatkultur in Deutschland wiederfinden können.

Aus diesem Grund ist es richtig, daß wir einen Begriff finden, der das kennzeichnet: Wir sind ein Land mit nicht nur einer Kultur, sondern in der viele Kulturen Platz finden. Ich würde allerdings den Begriff *interkulturelle Gesellschaft* dann vorziehen, weil innerhalb einer Kultur sich eben einfach unterschiedliche Ausprägungen wiederfinden.

Wollen wir bei dem Begriff multikulturelle Gesellschaft bleiben. Die funktionierende multikulturelle Gesellschaft ist ja noch eine Utopie, wie auch auf dem Kongreß deutlich geworden ist. Wichtig ist ja ein neuer Begriff des sogenannten Souveräns. Bis jetzt ist es bei uns noch so verankert, daß das Volk der Souverän der Demokratie ist. Welche neue Definition, welche neue Erklärung des Souveräns könnte es geben in der multikulturellen Gesellschaft?

Ich denke, daß diejenigen, die über lange Jahre in einem Land leben, Bestandteil des dort ansässigen Volkes sind, und zwar ganz egal wo sie geboren wurden und woran sie glauben. Der Begriff des Souveräns, also das Volk als Souverän, ist im Grunde die Übertragung aus absolutistischen Zeiten. Damals war der Souverän eben der absolutistische Herrscher und dies ist dann in der Demokratiegeschichte übertragen worden auf das Volk. Infolgedessen ist überhaupt nicht festgeschrieben, wie der Souverän beschaffen zu sein hat.

Mir ist als besonders drastisches Beispiel des Unsinns der *Volks*definition der Fahrer meines Dienstfahrzeugs vor Augen, der in Berlin geboren ist und Berliner Dialekt spricht. Er ist allerdings, da sein Vater Italiener war, von Geburt an Italiener. Er lebt, seit nunmehr 50 Jahren fast, in Berlin, hat nie woanders gelebt und weil er aber Italiener ist, darf er hier nicht wählen. So einem nun abzuverlangen, daß er seine Staatsangehörigkeit ändert, um hier auch wählen zu können, das ist schiere Absurdität, das ist Paragraphenreiterei, die mit nichts zu erklären ist. Ich denke, die Seßhaftigkeit kennzeichnet den Souverän.

Was halten Sie von den Vorschlägen, die vereinzelt auftauchen, den noch amtierenden Souverän, das ist das deutsche Volk, in einer direkten Befragung, also ich nenne vielleicht einmal den Begriff Volksentscheid, zu fragen, ob er mit der derzeitigen Entwicklung einverstanden ist (d.h. seine Souveränität zugunsten eines anderen abzugeben) oder einmal direkt zu fragen, welche Meinung zum kommunalen Wahlrecht vorherrschend ist?

Ich bin eine große Verfechterin von Volksbefragung und Volksentscheid, glaube allerdings, daß man das dann bitte nicht isoliert sehen soll, auf eine Frage zugespitzt, sondern es muß, wie in der Schweiz, ein immerwährendes Instrument direkter Demokratie sein.

Man hat als Argument gegen diese Volksbefragungen und Volksentscheide verschiedentlich herangeführt, daß das Volk eben manchmal nicht so weise ist, wie man es gerne hätte, gerade in Fragen, die auch die Emotionen berühren. Von daher kann ich die Befürchtung nicht völlig von der Hand weisen, wenn man jetzt diese Frage zur zentralen Frage eines Volksentscheides macht, daß man dann möglicherweise ganz andere Antworten erhält, als man haben möchte. Wenn man das Volk abstimmen ließe über die Todesstrafe, ist immer wieder gesagt worden, dann bekäme man die Todesstrafe.

Volksbefragung und Volksentscheid sind eben auch eine Frage der demokratischen Erziehung, die gewährleistet sein muß. Von daher meine ich, wir sollten die Volksbefragung und den Volksentscheid im Rahmen einer Verfassungsreform einführen, und dann beispielsweise auch solche Fragen: *Wer ist nun das deutsche Volk?*, dem Volk zur Entscheidung vorlegen.

Als Ergebnis des Kongresses "Kulturelle Vielfalt Europa" ist u.a. auch deutlich geworden, daß das sog. "ius sanguinis" als Grundpfeiler des deutschen Staates ersetzt werden muß, will man auf dem Weg zur multikulturellen Gesellschaft vorankommen. Was tritt an dessen Stelle und wie oder an was soll sich ein neuer staatsbürgerlicher Konsens kristallisieren, wenn die Basis des alten nicht mehr die bisherige gesellschaftliche Gültigkeit hat?

Da wird man noch ein bißchen Gedankenschmalz darauf verwenden müssen, wie es denn abgegrenzt sein soll. Ich glaube, daß man sicherlich unterscheiden sollte zwischen kommunaler Verantwortung, die mit übernommen werden kann und an die dann nicht ganz so strenge Kriterien angelegt werden müssen wie an die überlokalen, überregionalen Mitwirkungsmöglichkeiten bzw. eines bundesweiten Mitwirkungsrechtes.

Zum Kriterium sollte im wesentlichen die Dauer des Aufenthaltes gemacht werden, denn je länger man in einer Gemeinde oder in einem Staat lebt, umso mehr wird man Bestandteil dieses Volkes. Insbesondere, wenn die eigenen Kinder hier geboren sind und möglicherweise die deutsche Sprache dann besser beherrschen als die Muttersprache der Eltern. Dies ist auch ein ganz wesentliches Kriterium dafür, daß man eben jetzt zu einem anderen Volk gehört aufgrund der Dauer der Anwesenheit. Ich meine, daß jemand nach fünfzehnjähriger oder nach zehnjähriger Anwesenheit in einem Land selbstverständlich an allen demokratischen Entscheidungen mitbeteiligt werden kann.

Die Frage der Staatsangehörigkeit kann ich so abstrakt völkerrechtlich oder staatsrechtlich letzten Endes gar nicht akzeptieren, denn man muß das

Gesetz doch immer in Beziehung zum Bewußtsein der Menschen sehen, die dem Gesetz unterworfen sind. Da ist es sicher so, daß jemand, der aus einem anderen Land kommt und die fremde Sprache nicht perfekt spricht, trotzdem mehr und mehr zu diesem Volk sich auch zugehörig und dem eigenen Volk, dem er entstammt, mehr und mehr entfremdet fühlt. Man muß ja auch nicht wählen, es gibt ja keinen Wahlzwang, aber man soll es doch dürfen, wenn man möchte.

Ich möchte auf das Thema kommunales Ausländerwahlrecht zurückkommen. Das Bundesverfassungsgericht hat entschieden, daß das u.a. von der SPD geforderte kommunale Ausländerwahlrecht nicht mit dem Grundgesetz vereinbar ist. Steht die SPD nach diesem Urteil durch ihr Festhalten an dieser Forderung nicht mit einem Bein außerhalb des Grundgesetzes? Wie läßt sich solch eine Haltung gesellschaftlich legitimieren?

Es wird immer so getan, als ob das Bundesverfassungsgericht eine Art von absolutem Überrichter sei. Das ist natürlich falsch. Auch das Bundesverfassungsgericht besteht aus Menschen mit ihrer historischen Prägung, ihrer politischen Überzeugung, ihrer Herkunft usw. Und man muß immer wieder sehen, daß die Juristerei ja etwas ist, das besonders konservativ ist, weil sie quasi den gesellschaftlichen Konsens normiert. Dieser Konsens ist natürlich mit wegweisenden zukunftsorientierten Stellungnahmen und Positionen nicht zu gewinnen, sondern Konsens ist bestenfalls konservatorisch herzustellen, nämlich bei dem, was von allen akzeptiert wird, weil es sich bewährt hat.

Infolgedessen haben wir ganz selten wirklich Verfassungsgerichturteile, die zukunftweisend sind. An diesem Punkt war das einzig zukunftweisende, daß es immerhin den Weg in die europäische Richtung gewiesen hat und gesagt hat, daß im Rahmen eines vereinten Europa sich die Frage des Wahlrechtes natürlich anders stellen könnte. Das wird man nun versuchen müssen, denke ich.

Da das Verfassungsgericht nun so geurteilt hat, wie es geurteilt hat, bleibt gar kein anderer Weg, als im Rahmen der Zwölfergemeinschaft, die sich ja vielleicht auch noch erweitert, zusehen, daß man zu anderen Lösungen kommt. Die halte ich wirklich für dringend geboten. Ich denke, daß man im Rahmen der europäischen Gesetzgebung die Wahlrechtsfrage ganz anders angehen muß.

Die Erfahrungen mit dem kommunalen Ausländerwahlrecht in Schweden haben gezeigt, daß die Wahlbeteiligung bei ca. 40-42% liegt, mit sinkender Tendenz. Die Frage nach den Ursachen für diese Entwicklung konnte auch Herr Göran Löfdahl, Mitglied der schwedischen UNESCO-Kommission, nicht beantworten. Glauben Sie, daß die Entwicklung in Deutschland anders verlaufen wird?

Also bei uns ist die Wahlbeteiligung ja auch abnehmend und sie hatte ihren niedrigsten Stand beispielsweise bei der letzten bayerischen Landtagswahl, wo sie gerade über 60% gelegen ist. Wenn die Parteien so weiter machen, wie sie machen, dann dürfte die Wahlbeteiligung auch bei uns demnächst amerikanische Verhältnisse erreichen. Weil eben die Bürgerinnen und Bürger gar nicht mehr sehen, daß die Art und Weise wie sie wählen, auf die praktizierte Politik irgendwelchen Einfluß hat.

Dies ist die Aufgabe, die allen Politikern gestellt ist, daß sie eben eine Politik machen, in der die Menschen sich wiederfinden. Daran, denke ich, muß sich auch das kommunale Wahlrecht messen lassen, daß es Menschen dazu herausfordert, Position zu beziehen, aber daß dann die Politiker auch nicht so tun, als hätte das Volk gar nicht gesprochen, sondern sich auch danach richten, was das Volk ihnen auferlegt hat.

Das kommunale Ausländerwahlrecht wird von seinen Kritikern, u.a. nur als taktische Vorstufe zum allgemeinen Wahlrecht gesehen. Und gerade hier zeichnet sich doch die Auseinandersetzung, aber natürlich auch auf kommunaler Ebene, mit dem Islam ab. Islamische Praxis, islamischer Fundamentalismus, aber eben nicht nur der, steht im Widerspruch zur liberalen Praxis einmal der Abtreibung, der Frauenemanzipation westlichen Musters, zur christlichen Friedfertigkeit, da eben gerade Militanz und kriegerischer Geist einen wesentlichen Teil der islamischen Lehre ausmachen. Haben Sie keine Angst hier auf lange Sicht gesehen die Vorarbeit zu einem Eigentor zu leisten?

Also, ich kann das so abstrakt überhaupt nicht sehen. Die Lebendigkeit und das Funktionieren einer Demokratie erweist sich doch nicht an eher theoretischen Fragen, wer nun wählen darf und wer nicht. Wir hatten da mal das 3-Klassen-Wahlrecht und es haben die Verfechter desselben gesagt, wenn die Arbeiter wählen dürfen, bricht die Revolution aus. Damals durften die Frauen auch noch nicht wählen und es gab eine heftige Kampagne im Vorfeld der Wahlen 1919 gegen das Frauenwahlrecht - und es ist die Revolution auch nicht eingetreten, als die Frauen dann schließlich haben wählen dürfen.

Immer hat der konservative Gesetzgeber gesagt, es geht nicht. Wieso es nicht gehen soll, wenn jetzt nun weitere Gruppen an der Wahl beteiligt werden sollen, das muß mir erst einmal einer wirklich schlüssig beweisen. Das ist im Grunde nichts anderes als eine irgendwo doch zutiefst konservative und unemanzipatorische Haltung, anderen Menschengruppen, die in unserem Land leben, die Beteiligung an dem Staatswesen zu verweigern. Ich kann das nicht begreifen, warum das so ist.

Sie haben auch keine Befürchtungen, wenn islamische Gruppen sich in der BRD als solche politisch am Entscheidungsfindungsprozeß beteiligen?

Im Zuge meiner langjährigen politischen Praxis habe ich weiß Gott sehr fundamentalistische und eigentlich durch nichts legitimierte militante Gruppen erlebt. Es gab nichts Schlimmeres, als die Verfechter für homöopathische Arzneimittel in der Auseinandersetzung um ein Arzneimittelgesetz. Die zweite Gruppe waren und sind die Tierversuchsgegner, die mit Militanz vorgegangen sind und mit Briefaktionen zentnerweise; auch der ADAC steht hin und wieder mit seinen fundamentalistischen Positionen pro Autofahrer an Militanz anderen Gruppen nicht nach.

Warum das also nun schlimmer sein soll, wenn irgendwelche rechten muslimischen Gruppen sich auch noch betätigen? - Ich liebe sie nicht, das will ich damit nicht behaupten und ich will dem auch nicht Vorschub leisten. Ich glaube aber, daß die Auseinandersetzung mit fundamentalistischen Positionen, ganz egal welcher Provenienz, eine Aufgabe der Demokratie ist und bleibt, und zwar ganz egal, wo diese Menschen geboren sind, woran sie schließlich glauben und was sie glauben, durchsetzen zu müssen. Sie werden sich immer messen müssen an demokratischen Praktiken und an Gesetz und Recht und genauso muß die Demokratie sich im Umgang mit solchen einseitigen, pointierten und militanten Gruppen ihrerseits bewähren.

Neben dem kommunalen Ausländerwahlrecht wurde ja, das ist auf dem Kongreß deutlich geworden, als Ergänzung oder als notwendiger Bestandteil, soll die multikulturelle Gesellschaft funktionieren, auch ein Anti-Diskriminierungsgesetz gefordert. Wie soll dieses Gesetz im konkreten aussehen, hat da die SPD Antworten darauf und wo soll es greifen? Orientiert man sich da auch z.B. am französischen Modell?

Ich kenne das französische Modell nicht gut genug, um das jetzt beantworten zu können. Ein Anti-Diskriminierungsgesetz so in Bausch und Bogen fordert die Sozialdemokratische Partei nicht, sondern wir konzentrieren uns auf ein Gleichstellungsgesetz, welches die Fragen beruflicher Diskriminierung und politischer Diskriminierung präziser angeht als ein eher allgemeines Anti-Diskriminierungsgesetz.

Hier war die rot-grüne Koalition in Berlin ja einen Schritt vorangegangen, indem sie ein Gleichstellungsgesetz auf der Grundlage bestehender Rechtssprechung eingebracht und verabschiedet hat, welches aber nicht in Kraft getreten ist, da der Präsident des Abgeordnetenhauses dieses Gesetz nicht unterschrieben hat.

Ein konkretes Gesetz, so wie es in Frankreich gelaufen ist, wo z.B. als eine der härtesten Sanktionen gegen Kritiker der multikulturellen Gesellschaft sogar die Aberkennung der französischen Staatsbürgerschaft gefordert wurde, ist hier in diesem Zusammenhang nicht geplant?

Wir haben die Generalklausel, wenn man so will, in unserer Verfassung. Es steht sehr deutlich in Artikel 3 geschrieben, daß niemand aufgrund seiner Herkunft, seines Glaubens, seines Geschlechtes behindert und benachteiligt werden darf. Die konkreten Schwierigkeiten entstehen aber, wenn man jetzt den Generalnenner, wie er in der Verfassung festgeschrieben ist, auf die unterschiedlichen Lebensbereiche überträgt. Dann ist es sehr schwierig zu beschreiben und zu sanktionieren, was denn nun im einzelnen verboten werden soll. Wir haben das bei dem Gesetz über berufliche Gleichstellung von Frauen, das aus der Europäischen Gemeinschaft in deutsches Recht übertragen worden ist, sehr deutlich erlebt.

Ich bin trotzdem eine Verfechterin solcher Präzisierungen in konkreten Fällen, weil sich dann die Sanktionen auch sehr viel präziser festlegen lassen und ich denke, daß wir auf diesem Weg weitermachen müssen. Dies nicht nur bei der Gleichstellung von Frauen, sondern auch von Minoritäten in der Gesellschaft.

Eine Art Maulkorberlaß, wie dies von einer Großzahl von Kritikern in Frankreich so beschrieben oder dargestellt wurde, der eher kritische Stimmen unterdrückt und kriminalisiert, als zum Dialog und Diskurs ermutigt, wird also nicht erwogen?

Also jedenfalls von der deutschen Sozialdemokratie nicht, wobei mir, wie ich schon sagte, die französische Position nicht so präsent ist, daß ich daran gemessen werden möchte.

Sie haben in Ihrem Kongreßbeitrag etwas gesagt, was der Forderung nach einem Anti-Diskriminierungsgesetz eher entgegensteht, und ich möchte das jetzt noch einmal als Bestätigung dessen sagen, was Sie eben ausgeführt haben: "Sich kulturell und spielerisch zu begegnen, ist allemal besser, als die Begegnung mit pädagogischen Beschwörungsformeln erzwingen zu wollen." Kann ich das so interpretieren, daß man sagt: Kann ich aber mit jemandem spielen, wenn ich gleichzeitig die Knute des Erziehers bzw. im übertragenem Sinne des Anti-Diskriminierunsgsgesetzes im Rücken spüre? Ist das so richtig?

Es kam mir darauf an, daß man ohne die Knute zu spüren, miteinander konkret und praktisch umgehen kann. Ich hatte auszuführen versucht, daß der Ursprung aller Kulturen nach Johann Hölsinger ja das Spiel ist. Wenn man sich so anschaut, wie der Mensch erwachsen wird bzw. man es bei den Kindern auch sehr deutlich ablesen kann, dann sollte uns Erwachsenen das zu denken geben. Den Kindern ist es auch egal, welcher Staatsangehörigkeit oder Nationalität ein anderes Kind ist, wenn es mit ihm spielen kann, also mit ihm gemeinsam etwas tun kann. Das müßte eigentlich bei Erwachsenen auch so sein, daß man weniger nach den Paragraphen schaut, als nach den konkreten Fragen, die sich stellen.

Frau Beate Winkler hat hingewiesen, daß der Konflikt zwischen dem religiösem Fundamentalismus des Islam und den Menschenrechten westlicher Prägung unausweichlich scheint und auch ist, wie sich heute schon bewahrheitet, und gleichzeitig gezeigt, daß hier Gegensätze zu den Idealen der Aufklärung bestehen. Heiner Geißler räumt in seinem Buch "Zugluft" dem westlichen Modell der universellen Menschenrechte die Priorität ein. Tun Sie das auch, sieht das die SPD auch so? Was aber bleibt dann von der Utopie über die Wahrung der Identität des Anderen, wenn genau an der Stelle, wo die andere Identität ihr spezifisches Wesen zeigt, die Höherwertigkeit des eigenen, d.h. des westlich liberalen Modells propagiert wird? Haben wir hier nicht immer noch den Geist des Kolonialismus im Hinterkopf?

Ich mache mir die Formulierung, die Sie in Ihrer Frage verwenden, nicht zu eigen. Ich will jetzt mal versuchen, meine Position zu beschreiben. Ich denke, eine Gesellschaft, die so beschaffen ist wie die unsere, hat nicht den geringsten Grund, an irgendeinem Punkt dogmatisch zu sein und den Anspruch zu erheben, dieses sei nun die Wahrheit. Man kann es auch nicht so sehen, als ob es, sagen wir einmal, zwei Wahrheiten gäbe, eine herrschende und eine unterlegene, so wie sie sich mit Regierung und Opposition im demokratischen Regierungssystem gegenüber stehen.

In einer Gesellschaft, wie wir sie haben, gibt es ganz viele Wahrheiten. Da kann es den Anspruch einer allein seligmachenden überhaupt nicht geben, sondern es kann immer nur das Bemühen geben, aus den vielen Wahrheiten einen tragfähigen Konsens herauszukristallisieren oder herauszudestillieren, der partiell mehrheitsfähig ist. Daraus kann sich aber nie eine sehr konstant zu beschreibende und sehr präzise abzugrenzende Mehrheit ergeben, vielmehr ist das immer ein "muddling through", wo man von Fall zu Fall die Bündnispartner suchen und finden muß, mit denen man eben bestimmte Dinge vorantreiben kann.

Ich bin sehr überzeugt davon, daß wir etwas lernen können aus den modernen Naturwissenschaften und habe mich gerade damit jetzt ein bißchen intensiver beschäftigt. Die Erkenntnisse, zu denen die beiden Biologen Maturana und Varela gekommen sind in ihrem Buch "Der Baum der Erkenntnis" geben eigentlich ein ganz gutes Muster ab, wie eine Demokratie funktionieren könnte: Jeder hat durch den Blick, den er auf die Welt richtet, seine Wahrheit und er muß unterstellen, daß ein Mensch, der neben ihm steht, den gleichen Gegenstand betrachtet oder die gleiche Sachfrage angeht, auf seine subjektive Weise genauso recht hat wie er selbst und man eigentlich nur durch Abgrenzung der Positionen einen gemeinsamen Weg finden kann, der die Lösung der Frage ein bißchen weiter treibt. Anders kann ich das nicht sehen.

Wenn Heiner Geißler nun meint, wir könnten doch eine westliche Dominanz unserer demokratischen Positionen hier beanspruchen, dann glaube ich, liegt er nicht ganz richtig. Natürlich hat die westliche Demokratie schon vor 1772 in England bestimmte Vorbilder, hat sich dann durch die Declaration of Rights in den Vereinigten Staaten und dann durch die Französische Revolution weiter präzisiert, aber es ist ja beileibe nicht so, als ob das, was der Islam repräsentiert, sich in den Grauen Wölfen der Türkei oder dem was jetzt im Irak/Iran passiert, tatsächlich inkarniert.

Der Islam ist ja eigentlich eine auf Toleranz angelegte Religion und arabische Staaten waren durchaus nicht immer durch Diktaturen gekennzeichnet. Natürlich ist es eine nicht-westliche Regierungsform, die diese Form der Demokratie, wie wir sie haben, nicht praktiziert, aber so alt ist die unsere in Europa schließlich auch noch nicht.

Daß heißt, sie würden die Frage, welche Form bzw. welche Interpretation der Menschenrechte letztendlich das höherwertige Gut in einem Disput, in einem Entscheidungsprozeß sein soll, nicht absolut beantworten, sondern auf die jeweilige Gegebenheit beziehen? Zur Erklärung vielleicht: Es gibt ja auch eine islamische Deklaration der Menschenrechte, die sich vom Wortlaut an sich nur ganz ganz unwesentlich von der unterscheidet, die von der weißen industrialisierten Welt herausgegeben wurde, im ganz konkreten Leben jedoch ein völlig verschiedenes Bild der Wirklichkeit zeichnet.

Ich glaube, so eine Frage wird von Männern und Frauen, soweit sie sich mit solchen Fragen theoretisch beschäftigen, sehr unterschiedlich erfahren und infolgedessen auch reflektiert. Ich als Frau gehöre im Grunde ja zu jener Majorität in unserer Gesellschaft, die strukturell eigentlich immer unterdrückt war und das in weiten Bereichen auch heute noch ist. Von daher ist mir die absolute Formulierung der Menschenrechte nur soviel wert, wie ich sie in der tatsächlichen Gesellschaft auch erfahre.

Liegt Ihnen noch irgendetwas am Herzen, was Sie sagen möchten?

Nein, eigentlich nicht. Aber ich finde das ganz spannend, was Sie sich da vorgenommen haben. Wie es gelingt, würde mich interessieren.

Frau Martiny, ich bedanke mich für das Gespräch.

Die Wirklichkeit des Volkes in der modernen Welt

Wissenschaftliche Erkenntnisse zum Volksbegriff

Dr. Rolf Kosiek

Diplom-Physiker, Promotion in Kernphysik. Von 1968-72 MdL in Baden-Württemberg, von 1972-80 Dozent an der FH Nürtingen, ab 1981 wissenschaftlicher Mitarbeiter im Grabert-Verlag. Zahlreiche Beiträge in (Fach-)Zeitschriften, mehrere eigene Bücher.

Wissenschaftliche Erkenntnisse zum Volksbegriff

Einleitung

Das wahrlich nicht ereignisarme 20.Jahrhundert ist auch in seinem letzten Jahrzehnt noch für umwälzende Überraschungen gut. Sie kommen allerdings nur für den oberflächlichen Zeitgenossen überraschend. Zu diesen nun durchbrechenden, jahrzehntelang verzögerten Entwicklungen gehört das Wiedererwachen des Volksbewußtseins und die Rückkehr des nationalen Gedankens in die große Politik. Das völlige Scheitern des marxistischen Sozialismus im Osten, insbesondere sein vollkommener Bankrott auf wirtschaftlichem Gebiet, offenbarte nicht nur erneut die Grundfehler seiner Ideologie[1], sondern gab den Unterdrückten endlich den Freiraum für das, was sie für das Notwendigste erachteten: die Wiederherstellung ihrer volklichen Identität mit der Forderung nach nationaler Unabhängigkeit. Seit Jahren erschüttern nationale Auseinandersetzungen, echte Volkskämpfe, das Moskauer Riesenreich von Estland über die Moldau und den Kaukasus bis nach Zentralasien. Am 12.12.1990 erklärte Kirgisien als letzte der 15 sowjetischen Unionsrepubliken seine Unabhängigkeit[2]. Sogar kleine Völker, wie das der nur eine Million starken Tschetschenen und Inguschen, sagen sich von Moskau los[3], rufen ihre eigene Republik im Kaukasus aus und erklären den Tag der Unabhängigkeitsproklamation zum "Tag der nationalen Wiedergeburt". Selbst die schon in dem unseligen Versailler Diktat von 1919 aus mehreren Völkern künstlich geschaffenen Staaten zerfallen ohne äußeren Druck von innen her, und die einzelnen Völker lösen sich aus den ihnen damals naturwidrig aufgepfropften Ordnungen wie in Jugoslawien und in der Tschechoslowakei: Am 23.12.1990 sprachen sich die Slowenen in einer Volksabstimmung mit großer Mehrheit für die Unabhängigkeit aus[4], nachdem auch die Kroaten diese für sich schon vorher beschlossen hatten.

Was sich in die Geschichte zurückmeldet, sind die geschichtlich gewachsenen Völker in ihrer sprachlichen, kulturellen und historischen Einheit.

In den westlichen Ländern ist dieselbe Entwicklung seit längerem zu beobachten, wenn auch nicht so augenfällig. In Irland und Spanien hat sie bürgerkriegsähnlichen Charakter angenommen; im Elsaß und in Südtirol konnten generationenlange Versuche der Entvolkung und Umvolkung das Minderheitenproblem nicht lösen. Der mit sovielen Erwartungen und Hoffnungen angestrebte Rassen- und Völkerschmelztiegel in den USA ist ausgeblieben: Die volklichen und rassischen Unterschiede haben sich verstärkt und werden durch die neuerlichen Einwanderungen aus dem Süden noch vermehrt. Selbst in Kanada laufen die Beziehungen zwischen dem französisch- und dem englischstämmigen Teil auf einen Bruch hinaus.

Am eindrucksvollsten erlebten im Herbst 1989 die Deutschen die Macht des Volkes. Was sich damals in Mitteldeutschland ereignete, kam aus der Tiefe des Volkes, ergriff alle Schichten und wühlte alle Beteiligten hüben und drüben, selbst die Fernsehzuschauer, zutiefst auf. Aus "Wir sind *das* Volk" wurde schnell "Wir sind *ein* Volk". Hier wurde Geschichte gemacht aus dem Wissen um die deutsche Identität. Hier setzte sich die Wirklichkeit des Volkes über jahrzehntelang verfestigte Gewaltherrschaft weg. Hier zeigte sich die natürliche Urkraft des Volkes stärker als alle intellektuellen Theorien und weltfremden Dogmen und gab der Weltgeschichte im wahrsten Sinne des Wortes einen anderen Lauf, indem die Spaltung Deutschlands und Europas überwunden wurde.

Die in unserem Jahrhundert von einflußreichen Kreisen, auch über Völkerbund und UNO, vorangetriebenen Bestrebungen in Richtung auf eine "One World" oder eine "weltbürgerliche Republik"[5] mit einer multikulturellen Gesellschaft brechen sich nun am Widerstand der einzelnen betroffenen Völker, die schon totgesagt waren, aber nun in ungebrochener Lebenskraft auf die Bühne der Weltpolitik zurückkehren. Die drohende Einwanderungswelle aus der Dritten Welt wie aus dem Osten wird die Gegenkraft der alten Völker Europas gegen ihre Auflösung in multiethnische Gesellschaften weiter herausfordern.

Das offensichtliche Versagen der marxistisch-leninistischen und liberalen Gesellschaftsmodelle hat den volksfeindlichen Gesellschaftslehren auch ihre theoretischen Grundlagen genommen. Die Wirklichkeit der Völker setzt sich am Ende des 20.Jahrhunderts nach allen seinen Verirrungen im Zuge einer notwendigen Normalisierung wieder durch, weil die Völker nun einmal die natürlichen menschlichen Gemeinschaften sind. Das sei im folgenden näher begründet. Ausführlicher habe ich dazu bereits vor mehr als fünfzehn Jahren Stellung genommen.[6]

Das Volk als Objekt der Wissenschaft

Zum Studium des menschlichen Miteinanders in Staat und Gesellschaft ist nach 1945 in Deutschland die Politologie als Wissenschaft eingeführt und die ab 1919 bestehende Soziologie[7] einseitig umfunktioniert worden. Daß beide, vor allem von der Frankfurter Schule[8], in den Dienst der sog. Umerziehung gestellt wurden und lange Zeit wesentlich von früheren Emigranten vertreten wurden, erhöhte ihre Anfälligkeit für Vorurteile, einseitige Lehrmeinungen und ideologiegebundene Theorien. Diese Entwicklungen stellten daher einen reaktionären Rückschritt in der Wissenschaftsgeschichte dar, was sich besonders bei ihrer völligen Überraschtheit und kläglichen Hilfslosigkeit anläßlich der deutschen Wiedervereinigung 1989/90 offenbarte.

Jedes Zeitalter sollte, wenn es auf der Höhe der Moderne sein will, die Begründung seiner Anschauung in den Formen, aus dem Geist, dem Mythos seiner Gegenwart vornehmen. Unsere Zeit wird zweifellos am stärksten von den Naturwissenschaften und der ihnen entsprungenen Technik geprägt. Erst nachdem die Naturforscher allen ideologischen und dogmatischen Ballast abgeworfen hatten und weil sie sich vorurteilslos an der Wirklichkeit der Natur ausrichteten, gelangten sie zu den überwältigenden Erfolgen auf allen Gebieten bis hin zum Ausgriff in den Weltraum. Um so bedauernswerter ist die Tatsache, daß die Gesellschaftswissenschaften dem nicht folgen konnten oder wollten. Nach wie vor muß man einen "manchmal geradezu grotesken Niveau-Unterschied zwischen den Artikeln geistes- und naturwissenschaftlichen Inhalts feststellen", worin sich "ein Charakteristikum einer vor allem in Deutschland tobenden Mode widerzuspiegeln" scheint, denn es "stecken viele Geisteswissenschaftler immer noch im Weltbild des frühen 19.Jahrhunderts, orientieren sich am naiven Geschichtsschema eines bis zur Putzigkeit vereinfachten Marxismus und sind bei allem Hochgefühl der Fortschrittlichkeit eigentlich bloß verstockte, streitbare Ultra-Reaktionäre. Sie dienen...einem...System des Rückschritts"[9].

Wenn gesellschaftliche Theorien und weltanschauliche Ideen auch sicher anderen Bereichen entspringen als den technisch-naturwissenschaftlichen, so kann eine zeitgerechte Darstellung und Begründung im modernen Zeitalter doch nicht an den Methoden und Ergebnissen der Naturwissenschaften vorübergehen, muß sie im Gegenteil berücksichtigen. Als Informationstheoretiker bemerkte Karl Steinbuch dazu: "Man muß zwei Sachverhalte trennen, die häufig durcheinander gebracht werden: Das Denken und Verhalten des Menschen ist wesentlich durch irrationale Komponenten bestimmt, durch Werte, Ziele und Vorurteile. Diese sind keinesfalls minderwertig, sie machen das spezifisch Menschliche aus. Aber diese irrationalen Komponenten des menschlichen Denkens und Verhaltens sind der rationalen Analyse zugänglich"[10]. Ähnlich äußerte sich als Verhaltensforscher Konrad Lorenz in seinem philosophischen Spätwerk: "Ich selbst habe erst spät in meinem Leben erkannt, daß menschliche Kultur und menschlicher Geist mit Fragestellung und Methodik der Naturwissenschaften untersucht werden können - und müssen"[11]. Und die moderne Erkenntnistheorie unterstreicht das vollkommen.[12]

Die Naturwissenschaften können insbesondere als eine Art Scheidewasser dienen, um falsche Hypothesen von richtigen Theorien zu unterscheiden, um Gedankengebäude - etwa im gesellschaftlichen Bereich - durch ihre Verstöße gegen gesicherte naturwissenschaftliche Erkenntnisse zu entlarven. Das gilt besonders vom Menschen und seinen Bedingungen, denn "es hat keinen Sinn zu erörtern, was getan werden könnte, wenn wir andere Wesen wären, als wir wirklich sind"[13].

Daher gehört an den Anfang einer Untersuchung über Menschen und ihre Gruppierungen die Anwendung der Systemtheorie oder Kybernetik. "Leben, Bewußtsein, Erkenntnisfähigkeit sind nämlich Systemeigenschaften und nur als solche verständlich"[14]. Ohne die Berücksichtigung der kybernetischen wie der biologischen Anthropologie kann heute im Grunde keine soziologische Untersuchung mehr ernst genommen werden. Leider werden diese neuen Erkenntnisse von der zeitgenössischen Soziologie und Politologie noch kaum beachtet. Statt dessen bewegen sich diese weiterhin in wirklichkeitsfremden Ideologien oder zielen gar auf "die Abschaffung des Menschen"[15] ab, wie der Tübinger Soziologe Friedrich Tenbruck anklagend feststellte.

Im Marxismus, Materialismus, Liberalismus, in der Vorstellung von der pluralistischen oder multiethnischen Gesellschaft als Staatsgrundlage liegen falsche und menschenwidrige Denkschemata vor, die oft nicht leicht zu durchschauen sind. Denn "in unserer Zeit kommt die Lüge ja meist nicht mehr durch die Negation der Wahrheit, sondern als falsches Denkmodell"[16].

Wenn daher die folgenden Untersuchungen mit Kybernetik, Biologie, Psychologie und Verhaltensforschung scheinbar abseitige Pfade freilegen, so bewegen sie sich doch auf den Hauptstraßen zum modernen Verständnis unseres Themas. Lange wurde von marxistischer und liberalistischer Seite auf diesem Gebiet der Durchbruch zur Moderne verzögert und zu verhindern versucht, wurden unbequeme Wissenschaftler diszipliniert. Seit einiger Zeit wird mit der Propagierung der multikulturellen Gesellschaft ein weiterer Versuch zur Zerstörung des Volkes unternommen. Auch gegen diesen neuerlichen Versuch der Gefährdung des Volkes "erwächst uns die Verpflichtung zur naturwissenschaftlichen Untersuchung der Kultur und ihres geistigen Lebens aus unserer Verantwortlichkeit gegenüber unserer eigenen, von Krankheit und Verfall bedrohten Kultur"[17].

Das Volk als kybernetisches System

Eine der jüngsten Naturwissenschaften ist die Systemtheorie, Informationstheorie oder Kybernetik, von dem Wiener Biologen Ludwig von Bertalanffy begründet[18]. Er schuf auch die Bezeichnung "Systemtheorie des Organismus" für die Bemühungen, "die Gesetze lebender Systeme auf allen Niveaus des Organismus" zu finden. Die junge Wissenschaft konnte schnell Erfolge bei der Beschreibung und Erklärung komplizierter Systeme in allen Fachbereichen erzielen: "Es stellte sich nämlich heraus, daß die Erweiterung der Theorie unter Einschluß offener Systeme eine Antwort auf die Probleme bot, die bisher als vitalistisch angesehen worden waren, das heißt einer naturwissenschaftlichen Erklärung unzugänglich und nur verständlich als Werk seelenartiger Vitalfaktoren, die das Geschehen zweckmäßig lenken."[19]

Das zeigte sich besonders bei der Untersuchung von Gruppierungen lebender Individuen: "Offene Systeme sind Pflanzen und Tiere, Menschen sowie alle Arten von Gruppenbildungen von der Bakterienkultur bis hin zu den wirtschaftlichen und/oder politischen Großorganisationen unserer modernen Gesellschaft."[20] Daraus entstand eine große, leider bis heute erst unzureichend angenommene Herausforderung für die Gesellschaftswissenschaftler. Denn "die naturwissenschaftliche Erforschung des Wirkungsgefüges, das die menschliche Sozietät und ihre Geistigkeit trägt, hat eine schier unabsehbar große Aufgabe vor sich. Die menschliche Sozietät ist das komplexeste aller lebenden Systeme auf unserer Erde."[21]

Besondere Bedeutung kommt daher der Aufgabe zu, die allgemeinen Gesetze der Systemtheorie und ihre Folgen für das Volk zu untersuchen. Schon vor Jahren wurden die weitreichenden Auswirkungen erkannt: "Bedenken wir, daß Rückkopplungssysteme biologischer Art auch unter Gruppen von Menschen möglich, ja die Regel sind..., so versteht man, daß das eben dargelegte Prinzip, angewandt auf menschliche Gemeinschaften von der Familie bis zum Volk, zu den Völkern und der gesamten Menschheit, letztlich die Frage über Krieg und Frieden in der Zukunft entscheiden kann."[22]

Eines der wichtigsten Grundgesetze der Systemtheorie beinhaltet die alte Weisheit des Aristoteles: "Das Ganze ist mehr als die Summe seiner Teile." Es besagt, daß die Eigenschaften eines Systems sich nicht aus den Einzeleigenschaften der Elemente des Systems zusammensetzen oder verstehen lassen. Sie werden zwar durch die einzelnen Elemente bedingt, bestehen aber aus einem Mehr. Die Systemeigenschaften können grundsätzlich neu sein, die Systemwechselwirkungen können etwas gegenüber den Einzelteilen ganz anderes erzeugen.

Für das Volk bedeutet das, daß bei ihm als einem organischem System über die einzelnen Menschen und ihre Eigenschaften hinaus Neues entsteht, was für das Volk bezeichnend ist, etwa die Sprache, die Kultur, die Sitten und Gebräuche, aber auch besondere Bewußtseins- und Lebenskräfte, die nur vom System her zu verstehen sind, die mit seinem Sinn und seiner Aufgabe eng verknüpft sein müssen.

Neben neuen Eigenschaften und Merkmalen kommen dem System vor allem neue Leistungen zu, die seine Bedeutung im Rahmen der Entwicklung unterstreichen. Sie sind auch wieder nur aus dem System, nicht aus den Einzelteilen, zu verstehen und zu begründen: "Solche Systeme haben nun in vielen Fällen überraschende Eigenschaften: Sie offenbaren als dynamische Systeme Leistungen, die ihren einzelnen Elementen nicht zukommen...Die Leistung ist aber auch nicht die Leistung der Summe dieser Elemente...Man muß sie zur Wechselwirkung miteinander fähig machen."[23]

In verwickelten Systemen, auch in dem vielschichtigen des Volkes, kommt es daher auf das richtige Zusammenspiel aller Elemente und auf die ungestörte Wechselwirkung aller Bestandteile auf den verschiedenen Ebenen an. Die Zerstörung zunächst nur unwichtig erscheinender Teile eines ausbalancierten Systems kann verheerende Folgen haben, die Gesamtleistung stark herabsetzen und sich auch für die Einzelelemente sehr nachteilig auswirken.

Wer das ganze System Volk leugnet oder es als politisch Handelnder abschaffen will, zerstört, bewußt oder unbewußt, ein leistungsfähiges Gebilde zum Schaden für alle Beteiligten.

Wie in der lebenden Natur[24] haben sich auch die Strukturen von Stämmen und Völkern in der Regel während der Geschichte zu höheren Ordnungen hin entwickelt. Die Systeme wurden immer ausgebildeter, bekamen eine vielschichtigere Gliederung und erbrachten dementsprechend eine höhere Leistung. Gegenüber einer solchen Volksgemeinschaft stellt die pluralistische oder multikulturelle Gesellschaft eine Ordnungsstufe weit geringerer Höhe als die des Volkes dar. Statt einer organischen Verbindung liegt dann nur eine zufällige Mischung vor. Statt historisch gewachsener Systembeziehungen im biologischen, kulturellen, historischen und geistigen Bereich des Volkes besteht als Grundlage und wirkende Beziehung zwischen den Einzelnen lediglich der persönliche Egoismus. Statt lebendige Glieder eines Organismus sind die Einzelnen isolierte Atome eines zufälligen Nebeneinanders, einer Anhäufung, und bilden damit höchstens eine einfache Vorstufe eines Systems.

Pluralistische Gesellschaften oder multiethnische Kollektive bedeuten daher, allein schon von ihrer Ordnungshöhe her, gegenüber dem Volk eine deutliche Primitivisierung, einen Rückschritt in unzivilisiertere Zustände, und damit eine der modernen Zeit unwürdige Entwicklung.

Ganz allgemein zeigt sich, daß beim Aufbau neuer leistungsfähigerer Systeme die alten Systeme mit eingebaut werden und eine untere Ordnungsebene bilden, wenigstens für eine meist längere Übergangszeit. So haben sich auch in der Geschichte aus Familien Sippen, aus diesen die Stämme, daraus die größeren Völker mit ihren Kulturen entwickelt. Das plötzliche Zerschlagen eines bis dahin bestehenden und bewährten Systems wirkt sich in der Regel als Katastrophe aus, sowohl für die Gesamtheit als auch für den Einzelnen. Die Völker haben sich in der Vergangenheit aus jahrhundertealten Gebilden langsam entwickelt und sich dann als solche weitere Jahrhunderte bewährt.

Es kann sein, daß die Moderne langsam neue, noch kompliziertere Systeme als die Völker benötigt und dann auf einer höheren Ebene eine neue Struktur schafft. Doch dann müssen die bisher bewährten Völker darin eingebaut werden. Ein vereintes Europa hat daher nur eine Überlebenschance, wenn es seine geschichtlich gewachsenen Völker erhält und fördert. Es verspielt seine Zukunft, wenn die Völker zerstört und in multiethnische Gesellschaften aufgelöst werden.

Viele Angriffe gegen das Volk und das es begründende Volkstum entstammen dem erschreckenden Mangel an Kenntnissen über die lebenswichtigen Zusammenhänge, die inzwischen von der modernen Forschung aus dem Bereich des instinktiven Wissens ins klare Licht wissenschaftlicher Erkenntnisse erhoben wurden. Besonders Intellektuelle haben in der Vergangenheit oft den Volksbegriff abgelehnt, ihn als romantischen Anachronismus belächelt oder gar als Gefahr für die Zukunft erachtet. Die Informationstheorie hat, klarer als früher die Philosophie, die Grenzen des menschlichen Verstandes aufgezeigt und die Gründe für derartige Fehlschlüsse offenbart: "Die Komplexität unserer Welt überfordert das menschliche Bewußtsein."[25] Zu Recht stellte der Große Brockhaus von 1954 noch fest, daß ein Intellektueller ein Mensch sei, "der seinem Verstand nicht gewachsen ist". Denn in der Regel sind außer in einfachen anorganischen Zusammenhängen niemals die Voraussetzungen rein rationalen Urteilens gegeben, nämlich die Kenntnis aller dazu gehörigen Informationen.

Oft wird naiv geglaubt, bewußt oder unbewußt in Anlehnung an die überholte Physik des vorigen Jahrhunderts, die Kenntnis des augenblicklichen Zustandes eines Systems sei bereits ausreichend, um alle notwendigen Schlüsse daraus ziehen zu können. Dagegen lehrt die Informationstheorie, daß mehr dazu gehört, vor allem "die gespeicherten Informationen der Vergangenheit"[26]. Das bedeutet für die Untersuchung eines Volkes die Kenntnis seiner ganzen Geschichte. Von der Informationstheorie wird also auch die geschichtliche Dimension des Volkes als notwendig zum Verständnis und damit zum politischen Handeln gefordert. Das Volk hat Geschichte, während die pluralistische Gesellschaft vor allem in und aus der Gegenwart und nur für ihre augenblicklichen Zwecke lebt.

Einen experimentellen Beweis der Unzulänglichkeit rein rationalen Entscheidens und Handelns selbst bei besten Informationsmöglichkeiten lieferte schon 1974 ein Versuch der Universität Kiel bzw. Gießen. Als Ergebnis wurde unter dem bezeichnenden Titel "Wie Menschen eine Welt verbessern wollten...und sie dabei zerstörten"[27] äußerst eindrucksvoll dargestellt, warum trotz des besten Bemühens und der humansten Vorsätze eine Weltverbesserung durch Intellektuelle in der Regel im Chaos endet und für die Betroffenen tödlich ist.

Durch diesen Versuch ist eine uralte Erfahrung bestätigt worden: Nicht nur durch Egoismus, Machtstreben oder Aggressivität kann es Not und Elend in der Welt geben, sondern ebenso, vielleicht sogar in den meisten Fällen, durch Beschränktheit, Dummheit, durch fehlende Lebenserfahrung selbst bei herausragender Intelligenz. Der reine Verstand, der den Menschen zu hohen Leistungen und großen Erfolgen in Technik und Kultur kommen ließ, kann gemeingefährlich werden, wenn er sich von der Wirklichkeit löst, die Beziehungen zu den natürlichen organischen Gegebenheiten verliert, sich anmaßt, in langen Zeiten stabilisierte Gleichgewichtssysteme zu verändern oder gar aufzulösen. Für die Beurteilung komplizierter Zusammenhänge sind außer dem reinen Intellekt mindestens ebenso notwendig die Fähigkeit zum Gesamteindruck, das Gefühl für Wechselwirkungen, das Gespür für natürliche Verbindungen, der "Bezug zur Erde", die Lebenserfahrung, der gesunde Menschenverstand. Der anerkannte Kybernetiker Steinbuch unterstreicht das: "Der mißbrauchte, antiquierte und verlachte gesunde Menschenverstand hat mehr Vernunft in sich als das weltfremde, theoretisierende und diffamierende kritische Bewußtsein, von dem der Chor der Phantasten das Heil der Erde erwartet. In ihm stecken Jahrtausende menschlicher Erfahrung."[28]

Aus demselben Grunde ist die Ansicht vieler Intellektueller falsch, man könne durch reines Nachdenken ohne Erfahrung eine sinnvolle und für eine Gemeinschaft annehmbare Weltanschauung begründen. Wieder belehrt uns die Kybernetik eines Besseren: "Es ist einfach ein Irrtum anzunehmen, man könne durch ausschließlich innere Reflexion ein Weltbild erzeugen, man kommt ohne außermenschliche Informationsquellen nicht aus...Bei der Suche nach einer vertrauenswürdigen Ideologie ist die wichtigste Informationsquelle die Lebenserfahrung, welche Menschen vor uns gemacht haben."[29] Und Konrad Lorenz warnt unsere Zeit: Ob wir in Zukunft "zu einer Gemeinschaft wahrhaft humaner Wesen werden oder zu einer straffen Organisation entmündigter Un-Menschen, hängt ausschließlich davon ab, ob wir uns von unseren nichtrationalen Wertempfindungen lenken lassen"[30].

Die Völker sind nicht die bedauerliche Folge einer "durch den Nationalismus bedingten urzeitlichen tribalistischen provinziellen Aufsplitterung der Menschheit"[31], sondern sie sind die aus einem langen Optimierungsprozeß in der Geschichte hervorgegangenen besten Anpassungsstrukturen. Daß alle Kulturnationen diesen Weg gingen, weist auch auf seine Notwendigkeit und Richtigkeit hin. Im System des Volkes stecken jahrhundertealte Erfahrungen vieler Generationen, die schwerer wiegen sollten als die oberflächlichen Verstandesargumente aufklärerischer Intellektueller. Das Volk und seine Kultur stellen an sich schon einen bedeutenden Wert im Rahmen der Entwicklung dar, den jeder Verantwortungsbewußte zu erhalten bestrebt sein sollte.

Das Volk als genetisches Sammelbecken

Der Mensch ist auch ein biologisches Wesen. Zu sehr und zu lange hat man im Abendland als Folge der cartesianischen Spaltung von Körper und Geist die biologischen Grundlagen des Menschen vernachlässigt und bis in unsere Zeit wirklichkeitsfremde Hypothesen zum Ausgangspunkt von Lebenshaltungen gemacht.

Die vor allem von der Aufklärung verbreitete und bis heute von Egalitaristen vertretene Vorstellung von der Gleichheit aller Menschen bei der Geburt und in bezug auf Talente und Fähigkeiten ist von Biologie und Verhaltensforschung gründlich widerlegt worden. Als führender Biologe schreibt Ernst Mayr in seinem Standardwerk: "Eine auf solche unverkennbar falsche Voraussetzung (die Gleicheit) gegründete Ideologie kann nur zur Katastrophe führen. Ihr Eintreten für die Gleichheit der Menschen beruht auf der Annahme ihrer Identität. So wie sich erwiesen hat, daß diese nicht existiert, ist auch die Gleichheit dahin. Die Ablehnung genetischer Unterschiede der Menschen in Hinsicht auf Intellekt und Charakter beruht auf Täuschung."[32] In einem Lehrbuch der Völkerbiologie heißt es ähnlich: "Daß die Menschen von Natur verschieden sind, bedarf keines Hinweises mehr. Es gibt Kluge und Dumme, Schöne und Häßliche, Kraftmenschen und Schwächliche, Rücksichtslose und Weichherzige. Daß es sich dabei in hohem Grade um angeborene und ererbte Unterschiede handelt, hat uns die menschliche Genetik in gleichfalls zweifelsfreier Weise gezeigt. Ein Weltbild, das diese natürlichen Unterschiede leugnen wollte, stünde jenseits der Wirklichkeit."[33] Bedauerlicherweise standen und stehen die Weltbilder der meisten deutschen Kultusminister der Nachkriegszeit mit ihrer "pseudodemokratischen Doktrin"[34] der Gleichheit jenseits dieser Wirklichkeit.

Die Bedeutung der Erbfaktoren für die körperlichen, aber auch für die geistigen und seelischen Merkmale und Eigenschaften ist heute von den Naturwissenschaften zweifelsfrei erwiesen. Sie ist in vielen Fällen wesentlicher, als es die Einflüsse der Umwelt sind, und entspricht bei der Intelligenz etwa einem Anteil von 80%.[35] "Die Menschen sind aus genetischen Gründen nicht nur physisch, sondern auch geistig-seelisch sehr verschieden. Dem juristischen Postulat der Gleichheit vor dem Recht entspricht kein biologisches Korrelat."[36]

Das Prinzip der natürlichen Ungleichheit gilt wie für die Einzelnen auch für die Völker: "Individuen und Völker sind nach Körperform und Wesensart verschieden."[37] Die einzelnen Völker stellen unterschiedliche genetische Sammelbecken, sog. gene pool dar. Das Volk hat sich als die große Einheit der Evolution der Menschen erwiesen, nachdem die stammesgeschichtliche Entwicklung[38] für alle Bereiche des Lebens als richtig erkannt worden war. Aus Kleingruppen und Horden sind im Abendland wie in Asien die größeren Fortpflanzungsgemeinschaften der Stämme und Völker seit Jahrtausenden entstanden, und sie bildeten die Populationen, an denen die Evolution angriff. Die moderne Erkenntnistheorie stellt dazu fest: "Nicht durch Mutationsschritte einzelner Individuen, sondern durch langsame Wandlung des Gesamterbgutes von Populationen ist der evolutionäre Wandel vollzogen worden."39

Das Volk ist also auch unter diesem Gesichtspunkt der biologischen Entwicklung nicht nur ein Gegenwartszustand, sondern ihm kommt eine wichtige biologische Aufgabe über lange Zeiten zu, die ihm kaum eine andere Struktur abnehmen kann. Das Volk als das genetische Sammelbecken ist die von der Natur in langen Zeiträumen ausgewählte, also am besten angepaßte Gruppierung von Menschen im Sinne und zum Zwecke der Weiterentwicklung. Es ist ein in langen Geschichtsepochen gewachsenes offenes biologisches Gleichgewichtssystem, ein offenes Verbundsystem, offen für die Wechselwirkungen mit seiner Umwelt bei deutlicher Abgrenzung von seinen Nachbarn. Als genetisches Sammelbecken stellt es ein die Zeiten überdauerndes Potential für die körperlichen, geistigen und seelischen Verwirklichungen seiner Art in seinen jeweiligen Menschen dar. Diese bilden die augenblickliche Verwirklichung des in der Vergangenheit innerhalb eines Volkes vielfach verschlungenen Netzes der Keimbahnen, das bei völliger Öffnung oder Vermischung zerstört würde. Das Volk ist damit ein von der modernen Biologie und Anthropologie anerkannter natürlicher Gruppenbegriff, dem eine bewährte Wirklichkeit zugrunde liegt.

Und wie die Verbindung Wasser chemisch in die Mischung ihrer Elemente Wasserstoff und Sauerstoff zerlegt werden kann und dabei ihre Eigenschaften verliert, so verliert ein Volk sein Wesen und seine Eigenart, seine Systemeigenschaften Kultur und Sprache, beim Übergang zu einer Menschen-"Mischung" in Form einer multikulturellen Gesellschaft oder durch Auflösung des Systemcharakters in einer pluralistischen Gesellschaft.

Oft wird eingewandt, daß es den typischen Deutschen, Franzosen oder Engländer als einzelnen wirklichen Menschen nicht gebe, daß jeder auch als Angehöriger eines anderen Volkes gelten könne und daß deswegen keine wirklichen volklichen Merkmale und Eigenschaften beständen. Dieses Argument ist aus mehreren Gründen falsch. Einmal liegt es im Wesen organischer Systeme, daß sie unscharfe Grenzen haben und daß deswegen die betreffenden Begriffe nicht mit mathematischer Schärfe zu definieren sind. Dann spielt das Wesen komplementärer Begriffe wie Volk und Individuum mit ihrer natürlichen Unschärfe hinein[40]. Ferner lassen sich Volkscharakter und Volkseigenschaft statistisch durchaus nachweisen, die im einzelnen Angehörigen natürlich nur mehr oder weniger stark ausgeprägt auftreten. Selbst das Erfassen der Welt und damit das Weltbild scheint für die einzelnen Völker unterschiedlich zu sein: "Es wäre erstaunlich, wenn die verschiedenen menschlichen Teilpopulationen, die sich in ihrem gene pool erheblich unterscheiden, in bezug auf jene Gene, die den kognitiven Fähigkeiten zugrunde liegen, gleich wären. Man muß vielmehr damit rechnen, daß menschliches Erkennen mehr oder minder 'gene pool - spezifisch' ist."[41]

Zur Untersuchung der biologischen Wirklichkeit der Völker hat sich als besonderes Fachgebiet die Völkerbiologie entwickelt. In einem ihrer Standardwerke heißt es einleitend: "Daß Völker nicht nur geistige Gestalt und Willensschöpfungen, sondern auch Naturtatsachen sind, ist zwar hin und wieder schon früher geahnt und von Philosophen, Historikern und Dichtern mehr oder weniger deutlich ausgesprochen worden...Der Mensch lebt in Völkern. Sie sind die Gemeinschaften, in die er als soziales Wesen hineingestellt ist, in denen und an denen sich alle überindividuellen Lebensvorgänge abspielen. In Völkern - oder volksähnlichen Verbänden - vollzieht sich auch die Entwicklung der Art und Rassen. So ist die Völkerbiologie die Grundlage zum Verständnis der menschlichen Biodynamik überhaupt."[42]

Damit sind die Völker als biologische Tatsachen klar erkannt und bezeichnet worden. Völker bestehen, haben ihre Gesetze, ihre Geschichte, ihre Wirksamkeit, nicht nur in der Vergangenheit aufgrund angeblich mangelhaft aufgeklärter Menschen, sondern aufgrund natürlicher biologischer Gesetze.

Die Völkerbiologie hat auch die Bedingungen und Folgen bei großen Einwanderungsquoten untersucht, und sie gelangte zu "der Einsicht, daß die Assimilationskraft eines Volkes begrenzt ist, daß die Einvolkung um so schwieriger ist, je größer der Abstand"[43]. Überfremdung kann bis zum Völkertod führen, wie verdienstvolle Untersuchungen vorgewarnt haben[44]. Diese Probleme stehen bei den zunehmenden Einwanderungsströmen aus den Dritte-Welt-Ländern an, und die Ergebnisse der Völkerbiologie zeigen die gefährlichen Folgen der Auflösung eines Volkes in eine multiethnische Gesellschaft auf.

Beim Versuch der Biologen, den Unterschied des Menschen vom Tier möglichst einfach auszudrücken, können sie auf kein Organ zurückgreifen, das nicht auch ein Tier hätte. Früher dazu oft benutzte menschliche Verhaltensweisen wie der Spieltrieb, das Lachen, die Neugier, die Herstellung und Verwendung von Waffen haben sich ebenso im Tierreich gefunden. Deshalb schreibt Mayr zur kurzen Kennzeichnung des Wesentlichen am Menschen: "Der Mensch ist einzigartig. Er unterscheidet sich von allen anderen Organismen durch zahlreiche Besonderheiten wie Sprache, Tradition, Kultur und eine enorm verlängerte Dauer von Wachstum und elterlicher Fürsorge."[45] Als kennzeichnend menschliche Merkmale werden somit gerade die und nur die aufgezählt, die nicht individuelle Eigenschaften oder Leistungen sind, sondern solche, die zur Definition des Volkes dienen können: Sprache, Tradition, Kultur und Erziehung sind volkseigentümlich und völkerkennzeichnend, sie entstammen der Gemeinschaft des Volkes. Wer die Grundordnung des Volkes leugnet, leugnet also das gerade kennzeichnend Menschliche, verneint das, was den eigentlichen Fortschritt des Menschen seit seinen primitivsten Anfängen ausmacht.

Das Volk ist nicht nur ein zweckgerichtetes Schutz- und Trutzbündnis für den Einzelnen gegen feindliche Gruppen, sondern es ist als genetischer Sammentopf, als Geflecht der Keimbahnen Voraussetzung des Bestehens wie der Möglichkeit artgerechter Fortpflanzung und kultureller Entwicklung. Die Heiratsschranken an den Volksgrenzen, vor allem durch Sprache und Sitte bedingt, sind natürliche und für die jeweilige Menschenart und ihre Kultur notwendige Grenzen. Denn "tatsächlich ist jede Reaktion auch eine biologische Reaktion, und die moderne Biologie hat nachgewiesen, daß die Reaktion nicht ausschließlich durch äußere Faktoren determiniert sein kann, sondern von 'Reaktionsnormen' abhängt, die für jeden Gentypus oder jeden gene pool charakteristisch sind"[46]. Innerhalb eines Volkes mit seinem verhältnismäßig abgeschlossenen genetischen Becken sind die Reaktionsnormen, das heißt die angeborenen Entwicklungsgrenzen, innerhalb deren ein Organismus auf Umwelteinflüsse reagieren kann, ähnlich und ziemlich fest.

Damit drückt die Biologie den alten Gedanken Herders, daß die Völker Gedanken Gottes sind, modern aus. Für sie sind die Völker, körperlich, geistig und seelisch voneinander unterschieden, mit ihren bestimmten Rassenmischungen die Grundelemente der Entwicklung, genetische Fließgleichgewichte, natürliche Systeme. Die moderne Naturwissenschaft rechtfertigt somit voll die Aussage der alten französischen Staatslehre, die das Volk als das "heilige Depot der Generationen" auffaßt. Das, was das Volk über die Menge erhebt, was ihm neue Qualität verleiht, was man Volkstum nennt, was Goethe als die Volkheit beschrieb, ist damit biologisch als zur Natur des Menschen gehörend begründet, hat sich als die Triebkraft und der notwendige Nährboden für Kultur und die volle Verwirklichung des Einzelnen erwiesen. Und da der Mensch von Natur aus ein Kulturwesen ist, wie Arnold Gehlen darlegte, im Grunde auch rein biologisch also nicht ohne Kultur bestehen kann, kann er auch auf deren Voraussetzung, das Volk, nicht verzichten.

Auch von daher bekommt das oft zitierte Wort des englischen Premierministers Benjamin Disraeli zeitlose Bedeutung: "Niemand wird das Prinzip der Rassenunterschiede mit Gleichgültigkeit behandeln wollen. Es ist der Schlüssel der Geschichte, und der Grund, weshalb die Geschichte oft so konfus erscheint, liegt darin, daß sie von Männern geschrieben wurde, welche jenes Prinzip ignorierten und von all' der Wissenschaft, die es in sich schließt, nichts wußten."[47]

Das Volk als seelische Gemeinschaft

Die moderne Tiefenpsychologie, vor allem C.G.Jung, hat die Wirklichkeit des kollektiven Unterbewußtseins bzw. Unbewußten aufgedeckt: "Das kollektive Unbewußte ist der Inbegriff dessen, was in der Welt des Seelischen nicht nur für den einzelnen gilt, sondern für viele, ja in den tiefsten Bereichen für alle...Das kollektive Unbewußte repräsentiert ein umfassendes, überrationales, vom menschlichen Bewußtsein unabhängiges Ordnungsgefüge."[48] Die Strukturen und Inhalte dieses kollektiven Unbewußten, etwa die Archetypen Jungs, sind weitgehend erblich bedingt, und wie für andere biologisch bedingte Merkmale gilt auch hier das Prinzip der stammesgeschichtlichen Entwicklung. Weil die Völker die natürlichen Entwicklungseinheiten sind, ist es selbstverständlich, daß im Unbewußten neben allgemein menschlichen Inhalten auch volkseigentümliche auftreten. Denn "in Hinsicht auf die Struktur des Körpers wäre es erstaunlich, wenn die Psyche das einzige biologische Phänomen wäre, das nicht deutliche Spuren seiner Entwicklungsgeschichte aufwiese, und daß diese Merkmale gerade mit der Instinktgrundlage in nächster Beziehung stehen, entspricht durchaus der Wahrscheinlichkeit"[49].

Das wird durch das zum biogenetischen Grundgesetz analoge psychogenetische Grundgesetz unterstrichen, wonach die individuelle geistig-seelische Entwicklung eines Kindes in ihren Hauptabschnitten der Stammesgeschichte der betreffenden Menschenart parallel verläuft: "Es ist deutlich, daß das Kind ähnliche Phasen der seelischen Entwicklung und Differenzierung durchläuft, wie sie die Spezies Homo sapiens bei der geistigen Menschwerdung durchschritten haben muß."[50] Auch daraus folgt, daß der für die rein biologischen Eigenschaften kennzeichnende genetische Sammeltopf des Volkes es ebenso für die tiefenpsychologischen Bereiche ist, so daß die Völker die natürlichen Ordnungsgruppen für diese Erscheinungen sind.

Die völkischen Unterschiede des Unbewußten prägen sich, da zu ihrer Ausbildung erst verhältnismäßig kurze Zeiten vergangen sein dürften, wohl vor allem in den am feinsten differenzierten seelischen Bereichen aus. Religiöse Grundvorstellungen, Kunststile, Schönheitsideale sind deswegen ebenso von Volk zu Volk verschieden wie etwa die Einstellung zur Natur, zum Tier, zum anderen Geschlecht. So hat wohl Jakob Grimm als einer der besten Kenner der Volkseigenarten richtig gesehen, als er schrieb: "Es ist nicht Zufall, sondern Notwendigkeit, daß die Reformation gerade in Deutschland aufging, das ihr längst ungespalten gehört hätte, würde nicht auswärts dagegen geschürt. Nicht zu übersehen ist, wie empfänglich derselbe Boden germanischen Glaubens in Skandinavien und England für protestantische Ansicht bleibt, wie günstig ihr ein großer Teil Frankreichs war, in dem deutsches Blut haftete. Gleich Sprache und Mythos ist auch die Glaubensneigung unter den Völkern etwas Unvertilgbares."[51]

Für die Kunst- und Musikstile[52] ließe sich das Gleiche überzeugend belegen wie für besondere Geistesströmungen und Weltanschauungen. So fand zum Beispiel die Jugendbewegung zu Beginn unseres Jahrhunderts schnell über die damaligen Staatsgrenzen hinweg bei allen deutschen Volksgruppen - aber eben nur bei diesen - Anklang, während sie bei den Nachbarvölkern auf Unverständnis stieß.

Diese Unterschiede zwischen den Völkern lassen sich nicht auf Einflüsse der Umwelt zurückführen, selbst nicht über viele Generationen hinweg. So leben die Siebenbürger Sachsen seit über 800 Jahren mit Ungarn und Rumänen in der gleichen Landschaft, nur durch wirksame Heiratsschranken von diesen getrennt. Dennoch erkennt man bis in die Gegenwart auf den ersten Blick, ob man in Siebenbürgen in ein vorwiegend deutsches oder fremdes Dorf einfährt. Ähnliches fiel sogar im Sommer 1990 der linksliberalen "Zeit" in Oberschlesien auf, wo für die Häuser der seit Kriegsende in polnischer Umgebung lebenden Deutschen gelte: "Jedes ein kleines deutsches Reich: weiße Tünche und Gartenzäune, Rabatten und Geranienkübel, gelegentlich Gartenzwerge und hölzerne Wagenräder, Rasenflächen, wie mit dem Lineal gepflegt - der einzige Ausdruck deutscher Lebensart, der während der vergangenen 45 Jahre straffrei blieb. Ordnung und Pedanterie als stille Opposition gegen das, was sie als 'Polenwirtschaft' verachten."[53] Völker besitzen nun einmal deutlich verschiedene Lebenshaltungen, die sich auch in Äußerlichkeiten zeigen.

Wenn in früheren Zeiten von der Seele eines Volkes gesprochen wurde, so lag dem durchaus eine richtige Beobachtung und ein genaues Erfassen zugrunde. Die Gemeinschaft eines Volkes hat eine solche Eigenschaft, die zu verschiedenen Zeiten verschieden stark ausgeprägt und in entscheidenden Augenblicken bestimmend sein kann. Rudolf Steiner forderte aus seinen Studien zur Volkskunde: "Erkennet Euch selbst als Volksseelen!"[54] und regte die Gründung einer "Volksseelenkunde" an: "So könnte wirklich das zustande kommen, was aus einer Volksseelenwissenschaft heraus Licht verbreiten kann über die Eigentümlichkeiten des Waltens und Wirkens einer Volksseele."[55] Und der Kulturwissenschaftler Werner Georg Haverbeck hob erst kürzlich dasselbe ausdrücklich hervor[56]. Ende des vorigen Jahrhunderts stellte Paul de Lagarde fest: "Wie der Mensch, so hat auch die Nation eine Seele, und am Ende ist bei Individuen wie bei Nationen diese Seele das allein Wertvolle."[57] Und Alexander Solschenizyn bestätigt das in unserer Zeit: "Das Volk ist noch nicht die Summe aller, die eine Sprache sprechen. Es sind auch nicht die Auserwählten mit dem Feuerzeichen des Genius auf der Stirn. Nicht durch Geburt, nicht durch die Arbeit ihrer Hände und nicht auf den Flügeln ihrer Bildung schließen sich Menschen zu einem Volk zusammen! Was sie bindet, ist die Seele!"[58]

Diese gerade bei den Freiheitsbestrebungen der Völker Osteuropas in unserer Zeit so oft beschworene Wirklichkeit faßt der moderne Massenpsychologe Domizlaff in die Worte: "Jede zu einem Eigenleben erwachte Gemeinschaft hat eine Seele, und ebenso wie die Neuzeit seelische Vorgänge bei einzelnen Lebewesen zu beobachten bemüht ist, so muß sie endlich die mittelalterlichen Anschauungen überwinden, daß Völker immer vernünftig und konventionell handeln."[59] Hieraus folgt zwangsläufig eine scharfe Kritik an den zeitgenössischen Politikern, die diesen Vorgängen keine Beachtung schenken: "Es ist das erschütterndste Zeugnis des Regierungsdilettantismus unserer Zeit, daß den seelischen Antriebskräften eines Volkes keine Beachtung geschenkt wird und daß keine staatspolitische Psychotherapie zur belebenden Anwendung kommt."[60] Diese seelischen und geistigen Kollektiveigenschaften der Völker sind ein weiteres Argument gegen Völker- und Rassenmischungen und damit gegen alle neuzeitlichen Bestrebungen, die europäischen Völker in einem multiethnischen Schmelztiegel aufzulösen.

Das Volk als Verhaltensgruppe

Im Bereich zwischen Biologie und Psychologie hat sich in der ersten Hälfte unseres Jahrhunderts die Verhaltensforschung (Ethologie) entwickelt und besonders durch die Untersuchungen deutscher Wissenschaftler großes Aufsehen erregt. Sie hat die Bedeutung instinktiver, damit angeborener Handlungsweisen, auch für den Menschen herausgearbeitet und dadurch das Verständnis für menschliches Denken, Fühlen und Handeln so sehr erweitert, daß zu Recht von einer "kopernikanischen Wende"[61] in den Humanwissenschaften gesprochen werden kann.

Besonders die Antriebe und Motive für das soziale Handeln der Menschen in Familie, Gruppe und Volk entstammen überwiegend instinktiven Schichten[62]. Die instinktiven Handlungsweisen sind durch Erbkoordinaten festgelegt, die sich im Laufe der stammesgeschichtlichen Entwicklung gebildet haben. Gerade in diesem Bereich ist das Verhalten des Menschen in weit höherem Maße, als man es früher ahnte und heute noch in manchen Kreisen wahrhaben will, durch seine Erbfaktoren bestimmt: "Auf genetischen Programmen beruht nicht nur der Apparat der Sinneswahrnehmungen und des logischen Denkens, der unser Weltbild malt; auf ihnen beruhen auch die komplizierten Gefühle, die unser zwischenmenschliches Verhalten bestimmen. Besonders unser soziales Verhalten ist von uraltem Erbe arteigener Aktions- und Reaktionsmuster beherrscht."[63]

Da die das Verhalten bestimmenden Faktoren erblich und stammesgeschichtlich entstanden sind, sind sie in den langen Zeiten, in denen die einzelnen menschlichen Rassen und später die Völker verhältnismäßig gut voneinander getrennt waren, weiter ausdifferenziert worden. Räumliche Trennung über lange Zeiten erzeugt stets Unterschiede aufgrund verschiedenen Anpassungsdruckes. Somit bildet das Volk als das über Jahrhunderte verhältnismäßig gut abgegrenzte genetische Sammelbecken einer bestimmten Rasse oder Rassenmischung die natürliche Ordnungsgruppe auch im Hinblick auf das instinktive Verhalten der Menschen. Dadurch werden von anderer Seite her die verschiedenen statistisch erfaßbaren Volkscharaktere erklärbar. Wie im Tierreich zunehmend unterschiedliche Verhaltensweisen zur besseren Bestimmung von Arten und ihren Untergliederungen herangezogen werden, können die fein ausgebildeten und deswegen stark voneinander abweichenden Verhaltensweisen zur Unterscheidung und Kennzeichnung der Völker dienen.

Im Gegensatz zum instinktmäßig weitgehend vorprogrammierten Tier treten beim Menschen größere Instinktlücken auf, die durch Lernen oder Prägung ausgefüllt werden müssen. Die Bedingungen dieses Lern- oder Prägungsvorganges sind im wesentlichen genetisch festgelegt[64]. Ihnen sollte im Reifeprozeß des jungen Menschen möglichst Rechnung getragen werden. In der Tradition eines Volkes liegt dafür eine in vielen Generationen bewährte

Erfahrung vor, so daß das Volk aus dem Gesichtspunkt der Verhaltensforschung die für eine optimale Erziehung richtige Gemeinschaft ist. Das gilt insbesondere für Völker mit hoher Kultur und dementsprechend reicher Tradition. Deswegen ist auch die Tradition für ein Volk und seine Kultur so wichtig. Konrad Lorenz hat aus seinen naturwissenschaftlichen Studien die Tradition als die Voraussetzung jeder hohen Kultur erkannt. Er hat angesichts der Nachkriegsentwicklung in Deutschland vor der Zerstörung der Tradition gewarnt und das Abreißenlassen der Tradition als eine der "acht Todsünden der zivilisierten Menschheit" in unseren Tagen bezeichnet[65]. Denn die Tradition bedeutet für das geistige Leben einer Kultur dasselbe wie die Erbanlagen für die biologische Substanz. Ohne Tradition gibt es keine Weitergabe und damit kein Weiterleben des geistigen Erbes früherer Generationen. Ohne die Tradition und ihre bedeutende Entlastungsfunktion bei Neuschöpfungen kann sich keine Kultur auf ihrer Höhe halten: "Wenn die äußeren Sicherungen und Stabilisierungen, die in den festen Traditionen liegen, entfallen und mit abgebaut werden, dann wird unser Verhalten entformt, affektbestimmt, triebhaft, unberechenbar, unzuverlässig...Und wenn man die Stützen wegschlägt, primitivisieren wir sehr schnell."[66]

Da allein das Volk die große Traditionsgemeinschaft sein kann, die Jahrhunderte und Staatsformen überdauert, ist zur Erhaltung der Überlieferung das Volk erforderlich. Tradition und Volk sind Voraussetzungen für Würde und Eigenart des Menschen. Die Tradition war, worauf Lorenz ausdrücklich hinweist[67], der große evolutionäre Vorteil in der menschlichen Entwicklung und bewirkte den Selektionsdruck, der den Menschen immer mehr vom Tier trennte.

Eine wesentliche Bedeutung bei der Prägung und Erziehung des jungen Menschen wie für die allgemeine Tradition eines Volkes haben die Volksmärchen sowie die dem Volk entsprungenen Sagen und Mythen. Unter dem Anspruch, der modernen Zeit auf allen Lebensbereichen zum Durchbruch zu verhelfen, hat eine angeblich progressive Pädagogik die alten Märchen und Sagen weithin verdrängt. Die entstandene Leere wird nur sehr unvollkommen durch Hätschelfiguren von Disney, durch die pädagogisch bedenkliche "Sesamstraße" oder durch Neuschöpfungen wie den "Räuber Hotzenplotz" ausgefüllt.

Nach wie vor ist dagegen richtig: "Kinder brauchen Märchen!", wie Bruno Bettelheim sein lesenswertes Buch mit der modernen Begründung des Erziehungswertes der Märchen nannte[68]. Darüberhinaus erkannte man sehr genau, daß im alten Märchen ein wichtiger Teil des Wesens und der Eigenart eines Volkes von Geschlecht zu Geschlecht weitergegeben wird, daß mit der Verdrängung der Volksmärchen ein erfolgreicher Anschlag auf das geistige Leben des Volkes selbst geführt werden kann. Die Märchen besitzen trotz oder wegen ihrer altertümlichen Sprache meist einen hervorragenden Sprachstil. Einfach und klar, ohne Fremdwörter und unnatürliche Wortdrechseleien stellen sie das Wesentliche dar und bilden damit eine hervorragende Sprachschule in einer Zeit drohender Überfremdungsgefahr und der Fremdwortsucht in den Massenmedien wie in der allgemeinen Öffentlichkeit.

Die alten Volksmärchen sind wie viele Sagen und Mythen vor langen Zeiten entstanden. Ihre Wurzeln reichen, in einigen Fällen nachweisbar, bis in die Bronzezeit oder sogar in die Steinzeit zurück. Sie bilden damit ein uraltes Erbe aus der Zeit der Vorfahren und spiegeln deswegen das Wesen und die Denkungsart des jeweiligen Menschenschlages am reinsten wieder.

Da, wie die Verhaltensforschung allgemein zeigt, die erste Prägung die entscheidende ist, ist es wichtig, daß Kinder zunächst durch die Volksmärchen in das ureigenste Gedankengut ihres Volkes eingeführt werden, bevor ihnen später aus anderem Geist stammende religiöse Vorstellungen oder kulturelle Ideen vermittelt werden. Die erste ausschlaggebende Prägung sollte mit dem für das eigene Volk Wesentlichsten, mit seinem eigenen Geistesgut erfolgen. Sprache, Sagen und Mythen anderer Völker können bereichernd und vertiefend für jeden sein, wenn er vorher fest in der Denkungsart seines eigenen Volkes Wurzeln gefaßt hat. Letzteres ist auch am besten und frühesten möglich, weil die vorgegebenen Bedingungen dem Arteigenen am besten angepaßt sind und dieses somit auf die größte Resonanz stößt.

Schließlich sind die Märchen, Sagen und Mythen aus der Tiefe des Volkes entstanden, enthalten das geistige Erbe vieler Generationen und gehören dem ganzen Volke an. Das Märchen hat deswegen etwas das ganze Volk Verbindende. “Es ist etwas dem ganzen Vaterland Gemeinsames”, betonten die Brüder Grimm.

Das Volk als Sprachgemeinschaft

Ein wesentliches und von vielen als das wichtigste hervorgehobene Kennzeichen eines Volkes ist seine Sprache. “Das jedenfalls ist es, was im deutschen Begriff des Volkes enthalten ist: Das Menschheitsgesetz der Sprachgemeinschaft wird als der verbindlichste aller erkennbaren Hinweise auf die Begründung des Gemeinschaftslebens hervorgehoben.”[69]

Die Sprache ist nicht nur ein oberflächliches Merkmal eines Volkes, sondern in ihr, vor allem in ihrem Wortschatz, lebt ein großer Teil der Tradition eines Volkes und seiner Kultur. Die Sprache stellt das geistige Erbe vieler Generationen dar. Es ist eine bezeichnende intellektuelle Verirrung, die Sprache allein als reines Verständigungsmittel, als bloßes “Kommunikationsmedium”, zu betrachten, woraus dann auch die törichte Forderung nach Abschaffung der Muttersprachen und Einführung einer künstlichen Verkehrssprache folgen kann. Demgegenüber hat die moderne Sprachwissenschaft aufgezeigt, wie sehr die Bedeutung der Sprache über die Aufgabe, auch zur Verständigung beizutragen, hinausgeht. Ihre Struktur, ihre Grammatik und auch ihr Wortschatz beeinflussen das Auffassen und Denken der Menschen erheblich. Der deutsche Sprachforscher Leo Weisgerber[70] hat in seinen Werken immer wieder darauf hingewiesen, daß die Sprache, weit davon entfernt, nur Verständigungsmittel zu sein, nicht nur ein Mittel zur Welterfassung ist, sondern auch zur Weltgestaltung. Für ihn ist die Sprache eine "geistschaffende, kulturtragende und geschichtsmächtige Kraft", die auch in der Geschichte große Wirksamkeit besitzt. Für den Verhaltensforscher ist die Sprache ein wichtiges Instrument der Anpassung und bestimmend für Struktur und Inhalte des Denkens geworden: "Die Sprache ist nicht nur ein Mittel äußerer Verständigung, sondern ein konstitutiver Bestandteil der Vernunft selbst."[71]

Die Sprache beeinflußt erheblich auch das gesamte Weltbild eines Menschen, worauf schon Wilhelm von Humboldt hinwies. Unterschiedliche Sprachen führen demnach von sich aus schon zu verschiedenen Anschauungen der Wirklichkeit: "Menschen, die Sprachen mit sehr verschiedenen Grammatiken benützen, werden durch diese Grammatiken zu typisch verschiedenen Beobachtungen und Bewertungen äußerlich ähnlicher Beobachtungen geführt. Sie sind daher als Beobachter einander nicht ähnlich, sondern gelangen zu irgendwie verschiedenen Ansichten von der Welt."[72] Die moderne Erkenntnis- und Wissenschaftstheorie, die besonders von der Evolutionären Erkenntnistheorie[73] stark befruchtet wurde, kommt zu dem gleichen Ergebnis: "Andererseits beeinflußt auch die Sprache unsere Art und Weise, die Welt zu sehen und zu beschreiben, erheblich. Tatsächlich entspricht jeder Sprache eine besondere Organisation dessen, was in der Erfahrung gegeben ist."[74]

Da die Sprache eine gemeinsame Weltsicht für die sie sprechenden Menschen erzeugt, sind die Völker als die anerkannten Sprachgemeinschaften somit auch die Ordnungsgebilde für die unterschiedlichen Weltanschauungen, wobei natürliche Schwankungsbreiten, Unschärfen und individuelle Abweichungen auftreten und Ausnahmen die Regel bestätigen. Jedes Volk hat vermöge seiner gewachsenen Sprache eine besondere Schau der Wirklichkeit und unterscheidet sich mehr oder weniger darin von seinen Nachbarn.

Wenn die Sprache so wesentlich Erfassen, Denken und Urteilen des Einzelnen beeinflußt, dann ist das eine Auswirkung des Volkes, das in der Geschichte seine Sprache geschaffen hat. Denn die Sprache ist keine Reißbrettschöpfung rational denkender Individuen. Sie ist eine langsam gewachsene Systemeigenschaft, eine Leistung und deswegen ein kennzeichnendes Merkmal des ganzen Volkes. In der Sprache ist daher mit der Lebenserfahrung aus vielen Generationen eine große Energie für die Zukunft gespeichert, deren Hilfs- und Entlastungsfunktion für weitere Entwicklung auf allen Gebieten, selbst auf dem der Naturwissenschaften und der Technik, nicht hoch genug bewertet werden kann. Eine reiche und ausdifferenzierte Sprache wie die hoher Kulturvölker bildet deswegen schon von sich aus ein reiches Potential und ein wertvolles Instrument für künftigen Fortschritt.

Die Sprache drückt damit sowohl das innere Wesen eines Volkes als das gesammelte geistige Erbe der Vergangenheit aus als auch Bedingungen für die Möglichkeiten seiner Weiterentwicklung in der Zukunft. Sie ist trotz ihrer lebendigen Entwicklung eine in ihrem Geist die Zeiten überdauernde Wesenheit, eine in diesem Sinne Konstante des Volkes. Der alte Satz: "Die Seele eines Volkes liegt in seiner Sprache" drückt dasselbe aus und kann nun in seiner Aussage durch die moderne Wissenschaft als voll bestätigt gelten. Die Bedeutung der Sprachpflege, der Bestrebungen zur Reinerhaltung der Sprache, der Erziehung in der Muttersprache ist daraus ebenso ersichtlich wie die Verpflichtung zum Widerstand gegen Überfremdung oder Vernachlässigung.

Das Volk als geschichtliche Gemeinschaft

Als wirkende Kräfte in der Geschichte treten am deutlichsten die Völker hervor. Die Geschichte der Menschheit ist im wesentlichen die der Völker und Stämme. Die marxistische Theorie, wonach die Klassenkämpfe als Triebkräfte des Geschichtsablaufes anzusehen seien, hat sich als nicht haltbar erwiesen.

Es ist eine besondere Ironie der Weltgeschichte, daß selbst eingefleischte Marxisten und überzeugte Internationalisten in entscheidenden Augenblicken die Bedeutung des Volkes anerkennen mußten und auf die Freisetzung der im Volksbewußtsein vorhandenen Kräfte nicht verzichten wollten. So rief Stalin 1941, als die sowjetischen Fronten zusammenbrachen und die Einnahme Moskaus drohte, zum "Großen Vaterländischen Krieg" auf, erinnerte an die ruhmreiche Tradition zaristischer Heerführer und weckte die völkischen Reserven im russischen Volk. Der chinesische Kommunistenführer und langjährige Staatschef Mao-tse-Tung schrieb ebenso deutlich: "Das Volk, und nur das Volk ist die Triebkraft, die die Weltgeschichte macht!"[75] Mit dem Begriff Volk meinte er hier die gewachsene historische Lebensgemeinschaft, nicht eine Klasse oder eine untere Schicht.

Nach 1945 erhielten über eine Milliarde Menschen, vor allem in den ehemaligen Kolonien, aufgrund nationaler und völkischer Gesichtspunkte die Freiheit. Die UNO stellte sich ausdrücklich hinter das Selbstbestimmungsrecht der Völker, das damit zu einem anerkannten Grundsatz des Völkerrechtes wurde. In den letzten Jahrzehnten hat sich somit auch in der politischen Praxis das volkliche Prinzip als das durchgängigste und gerechteste Ordnungsprinzip erwiesen. Die Befreiungsbewegungen im Osten haben das in der Gegenwart eindrucksvoll unterstrichen.

Damit ein Kulturvolk erfolgreich in der Geschichte bestehen kann, bedarf es neben dem Volksbewußtsein auch eines lebendigen Geschichtsbewußtseins. In frühen Völkern erfüllten Gründungs- oder Abstammungsmythen diese Aufgabe. In Einzelfällen übernahm die Religion dieses Anliegen. Eine alte Erkenntnis faßte Jahn in die Worte: "Ohne die Geschichte des Vaterlandes, ohne die Kenntnis seiner Vorteile kann der Bürger sein Vaterland nicht lieben; ohne die Tugenden seiner Väter zu wissen, kann er ihnen nicht nacheifern; kurz, ohne die Kenntnis der vaterländischen Geschichte ist der Bürger ein Spielball in der Hand eines schlauen Betrügers."[76] Um die gleiche Zeit drückte Goethe den Wert der Geschichtskenntnisse für den Einzelnen aus: "Wer nicht von 3000 Jahren sich weiß Rechenschaft zu geben, bleibt im Dunkeln unerfahren, mag von Tag zu Tage leben." Und Adalbert Stifter faßte es mit dem geschärften Blick des Grenzlandeutschen noch genauer zusammen: "Ein Volk, das seine eigene Geschichte nicht kennt, versteht sich selbst und seine Gegenwart nicht. Erst durch die Geschichte wird ein Volk sich seiner selbst vollständig bewußt." Nicht von ungefähr erschienen in den letzten Jahren mehrere leidenschaftliche Plädoyers zur Förderung des Geschichtsbewußtseins für Volk und Staat[77].

In der Geschichte haben sich die Völker dauerhafter als ihre Staaten erwiesen. Sie überlebten ungebrochen mehrfach das Werden und Vergehen staatlicher Gebilde und erzwungener Spaltungen. Unsere Gegenwart bietet im wiedervereinigten Deutschland ein aktuelles Beispiel mit eindrucksvollem Ablauf: Obwohl große Teile der geistigen und politischen Führungsschicht sich längst mit endgültiger Spaltung abgefunden hatten und den Status quo sogar zu verfestigen suchten, erzwang das Volk die Änderung und setzte sich über alles Trennende hinweg. Die Anschlußbewegungen in den zwanziger und dreißiger Jahren beruhten auf derselben Haltung, die der damalige österreichische Bundeskanzler Seipl 1926, als noch das Anschlußverbot galt, in die Worte faßte: "Für uns ist die Nation, unabhängig von der Staatszugehörigkeit, die große Kulturgemeinschaft; sie steht uns Deutschen höher als der Staat." Ähnlich hatte es schon ein Jahrhundert vorher Jahn ausgedrückt: "Ein Volk kann in mehrere abgesonderte Staaten zerfallen, die ebenso leicht wieder zu einem Reich zusammenfallen. Dabei bleibt das Volk eins"[78].

Das Volk als Grundlage von Staat und Gesellschaft

In der Nachkriegszeit wurde der Begriff des Volkes weitgehend von dem der Gesellschaft verdrängt. Gesellschaftspolitik wurde die große Mode. Grundlegende gesellschaftspolitische Reformen sollten die Verhältnisse verbessern und die "Lebensqualität" erhöhen. Doch immer mehr Reformen in diesem Bereich stellten sich als undurchführbar, weil weltfremd, heraus und erwiesen sich als überwiegend nachteilig. Das beruht vor allem darauf, daß die Soziologie unsinnigerweise “bereits im Ansatz den Menschen aus ihrer Rechnung eliminiert”[79], sowie auf dem großen Mißverstehen dessen, was Gesellschaft eigentlich ist, dem weithin Soziologen und Politologen zum Opfer gefallen sind. Die einflußreiche “Frankfurter Schule” vertrat aus ihrer marxistischen Ideologie heraus diese Irrlehre[80].

Auf dem Höhepunkt dieser Entwicklung schrieb der spanische Philosoph Ortega y Gasset über die Soziologen: “Es gelingt ihnen nicht nur nicht, uns einen klaren Begriff von dem zu geben, was das Soziale, was die Gesellschaft ist, wir entdecken vielmehr beim Lesen dieser Bücher, daß ihre Autoren - die Herren Soziologen - nicht einmal ein wenig ernstlich versucht haben, sich selbst über die elementaren Erscheinungen, aus denen das soziale Faktum besteht, Klarheit zu verschaffen.”[81] Noch schärfer und konkreter urteilte vor wenigen Jahren Tenbruck über die vorherrschende Richtung der westdeutschen Soziologie, indem er “die Abschaffung des Menschen” als eine der verheerenden Wirkungen ihrer Lehre hervorhob und feststellte: “Die Blindheit der Soziologie für die zwischenstaatlichen und überstaatlichen Verhältnisse und Wirkungen, für nationale Konkurrenz, Beeinflussung und Durchdringung, insbesondere für alle Machtfragen und Machtlagen, gründet in ihrem Weltbild...Wo die Erfindung der Gesellschaft zur Matrix der Daseinsdeutung wird, da sinken konkrete Identitäten - wie Volk, Nation, Ehe, Familie u.ä. - als bloße Befangenheiten in das Nichts, aus dem am Ende der verzweifelte Ruf nach der eigenen Identität ertönt.”[82] Unter Hinweis darauf, “daß - nicht nur, aber jedenfalls vor allem - Max Weber mit bewußter Begründung auf den Begriff ‘Gesellschaft’ verzichtet hat”[83], zieht Tenbruck die entscheidende Folgerung: “Die Bewältigung der Sozialwissenschaften beginnt insofern mit dem Entschluß, ‘die Gesellschaft’ aus unseren Vorstellungen und unserem Vokabular zu verbannen”[84], wenn dieser Ausdruck auch “gelegentlich als Hinweis auf das Zusammenleben unentbehrlich und dann auch harmlos”[85] sei.

Moderne Gesellschaftsreformer haben immer wieder versucht, mit ihren Utopien völlige Gleichheit und konsequente Demokratisierung auf allen Ebenen zu erreichen. Aber “es gibt - trotz gelegentlicher Versuche kleinsten Umfanges - keine sozial homogenen menschlichen Lebensgemeinschaften, sondern es gehört zur Natur der menschlichen Gesellschaft, daß sie sich in Gruppen verschiedener sozialer Funktion und Macht gliedert. Als Schichten, Stände oder Klassen bilden sie erst in ihrer Gesamtheit die Lebensgemeinschaft des Volkes.”[86]

Dieser Erkenntnis der Völkerbiologin Schwidetzky pflichtet die Systemtheorie voll bei: Jedes arbeitsfähige und auf Leistungen bedachte System muß Rangordnungen haben und hierarchisch aufgebaut sein. Nicht von ungefähr ist auch dies genau die “Strategie der Genesis”[87] in der Natur in allen Bereichen des Lebendigen.

Eine wirklichkeitsgerechte Betrachtung des Verhältnisses von Volk, Gesellschaft und Staat liefert - fußend auf den Erkenntnissen der großen Gesellschaftstheoretiker und Staatsrechtler von Max Weber über Othmar Spann bis zu Ernst Forsthoff - folgendes Ergebnis:

Das Volk als die historische, kulturelle und biologische Lebensgemeinschaft Gleichartiger umfaßt auf der einen Seite den zu bestimmten Zwecken und Zielen, nach Interessen und Neigungen pluralistisch gegliederten Bereich der Gesellschaft. Es umfaßt auf der anderen Seite den nach außen und innen hoheitlich wirkenden Staat mit seinem Machtmonopol. Die Eigenarten und Aufgaben von Gesellschaft und Staat in einem Volk beschreibt Forsthoff sehr klar: "Was der Staat sein soll und was seine unverzichtbare Aufgabe ist, hat man weithin vergessen. Im 19.Jahrhundert hat man es sehr genau gewußt: Die Gesellschaft als Raum der Ungleichheit (der Begabung, des Vermögens, usw.) und der Unfreiheit (in der Auslieferung an den Stärkeren), der Staat als Garant von Gleichheit und Freiheit...Es gibt keine größere Absurdität, als den gesellschaftlichen Mißständen mit Gesellschaftspolitik anstatt mit staatspolitischen Maßnahmen, die das ganze Spektrum der Staatlichkeit berücksichtigen, beikommen zu wollen...Gewiß war es zu allen Zeiten so, daß es der staatlichen Machtmittel bedarf, um einen Zustand der Ordnung menschlichen Zusammenlebens zu bewahren. Dazu aber genügt die Staatsmacht als solche allein nicht. Vielmehr muß sie in ihrer Ausübung vom allgemeinen Bewußtsein getragen werden. Hier liegt heute das eigentliche Problem. Zu einer Lösung ist eine Politik, die sich in gesellschaftlichen Kategorien bewegt, von vorneherein außerstande, und es ist ihr an einer solchen Lösung nichts gelegen. Innerhalb der Gesellschaft zählt nur das Interesse...Aber den Staat auf Interesse gründen, heißt in Wahrheit, ihn vernichten...Niemand, der ernst genommen sein will, darf sich noch die Naivität erlauben zu glauben, daß allein aus dem Konflikt der Interessen und ihrer Beilegung durch Kompromisse eine vernünftige Ordnung hervorgehen kann. Eine solche Auffassung sanktioniert nur das Recht des Stärkeren. Es bedarf deshalb einer objektiven Instanz, die mit keinem partikularen Interesse identisch ist und über das Anrecht der Interessen entscheidet. Das Kriterium dieser Entscheidung kann nur das Gemeinwohl sein."[88]

Volk und Gesellschaft sind daher weder gleichrangige Größen, noch sind es Gegensätze, noch können sie sich gegenseitig ersetzen. Sie sind - und das muß mit aller Deutlichkeit erkannt werden - Gruppierungen auf ganz verschiedenen Ebenen.

Unsere Sprache mit ihrem Erfahrungsschatz aus vielen Generationen trifft den Unterschied zwischen einer Gesellschaft und einer Gemeinschaft sehr genau und bezeichnend. Sie kennt Gesellschaften zur Pflege bestimmter Interessen, zur Nutzung irgendwelcher Sachen, zur Vertretung gemeinsamer Ziele. Demgegenüber stehen als Gemeinschaften etwa die Familien-, Lebens-

, Schicksals- und Volksgemeinschaft. In diesen Zusammensetzungen sind Gesellschaft und Gemeinschaft nicht auswechselbar: Volksgesellschaft ist ein ebenso unmöglicher Begriff wie Aktiengemeinschaft, und Familiengesellschaft bedeutet etwas grundsätzlich anderes als Familiengemeinschaft.

Es gibt viele Gesellschaften. Sie bereichern das Leben, verschönern es und machen es angenehmer, sie sind oftmals nützlich und ertragreich. Ihre Zwecke und Satzungen sind von Menschen gesetzt, man kann nach freiem Ermessen als Mitglied ein- und austreten. Aber sie sind meist unverbindlich, der einzelne kann auf sie verzichten, sie sind nicht unbedingt lebensnotwendig.

Grundsätzlich anders verhält es sich mit den Gemeinschaften. Sie sind nach Art und Zweck im Grunde nicht von Menschen geschaffen. Man tritt nicht freiwillig in sie ein, sondern wird in sie hineingeboren oder vom Schicksal in sie hineingestellt. Man hat zwar die Freiheit, aus ihnen auszutreten, verstößt dann aber meist gegen eine natürliche Ordnung. Bei den Gemeinschaften geht es in erster Linie um die Grundfragen des Lebens, um Geburt, Leben und Verwirklichung, um den Tod. Ohne die Gemeinschaft der Familie kann ein Kind kaum, ein Erwachsener nicht richtig leben. Die Aufgaben der Gemeinschaften sind weniger materieller als existentieller Natur. Die Familie hat das biologische und geistige Reifen des Kindes zu ermöglichen, das Volk erst ermöglicht mit seiner Sprache, seinem Volkstum und in seiner Kultur dem Menschen die volle Verwirklichung. Die menschlichen Gemeinschaften sind daher lebensnotwendig. Die Gemeinschaft des Volkes schafft erst die Voraussetzungen für volles Menschsein. Der gesellschaftliche Bereich in einem Volke sorgt für den notwendigen Freiraum für die naturgegebene Verschiedenheit der einzelnen Menschen. Nach den Erkenntnissen der modernen Biologie und Verhaltensforschung ist es ohne jede Aussicht auf dauernden Erfolg, alle Angehörigen eines Volkes als mit gleichen Talenten, Begabungen, Fähigkeiten versehen zu betrachten und dann ihnen im gesellschaftlichen Bereich die gleichen Pflichten aufzuerlegen oder gegen sie die gleichen Forderungen zu erheben. Die moderne Massenpsychologie lehrt deswegen: "Jedes Programm einer idealistischen Weltverbesserung, das eine Normalisierung guter Menschen und einheitliche ethische Schablonen voraussetzt, ist töricht, naturwidrig und daher ewig unerfüllbar. Der Zweck einer Lebensgemeinschaft ist die Zusammenfassung und spannungsreiche Verknüpfung einer größtmöglichen Vielfalt von Begabungen, Charakteren und Temperamenten."[89]

Unter diesen Gesichtspunkten wäre es töricht und naturwidrig, die Lebensgemeinschaft eines Volkes durch eine pluralistische Gesellschaft ablösen oder durch geförderte Einwanderung in einer multikulturellen und multiethnischen Gesellschaft auflösen zu wollen. Die Krisen der Vielvölkerstaaten zeigen dies zur Genüge in der Gegenwart ebenso wie Staatsverdrossenheit, Leistungsabfall, rücksichtsloser Gruppenegoismus in den Staaten, die unter Verdrängung des Volksbewußtseins sich auf einer sozialistischen oder pluralistischen Gesellschaft gründen zu können glauben.

Das Volk als Wirtschaftsgemeinschaft

Die heutigen Wirtschaftsformen sind von unserer technisch-wissenschaftlichen Zeit geprägt. Oft hört man das Argument, daß gerade die moderne Wirtschaft eine pluralistische Gesellschaft anstelle des Volkes voraussetze sowie eine multiethnische Bevölkerung ertragen können und deshalb den Volksbegriff ablehnen müsse. Aus diesem Grunde bestehen in Wirtschaftskreisen große Widerstände gegen volkliches Denken.

Hier liegt jedoch das Fehlurteil vor, Volk und pluralistische Gesellschaft seien sich ausschließende Begriffe. Wie gezeigt, gibt es in einem gesunden Volk durchaus eine sehr differenzierte, pluralistische, also nach den unterschiedlichsten Neigungen und Fähigkeiten gegliederte Gesellschaft in vielem doch Gleichartiger. Die für die Wirtschaft notwendige Verschiedenheit von Ansichten, Bedürfnissen, Fähigkeiten und Leistungen ist in einem Volk also durchaus vorhanden.

Eine leistungsfähige Wirtschaft braucht eine zeitlich dauernde, stabile, krisenfeste Gruppierung von Menschen. Die kurzlebige, nur auf die Gegenwart eingestellte multiethnische Gesellschaft kann das nicht so gut sein wie das aus der Vergangenheit in die Zukunft lebende Volk, das nicht auf den kurzfristigen Genuß, sondern auch auf die nächste Generation eingestellt ist. Bei Einbezug der ökologischen Probleme unserer Zeit bekommt dieses Argument noch größeres Gewicht.

Es ist offensichtlich und wird von der Informationstheorie her bestätigt, daß ganz allgemein das System am besten arbeiten kann, das mit der geringsten Beeinflussung und Energieaufnahme die größte Wirkung erzielt, bei dem also mit minimaler Information die maximale Reaktion bewirkt wird. Fragt man nun danach, welche Gruppen- oder Verbandsstruktur für eine moderne Industriegesellschaft unter solch rationaler Bedingung die beste ist, so ist es doch die, bei der die einzelnen Mitglieder am besten aufeinander abgestimmt sind, sich bei minimalem Informationsfluß am besten verstehen, das beste Vertrauen zueinander haben und damit ihre Aufgabe wirtschaftlich lösen können. Die Abstimmung der Menschen aufeinander ist im allgemeinen gegeben durch gemeinsame Sprache, gemeinsame Erziehung, gemeinsame Traditions- und Wertvorstellungen sowie gleichartige Erbfaktoren für die unbewußten und instinktiven Bereiche. Verhaltensforschung und Psychologie haben erwiesen, wie wichtig diese Abstimmung, die sogenannte "soziale Induktion"[90], gerade im sozialen Bereich ist. Und wenn man nun die theoretisch denkbaren Gruppierungen von Menschen daraufhin untersucht, welche unter den genannten Bedingungen die vorteilhafteste ist, so findet man das

Volk, da es die biologisch, sprachlich und in bezug auf Werte gleichartige Gemeinschaft und damit die am besten aufeinander abgestimmte Gruppe ist. Somit kann das Volk auch für die hochindustrialisierte und technische Wirtschaft am Ende des 20.Jahrhunderts als die optimale Gruppierung gelten.

Aus dem Charakter der Leistungsgesellschaft folgt, daß sie nachprüfbare und allgemein anerkannte Leistungsmaßstäbe besitzen sollte. Dazu muß sie räumlich abgeschlossen sein. Die ganze Welt als ein System wäre schon rein organisatorisch viel zu groß. Zum anderen wäre es nicht möglich, alle Menschen in ihrer Verschiedenheit nach den gleichen Leistungsmaßstäben zu beurteilen, da sie auf zu unterschiedlichen Entwicklungsstufen und Leistungsebenen stehen. Es muß also Unterteilungen geben. Jede nach menschlichen Maßstäben vorgenommene Unterteilung und Verteilung der betroffenen Menschen müßte in kurzem zu größtem Unfrieden führen, da unterschiedliche Wohlstandsniveaus nicht zu vermeiden wären. Nur gegen die natürliche Einteilung der Menschen in Völker, in die man hineingeboren wurde, kann sich niemand beklagen oder vor einem irdischen Tribunal beschweren. Denn es ist sein Schicksal, daß er in ein bestimmtes Volk ohne seinen Willen und ohne sein Zutun hineingestellt wurde. Dieses Schicksal wird auch, wie die Geschichte zeigt, ohne weiteres angenommen. Die Forderung nach einer modernen Leistungsgesellschaft ist also in einem Volke am besten zu erfüllen.

Die moderne Wirtschaft denkt heute zwar in Großräumen und treibt Welthandel über Grenzen hinweg. "Aber dennoch bleibt 'Menschheit' eine Fiktion"[91], stellt der Biologe Mohr fest und erinnert insbesondere im Hinblick auf die nun auch unter ökologischen Gesichtspunkten als Gefahr angesehene Art des quantitativen Wachstums an "die notwendige Regionalisierung der Welt. Qualitatives Wachstum kann im Ernst nur in Regionen mit weitgehend stationärer Bevölkerung und leistungsfähiger Forschung und Entwicklung eine erfolgversprechende Überlebensstrategie sein."[92] Seßhafte Menschen mit hochrangiger Wissenschaft und funktionierender Technik sind sicher eher in einem Kulturvolk als in einer migrationsbeeinflußten multiethnischen Gesellschaft zu finden.

In der westlichen Wirtschaft werden seit Jahrzehnten Methoden der Optimierung (operations research) mit gutem Erfolg angewandt. Die Behandlung auch verwickelter Zusammenhänge wurde dadurch erleichtert und der Blick für Wechselwirkungen in Systemen geschärft. Auch das Überleben einer ganzen Menschengruppe ist ein Optimierungsproblem, wie es das für jede Rasse und Art in der Natur im Rahmen der Evolution immer war. Für das Schicksal und die Zukunft einer Menschengruppe ist es entscheidend, daß sie die beste Anpassung durchführt. In der geschichtlichen Entwicklung hat sich das Volk als die am besten geeignete Gruppierung erwiesen und auch in der Gegenwart scheint eine wirtschaftliche Optimierungsuntersuchung über längere

Zeiten zu demselben Ergebnis zu kommen. Bisher praktizierte Alternativen wie der marxistische Sozialismus im Osten, oder der materialistische Liberalismus im Westen, in Annäherung eine pluralistische Gesellschaft, oder multiethnische Gesellschaften wie in Südamerika, oder Vielvölkerstaaten wie in Südafrika bieten nicht nur keine besseren Ergebnisse, sondern beweisen zunehmend durch ihr Scheitern die einzigartige Überlegenheit einer Volksgemeinschaft, auch im modernen Industriezeitalter. Alles deutet darauf hin, daß die künftige Entwicklung diese Unterschiede noch vergrößert.

Nachwort

Der hier sehr geraffte Überblick über Aussagen moderner Wissenschaften und aus politischen Bereichen zum Volksbegriff hat dessen Wirklichkeit aufgezeigt und - wenn auch hier nur kurz dargestellt - die Fragwürdigkeit bisher damit konkurrierender Gesellschaftsvorstellungen, vor allem des Marxismus und des Liberalismus, enthüllt.

Wenn aus allem eine Folgerung gezogen werden kann, dann ist es die Erkenntnis, daß - wie in der Vergangenheit - auch in der Zukunft die Völker zu den wichtigsten Ordnungen menschlichen Zusammenlebens und menschlicher Kultur gehören. Sie sollten deswegen erhalten bleiben und nicht zugunsten neuer Utopien, wie etwa einer multikulturellen oder multiethnischen Gesellschaft aufgelöst werden.

Nur wenn die Rechte der Völker in Zukunft beachtet und geachtet werden, wenn gerechte Volksgrenzen bestehen und Minderheiten frei ihrer eigenen Kultur und Sprache leben, wird Europa mit seinen gewachsenen Völkern in Frieden leben und wichtige Aufgaben für die ganze Welt erfüllen können.

Anmerkungen:

1: R. Kosiek: Marxismus? Ein Aberglaube! Naturwissenschaft widerlegt die geistigen Grundlagen von Marx und Lenin; 1972, 4.Aufl. 1977. H. Härtle: Die falschen Propheten. Marx, Lenin, Stalin, Mao-tse-Tung; 1973.
2: Frankfurter Allgemeine Zeitung, 13.12.90.
3: Frankfurter Allgemeine Zeitung, 28.11.90.
4: Frankfurter Allgemeine Zeitung, 24.12.90.
5: D. Oberndörfer, in: Die Zeit, 13.11.87.
6: R. Kosiek: Das Volk in seiner Wirklichkeit. Naturwissenschaften und Leben bestätigen den Volksbegriff; 1975.
7: F. Tenbruck: Die unbewältigten Sozialwissenschaften oder die Abschaffung des Menschlichen; 1984, S.137,177.
8: R. Künast: Umweltzerstörung und Ideologie. Die Frankfurter Schule - Fakten, Fehler, Folgen; 1983.
9: G. Sebestyen, in: Die Welt, 21.09.72.
10: K. Steinbuch: Kurskorrektur; 1973, S.59.
11: K. Lorenz: Die Rückseite des Spiegels; 1973, S.30.
12: G. Vollmer: Was können wir wissen?; 2 Bde. 1985/86.
13: W. Heisenberg: Physik und Philosophie; 1959, S.40.
14: G. Vollmer: Evolutionäre Erkenntnistheorie; 1975, S.82.
15: F. Tenbruck: aaO., S.230, allgemein S.195-243.
16: K. Steinbuch: aaO., S.18.
17: K. Lorenz: aaO., S.234.
18: L. von Bertalanffy: General System Theory; 1969.
19: L. von Bertalanffy, in: R. Kurzrock (Hrsg.): Systemtheorie; 1972, S.23.
20: O. W. Haselhoff: ebd., S.57.
21: K. Lorenz: aaO., S.321.
22: W. D. Keidel, in: R. Kurzrock (Hrsg.): aaO., S.47.
23: B. Hassenstein: ebd., S.29, 31.
24: R. Riedl: Strategie der Genesis; 5.Aufl. 1986.
25: K. Steinbuch: aaO., S.13.
26: D. Senghaas, in: R. Kurzrock (Hrsg.): aaO., S.96.
27: C. D. Dörner, in: Bild der Wissenschaft; Nr.2, 1975, S.48.
28: K. Steinbuch: aaO., S.140.
29: ebd., S.45.
30: K. Lorenz: Der Abbau des Menschlichen; 1983, S.85.
31: D. Oberndörfer, in: Die Zeit, 13.11.87.
32: E. Mayr: Artbegriff und Evolution; 1967, S.508.
33: I. Schwidetzky: Grundzüge der Völkerbiologie; 1950, S.117.
34: K. Lorenz: Der Abbau des Menschlichen; 1983, S.211.
35: P. Eberle, in: Umschau in Wissenschaft und Technik; Nr.23, 1973, S.717-721.
36: H. Mohr: Natur und Moral; 1987, S.16.
37: I. Schwidetzky: aaO., S.55.

38: R. Riedl: aaO.
39: G. Osche, in: Biologie in unserer Zeit; Nr.1, 1971, S.54.
40: S. Vogel, in: H.-G. Gadamer und P. Vogler (Hrsg.): Neue Anthropologie; Bd.1: Biologische Anthropologie; 1972, S.152.
41: H. Mohr, in: G. Vollmer: aaO., VIII.
42: I. Schwidetzky: aaO., S.1.
43: ebd., S.67.
44: I. Schwidetzky: Das Problem des Völkertodes; 1954. R. Hepp: Die Endlösung der deutschen Frage; 1988.
45: E. Mayr: aaO., S.488.
46: J. Piaget, zit. in: G. Vollmer: aaO., S.20.
47: B. Disraeli: Endymion; 1881, S.210.
48: F. Seifert und R. Seifert-Hellwig: Bilder und Urbilder; 1965, S.40-42.
49: C. G. Jung: Von den Wurzeln des Bewußtseins; 1954, S.558.
50: I. Schwidetzky: Das Problem des Völkertodes; 1954, S.145.
51: J. Grimm: Deutsche Mythologie; 1939, S.63.
52: P. Schulze-Naumburg: Kunst und Rasse; 1928.
53: T. Kleine-Brockhoff, in: Die Zeit, 5.10.90, S.17.
54: R. Steiner: Gesamtausgabe Nr.121: Die Mission einzelner Volksseelen im Zusammenhang mit der germanisch-nordischen Mythologie; 1960/85, S.13.
55: R. Steiner: Gesamtausgabe Nr.65: Aus dem mitteleuropäischen Geistesleben; 1960/85, S.593.
56: W. G. Haverbeck: Rudolf Steiner. Anwalt für Deutschland; 1989, S.265-269.
57: P. de Lagarde: Bekenntnis zu Deutschland; 1941, S.45.
58: A. Solschenizyn: Der erste Kreis der Hölle; 1973, S.450.
59: H. Domizlaff: Die Seele des Staates; 1957, S.182.
60: ebd., S.57.
61: G. Vollmer: Was können wir wissen?; Bd.1, 1985, S.41.
62: K. Lorenz: Vom Weltbild des Verhaltensforschers; 1968, S.92.
63: K. Lorenz: Der Abbau des Menschlichen; 1983, S.100.
64: J. Monod: Zufall und Notwendigkeit; 1971, S.186.
65: K. Lorenz: Die acht Todsünden der zivilisierten Menschheit; 1973, S.68.
66: A. Gehlen: Anthropologische Forschung; 1961, S.59.
67: K. Lorenz: Die Rückseite des Spiegels; 1973, S.215.
68: B. Bettelheim: Kinder brauchen Märchen; 1977.
69: L. Weisgerber, zit. in: R. W. Eichler: Verhexte Muttersprache; 1974, S.123.
70: L. Weisgerber: Vom Weltbild der deutschen Sprache; 1953. Die sprachliche Gestaltung der Welt; 1962. Grundformen sprachlicher Weltgestaltung; 1963.
71: G. Höpp, zit. in: K. Lorenz: Die Rückseite des Spiegels; 1973, S.176.
72: B. L. Whorf: Sprache, Denken, Wirklichkeit; 1963, S.20.
73: G. Vollmer: Evolutionäre Erkenntnistheorie; 1975.
74: ebd., S.143.
75: Mao-tse-Tung: Worte des Vorsitzenden; 1967, S.140.
76: F. L. Jahn: Vom deutschen Wesen; 1938, S.47.
77: E. Anrich: Leben ohne Geschichtsbewußtsein; 1988. H. W. Koch: Deutsche Nationalgeschichte - warum?; 1990. H. Schulze: Wir sind, was wir geworden sind. Vom Nutzen der Geschichte für die deutsche Gegenwart; 1987. H. Diwald: Mut zur Geschichte; 1983. ders.: Deutschland - einig Vaterland; 1990.
78: F. L. Jahn: aaO., S.8.
79: F. Tenbruck: aaO., S.183.
80: R. Künast: aaO.
81: J. Ortega y Gasset: Die Vertreibung des Menschen aus der Kunst; 1964, S.108.
82: F. Tenbruck: aaO., S.201.
83: ebd., S.203.
84: ebd., S.202.
85: ebd., S.203.
86: I. Schwidetzky: Grundzüge der Völkerbiologie; 1950, S.121.
87: R. Riedl: aaO.
88: E. Forsthoff, in: Report, 8/1972.
89: H. Domizlaff: Die Seele des Staates; 1957, S.374.
90: K. Lorenz: Die Rückseite des Spiegels; 1973, S.275.
91: H. Mohr: Natur und Moral; 1987, S.57.
92: ebd., S.152.

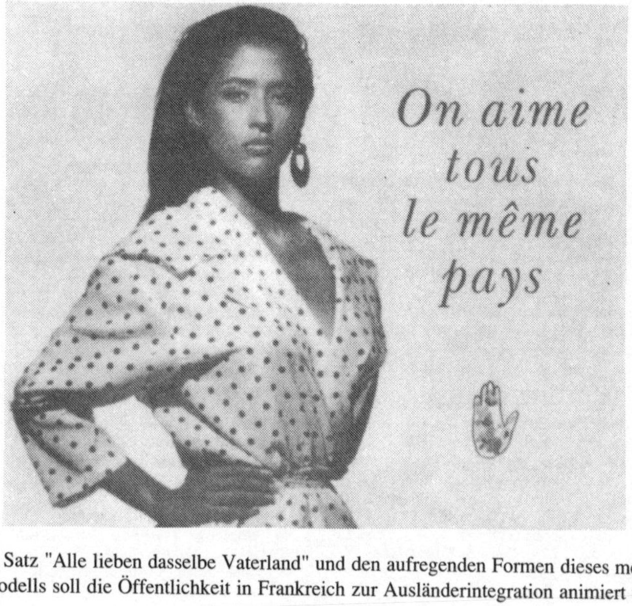

Mit dem Satz "Alle lieben dasselbe Vaterland" und den aufregenden Formen dieses mexikanischen Modells soll die Öffentlichkeit in Frankreich zur Ausländerintegration animiert werden.

Vielfalt gestalten

Rechte Perspektiven zum Projekt "multikulturelle Gesellschaft"

Marcus Bauer

Geboren 1966 in München. Studiert Geschichtswissenschaften, Politik und Nordamerikanische Geschichte. Redakteur mehrerer Szene- und Subkulturblätter. Schreibt u.a. für "wir selbst", "Europa vorn" und "Junge Freiheit". Mitarbeit am Sammelband "GEDANKEN ZU großdeutschland".

"rechts ist richtig!"

Wir wollen es uns hier ersparen, die Opportunität von Begriffen wie "links" und "rechts" umfassend zu erörtern und erlauben uns, der besseren Einprägsamkeit zuliebe, der politischen Gesäßgeographie unseres Zeitalters ausnahmsweise noch einmal ein Zugeständnis zu machen und von einem, wenn auch mit Vorbehalten, als "rechts" oder besser vielleicht "neurechts" charakterisierten Standpunkt aus zu argumentieren. Denn es hat sich nun einmal, ob zu "recht" oder nicht sei dahingestellt, so eingebürgert, ein positives Verhältnis zu "Volk", "Nation", zum, umfassender formuliert, Komplex "kulturelle Identität" als politisch "rechts" einzuordnen. Und da wir hier davon ausgehen, daß es *richtig* ist, sich zum Prinzip der kulturellen Identität zu bekennen, warum dann eine solche Haltung nicht auch als "rechts" bezeichnen - und die entgegengesetzte folgerichtig als "link", als falsch eben?

Kulturelle Identität - was ist das?

Was heißt nun eigentlich "kulturelle Identität"? Oder anders, bescheidener, gefragt: was soll *hier* darunter verstanden werden? "Kulturelle Identität" besagt eigentlich zweierlei. Zum einen wird damit der Umstand zum Ausdruck gebracht, daß Menschen, beziehungsweise Gruppen von Menschen eine kulturelle Eigenart (Sprache, Brauchtum, Tracht, Religion, Ernährungsgewohnheiten, Mythologie usf.) ausbilden. Zum zweiten deutet die bloße Existenz und Verwendung dieses Begriffs darauf hin, daß über das objektiv feststellbare kulturelle "Sosein" hinaus ein (subjektives) Bewußtsein für letzteres besteht. Dies rührt normalerweise aus der Kontrastwirkung des "Eigenen" gegenüber dem "Anderen". Unterscheiden zu können, zwischen "Wir" und "Die", das macht "kulturelle Identität" aus. Nun kommt heutzutage aber noch ein Aspekt hinzu, nämlich die Bedrohung der "kulturellen Eigenart" beziehungsweise "Identität" durch die Destruktivität der industriekapitalistischen Einheitszivilisation. Auch das stärkt, als Reflex auf den Zerfall der jeweils eigenen kulturellen Substanz, die "kulturelle Identität", macht sie aggressiver, kriegerischer (Allah ho akhbar!). "Kulturelle Identität": Hinter diesem Schlagwort verbirgt sich heute mehr als nur das konservative, rein *passive* Beharrungsvermögen biederer Brauchtumspflege. Es steht für ein *revolutionäres Prinzip*, für ein kämpferisches Bekenntnis zu Formenreichtum und Vielgestaltigkeit, gegen ästhetische Verödung und globalen Formenschwund; für einen aus dem Reichtum des vielfältigen menschlichen Kulturerbes sich nährenden, *aktiven* Gestaltungswillen.

"Kulturelle Identität" als (Ordnungs-)Prinzip kann sich auf anthropologische Gegebenheiten stützen. Denn Menschen sind stets in ein soziokulturelles Bezugssystem eingebunden, bilden also spezifische kulturelle Inhalte und Werte aus. Aufgrund der *weltweiten* Bedrohung durch eine diese Bindungen zerstörende Zivilisation ist auch die Besinnung auf die tradierten kulturellen Werte eine letztlich *weltweite* Gegenreaktion, die sich etwa im wachsenden Selbstbewußtsein der noch verbliebenen Naturvölker, dem islamischen Fundamentalismus oder den regionalistischen Bewegungen in Europa zeigt. So finden sich also *weltweit* Ansätze, eine der destruktiven westlichen Einheitszivilisation entgegengesetzte Lebensform zu entwickeln, die inhaltlich vom Gedanken der kulturellen Verwurzelung des Einzelnen, der kulturellen Kohärenz des Kollektivs ("Volk", "Region") getragen wird und, da es sich eben um ein globales Phänomen handelt, in sich auch das Gebot zum Erhalt der Vielfalt kultureller Lebensäußerungen birgt.

So gesehen verläuft denn, um eine populäre, von linker Seite (allerdings völlig zu Unrecht - doch dazu später) propagierte Parole aufzugreifen, die "Front" in der Tat nicht zwischen den Völkern, sondern zwischen "oben" und "unten", will heißen zwischen der in ihrer entfesselten Dynamik alle kulturellen Bindungen und Formen sprengenden industriekapitalistischen (Un-)Ordnung auf der einen und den in allen Kulturkreisen sich regenden, auf die Neuerschließung der eigenen kulturellen Substanz, die Revitalisierung ihrer Bindungen stiftenden, formgebenden Kraft bedachten Bestrebungen eines gewissermaßen "völkisch-kulturellen Fundamentalismus" auf der anderen Seite. Die eben erwähnte "Front" bildet sich also nicht zwischen den Nationalitäten aus, sondern zwischen Nationalität und Nicht-Nationalität; sie stellt keine Konfrontation verschiedener Identitäten dar, sondern eine solche zwischen Identität und Nicht-Identität. Hierdurch entstehen logischerweise gänzlich neue Affinitäten und anders akzentuierte Loyalitätsbezüge. Denn Japaner, Deutsche, Juden, Zigeuner, Araber usf. welche zu ihrer national-kulturellen und religiösen Identität stehen, liegen auf der einen Seite der Barrikade, Japaner, Deutsche, Juden, Zigeuner, Araber usf., welche lieber in die *Disco* gehen, hingegen auf der anderen (sofern sie sich dort überhaupt hintrauen, könnte ja der Frisur schaden). Die hier angenommene Konfrontation zwischen Identität und Nicht-Identität vorausgesetzt, muß natürlich jeder Konflikt zwischen Volksgruppen und Nationalitäten als überflüssig, ja schädlich erscheinen. Sicherlich ist dergleichen kaum zu vermeiden, da alteingesessene, "historisch gewachsene" Ressentiments und Vorurteile mit dem national-kulturellen Selbstbesinnungsprozess neu belebt werden können. Je weiter dieser aber voranschreitet, je weiter er sich redikalisiert, also zu den Wurzeln, dem *prinzipiellen Charakter* der Identitätsproblematik vordringt, desto eher wird es möglich sein, daß zwischennationale Gegensätze in den Hintergrund treten, da zu einer Zeit, in welcher es um das Prinzip "Volk" als solches geht, etwa die Frage, ob die nationalstaatliche Grenze zwischen zwei Völkern nun 100km weiter nördlich, südlich, östlich oder westlich verlaufen soll, relativ belanglos wird.

Wenn wir den Begriff Nation wieder so auffassen, wie es deutscher Denkweise entspricht, nämlich im Sinne von Nationalität, als *kulturell-volklicher Artung*, und infolgedessen auch unter “Nationalismus” das Ansinnen verstanden wird, die eigene “natio” zu erhalten, ja mehr noch, sie in ihrer Individuen bindenden und Kollektive formenden Kraft zu einem gestalterischen Prinzip werden zu lassen, so kann hinsichtlich der Frage, wie in der Auseinandersetzung zwischen Identität und Nicht-Identität, Nationalität und Nicht-Nationalität politische Affinitäten und Loyalitäten zu verlaufen haben, das bisher Gesagte auf die einfache und einprägsame Formel gebracht werden: *Nationalisten aller Länder vereinigt Euch!*

Linke und rechte Mißverständnisse

Vom Standpunkt dieses Identitätsprinzips aus betrachtet, sind auch solche Denkmuster, Konzepte, Verhaltensweisen etc. kritisch zu prüfen, die zwar unter Inanspruchnahme von sich fortschreitend neuer Wertschätzung erfreuenden Begriffen wie “nationale Identität”, “kulturelle Identität”, “kulturelle Vielfalt”, “Multikultur” ein Verständnis für die damit zusammenhängende Thematik erkennbar werden lassen, dabei jedoch oft auf halbem Wege stehen bleiben. Dies zeigt sich nirgendwo so deutlich, wie bei dem so heftig umstrittenen Themenkomplex “multikulturelle Gesellschaft” und den hierzu theoretisch denkbaren und praktisch ja auch vertretenen extremen Gegenpositionen, die dem herkömmlichen Schema gemäß als “links” beziehungsweise “rechts” charakterisiert werden.

1.) linke Halbheiten

Linke Vorstellungen bezüglich der Gestaltung interkultureller und zwischennationaler Beziehungen kommen in griffigen Parolen zum Ausdruck: “Internationale Solidarität”, “Völkerfreundschaft”, “Toleranz und Weltoffenheit”. Das Wesen von Halbheiten besteht nun zuweilen darin, daß sich in ihnen oft mangelndes Verständnis für die einfachsten, ja geradezu banalsten Zusammenhänge zeigt. So heißt das lateinische Wörtchen “inter” ins Deutsche übersetzt nichts anderes als “zwischen”; inter-national bedeutet demzufolge so viel wie zwischen-national, so daß das Schlagwort von der “Internationalen Solidarität” letztlich nichts anderes besagt, als die Forderung nach Solidarität zwischen den Nationen. Um nun aber Solidarität zwischen den Nationen praktizieren zu können, muß vorausgesetzt werden, daß es Nationen überhaupt gibt, da ohne solche von einer “Internationalen Solidarität” zu sprechen und diese zu fordern wenig Sinn machen würde. Für die anderen eben aufgeführten Parolen gilt genau dasselbe. Denn ohne Völker keine *Völker*freundschaft. Auch die edle Tugend der Toleranz vermag nur dann zu gedeihen, wenn es etwas gibt, demgegenüber man tolerant sein kann, etwas Fremdes und Anderes also. Hätten wir hingegen die globale Einheitszivilisation mit weltweit demselben Einheitskaugummienglisch, Einheitsfraß, Einheits"look" etc. - wo und wemgegenüber sollte dann noch Toleranz vonnöten sein? Und zuguterletzt: Auch "Weltoffenheit" setzt voraus, daß es etwas gibt, das sich öffnen kann und daher notwendigerweise auch etwas Abgeschlossenes, sich als etwas Eigenes im Kontrast zur Welt "da draußen" erfahrendes ist. Sind aber erst alle Grenzen eingeebnet, alle Schranken niedergerissen, alle trennenden Wasser zwischen hier und dort, Eigenem und Anderem trockengelegt, was will sich dann wem gegenüber noch öffnen können? Wodurch denn, wenn nicht durch Grenzen, Verschlossenheit und Trennung in Fremdes und Eigenes wird denn die Faszination erst ermöglicht, welche den punktuellen Zustand der Grenzüberwindung und kommunikativen Kontaktaufnahme mit dem "Drüben" begleitet?

Doch die Linke begreift diese so simplen Zusammenhänge nicht. Sie spricht von "Internationaler Solidarität", meint aber eigentlich das verschwinden der Nationen; es wird "Völkerfreundschaft" propagiert, jedoch auf Einschmelzung der Völker spekuliert. Und wenn die Gesellschaft über Werte wie Toleranz und Weltoffenheit Belehrung erfährt, so besagt auch dies nicht mehr als die Forderung nach der Identitätspreisgabe, dem globalen Einerlei. Indem es der Linken gänzlich am Sinn für Volk, Identität, Grenzen, Unterschiede zwischen Fremdem und Eigenem fehlt, kann sie auch gar nicht begriffen haben, was die so hoch gehaltenen Ideale theoretisch eigentlich bedeuten. Diesen wird, derart fehlinterpretiert, sogar die eigentliche Voraussetzung entzogen, sie werden ad absurdum geführt. Und so wenig wie die Linke den eigentlichen Aussagegehalt ihres Vokabulars theoretisch zu begreifen vermag, so wenig ist sie in der Lage, den hierin gestellten Ansprüchen in der Praxis gerecht zu werden. Denn wer sich nicht an das eigene Land und Volk gebunden fühlt, sich nicht mit diesem identifiziert, wie mag denn so jemand glaubwürdig Völker-Freundschaft und Inter-Nationale Solidarität zu praktizieren?

Die gleiche Halbheit zeigt sich auch beim Thema multikulturelle Gesellschaft. "Multikultur" besagt ja nun wiederum nichts anderes, als "kulturelle Vielfalt" - wie sie ja, wenn auch als "Ethnopluralismus" bezeichnet, dem Prinzip nach auch die (Neue)Rechte propagiert. Vielfalt setzt nun aber wieder Unterschiede voraus und Unterschiede implizieren Abgrenzung, Scheidung in Eigenes und Fremdes. Solches jedoch paßt schwerlich zur linken Mentalität und zum linken Weltbild, demgemäß es doch immer noch zu den Sehnsüchten der Menschheit gehört, die "Erbsünde" des "babylonischen Sprachengewirrs" einstmals ganz zu überwinden. So bleibt nur der Schluß, daß ähnlich wie im Falle "Internationale Solidarität", "Völkerfreundschaft", "Toleranz und Weltoffenheit" auch hinter dem von links gänzlich unberechtigterweise in Anspruch genommenen Schlagwort von der "multikulturellen Gesellschaft" lediglich der Wunsch steht, aus den Metropolen der Industriestaaten einen "melting pot" zu machen, in welchem die ersehnte Einschmelzung der Völker zu einer nurmehr aus parzellierten Kulturrudimenten bestehenden homogenen Reizmasse vollzogen werden soll.

2.) rechte Fragwürdigkeiten

So vehement die multikulturelle Gesellschaft von links her Zustimmung erfährt, so leidenschaftlich wird sie gemeinhein von rechts abgelehnt. Das Leitmotiv rechter Politik ist in diesem Zusammenhang der ethnisch homogene Nationalstaat. Die Anwesenheit von Fremden wird vor diesem Hintergrund als Bedrohung der eigenen kulturellen, beziehungsweise nationalen Identität aufgefaßt, das Fremde als solches demnach zu etwas Feindlichem. Der Zielsetzung einer nur unter den Bedingungen völliger ethnischer Homogenität zu verwirklichenden national-kulturellen Identität führt infolgedessen zu der Forderung, alles Fremde aus dem eigenen Gesichtsfeld zu bannen. Freilich hat die personelle und ideologische Verjüngung der Rechten, also die Entstehung der sogenannten "Neuen Rechten" zu einer erheblichen Korrektur dieser klassischen, "Alt-Rechten" Fremden-Feindlichkeit geführt. Eine feindselige Haltung Fremden gegenüber wird abgelehnt und vielmehr das gemeinsame Interesse, welches Einheimische und Fremde im Kampf um die Behauptung ihrer kulturellen Identität gegenüber allen Nivellierungskräften haben, betont. Gleichwohl ist damit noch nicht die Frage gelöst, wie denn nun konkret gegenüber den Zuwanderern verfahren werden soll. Der progressive Ansatz, die Fremden als solche in ihrer Eigenart zu respektieren, ja sogar für schützenswert zu halten, hebt sich wieder auf, wenn dennoch auf den ethnisch homogenen Nationalstaat abgezielt wird. Denn mögen Türken, Kurden, Griechen, Araber, etc. auch noch so sehr als potentielle Genossen und Kameraden im gemeinsamen Ankämpfen gegen den Identitätsverlust geschätzt werden: daß deswegen eine umfassende Repatriierung der Abermillionen von Fremden in ihre Heimatländer, welche namentlich die Jüngeren unter ihnen ohnehin oft mehr vom Hörensagen, denn aus eigener Anschauung kennen, in brüderlichem Einvernehmen und unter Wahrung der bis dahin gepflegten und mühsam entwickelten gegenseitigen Hochschätzung verlaufen würde, ist kaum vorstellbar. Dies muß noch umso problematischer erscheinen, als daß wir Deutschen bei denjenigen Nationalitäten, welche, wie eben Türken und Araber, Gegenstand derartiger Massenabschiebungen wären, noch einen erstaunlich guten Ruf genießen, der dort gewiß um einige Potenzen besser ist als bei so manchem "germanischen Brudervolk". Derlei wäre dann eben auch zunichte gemacht.

Nun darf jetzt freilich keineswegs übersehen werden, daß das in der Zielsetzung eines ethnisch homogenen Nationalstaates zum Ausdruck kommende Bedürfnis nach einer *eigenen*, durch- und überschaubaren Welt ein legitimes menschliches, anthropologisch determiniertes Anliegen ist. Den Menschen als ein kulturgebundenes Wesen aufzufassen, das soziokulturelle Systeme ausbildet - auf welchem Grundgedanken die hier angestellten

Überlegungen basieren - besagt schließlich nichts anderes, als daß der Mensch sich eben seine jeweils *eigene Welt* schafft, die von der eigenen Welt des jeweils Anderen verschieden, damit selbst freilich auch wieder begrenzt ist. Jede kulturspezifische "Welt" hat ihren eigenen Wahrnehmungsbereich, in welchem sie sich verwirklicht und in dem die eigenen kulturellen Werte Gültigkeit für sich in Anspruch nehmen; sie hat sogesehen also ihren eigenen Horizont. Solange dieser nun beschränkt bleibt, (!) ist die eigene Welt in ihrem Wahrnehmungs- und Geltungsbereich ein ordnender, stabilisierender Faktor. Dehnt sich jedoch der Wahrnehmungsbereich aus, was bei einer hyperkommunikativen, hypermobilen, durch engste ökonomische und verkehrstechnische Verfilzungen gekennzeichneten, "kleiner gewordenen" Welt unausweichlich der Fall ist, so kann sich unter dem Dogma der homogenen "eigenen Welt" der in Anspruch genommene Geltungsbereich mit ihm überdehnen, gleichsam alle Grenzen sprengen. Das in der Ablehnung der multikulturellen Gesellschaft sich artikulierende Bedürfnis nach Homogenität und Transparenz einer "eigenen Welt" ist demnach anthropologisch zwar nachvollziehbar, birgt aber die Gefahr des Zustandekommens folgender Kombination in sich:

- die Ausdehnung der eigenen Wahrnehmungshorizonte auf den gesamten Planeten;
- die dem Homogenitätsdogma immanente Forderung nach Dekkungsgleichheit zwischen Geltungsbereich der eigenen Werte und Wahrnehmungsbereich;
- die langfristige Mobilisierung offen fremdenfeindlicher, rassistischer Energien (um den für das gigantische Projekt einer Rücksiedlung und Vertreibung der Fremden notwendigen gesellschaftlichen Konsens zu schaffen);
- die ökonomische und machtpolitische Potenz Europas;

Im Zusammenspiel dieser Faktoren droht das Gebot zur ethnischen Homogenität in einen global ausgreifenden, eurozentristischen Homogenisierungseifer, will heißen in einen weltweiten, imperialistisch und (neo-) kolonialistisch sich Geltung verschaffenden Europäisierungs- und Uniformitätszwang auszuarten. Damit wäre dann freilich das genaue Gegenteil dessen erreicht, was entsprechend dem Prinzip der kulturellen Identität als wünschenswert zu betrachten ist. Als Dogma ethnischer Homogenität im eigenen Lande gedeutet, hätte sich letzteres selbst ad absurdum geführt. Das Sternenbanner der USA würde allenfalls durch das Sternenbanner der EG ersetzt. Das war's dann auch schon. Ein wesentlicher Unterschied zur heutigen Situation bestünde nicht.

"Ausländer raus" oder multikulturelle Gesellschaft?

Diese Alternative mag so manchem als Wahl zwischen zwei Übeln erscheinen. Und da dies höchst unbefriedigend ist, kann der Einwand nicht ausbleiben, daß hier die ganze Thematik auf einen zu einfachen Nenner gebracht, zu plakativ dargestellt und überhaupt Schwarz-Weiß-Malerei getrieben wird; die Zwischen- und Grautöne müssen doch auch gesehen und darüberhinaus bedacht werden, daß es doch auch einen "goldenen" Mittelweg gebe... Nur: welchen denn? Über einen unleugbaren, gleichwohl aber gerne verdrängten Sachverhalt müssen wir uns klar sein. Bei dem ganzen Disput über Für und Wider der multikulturellen Gesellschaft geht es nicht mehr darum, ob Zuwanderung von "Land- und Raumfremden" erfolgen soll oder nicht. Diese erfolgt bereits. Ein Blick zu unseren Nachbarn sollte genügen, sich darüber bewußt zu werden, daß Millionen Fremder in Europa leben - die meisten von ihnen Angehöriger solcher Völker übrigens, auf deren Schultern einst der fragwürdige Glanz europäischer Kolonialherrlichkeit ruhte. Und bis zum fiktiven Tag-X einer rechten "Machtübernahme", welche dem Zustrom dann entschlossen einen Riegel vorschieben könnte, werden noch weitere Millionen in die Metropolen der Alten Welt drängen. Wir haben es also nicht nur mit einigen hundert Asylsuchenden zu tun, die kurzfristig einmal unter kraftvoller Überwindung des eigenen humanitären Empfindens abzuschieben das Problem von heute auf morgen lösen würde.

Da nun aber die ethnisch-kulturelle Homogenität und Ursprünglichkeit die klassische rechte Deutung des Prinzips der kulturellen Identität ist, selbiges aber gleichzeitig verbietet, diese durch Assimilierung zu erreichen, bleibt also nur die Entfernung der Zugewanderten als einziger Ausweg, was, gleich ob "Neue Rechte" oder "Alte Rechte", "Ethnopluralismus" hin, "Recht auf Identität" her, einmal unverhohlener, einmal uneingestandener so oder so letztlich auf eines hinausläuft, eben auf: Ausländer raus! Das also ist die eine Alternative. Die aber ist, aus den schon erläuterten Gründen, eindeutig abzulehnen und zwar nicht trotz, sondern gerade *wegen* des *Prinzips* der kulturellen Identität.

Denn erinnern wir uns: auf Rekonstruktion der früher vorhandenen ethnischen Homogenität zu sinnen hieße unter den gegebenen Umständen die Eskalation eines global ausgreifenden eurozentrischen Kulturimperialismus in Kauf zu nehmen. Die westliche Einheitszivilisation, welche es ja zu bekämpfen gilt, wäre dadurch nicht überwunden, sondern nur anders gelagert. Und überdies wäre die hierfür unausweichliche dauerhafte Mobilisierung fremdenfeindlicher und rassistischer Instinkte mit dem neu-rechten Dogma der Achtung *aller* Völker und ihrer Kultur gänzlich unvereinbar. Demnach bleibt also nurmehr die andere Option, nämlich die "multikulturelle Gesellschaft". Aber muß denn allen Ernstes die fortschreitende Überfremdung unseres Landes als "notwendiges Übel" hingenommen, die Gefährdung der nationalen Identität der Deutschen geduldet werden, nur um einem abstrakten Prinzip Folge zu leisten und einigen Negerdörfern ihre Hulla-

Hulla-Identität zu bewahren? Welch dreiste These! Welch schmählicher Verrat!

Doch Geduld bitte. Denn es gibt Situationen, da empfiehlt es sich, dem unbefriedigenden Zustand des resignativen Duldens von "notwendigen Übeln" dadurch zu entkommen, daß die Flucht nach vorne angetreten und aus der Not eine Tugend gemacht wird. Dabei können sich dann auch ganz neue Perspektiven eröffnen. Verfahren wir bei dem hier erörterten Thema ähnlich, so können wir, ein ausreichendes Maß an Unvoreingenommenheit vorausgesetzt, durchaus positive Aspekte des Projekts "multikulturelle Gesellschaft" ausmachen, als da sind:

1.) Die unmittelbare Anwesenheit des Fremden stärkt das Bewußtsein für das Eigene. Während die kulturelle Verflachung in den liberalistischen Wohlstands- und Industriegesellschaften ein schleichender, die volkliche Substanz von Innen heraus unmerklich aushöhlender Prozess ist, werden Zuwanderer als etwas von Außen Kommendes wahrgenommen. Die Konfrontation von Eigenem und Fremdem wird dadurch *bewußt* erlebt, die eigene Identität also *gestärkt.* Wem haben wir es denn zu verdanken, daß solche Themen wie kulturelle Identität, Vielfalt, Unterschiedlichkeit der Menschen etc. überhaupt wieder diskutiert werden? Doch nicht etwa dem Umstand, daß das deutsche Volk zum Schutze seiner Art sich heldenmütig gegen MacDonalds, Coca Cola, Disco"musik", way of life auflehnt und entsprechenden Konsumverzicht leistet. Nein, einzig und allein den hier lebenden Ausländern!

2.) Multikultur ist Ethnopluralismus im Kleinen. Infolgedessen ist Ethnopluralismus, wie ihn die "Neue Rechte" vertritt, nichts anderes als *Multikultur im Großen*, will heißen eine "multikulturelle *Welt*gesellschaft". Die Welt als kulturell und volklich vielgestaltiges "Pluriversum": so die Vision der neurechten Ideologie. Damit ein solches globales Ordnungsmodell überhaupt existenzfähig ist, bedarf es in einer kleiner gewordenen Welt der entsprechenden Toleranz dem Anderen und Fremden gegenüber, der bis zum Äußersten entwickelten Fähigkeit, dieses jeweils um seiner selbst willen zu schätzen und zu achten, es als Beitrag zum Formenreichtum unseres Planeten aufzufassen. Die Einübung solcher für die praktische Umsetzung des Ethnopluralismus, der globalen Multikultur unumgänglichen Verhaltensmuster kann aber nirgendwo so gut erfolgen, wie im alltäglich erfahrenen Miniatur-Ethnopluralismus der multikulturellen Gesellschaft. Durch diesen würde denn auch die drohende Logik eines im eigenen Vorgarten berechtigterweise beginnenden, am Ende aber unberechtigterweise den ganzen Planeten als sein Revier in Anspruch nehmenden universellen Homogenisierungseifers in den Ansätzen blockiert, so daß der Ethnopluralismus im Kleinen in der Tat eine Vorraussetzung für denjenigen im Großen, die multikulturelle Gesellschaft vor Ort stabilisierendes Element eines globalen "Pluriversums" ist - um sich dieser orginellen Wortschöpfung Alain de Benoists zu bedienen.

3.) Birgt demnach die Vision der multikulturellen Gesellschaft ein prinzipielles Bekenntnis zur kulturellen Identität und Vielfalt in sich, - obschon den meisten, welche sich für Multikulturelles begeistern, noch gar nicht klar ist, worauf sie sich dabei überhaupt einlassen - so kann sie nicht nur, wie meist getan, als je nach Standpunkt positiv oder negativ gewertetes Programm zur Eliminierung nationaler Identität und Zerstörung des elementarsten gesellschaftlichen Konsenses, nämlich der gemeinsamen Identität, verstanden werden. Vielmehr sollte die "multikulturelle Gesellschaft" als ein Konzept aufgefaßt werden, das es angesichts von Millionen von Zuwanderern, die aus Europa zu vertreiben mit Mord und Totschlag einhergehen würde, beziehungsweise, zum politischen Programm erhoben, die Rückentwicklung der sich verjüngenden, "neuen" Rechten hin zum politischen Neandertalertum nach sich zöge, in Zukunft ermöglichen soll, auch unter diesen veränderten Umständen dem Prinzip der kulturellen Identität und Vielfalt zu entsprechen, beziehungsweise, andersherum betrachtet, unter den Bedingungen einer ethnisch breitgefächerten Gesellschaft deren Kohärenz und politische Konsensfähigkeit zu gewährleisten.

"Multikulturelle Gesellschaft" bedeutet demnach also nicht "breiige" Vielfalt anstatt kultureller Einheitlichkeit, sondern kulturelle Vielfalt anstatt "breiiger" Einheitlichkeit.

4.) Die multikulturelle Gesellschaft ist ein Beitrag zur Überwindung der Dekadenz. Bedenkt man, wie sehr die Europäer und namentlich die Deutschen dem genormten Konsumverhalten und weichlichen Hedonismus der Wohlstandsgesellschaft verfallen sind, so wirkt es fast beschämend, mit welcher Härte und Zähigkeit fern ihrer Heimat lebende Ausländer in diesem Sumpf an ihren kulturellen Überlieferungen, religiösen und politischen Wertorientierungen festzuhalten versuchen. Ob es nun der vielbeschworene Familiensinn der Türken ist, deren ausgeprägte Vaterlandsliebe, die in der glitzernden Hedonistenwelt besonders beanspruchte religiöse Standfestigkeit hier lebender Muslime, die Opferbereitschaft kurdischer Nationalisten: all dies, was den "Rechten" doch so viel näher liegt als den sich unberechtigterweise zu Fürsprechern der hier lebenden Ausländer aufschwingenden Linkshedonisten, wird noch einmal als lobenswertes, anschauliches Beispiel dienen können, wenn es darum geht, dem verkommenen Europäertum und so manchen verwahrlost-verwestlichten Landsleuten die Köpfe wieder zurechtzurücken. Nein, nicht "Ausländer raus" hat es von (neu-)rechter Seite her zu verlautbaren sondern: *Liebe Ausländer, laßt uns mit d i e s e n Deutschen nicht allein!*

Es gibt, von einem originär "neurechten" Standpunkt aus betrachtet, also durchaus Gründe, dem Projekt multikulturelle Gesellschaft nicht nur nicht feindlich gegenüberzustehen, nein es gibt sogar solche, es ausdrücklich zu befürworten. Anstatt also die fortschreitende "Überfremdung" zu bejammern und sich nach der längst verflossenen und unwiederbringlichen kulturellen Homogenität zurückzusehen, wäre es angebrachter, einen offensiven, kreativen Ausweg zu wählen, um, mit "kultureller Identität" und "Ethnopluralismus" als programmatischen Rüstzeug bestens ausgestattet, beim Themenkomplex "multikulturelle Gesellschaft" der Zeit vorauszueilen, anstatt ihr hinterherzuhinken. Die Linke freilich wird sich an diesem Thema über kurz oder lang die Pfoten verbrennen, fehlen ihr doch gänzlich die ideologischen Voraussetzungen wie sie diejenige Szenerie, die als "Neue Rechte" zu bezeichnen sich nun einmal so eingebürgert hat, besitzt. Deren Aufgabe sollte es daher sein, Überlegungen anzustellen, wie aus dem formlosen Durcheinander einer aus rudimentären Kulturtrümmern amalgamierten Einheitsmasse, welche uns die industriekapitalistische Nivellierungswut, unterstützt von egalitärem Liberalismus, global und regional zu bescheren droht, eine wirklich *multi-kulturelle* Gesellschaft geformt werden kann, im eigentlichen Sinne des Wortes und unter Einschluß der positiven, weil identitätsstiftenden, ethnopluralistischen und "dekadenzüberwindenden" Aspekte, wie sie eben umrissen wurden.

Institutionalisierung der multikulturellen Gesellschaft

Wie soll nun eine multikulturelle Gesellschaft in die Praxis umgesetzt, wie soll der Ethnopluralismus im Kleinen institutionalisiert werden? Erinnern wir uns, was "Multikultur" bedeutet: nämlich Vielfalt, also Unterschied, kulturelle Eigenart und Abgrenzung. Multikulturelle Gesellschaft kann dem Wortsinn nach, selbst wenn dies viele Multikultifreaks noch nicht bedacht und begriffen haben, ausdrücklich *nicht* auf eine Gesellschaft hinauslaufen, in welcher die Identitätsaufgabe einen solchen Grad erreicht hat, daß national-kulturelle Bindungen des Einzelnen gänzlich ohne Belang wären; im Gegenteil, diese sollen durch die multikulturelle Gesellschaft erst voll zum Tragen kommen! Damit ist denn auch die multikulturelle Gesellschaft keine Steigerung der bisherigen, als "Integration" beschönigten rassistischen Assimilationspolitik, sondern beinhaltet vielmehr deren Überwindung durch die Anerkennung des Prinzips kultureller Vielfalt, durch die Achtung der Unterschiedlichkeit der Menschen und Respektierung ihres Rechts, gemäß dieser ihrer Anders- und Eigen-Artigkeit zu leben. Man kann den Linken nur dankbar sein, daß sie, indem sie sich hier wieder auf ein Feld vorwagten, auf dem sie eigentlich gar nichts zu suchen haben, durch ihre Multikultureuphorie dies alles wieder zu Bewußtsein gebracht, konsensfähig gemacht und derart die Voraussetzung geschaffen haben, daß die Ideologie der kulturellen Identität, wie von der "Neuen Rechten" vertreten, dereinst auf fruchtbaren Boden fallen wird.

Wie also verfahren gegenüber den in Europa lebenden Fremden, wie die multikulturelle Gesellschaft verwirklichen? Um zur Lösung dieses Problems einen geeigneten Ansatz zu finden, sollten die Zuwanderer als ein neuartiger Typus von *nationaler Minderheit* im eigenen Land betrachtet werden. Neuartig deswegen, weil zu den Charakteristika nationaler Minderheiten dreierlei gehört, was auf die Ausländer und Immigranten nicht zutrifft:

- nationale Minderheiten bilden gemeinhin geschlossene Flächensiedlungen,
- sind zudem der sie umgebenden Bevölkerungsmehrheit ethnisch insoweit verwandt, als daß sie demselben Kulturraum angehören (z.B.: Deutsche und Polen) und
- leben dort seit Jahrhunderten, können also ein "historisches Argument" für sich geltend machen.

Die nationalen Minderheiten unserer Tage jedoch sind solche, welche aus einem *anderen Kulturkreis* stammen (wenn von Ausländern und der Ausländerproblematik die Rede ist, sind ja de facto fast immer Türken gemeint, so gut wie nie dagegen etwa Italiener), erst seit *einigen Jahrzehnten* und nicht Jahrhunderten hier leben und zudem keine *territorial geschlossenen Siedlungsinseln* bilden, sondern individuell, beziehungsweise in Kleingruppen über das ganze Land verstreut sind.

Die entscheidenden Kriterien einer nationalen Minderheit erfüllen sie aber gleichwohl, nämlich diejenigen, welche in dem terminus technicus selbst zum Ausdruck kommen: Sie bilden eine *Minderheit* - auch wenn manche Landsleute fälschlicherweise schon sich selbst als "Minderheit im eigenen Land" sehen, dem ja keineswegs so ist - und sind von *anderer Nationalität*. Daß es sich dabei nicht mehr um nationale Minderheiten "klassischen Typs" handelt ist sekundär, liegt es doch nur daran, daß letztere in einer kleinräumiger gestaffelten und agrarisch geprägten Gesellschaft entstanden, die modernen nationalen Minderheiten jedoch unter den Bedingungen einer großräumigen Industriezivilisation. Dies hat zur Folge, daß sie eben keine ländlichen Flächensiedlungen, sondern urbane Streusiedlungen bilden und ferner aus einem fremden Kulturraum stammen. Was den letzten Gesichtspunkt anbetrifft, nämlich das "historische Argument", so läßt es sich hintanstellen, da es im wahrsten Sinne des Wortes nur eine Frage der Zeit ist, bis es geltend gemacht werden kann.

Und vergessen wir in diesem Zusammenhang auch nicht, daß nun bereits die zweite, ja gar die dritte Generation der Zuwanderer heranwächst, während umgekehrt jene nationalen Minderheiten in Europa, für deren legitime Belange sich stark zu machen mit zu den ehernen Geboten des Ethnopluralismus gehört, einst selber irgendwann Zuwanderer und Fremdlinge waren (z.B.: Siebenbürgendeutsche).

Betrachtet man also die Zuwanderer als nationale Minderheiten, so wird die ganze hier behandelte Thematik um ein gutes Stück transparenter. Denn jetzt beginnt der ethnopluralistische Ansatz zu greifen, verlangt er doch folgerichtig, daß diesen nationalen Minderheiten dasselbe zuzugestehen ist, was etwa für Sorben in Deutschland, Beduinen in Algerien, Lappen in Skandinavien, Deutsche in Rußland etc. zurecht gefordert wird: nämlich *kulturelle und politische Autonomie*. Hier zeigt sich denn auch, daß das Konzept der multikulturellen Gesellschaft die logische Konsequenz des neurechten Ethnopluralismus ist.

Wenn nun von kultureller Autonomie für die inländischen Ausländer die Rede ist, so zählen hierzu:

- das ohnehin schon wahrgenommenen, aber aus prinzipiellen Gründen nocheinmal zusätzlich zu fixierende Recht zur Benutzung der eigenen Sprache,
- ausreichende Freiräume zur Praktizierung der eigenen kulturellen und religiösen Gebräuche,
- eigene Schulen, in denen dann etwa auf türkisch oder kurdisch und gemäß den eigenen Überlieferungen und unter eigener Regie der Unterricht gestaltet wird,

Zur Verwirklichung politischer Autonomie sind denkbar:

- die verschiedenen Nationalitäten organisieren sich als Gemeinden (vergleichbar den schon bestehenden jüdischen Gemeinden) kommunal, regional, national, gegebenenfalls auch kontinental (d.h. mit Ausbildung konföderativer, übernationaler Strukturen auf unserem Kontinent auch im "europäischen Rahmen") und bilden dort jeweils einen Zentralrat (z.B.: ZR der Kurden in Bayern, ZR der Türken in Deutschland, usf.), welcher die Belange der von ihm repräsentierten nationalen Minderheit zu vertreten hat;
- die so organisierten "nationes" bilden nun untereinander wieder eine Föderation, welche die ausländischen Inländer in ihrer Gesamtheit vertritt;
- die einzelnen, sich selbst organisierenden und soweit als möglich selbstverwaltenden *Nationes* entsenden ferner, in einer ihrem jeweiligen Anteil an der Gesamtbevölkerung entsprechenden Stärke, ihre nach eigenen Kriterien und Verfahrensweisen ausgewählten Vertreter in die kommunalen, regionalen, nationalen und kontinentalen Parlamente;
- die schon bestehenden Selbstorganisationsstrukturen, wie etwa kommunale Ausländerbeiräte, sind in diesem Sinne weiter auszubauen und mit zusätzlichen Kompetenzen auszustatten;
- den *Nationes* ist eine möglichst weitreichende, eigene Gerichtsbarkeit zu übertragen;
- auf allen Ebenen sind "Ämter für multikulturelle Angelegenheiten", bzw. "Ministerien für multikulturelle Angelegenheiten" einzurichten;

- der Status als nationale Minderheit muß offiziell eingeräumt und gesetzlich festgeschrieben werden;
- das Recht auf kulturelle Identität ist verfassungsmäßig zu verankern;

Wahlrecht für Ausländer?

Das vieldiskutierte Ausländerwahlrecht jedoch darf nicht eingeführt werden...AHA! Da haben wir's also! Jetzt zeigt sich der Wolf im Schafspelz! Ist doch alles nur alter Wein in neuen Schläuchen, das Gerede von "Ethnopluralismus" und sogar schon von der "multikulturellen Gesellschaft" hinter dem sich bei genauerem Hinsehen nur die altbekannte braune Fratze, der menschenverachtende Rassismus, Faschismus, Sadismus der Ewiggestrigen verbirgt! Doch zu früh gefreut, geschätzter Gegner, der Du meinst, die liebgewonnenen Vorurteile doch wieder bestätigt zu finden. In der Tat, das allgemeine Wahlrecht den Ausländern zuzugestehen, dagegen werden wir uns mit Zähnen und Klauen wehren; aber um Himmels willen doch nicht deswegen, weil wir dies Juwel unter den "westlichen Werten" so lieb gewonnen haben, daß wir meinen, es den Fremden vorenthalten zu müssen und nicht mit ihnen teilen wollen. Nein, das "allgemeine Wahlrecht" ist doch ohnehin nur eine Unsitte, die es zu überwinden, jedoch nicht noch weiter auszubreiten gilt.

Daß alle vier Jahre zur Urne zu gehen und ein Kreuzchen zu machen mit Demokratie wenig zu tun hat, dürfte sich inzwischen ja herumgesprochen haben und bedarf daher keiner weiteren Erläuterung mehr. Der eigentliche Makel des "allgemeinen Wahlrechts" liegt woanders. Dessen Grundgedanke lautet ja (und daß hierfür wieder eine anglo-amerikanische Bezeichnung steht, zeigt schon an, wes Geistes Kind er ist): "wann Män wann Wout" was besagt, daß das vermeindliche "Volk" von welchem "alle Staatsgewalt" auszugehen habe, nicht anders gedacht ist, denn als eine während des Wahlakts sich verdichtende, formlose Anhäufung atomisierter Einzelwesen. Dem widerstrebend sei hier noch einmal der Gedanke des "organischen Staates" in Erinnerung gerufen, welcher auf genau entgegengesetzten Grundlagen basiert: nämlich dem Individuum als einem *sozial und kulturell gebundenen* Wesen, das durch sein *differenziertes Bindungsgeflecht* an diversen *soziokulturellen Subsystemen* Anteil hat, die wechselseitig zu jeweils größeren, "höheren" Einheiten vernetzt werden. In diesem Sinne sind auch die inländischen Ausländer mit ihrer politischen und kulturellen Autonomie als eigenständiges soziokulturelles Subsystem aufzufassen, das in den gesellschaftlichen Gesamtorganismus eingegliedert, in diesem organologischen Sinne also "integriert" ist. "Ausländerwahlrecht" entsprechend dem Prinzip des "wann Män wann Wout" hingegen würde aufgrund seines atomisierenden Charakters der Zerstörung der hier bestehenden Fremdkulturen als eigenständigen gesellschaftlichen Subsystemen Vorschub leisten, also anstatt "Integration" zu bewirken, auf Assimilation hinauslaufen, dem Grundsatz des Ethnopluralismus und dem Konzept der multikulturellen Gesellschaft also eindeutig widersprechen.

Etwas anders verhält es sich mit dem Ausländer"wahlrecht" allerdings hinsichtlich der *plebiszitären Elemente*, mit denen Gesellschaft und Staat der Zukunft reich gesegnet sein mögen. Zwar kommt in ihnen auf den ersten Blick gesehen das "wann Män wann Wout" ebenfalls zum Tragen, doch sollten sie eher im Sinne von Rousseaus "wollunteh schänerall" begriffen werden; d.h.: der sich in Plebisziten artikulierende Wille ist mehr als nur die Summe der Einzelwillen, nämlich der nicht parzellierbare *allgemeine Wille* des als Kollektiv-Individualität aufgefaßten gesellschaftlich-staatlichen Gesamtorganismus. Da zu diesem aber auch die selbstorganisierten *Nationes* der Zugewanderten gehören, folgt daraus, daß sich selbstverständlich auch die einzelnen, zu diesen zählenden inländischen Aus- beziehungsweise ausländischen Inländer an Plebisziten beteiligen sollen.

Gleiches gilt selbstredend auch für die Beteiligung der Angehörigen nationaler Minderheiten an den *rätedemokratischen Strukturen* über welche die horizontale und vertikale Vernetzung *sämtlicher* Subsysteme von Staat und Gesellschaft zu erfolgen hat.

Multikulturelle Gesellschaft - Das Ende einer Epoche

Das eben kurz umrissene organologische Modell autonomer, sich wechselseitig zu einer Einheit, zu einem Ganzen er*gänzender* soziokultureller Subsysteme ist eine gesellschafts- und staatspolitische Konzeption, deren Umsetzung mit der Verwirklichung des Projekts der multikulturellen Gesellschaft einhergehen muß, diesem als weiterreichende Zielsetzung immanent ist. Multikulturelle Gesellschaft, das heißt also auch: Überwindung des formlosen westlichen Massendemokratismus und pseudopluralistischen Parteienschwindels zugunsten einer "organischen" Staats- und Gesellschaftsordnung.

Bindung, Autonomie, Subsysteme, Subkultur, "Nationes", Vernetzung, organischer Staat - das alles erinnert sehr an vor-neuzeitliche Formen, an "Ordo", Stände, Zünfte, die "nationes", nach denen die Studenten an den mittelalterlichen Hochschulen eingeteilt wurden, an städtische Selbstverwaltung, Dezentralität, Personenverband. Und in der Tat, das Projekt "Neuzeit" mit seiner "okzidentalen Rationalität", seinem Hang zum Einheitlichen, Genormten, Gleichgeschalteten und Quadratisch-Praktischen nähert sich im Thema Multikultur einem entscheidenden Punkt, der einerseits ein Höhe- gleichzeitig aber auch ein Wendepunkt sein wird. Höhepunkt deswegen, weil Multikulturalität als Ergebnis gestiegener Mobilität, gewaltiger kommunikativer und ökonomischer Verfilzung, als das Produkt einer kleiner, weil großräumiger gewordenen Welt einem Auflösungsprozess der gewachsenen ethnisch-kulturellen Formbestände gleichkommt und somit dem neuzeitlich-okzidentalen Trend zur großräumigen Durchrationalisierung, Gleichschaltung und Einförmigkeit das letzte Hindernis aus dem Wege geräumt wird, der in seinem Drang nach globaler Raumerfassung kurz vor dem Kulminationspunkt steht. Auf der anderen Seite jedoch ergibt sich mit der Multikulturalität die Notwendigkeit, politische und gesellschaftliche Organisationsformen zu finden, welche die Beibehaltung des Prinzips der kulturellen Identität ebenso gewährleisten wie ein trotz fortschreitender ethnischer Pluralisierung ausreichendes Maß an Kohärenz innerhalb des buntscheckiger gewordenen Gemeinwesens. Dadurch wird nun der Blick über neuzeitliche "Errungenschaften" wie Zentralismus, Verwaltungs*apparate* und Massendemokratismus hinaus- und vielleicht auch ein wenig zurückgelenkt, scheinen sich doch vorneuzeitliche Ordnungsvorstellungen - zumindest als kleine Orientierungshilfe -auch für die nun eintretende *postneuzeitliche Epoche* zu empfehlen.

Multikulturelles "Reich"

Verweilen wir kurz bei solchen Überlegungen. Ein multikulturelles, organisch geordetes und eben hierdurch trotz seiner Buntscheckigkeit einen hohen Grad an Kohärenz, an *Einheit in der Vielfalt und Vielfalt in der Einheit* erlangendes Gemeinwesen ist nicht nur eine sachliche Notwendigkeit, sondern besitzt seinen ganz eigentümlichen Reiz - und zwar einen *ästhetischen.* Denn vom Standpunkt eines gesunden Ästhetizismus aus betrachtet realisiert sich in dem hier entwickelten Konzept ein hohes Maß von dem, was zu Zeiten, da Politik noch kein "Geschäft" war, als Staats*kunst* bezeichnet wurde. Sofern es als eines der vordringlichsten Wesensmerkmale derselben betrachtet wird, Teile zu einem Ganzen, Viel*heit* zur Viel*falt* zu formen, einen höchstmöglichen Grad an Kohärenz zu verwirklichen, muß es ihr eine umso größere Herausforderung sein, solche Gestaltwerdung zu betreiben und zu vollenden, je bunter, ungeordneter, ja chaotischer die Substanz ist, aus der es ein Ganzes zusammenzufügen gilt, das mehr ist als die Summe seiner Teile.

Nicht ohne Grund übt daher heute, nach jahrhundertelanger Gewöhnung an den "Idealtypus" des westlichen, zentralistisch-homogenen Nationalstaats, der Mitteleuropagedanke, die *mitteleuropäische Reichsidee* eine zunehmende Faszination aus. Es handelt sich dabei um die Vision eines - freilich in ein und demselben Kulturraum wurzelnden - Gemeinwesens, in welchem die gewachsene, *größtmögliche Vielfalt auf kleinstmöglichem Raum* nicht als "irrationales" Wirrwarr, als ein Makel gemessen an dem Dogma nationalkultureller Einheitlichkeit und feinsäuberlicher Abgrenzbarkeit erscheint, sondern als begrüßens- und erhaltenswerte Komplexität aufgefaßt wird. Analog hierzu erfährt das schon versunkene Habsburgerimperium post mortem neue Beachtung und Wertschätzung. Einst als Völkerkerker und Anachronismus gescholten, nimmt es sich heute als Gegenentwurf zum Uniformitätswahn der aus dem Westen übernommenen Nationalstaaterei aus, die in Mitteleuropa lange genug ihr Unwesen trieb und deren nach dem Grundsatz des "eius regio, eius natio" durchgeführte ethnische Flurbereinigungen nur noch wenig von dem einstigen kulturellen Reichtum übrigließen (der rumänische Tyrann Ceaucescu war der grausigste Repräsentat dieses minderheitenfeindlichen Nationalstaatsdenkens, welches er auf die Spitze trieb). Dagegen steht der Mythos Habsburg heute für eine kunstvoll ausgewogene, *multinationale Staatsarchitektur*, die dem monotonen Baustil zentralistisch-einformiger Nationalstaatskonstruktionen gegenüber als ein "höheres", weil komplexeres Ordnungsmodell erscheint.

Die Idee einer institutionalisierten multikulturellen Gesellschaft als *bewußt gestalteter Vielfalt*, treibt diesen im Habsburger- und Mitteleuropamythos liegenden Ansatz noch eine Stufe weiter. Vom Standpunkt einer organologisch-ästhetisierenden Anschauungs- und Wertungsweise aus betrachtet gilt es, aus dem sich durch Regionalisierung und multikulturelle Colorierung auflockernden Nationalstaat einen höherwertigen, weil mehr unmittelbar erfahrbare Komplexität also einen höheren Grad an Differenzierung und Subordination aufweisenden, feinverästelten kollektiven Organismus zu formen. Übrigens: das alte, das "Heilige Römische Reich", dessen "unzeitgemäß" langer - wenn auch nur formaler - Fortbestand bislang noch als Indiz für die politische Rückständigkeit der Deutschen gewertet wird, dürfte sich, seines offenen und fluktuierenden, übernationalen und *nationale Gegensätze überhöhenden* Charakters wegen, als Alternative zum westlichen Nationalstaatlertum in diesem Kontext bald ähnlichen Zuspruchs erfreuen wie er sich jetzt schon in Bezug auf Habsburg entwickelt - das ja nach 1806 die Reichstradition fortführte. Auch hier also scheinen vorneuzeitliche Ordnungsstrukturen mit einem Mal für die post-neuzeitliche Ära interessant zu werden.

Noch einmal: Linke, Rechte und die multikulturelle Gesellschaft

Die multikulturelle Gesellschaft, sie gilt heute als ein Thema der Linken, welche sich desselben mitunter wohl deswegen bemächtigt hat, weil sie jedes Thema mitzunehmen pflegt, das nur irgendwie zum Moralisieren geeignet ist und ihr hilft, sich der eigenen ideologischen Orientierungslosigkeit nicht stellen zu müssen. Dabei weiß sie nicht, worauf sie sich eigentlich einläßt. Denn der Fülle der Schlußfolgerungen, welche das Projekt "multikulturelle Gesellschaft" in sich birgt, ist sie nicht gewachsen. Nicht, daß wir ihr etwa die intellektuellen Kapazitäten absprechen wollten; vielmehr geht es darum, daß die Linke, solange sie unflexibel und dogmatisch an ihrem Selbstverständnis als "Linke" klebt, auf ein Weltbild verwiesen bleibt, das es ihr unmöglich macht, langfristig das Projekt einer multikulturellen Gesellschaft mit allen Konsequenzen und Implikationen glaubwürdig zu vertreten. Kulturelle Identität, kulturelle Vielfalt, Unterschiedlichkeit der Menschen, organischer Staat - das paßt nun einmal schwer zur linken Traditionslinie. Das linke Weltbild ist eurozentrisch, westlich, neuzeitlich. Es erhebt die politische Kultur des neuzeitlichen Okzidents zum absoluten Maßstab, an dem alle Völker und Kulturen auf ihre "Fortschrittlichkeit" hin gemessen werden. Für sibirische Schamanen, verschleierte Moslemfrauen, indianisches Kriegerethos, afrikanische Vielehe, Samuraimentalität und Vieles Vieles mehr bleibt da kein Platz. Die läppische 2500 Jährchen umfassende Zeitspanne zwischen Homer und Habermas, sie wird anmaßend zu einem für die gesamte Menschheit verbindlichen "Fortschritt" erklärt, dem sich alles erbarmungslos zu fügen, andernfalls aber ihm zu weichen hat. Solches weist zurück auf Marx und Engels selbst. Diese nämlich haben in schauerlicher Weise zwischen "fortschrittlichen" und "revolutionären" Völkern auf der einen, "reaktionären" und "konterrevolutionären" auf der anderen Seite unterschieden. Kleinere Völker wie Tschechen, Ukrainer, Basken oder Bretonen wurden von ihnen gelegentlich als "Völkerruinen", "Völkertrümmer" oder "Völkerabfälle" bezeichnet, als "fanatische Träger der Konterrevolution", deren "ganze Existenz schon ein Protest gegen eine große geschichtliche Revolution ist" - fürwahr beeindruckende geistige Voraussetzungen zur Verwirklichung von Frieden und *Völker*verständigung, zur Schaffung einer *multi*kulturellen Gesellschaft!

Nun wollen wir freilich so fair sein und nicht unerwähnt lassen, daß innerhalb der Linken selbst Bereitschaft besteht, namentlich im Zusammenhang mit Themen wie "Ökologie", "Dritte Welt" und eben "multikulturelle Gesellschaft", eine kritische Bestandsaufnahme hinsichtlich solcher Denkgewohnheiten vorzunehmen. Doch wenn nun allen weltanschaulichen Implikationen der genannten Themen bis zur äußersten Konsequenz Rechnung getragen und die hierdurch angeregte Selbstkritik ernsthaft betrieben würde, müßte dies notgedrungen jedem eurozentrisch-westlich-neuzeitlichem Weltbild und Wertesystem so an die Substanz gehen, daß sich die Frage stellte, was denn an der "Linken" dann eigentlich noch "links" wäre?

Wird heute von der "Rechten" gesprochen, so meint man damit schon meist das, wofür sich der Begriff "Neue Rechte" eingebürgert hat. Dieser legt nahe, daß es auch eine "Alte Rechte" gibt, daß zwischen beiden ein Unterschied, eben der zwischen "alt" und "neu", aber auch eine Gemeinsamkeit besteht und zwar insoweit, als daß beide "rechts" sind, sich selber so einschätzen, beziehungsweise so eingeschätzt werden. Die rechte Gemeinsamkeit liegt zuallererst im nationalen-volklichen Denkansatz, von dem alle weiterreichenden Überlegungen getragen und begleitet werden. Was aber ist nun das Trennende, welches eine Unterscheidung in "neu" und "alt" rechtfertigt? Ohne Anspruch auf Allgemeingültigkeit und völlige Konsensfähigkeit erheben zu wollen, seien folgende, für das Phänomen "Neue Rechte" charakteristische Merkmale und Tendenzen kurz aufgeführt. Die "Neue Rechte" wird so genannt, weil sie:

- rechte Vergangenheitsbewältigung ("Kriegsschuldfrage", Erbsenzählerei bezüglich NS-Opfer) ablehnt, oder ihr zumindest sehr viel weniger Bedeutung beimißt;

- Deutschland nicht zum Nabel der Welt macht, sondern die Grundsätze des Selbstbestimmungsrechts der Völker, wie auch des Rechts auf kulturelle Identität als universelle Prinzipien anerkennt ("Ethnopluralismus", "Befreiungsnationalismus");

- infolgedessen auch jedes Volk und jede Kultur als einen Beitrag zum kulturellen Formenreichtum der Menschheit auffaßt, sich daher gleichermaßen gegen Rassismus und Chauvinismus einerseits, wie auch gegen als progressiv und humanitär getarnte Vereinheitlichungstendenzen andererseits wendet;

- den Hauptfeind nicht im "Kommunismus" oder in fiktiven mongolischen Horden der russischen Steppe sieht, sondern im westlichen Liberalismus und seiner Führungsmacht USA;

- ihre Liberalismuskritik nicht darauf beschränkt, einer Partei mit drei Pünktchen das Scheitern an der Fünf-Prozent-Hürde zu wünschen, sondern namentlich auch den Wirtschaftsliberalismus und seine sozio-kulturellen Auflösungserscheinungen mit einbezieht, also klar antikapitalistisch ist, ferner weil sie

- ihren "Konservatismus" nicht als "System-", sondern als "Wertkonservatismus" begreift, das heißt als eine auf Bewahrung elementarer menschlicher Lebensbezüge (kulturelle Identität, Ökologie, soziale Bindungen, ursprüngliche Religiosität) bedachte Haltung im Widerstand gegen industriekapitalistischen Expansionismus und,

- eine Bereitschaft zeigt, das links-rechts-Schema für überholt und unzeitgemäß zu halten, ja sich selber zunehmend als etwas "jenseits von links und rechts" stehendes betrachtet, was ja auch der Sinn der ebenfalls häufig verwendeten Selbstbezeichnung "nonkonform" ist.

Letztgenannter Punkt rührt daher, daß es zwischen (neu-)rechts und links durchaus thematische Berührungen gibt, wie etwa in den Bereichen Ökologie, Kritik der Konsumgesellschaft, nationale Befreiungsbewegungen, Dritte Welt, solidarische Gesellschaft, Regionalismus, Identitätsdemokratie versus Konkurrenzdemokratie, etc. Der Witz an der Sache liegt nun darin, daß die Linke, wie schon erläutert, sich hierbei in ihrer ruhelosen Suche nach Betätigungsmöglichkeiten auf Bereiche vorwagte, für die sie gar nicht zuständig ist, daß sie meinte, sich Herausforderungen stellen zu müssen, denen sie nicht wirklich bis in letzter Konsequenz begegnen kann, ohne daß die Substanz des linken Selbstverständnisses zu bröckeln beginnt. Dennoch muß natürlich lobend anerkannt werden, daß die Linke durch das Aufgreifen der genannten, "grün-alternativen" Themen und deren Popularisierung den Boden beackert hat, auf dem die Saat der "Neuen Rechten" gedeihen kann. Dies gilt auch für das Projekt "multikulturelle Gesellschaft". Der "Neuen Rechten" nämlich muß es sich, eingedenk ihrer ideologischen Vorgaben, über kurz oder lang förmlich aufdrängen, dieses Thema in einem positiven Sinne aufzugreifen, es von der Linken, die ihre eigene Schöpfung alsbald mit größtem Unbehagen betrachten wird, zu übernehmen, es mit all seinen Schlußfolgerungen und Implikationen konsequent zu Ende zu denken und auf die eigenen Fahnen zu schreiben:

- Denn eine *multikulturelle Gesellschaft* bedeutet eben *nicht* "Gleichmacherei", sondern beinhaltet ein ausdrückliches Bekenntnis zu kultureller Identität, kultureller Vielfalt, der Unterschiedlichkeit der Menschen und gebietet, diese Prinzipien jeder gesellschaftlichen, staatlichen und internationalen Ordnung zugrundezulegen;

- Die *multikulturelle Gesellschaft* führt alsdann *nicht* zur Schwächung der eigenen national-kulturellen Identität, sondern fördert diese einmal durch das in unmittelbarem Kontakt zum Fremden gestärkte Bewußtsein für das Eigene, für Unterschiede und Grenzen sowie durch den Vorbildcharakter den intakte Fremdkulturen im eigenen Land in Sachen "Identitätswahrung" für die Alteingesessenen haben;

- Das Projekt *"multikulturelle Gesellschaft"* ist ferner *nicht* als ein Programm aufzufassen, das Zerfließen der kulturellen Formbestände zur erstrebenswerten Utopie zu erheben, sondern soll unter den Bedingungen einer objektiv schon vorhandenen und künftig noch weiter um sich greifenden Auflösung ethnischer Homogenität und kulturellen Colorierung institutionelle Voraussetzungen schaffen, dem Prinzip der kulturellen Identität auch in Zukunft Rechnung zu tragen, um interkulturelle Bevölkerungsverschiebungen im Nachhinein so abfangen und kanalisieren zu können, daß der drohende "Einheitsbrei" zu einem *Mosaik* gerinnt;

- Die *multikulturelle Gesellschaft* darf auch *nicht* als Absage an den Ethnopluralismus mißverstanden werden. Sie ist selbst vielmehr ein *Konzept für den Ethnopluralismus im Kleinen*. Der kulturelle Formenreichtum der Menschheit wird sich künftig punktuell im ethnopluralistischen Mikrokosmos multikultureller Urbanität projizieren. Die ethnopluralistisch-multikulturellen Metropolen werden Knoten-, Dreh- und Angelpunkte einer "pluriversalen" Weltordnung sein;

- Auch wenn die Vision einer *multikulturellen Gesellschaft* heute vorerst noch von links her propagiert wird, so heißt dies *nicht*, daß deren Verwirklichung den endgültigen Sieg von "westlichen Werten" wie

Egalitarismus und Liberalismus bedeuten würde. Im Gegenteil: Die Institutionalisierung der multikulturellen Gesellschaft verlangt unweigerlich die Überwindung solch okzidental-neuzeitlicher (Un-)Ordnungsprinzipien wie des Massendemokratismus, des nur "repräsentativen" Parlamentarismus mitsamt seinem Parteienschwindel, des atomisierenden Individualismus sowie zentralistisch-uniformen Nationalstaates und legt eine organische Staats- und Gesellschaftsordnung als "post-neuzeitliche" Alternative nahe;

- Auch steht *nicht* zu befürchten, daß die Etablierung der *multikulturellen Gesellschaft* dem "Staatskünstlertum" jeglichen Boden entzieht. Vielmehr wird dieses in der institutionalisierten multikulturellen Gesellschaft erst wieder zu wahrer Blüte kommen. Denn das Formlose und Zerfließende unserer Epoche muß den staatlichen Formgebungs- und Gestaltungswillen auf das Äußerste schärfen, wenn es darum geht, aus den Trümmern und Fetzen der industrieliberalistischen Welt- und Massengesellschaft einen zwar vielgliedrigen und buntscheckigen, aber dennoch von höchster innerer Spannkraft getragenen kollektiven Organismus zu formen.

Wenn es denn entscheidender Wesenszug, wenn nicht gar Quintessenz (neu-)rechter Haltung ist, im Gegensatz zum individualisierend-humanitaristischen Ansatz der Linken, der konturen- und gestaltloser gewordenen Welt einen *kämpferischen Ästhetizismus*, ein Bekenntnis zu Formenreichtum und Vielgestaltigkeit entgegenzuhalten, so sollte vor einer offensiven Stellungnahme zugunsten der multikulturellen Gesellschaft als einem zeitgemäßen "Ordo"-Konzept nicht mehr länger zurückgeschreckt werden. Denn dem eigentlichen Wortsinne nach und in all seinen Konsequenzen zu Ende gedacht, besagt das Projekt multikulturelle Gesellschaft doch nichts anderes als eben: *Vielfalt gestalten.*

Identität, 1/90

Wir sind Südafrika für Sie

Der Begriff "multikulturell" ist Mode geworden.
Bei uns Südafrikanern hat er eine lange Geschichte. Er hat unsere Traditionen, unsere Kultur und vor allem unsere herzliche Gastfreundschaft geprägt.
Südafrikaner freuen sich immer, wenn Gäste kommen.
Und mit der gleichen Freude verwöhnen wir Sie an Bord unserer perfekten NONSTOP-Flüge zwischen Europa und Südafrika.
Uns macht es Spaß, Ihre Wünsche zu erkennen und darauf einzugehen.
So gehören zu unserem Service nicht nur erstklassige südafrikanische und internationale Küche.
Wenn Sie uns 48 Stunden vor Abflug anrufen, kochen wir für Sie auch vegetarisch, moslemisch, hindu, kosher, diabetisch, glutenfrei, salz- und kalorienarm.
Auch daran spüren Sie ganz persönlich, daß wir nicht nur eine Airline des Lächelns sind, sondern die Fluglinie der Gastfreundschaft.
Diese Flugqualität gibt es nur bei SAA. Und das 20mal pro Woche NONSTOP von Europa nach Südafrika. Allein 5mal ab Frankfurt.
Wollen Sie mehr über Südafrika wissen? Schreiben Sie uns:
SAA, Bleichstraße 60-62, 6000 Frankfurt/Main

Es gibt keinen besseren Weg nach Südafrika*

*Umfrage des Executive Travel Magazins (London 1988, 1989 und 1990)

DER SPIEGEL 7/1991

Die rechte Wahrheit, daß der Mensch Heimat braucht, kann eine Rutschbahn sein in den Faschismus. Auch die linke (christliche, humanistische) Wahrheit von der Einen Menschheit kann eine Rutschbahn sein, Vorschub und Begleitmusik zur Welttendenz der atheistischen Industriegesellschaft, den bunten Globus gleichzubetonieren in einen einzigen Supermarkt, wo Einheitskonsumenten Einheitsprodukte ins Einheitswagerl packen. Verglichen mit solcher Welteinheitskultur, brauchen wir die richtige, die antifaschistische Apartheid, eine gebirgig verschiedene Menschenwelt, wo in jedem Tal ein anderer Käs und ein anderer Wein genossen werden - ein einziges großes Hindernis und Ärgernis für die ungeduldige Industriewalze. Lassen wir uns nicht plattwalzen.
"Multikulturell" ist die richtige Apartheid.

Günther Nenning

Einheit in der Vielfalt?

Argumentationslinien zum Thema multikulturelle Gesellschaft

Dr. Brunhilde Scheuringer

Studium und Promotion in Soziologie. Habilitation 1982, seitdem Assistenzprofessorin am Institut für Kultursoziologie der Universität Salzburg. Dozentin für Soziologie mit Schwerpunkten in Forschung und Lehre, u.a. soziale Aspekte der Flüchtlings- und Ausländerproblematik.

Vorbemerkungen

Das Thema multikulturelle Gesellschaft wird derzeit breit, kontrovers, essayistisch pointiert bis überspitzt, wissenschaftlich "objektiv", moralisierend und politisierend, mit einem Wort - "vielschichtig" diskutiert. Der "mainstream" in der wissenschaftlichen Behandlung des Themas im deutschsprachigen Raum scheint der Auffassung zuzuneigen, daß die Forderung nach einer "multikulturellen Gesellschaft", so wichtig und berechtigt sie grundsätzlich sei, nicht unproblematisiert übernommen werden dürfe. Dem "Problematisierungsaufruf" Rechnung tragend wird zunächst der Multikulturalismus in jenen Gesellschaften näher beleuchtet, in denen das ethnische Element schon seit längerer Zeit aktuell ist, nämlich in den USA und Kanada. Daran anschließend werden exemplarisch Beiträge zum Multikulturalismus und zur Funktion von Ethnizität im Prozeß der gesellschaftlichen Modernisierung aus Frankreich und Deutschland diskutiert. Abschließend wird zu prüfen sein, inwieweit aus der Multikulturalismus-Diskussion in den traditionalen Einwanderungsländern Erkenntnisse für den "richtigen Umgang" etwa mit Arbeitsmigranten in Deutschland zu gewinnen sind oder ob die "Vielschichtigkeit" von Multikulturalismus eher als Warnsignal zu deuten ist.

Ethnisches Bewußtsein in den USA

In den 60er und 70er Jahren manifestiert sich in den USA und Kanada ein ethnisches Wiedererwachen. In den USA ist dies unter der Bezeichnung "new ethnicity", in Kanada als "Multikulturalismus" bekannt geworden.[1] Die Erklärungsversuche, was nun Ethnizität bedeutet, lassen sich vereinfachend auf zwei Argumentationsfiguren reduzieren, ein essentialistisches und ein formalistisches Konzept von Ethnizität.

Das erste Konzept betont für die Konstitution einer Ethnie die gemeinsame Abstammung, gemeinsame Sprache und Geschichte, ähnliche kulturelle Deutungsmuster und Organisationsprinzipien. Dieses naturwüchsig Gegebene auf der Grundlage gemeinsamer biologischer und kultureller Merkmale sei vorrangiges Konstitutionsmerkmal, die Beziehungen der verschiedenen ethnischen Gruppen untereinander seien nur etwas Nachgeordnetes. Demgegenüber betont das formalistische Konzept die Bedeutung ethnischer Grenzen, die durch Selbst- und Fremdzuschreibung entstehen. Die Selbstzuschreibung steht dabei in einem komplexen Wechselverhältnis zur Fremdzuschreibung. Ethnische Gruppen existieren als eine "Wir-Einheit" nur in Relation zu "anderen", von denen sie sich und die sich ihrerseits von ihnen abgrenzen. Daraus folgt, daß eine Selbstzuschreibung als Ethnie, die sich nicht in einer entsprechenden Fremdzuschreibung spiegeln kann, instabil ist.[2]

Was bedeutet "ethnicity" in Amerika heute? Elschenbroich definiert sie aufgrund umfangreicher Recherchen in den USA als "...eine kulturelle

Bewegung, die selektiv ethnische Inhalte und Bruchstücke verwendet; der Schlüssel zu ihrem Verständnis ist weniger die Vergangenheit als gegenwärtige Bedürfnisse.[3] " Dabei wurde die Frage nach der Qualität und Tiefe solcher rekonstruierter Ethnizität kaum gestellt. Das "ethnic revival", eine typische Bewegung der 70er Jahre, wird auf das Bedürfnis nach neuen Selbstbildern im Zuge eines allgemeinen Wertewandels zurückgeführt. Mit dem Ende der Wachstumsgesellschaft zu Beginn der 70er Jahre setze eine Wende zum Privaten ein, zur Suche nach den eigenen Wurzeln, eben auch den ethnischen. Nach außen hin am sichtbarsten wurde dabei jene Ethnizität, die sich im amerikanischen Kulturbetrieb und Mittelschicht-Konsum verankern konnte, die sogenannte "optional ethnicity". Es ist diese eine Besinnung auf Elemente der verschiedenen Einwanderer-Herkunftskulturen, insbesondere deren Geschichte, Sprache und Folklore. Diesbezügliche ethnische Materialien werden in Museen und Forschungsinstituten gesammelt und an den Universitäten entstanden eigene "Ethnic Studies Departments". Wissenschaftliche Experten dieser neuen Ethnizitätsbewegung charakterisieren sie wie folgt: "Nicht die Fortdauer von Traditionen ist Erkennungszeichen der 'new ethnicity', sondern ihre wissenschaftliche Suche nach ihnen."[4]

Eine weitere These im Hinblick auf "optional ethnicity", die sich aus Donata Elschenbroichs Forschungsergebnissen ableiten läßt, ist die, daß Voraussetzung für die in den 70er Jahren einsetzende Hochschätzung von ethnischer Geschichte, ethnischen Namen, ethnischem Essen die vorangegangene Integration und Amerikanisierung der Einwanderer-Minderheiten war. Erst dieses Eintauchen in den amerikanischen "mainstream" machte eine souveräne, für den Einzelnen unschädliche, d.h. insbesondere sein soziales Fortkommen nicht gefährdende Ethnizität möglich.[5]

Daneben finden wir in Amerika aber auch eine authentische, eher unbewußt gelebte Ethnizität, eine von den Einwanderern mitgebrachte, im Kontakt mit dem Einwanderungsland noch nicht transformierte. Anzutreffen ist diese vor allem in den Unterschichten von Einwanderer-Minderheiten und bei den erst kürzlich Zugewanderten, etwa den Puertorikanern mit erdrükkend hoher Arbeitslosigkeit. Diese ähnelt in vielem dem, was Oskar Lewis als "Kultur der Armut" beschrieben hat.[6] Hier kommt eher das formalistische Konzept von Identität im Sinne gegenseitiger Abgrenzung bzw. Ausgrenzung zum Tragen. Inwieweit eine solche "unmoderne" Ethnizität etwa bei Arbeitsmigranten im deutschsprachigen Raum anzutreffen ist und welche Konflikte sich daraus möglicherweise ergeben, wird im Schlußteil dieser Ausführungen diskutiert.

Als eine Sonderform "gelebter" Ethnizität sind in den USA die "ethnischen Enklaven" in der Ökonomie hervorzuheben. Auch für den Touristen auffällig "...chinesische Wäschereien, ethnische Restaurants, Griechen dominieren das pizza-business in vielen Städten von Connecticut, Dominikaner die Bekleidungsindustrie in New York, sowjetischen Juden gehört über die Hälfte aller Taxis in Los Angeles. Südinder haben in Californien hohe Anteile am Import/Export-Geschäft. Über die Hälfte aller Lebensmittelläden in Chicago werden von Arabern geführt..."[7] Diese ethnische Unternehmertätigkeit zeichnet sich durch Mobilisierung von ethnischen Ressourcen aber auch Klassenressourcen aus. Unter ethnischen Ressourcen versteht man alle Formen gegenseitiger Solidarität sowie ethnische kooperative Strukturen der Wirtschaftstätigkeit aber auch spezifisch ethnisch-traditionale Orientierungen wie etwa Arbeitstugenden oder Erwartungen an wirtschaftlichen Erfolg. Unter Klassenressourcen versteht man dagegen das Vorhandensein von Finanzkapital oder guten Ausbildungsvoraussetzungen, was vor allem für Teile der asiatischen Einwanderer der beiden vergangenen Jahrzehnte gilt. Die neuen koreanischen, vietnamesischen und thailändischen Einwanderer sowie jene aus Hongkong stammen zu einem beachtlichen Teil aus den besitzenden Oberschichten ihrer Länder und haben ihre Klassenressourcen sehr geschickt kombiniert mit den ethnischen Ressourcen, mit einer speziell auf andere Mitglieder gerichteten Verkaufsstrategie, mit Nepotismus und mit formeller und informeller gegenseitiger Unterstützung.[8] Den Arbeitsmigranten in Europa ist es nur sehr rudimentär gelungen, solche "ethnischen Enklaven" in der Ökonomie aufzuspüren.

In der eben referierten Studie kommt die Verfasserin zu dem Ergebnis, daß der pure Rassismus (der face-to-face-Rassismus) in den USA seit den 50er Jahren, den Jahren der Bürgerrechtsbewegung, nicht mehr gesellschaftsfähig sei und daß die einheimische Bevölkerung es offensichtlich akzeptiere, daß Amerika ein Einwanderungsland ist, daß sie keine Basisbewegungen dagegen organisieren, keine Ausgrenzungsmentalität entwickeln.[9]

Diese Sichtweise erscheint angesichts der Entwicklung vor allem in der zweiten Hälfte der 80er Jahre doch etwas zu optimistisch. Fanatismus und Rassenhaß sind dermaßen angewachsen, daß Präsident Bush 1990 den Erlaß "Haßverbrechens-Statistik" unterschrieb. Damit gehen alle Daten über Gewalttätigkeiten, die auf Vorurteilen gegenüber rassischen, religiösen, ethnischen Gruppen, auch Homosexuellen, basieren, nach Washington, als Beweismaterial beim Bemühen um strengere Rechtssprechung.[10] Seit 1986 haben in New York sogenannte "Haßverbrechen" der oben angeführten Art um 80 % zugenommen, davon gehen 70 % auf das Konto junger Menschen unter 18 Jahren. Ein Beispiel sei herausgegriffen. In Brooklyn werden seit Monaten koreanische Gemüsehändler von Schwarzen boykottiert und bedroht. 2500 der rund 3000 New Yorker Obst- und Gemüseläden sind im Besitz von Koreanern, Neuankömmlingen in Amerika mit oft schlechten Englischkenntnissen, aber zu drei Viertel mit einer akademischen Schulbildung. Sie arbeiten familienweise und ungemein hart. Die sich häufenden Angriffe zumeist schwarzer Kunden werden mit "Profitgier" der Koreaner begründet. Es hat in Amerika eine gewisse Tradition, daß die zuletzt angekommenen Einwanderer von den bereits länger hier lebenden geschmäht werden. Ihre Etablierung in "ethnischen Enklaven" der Ökonomie weckt den Neid der "Einheimischen".

Als besonders beunruhigend wird der Anstieg rassistischer Vorkommnisse an amerikanischen Hochschulen gewertet. Das "Nationale Institut gegen Vorurteile und Gewalt" in Baltimore schätzt, daß ein Fünftel aller Studenten aus Minderheitengruppen angepöbelt oder tätlich angegriffen werden. Die Ausschreitungen werden von Gruppierungen "weißer" Studenten (über deren genaue ethnische Zugehörigkeit keine Angaben gemacht werden) mit dem Ärger über das sogenannte "Affirmative Action-Programm" begründet, das Minderheiten bei Jobs und Studienplätzen Vorzüge gibt. Diese "Bejahende Aktion" wuchs aus der Erkenntnis allzulanger Diskriminierung, vor allem der schwarzen Bevölkerung. Sie findet aber nur wenig Verständnis bei den Jungen, die vergangene Ungerechtigkeiten, die nun wieder gutgemacht werden sollen, nicht selbst miterlebt haben. Auch dazu wieder Beispiele. Die Regierung wird des "Rassismus gegen die Weißen" beschuldigt, da die Universität von Virginia 1989 über die Hälfte der sich bewerbenden Schwarzen akzeptierte, aber nur ein Drittel der Weißen, obwohl die erste Gruppe mit 194 Punkten unter dem Testergebnis der zweiten gelegen habe. Asiatische Studenten werden aus den entgegengesetzten Gründen angegriffen. Sie schneiden bei Prüfungen überdurchschnittlich gut ab und finden sehr leicht eine Stellung, vor allem als Ingenieure, Naturwissenschaftler und Mathematiker. So ist es nur verständlich, daß immer häufiger die Frage gestellt wird, ob dieses multi-ethnische Amerika nicht auf eine zerrissene Gesellschaft zutreibt und wie man dieser Entwicklung gegensteuern könnte.[11]

Multikulturelle Gesellschaft in Kanada

Der Begriff Multikulturalismus wird in Kanada in drei Bedeutungen verwendet:[12]

1. Einmal wird darunter die 1971 vom damaligen Ministerpräsidenten Trudeau angekündigte sozialpolitische Gesetzgebung verstanden, die 1988 durch die Einrichtung einer "Direktion für Multikulturalismus" und das Multikulturalismus-Gesetz institutionell verankert wurde.

2. Zum zweiten wird damit eine Aussage über die multikulturelle Zusammensetzung der kanadischen Gesellschaft gemacht. Die höchsten Bevölkerungsanteile entfielen nach der Volkszählung von 1981 auf Angloamerikaner mit rd. 45 %, gefolgt von den Frankokanadiern mit rd. 27 %, der Rest verteilt sich auf andere ethnische Gruppen, wobei die Indianer und Eskimos zusammen nur noch etwa 1,6 % erreichen. In jüngster Zeit hat Kanada einen starken Zustrom von Asiaten zu verzeichnen, vor allem aus Hongkong, Indien und Vietnam.[13]

3. Schließlich hat Multikulturalismus auch die Funktion einer Ideologie, indem damit definiert werden soll, welche Bevölkerungsteile wie lange und wieviel für den Aufbau der kanadischen Gesellschaft gearbeitet und gelitten haben. Zu diesem Zweck werden von der "Multikulturalismus-Direktion" Geschichtsforschungen über die Völker Kanadas finanziert und publiziert. Das Prinzip des kulturellen Pluralismus erscheint gemäß dieser Ideologie als etwas genuin kanadisches und es stellt heraus, daß es für die verschiedenen Völker Kanadas immer schon ein Leitmotiv gewesen sei, sich gleichermaßen für den Aufbau des heutigen Kanada einzusetzen.

Das Multikulturalismus-Gesetz enthält eine Reihe sozial- und kulturpolitischer Richtlinien zur Beförderung von "Einheit in der Vielfalt". So heißt es in der Einleitung zu diesem Gesetz "...daß die Regierung Kanadas die Verschiedenheit der Kanadier bezüglich ihrer Hautfarbe, ihrer nationalen oder ethnischen Herkunft sowie ihrer Religion als wesentliches Merkmal der kanadischen Gesellschaft anerkennt. Die Regierung bekennt sich zu einer Politik des Multikulturalismus, die dazu bestimmt ist, das multikulturelle Erbe Kanadas zu erhalten und zu fördern. Gleichzeitig steht sie dafür ein, daß eine Gleichwertigkeit aller Kanadier im wirtschaftlichen, sozialen, kulturellen und politischen Leben unabdingbar ist und erlangt werden muß".[14]

Da das Gesetz erst 1988 in Kraft trat, müssen Aussagen darüber, inwieweit mit der Institutionalisierung des Multikulturalismus-Grundsatzes politische Forderungen ethnischer Gruppen kanalisiert und Ethnizität in den "mainstream" der kanadischen Gesellschaft eingebunden wurde, notwendigerweise spekulativ bleiben. Angestrebt wird jedenfalls eine geänderte "nationale Identität" unter Vorgabe eines bilingual-multikulturellen Modells, auf einen kurzen Nenner gebracht, zwei offizielle Landessprachen, nämlich Englisch und Französisch, aber keine Einheitskultur.

Zum gesellschaftlichen Entstehungshintergrund ist anzumerken, daß die Erweiterung der "nationalen Identität" von einer bikulturell-bilingualen zu einer bilingual-multikulturellen bei den französischsprachigen Kanadiern auf Ablehnung stieß. Sie sahen darin eine Strategie der Anglo-Kelten, von den nationalen Rechtsansprüchen der Franco-Kanadier abzulenken, sie zu einer kanadischen Minderheit unter anderen zu machen und ihre Privilegien als "Gründernation" einzuschränken. Im übrigen trat bei den Franco-Kanadiern das Motiv frustrierter Karriereerwartungen als Grund für den Anschluß an die nationalistische Bewegung besonders deutlich hervor und es waren auch die Mittelschichten der französischsprachigen Bevölkerung, die der Bewegung wesentliche Impulse gaben. Die aufstrebende frankophone Mittelschicht fand die höheren Ränge in den Wirtschaftsunternehmen durch Anglokanadier blockiert, und da sich diese Schranken nicht durch individuelle Tüchtigkeit allein überwinden ließen, kam und kommt es bei dieser Ethnie immer wieder zu kollektiven Protesten.[15]

Die Multikulturalismus-Richtlinien beinhalten neben der kulturellen auch eine strukturelle Dimension, nämlich Gleichwertigkeit aller Kanadier im Zugang zu gesellschaftlich wichtigen Positionen und erst die Zukunft wird zeigen, inwieweit sich dies in die Praxis umsetzen läßt. Ob es in Kanada, ähnlich wie in den USA bereits geschildert, zu Protesten der Weißen gegen zugewanderte Asiaten kommen wird, soll hier als potentielles Problem zumindest angesprochen werden. "In der westkanadischen Stadt Vancouver beispielsweise kommt der größte Zustrom heute von Hongkong-Chinesen, die noch vor Ablauf des 100jährigen britischen Protektorates und der Übergabe Hongkongs an die Volksrepublik China im Jahr 1997 auswandern wollen. 130.000 Hongkong-Kanadier besitzen in Vancouver Liegenschaften in einem Wert von 2,1 Milliarden kanadischen Dollar.[16] Die großangelegten Kapitalinvestitionen haben der Stadt den Spitznamen Hongcouver eingebracht.[17] " Es bleibt abzuwarten, inwieweit dieser Import von Ressourcen durch Einwanderung nicht auch einen Import wirtschaftlicher Konflikte impliziert.

Bemerkenswert ist schließlich, daß im Vorfeld der Verabschiedung des Multikulturalismus-Gesetzes auch das Nationenthema eine beachtliche Rolle spielte. Die osteuropäischen Einwanderer aus Lettland, Litauen, Estland, Ostpolen und vor allem aus der Ukraine betrachten sich als enteignete Volksgruppe ("dispossessed minorities"), da sie in der Sowjetunion bisher keine eigenständigen Nationen mehr bilden. Sie haben sich vor allem auf dem Lande etabliert und wesentlich zum Aufschwung der kanadischen Landwirtschaft beigetragen und sie waren es auch, die sich bei der kanadischen Regierung dafür eingesetzt haben, daß die offiziellen Bilingualismus-Richtlinien durch eine Multikulturalismus-Verordnung ergänzt wurden. Diese Osteuropäer sehen sich auch als eine Art "Gründernation", da sie durch die Ansiedlung in Westkanada die Prärieprovinzen Manitoba, Alberta und Saskatchewan geschaffen haben und ihre Sprache und Kultur in der kanadischen Diaspora erhalten wollen.[18] Wie Elschenbroich für Amerika feststellt, gehen die von den ethnischen Gruppen bewahrten oder wiederbelebten Traditionen mit dem "Amerikanischen" oft eigenartige Mischungsverhältnisse ein, so daß sie keine wirklich authentische ethnische Kultur repräsentieren.

Multikulturalismus-Diskussion in Frankreich

In Frankreich wurde der Essay von Alain Finkielkraut "Die Niederlage des Denkens" zu einem Bestseller. Daraus seien einige seiner Überlegungen zum Thema multikulturelle Gesellschaft näher diskutiert, die entsprechend dem essayistischen Charakter etwas sprunghaft sind, auf Widersprüche hinweisend und Lösungsvorschläge unterbreitend, bei denen man dann doch eine fundiertere Argumentation hinsichtlich ihrer Brauchbarkeit für die gesellschaftliche Praxis vermißt.

Nach Finkielkraut fordern "...die Befürworter der multikulturellen Gesellschaft für alle Menschen das Recht auf eine Livree. In ihrem löblichen Wunsch, jedermann seine verlorene Identität wiederzugeben, lassen sie zwei antagonistische Denkschulen aufeinanderprallen: diejenige des Naturrechts und diejenige des historischen Rechts.[19] " Dies bedarf der Erläuterung. Das historische Recht - Ethnizität als unvermeidliches Kollektivmerkmal des einzelnen - sieht er in Verbindung mit dem Kulturrelativismus, wie ihn die strukturalistische Anthropologie der Levi-Strauss-Schule entwickelt hat. Demnach können die vielfältigen Lebensstile, die die Menschheit sich selbst in Raum und Zeit gibt, nicht nach zunehmender Vollkommenheit geordnet werden. Alle Kulturen sind gleichwertig. Für das Verhalten gegenüber Einwanderern würde dies bedeuten, sie zunächst einmal zu achten, so wie sie sind, so wie sie in ihrer nationalen Identität, ihrer kulturellen Eigenart, ihrer geistigen und religiösen Verwurzelung sein wollen.

Dem stellt Finkielkraut nun den Standpunkt des Naturrechtes gegenüber, daß also dem Menschen als solchem und abgesehen von besonderen staatlichen oder gesellschaftlichen Zuständen bestimmte allgemeine Menschenrechte oder Grundrechte zustehen. Er sieht es als ein Verdienst der europäischen Aufklärung an, solche Rechte formuliert zu haben, die das absolute Primat des Kollektivs zurückgedrängt haben gegenüber dem Individuum, insbesondere seiner individuellen Freiheit als höchstem Wert. An dieser Errungenschaft müsse der Kulturrelativismus in seiner Verschmelzung mit dem historischen Recht gemessen werden. Der aus dieser Verschmelzung resultierende Standpunkt würde keinerlei Traditionskritik anderer Kulturen mehr zulassen, eine für Finkielkraut absolut notwendige Kritik, sofern in diesen Kulturen Bräuche vorherrschen, die die Grundrechte der Person verhöhnen.[20]

In diesem Zusammenhang wendet er sich auch scharf gegen das vom Collège de France (institutionalisiert bei der Académie Française) im Jahre 1985 erstellte Gutachten mit dem Titel "Vorschläge für den Unterricht der Zukunft". Darin wird als erstes Prinzip gefordert: "Ein ausgewogener Unterricht muß den Universalismus des wissenschaftlichen Denkens in Einklang bringen können mit dem Relativismus der Humanwissenschaften, die auf die Pluralität der Lebensweisen, der Weisheiten, der kulturellen Empfindsamkeiten bedacht sind.[21] " Der Schule bzw. dem Unterricht der Humanwissenschaften würde demnach die Aufgabe zufallen, unseren Urimpuls zur Negierung des anderen zu bändigen und daran zu hindern "...uns an uns selbst zu ergötzen, als auch daran, die Welt nach unserem Bild zu formen. Europäer: diese Identität ist jetzt unter der Wirkung eines solchen Unterrichts weder Mission noch Grund zum Stolz, sondern ein Lebens- und Denksystem, das bescheiden auf der gleichen Stufe steht wie alle anderen."[22]

Gleichzeitig sieht er eine Gefahr darin, von Kultur nur im Plural zu sprechen und den Menschen verschiedener Epochen oder Zivilisationen die Möglichkeit zu verweigern, über denkbare Bedeutungen oder Werte, die über ihren Entstehungsbereich hinausgehen, miteinander in Verbindung zu treten. Seine normative Forderung geht also dahin, mit Menschen aus anderen Zivilisationen in Verbindung zu kommen, ohne daß sich die Bedeutung dieser Verbindung lediglich im Aufdecken der Unterschiede erschöpft.[23]

So sind seine Ausführungen eine geistreich vorgetragene Mischung von Stolz auf die aus der europäischen Aufklärung hervorgegangenen Menschenrechte, von Betonung der Autonomie des Individuums gegenüber dem Kollektiv, von Respektierung des "Fremden", sofern dessen Bräuche nicht die Grundrechte verletzen und letztlich doch der Überzeugung, daß man die "Fremden", die Minderheiten zwar im Einklang mit ihren Traditionen leben lassen soll, sie aber gleichzeitig mit Bezug auf freie und gleiche Einzelpersonen vor Untaten oder Mißbrauch ihrer jeweiligen Traditionen schützen soll. "Aus Angst, den Einwanderern Gewalt anzutun, verbindet man sie mit der Livree, die die Geschichte ihnen zugeschnitten hat... Um die Grausamkeit der Entwurzelung zu mildern, übergibt man sie wehrlos, auf Gedeih und Verderb wieder ihrer Gemeinschaft und schafft es so, die Anwendung der Menschenrechte auf die Menschen des Westens zu beschränken, und das alles in dem Glauben, diese Rechte zu erweitern, wenn man jedem die Wahl läßt, in seiner Kultur zu leben."[24] Was aber, so fragt sich der kritische Leser, wenn sie sich weigern, diese Segnungen der individuellen Unabhängigkeit und Gleichheit zu akzeptieren?

Die Bundesrepublik Deutschland auf dem Weg zur multikulturellen Gesellschaft?

Für die Bundesrepublik Deutschland ergibt sich der Eindruck, daß der "Weg zur multikulturellen Gesellschaft" zwar öffentlich oft als unausweichlich beschworen wird, die damit verbundenen Vorstellungen aber recht diffus sind. Aus dem Jahre 1983 liegt ein Versuch von Hartmut Esser vor, unter Rückgriff auf ein einfaches Modell die Bedingungen auszuloten, unter denen eine multikulturelle Gesellschaft überhaupt möglich ist, sowie die Entwicklungen aufzuzeigen, die unter den gegebenen Bedingungen wahrscheinlich zu erwarten sind.

Was ist mit multikultureller Gesellschaft gemeint? Esser benennt zunächst einige theoretische Grunddimensionen des Verhältnisses sozialer Gruppen zueinander. Mit den Dimensionen Integration bzw. Desintegration soll gekennzeichnet werden, ob die Gruppen gleichwertige und spannungsarme Beziehungen zueinander unterhalten oder nicht. Weiters wird unterschieden, ob die Gruppen sich untereinander kulturell, sozial bzw. strukturell angeglichen haben oder nicht, bezeichnet mit den Dimensionen Assimilation bzw. Dissimilation. Daraus lassen sich vier Typen des Verhältnisses sozialer Gruppen zueinander ableiten.

	Integration	**Des-Integration**
Assimilation	Form des Zusammenlebens unter Aufgabe der ethnischen Eigenständigkeit einer Gruppe	Gruppenkonflikte "unter Gleichen"
Dissimilation	Multikulturelle Gesellschaft	Zustand des Konfliktes rivalisierender ethnischer Gruppen

Ob die Begriffe Integration, Assimilation usw. hier "richtig" verwendet werden, soll nicht weiter interessieren. Wesentlich scheint, daß das, wenn auch etwas vereinfachende, Modell doch den Blick dafür schärft, was multikulturelle Gesellschaft meint oder zumindest meinen könnte, nämlich "...eine Gesellschaft, in der verschiedene ethnische, kulturelle und religiöse Gruppen in einem gemeinsamen wirtschaftlichen und politischen Rahmen jeweils ihre Eigenständigkeit behalten und dabei in geregelten und spannungsarmen (Austausch-)Beziehungen zueinander stehen. Obwohl alle Gruppen innerhalb eines gemeinsamen politischen und wirtschaftlichen Rahmens leben, braucht keine auf ihre eigenen kulturellen Einrichtungen zu verzichten, keine Gruppe braucht ihre Identität aufzugeben; und alle profitieren von der Zunahme der Vielfalt des kulturellen Lebens."[25]

Esser prüft dann weiter, ob sich ein solcher Gesellschaftstyp in der Bundesrepublik Deutschland unter den Verhältnissen von Anfang der 80er Jahre, die sich wohl bis heute kaum verändert haben, einrichten läßt. Es sind vor allem zwei Problembereiche, die sich hinter dieser von Esser selbst als "naiv" bezeichneten Fassung des Konzeptes der multikulturellen Gesellschaft verbergen, nämlich die Gefahr der Entstehung einer ethnischen Schichtung einerseits und einer ethnischen Segmentation andererseits.[26]

Ethnische Schichtung bezeichnet den Tatbestand, daß sich die in jeder Gesellschaft beobachtbare soziale Ungleichheit nach Macht, Einkommen oder Lebensqualität systematisch mit der ethnischen Zugehörigkeit verbindet. Dieses Phänomen wurde bereits im Zusammenhang mit den verschiedenen Einwanderungsgruppen in Amerika und Kanada angesprochen. Es ist ein häufig zu beobachtender Tatbestand, daß die zuletzt angekommenen Einwanderergruppen oder auch Arbeitsmigranten - in der BRD speziell die Türken - die untersten Positionen im Gesellschaftsgefüge, insbesondere der Wirtschaft, einnehmen müssen. Die Arbeitsmigranten sind von formellen Entscheidungsprozessen weitgehend ausgeschlossen, da sie eben keine staatsbürgerlichen Rechte besitzen und als Ausländer auch gar nicht besitzen können, was ein generelles Prinzip in der internationalen Staatengemeinschaft ist. Daß dadurch die Tendenz zur Herausbildung einer ethnischen Schichtung verstärkt wird, ist nicht von der Hand zu weisen. Darüber, inwieweit die Arbeitsmigranten selbst an einer Veränderung dieser Rahmenbedingungen interessiert sind, also die Staatsbürgerschaft anstreben, können keine gesicherten Angaben gemacht werden. Schätzungen aus Anfang der 80er Jahre gehen davon aus, daß etwa 40 % der Migranten auf Dauer in der BRD bleiben würden, wobei die rechtlichen Möglichkeiten von unbefristeten Aufenthaltserlaubnissen bis hin zur gänzlichen Einbürgerung reichen.[27]

In den heute als multikulturell etikettierten Gesellschaften wie den USA und Kanada ist die Situation insofern völlig anders, als die Einwanderer oft schon nach wenigen Jahren - in Kanada beispielsweise nach 3 Jahren Aufenthalt[28] - die Staatsbürgerschaft zuerkannt bekommen. Inwieweit durch rechtliche und politische Gleichheit einer ethnischen Unterschichtung entgegengewirkt werden kann, ist gesondert zu diskutieren. Wie das Beispiel der schwarzen Bevölkerung Amerikas zeigt, hebt eine solche Gleichheit nicht automatisch die ethnische Unterschichtung auf. Durch "affirmative action" wurde ab den 70er Jahren versucht, den Schwarzen mehr Chancengleichheit im Bildungs- und Berufswesen zuteil werden zu lassen. Dies führte bei weißen ethnischen Minderheiten wie Slowaken, Griechen, Italienern und Polen der zweiten und dritten Generation zu Protesten, da sie sich durch die liberale Parteilichkeit für Schwarze und auch Indianer "ausgegrenzt" fühlten.[29] Auch für Kanada gilt, daß ethnische Zugehörigkeit der wichtigste Faktor für die Position in der Gesellschaftsstruktur ist. "Im Moment der Einwanderung wirkt sie auf den sozioökonomischen 'Eingangsstatus', später, für die nachfolgende Generation, als ethnische Mobilitätsbarriere."[30] Im Multikulturalismus-Gesetz wird daher der Stellenbesetzung im Staatsapparat eine Avantgarde-Funktion bei der Umsetzung von Prinzipien der sozialen Gleichheit aller ethnischen Gruppen zugeschrieben. Die Bedingungen einer multikulturellen Gesellschaft aus der Sicht der eingewanderten Gruppen behandelt Esser unter der Perspektive der ethnischen Segmentation. Man versteht darunter, daß sich ethnische Gruppen unter den Belastungen der Migrationssituation enger untereinander zusammenschließen, vorzugsweise unter ihresgleichen sich ansiedeln und ein System eigenständiger ethnischer Einrichtungen aufbauen, um viele Probleme der alltäglichen Lebensgestaltung im innerethnischen Raum abzuwickeln. Ethnische Segmentation bietet Chancen und Risiken. Ethnische Einrichtungen, die zum Teil parallel zu denen der Aufnahmegesellschaft verlaufen, ermöglichen es dem Migranten, in einem vertrauten institutionellen Netzwerk Sicherheit in einer fremden Umgebung zu finden.

Dieser von anderen Autoren auch als Binnenintegration[31] bzw. Integration in die Einwanderungskolonie[32] bezeichnete Vorgang soll der Desintegration von Identität entgegenwirken, gleichzeitig aber die schrittweise Auseinandersetzung mit der neuen sozialen Umgebung sowie den allmählichen Zugang zu einem Teil der gesellschaftlichen Güter der Aufnahmegesellschaft erleichtern. Integration in die Aufnahmegesellschaft über Selbsthilfestrukturen konnte man auch bei den deutschsprachigen Flüchtlingen und Vertriebenen aus Ost- und Südosteuropa nach dem Zweiten Weltkrieg beobachten.[33] Sowohl in der Bundesrepublik Deutschland als auch in Österreich gründeten diese entwurzelten Menschen zahlreiche Vereine zur Förderung von Betriebsansiedlungen oder zur Forcierung des Wohnungsbaues. Wichtig waren auch die sogenannten landsmannschaftlichen Zusammenschlüsse, um den Zusammenhalt der Volksgruppen als Ganze - seien es nun die Sudetendeutschen, die Donauschwaben, die Siebenbürger Sachsen oder die Schlesier - aufrechtzuerhalten. Mit der Seßhaftwerdung der Flüchtlinge reduzierte sich das Interesse immer mehr auf die gelegentliche Pflege alter Bekanntschaften durch Heimattreffen mit Menschen aus der gleichen Stadt oder demselben Dorf. Was verbindend weiterwirkte, war weniger das politische Bild der großen Volksgruppe, sondern vielmehr die intime Bindung an die "kleinere Heimat". Die Binnenintegration der Flüchtlinge in den Landsmannschaften war ein positiver Faktor für die Integration in die neue Heimat: Einerseits wurde dadurch eine Rückbindung an die verlorene Heimat ermöglicht, aber andererseits über den Aufbau von "Zwischenwelten"[34] die schrittweise Eingliederung in die Aufnahmegesellschaft erleichtert.[35]

Eine wichtige Bedingung für die stabile Existenz einer multikulturellen Gesellschaft nach dem Modell Essers wäre, daß alle Gruppen bei aller Eigenständigkeit jederzeit im Prinzip für die Begegnung mit den anderen Gruppen offen sind und sich auch in gewisser Weise aneinander "anpassen". Bei den deutschsprachigen Flüchtlingen und Vertriebenen in Österreich und der BRD war dies zweifellos der Fall. Die Entstehung von Parallelgesellschaften mit gegenseitiger Ausgrenzung wäre sicher nicht wünschenswert. So beziehen sich die Einwände gegen die Binnenintegration z.B. auf die Frage, inwieweit eine solche Subkultur überhaupt ein lernfähiges System auszubilden vermag oder auszubilden wünscht, das eine produktive Auseinandersetzung mit der umgebenden Gesellschaft erlaubt. Damit hängt auch das Problem zusammen, inwieweit das staatliche Gewaltmonopol dadurch gefährdet wird, daß in der ethnischen Segregation ein alternativer Erzwingungsstab entwickelt wird, etwa ähnlich der Mafia bei den Italo-Amerikanern oder den Sanktionsmechanismen, die gelegentlich bei Konflikten unter türkischen Gastarbeiterfamilien in der Bundesrepublik Deutschland zum Tragen kommen. Binnenintegration zur Bewahrung von ethnischer Identität könnte so eine Gefahr für die Aufnahmegesellschaft werden. Sie darf also nicht zur Abschottung oder gar Feindseligkeit gegenüber der umgebenden Gesellschaft führen, sondern sollte einen ethnisch-kulturellen Schutzschirm bilden, der Kommunikationskanäle zur Aufnahmegesellschaft offenhält und langzeitlich über einen partiellen Wandel von Identität durch Akkulturation die Integration in die Aufnahmegesellschaft ermöglicht.[36]

Multikulturelle Gesellschaft - Versuch eines Resümees

Wie die Ausführungen zeigen, wird unter multikultureller Gesellschaft sehr Unterschiedliches verstanden. In Amerika verbindet man damit das ethnische Erwachen oder auch Wiedererwachen verschiedener Einwanderergruppen, das in den 70er Jahren unter der Bezeichnung "new ethnicity" zusammengefaßt wurde. Sie trägt zu einem beachtlichen Teil rekonstruierte Züge im Sinne einer Rückbesinnung auf Elemente der verschiedenen Einwanderer-Herkunftskulturen, insbesondere deren Geschichte, Sprache und Folklore, die museal und in Forschungsinstituten gesammelt und dokumentiert werden. Fragen nach der Qualität und Tiefe dieses rekonstruierten Multikulturalismus werden dabei eher wenig gestellt.

Seine Verankerung im amerikanischen Kulturbetrieb und Mittelschichtkonsum sei an einem Beispiel dokumentiert. Im Zuge des "ethnic boom" der 70er Jahre erschien die italo-amerikanische Zeitschrift "Attenzione", wohlgemerkt in englischer Sprache, die sich steigender Beliebtheit erfreut, da sie sich nicht nur an Italo-Amerikaner, sondern laut Untertitel an alle wendet, die das Italienische mögen. Während die Italiener neben den Polen um die Jahrhundertwende zu den am meisten diffamierten Einwanderergruppen gehörten, scheint man heute "das Italienische" mit Mittelschichtkultur zu assoziieren. Über die dahinterstehende neue Orientierung der Italo-Amerikaner gibt es erst relativ wenige Studien. In der Hinwendung zu Italien bezieht sich "Attenzione" weniger auf dörfliche oder regionale Identifikationssymbole, sondern auf Italien als Hochkultur, verknüpft mit Dante oder der Renaissance, die mit modernen, prestigeträchtigen Konsumsymbolen Italiens, etwa den Firmen Martini, Benetton oder Alfa Romeo ein eigentümliches Mischungsverhältnis eingehen.[37]

Gleichzeitig scheinen jene Institutionen, die ethnische Bindungen gestützt haben, wie eigene Kirchen, lokale Gemeinschaften, Produktion für lokale Märkte, auch Sozialfürsorge und Freizeiteinrichtungen an Bedeutung zu verlieren, verallgemeinert und amerikanisiert zu werden. Authentische Ethnizität als eine im Kontakt mit dem Einwanderungsland noch nicht transformierte ist vor allem in den Unterschichten von Einwanderer-Minoritäten sowie bei den erst kürzlich Zugewanderten anzutreffen. Um die Sache auf den Punkt zu bringen: Es gibt in Amerika Spielformen von "new ethnicity", von Multikulturalismus, die sich erst dann entfalten konnten, nachdem man bis zu einem gewissen Grad in den "mainstream" der amerikanischen Gesellschaft integriert war, eine Suche nach den eigenen Wurzeln, nachdem man sie fast schon verloren hatte. Diese Spielformen sind für jene Arbeitsmigranten irrelevant, bei denen ethnische Segmentation gegeben ist, besonders augenfällig etwa bei den türkischen Arbeitsmigranten und ihren Familien in der Bundesrepublik Deutschland. Es handelt sich dort eher um eine authentische, "unmoderne" Ethnizität, zumindest bei der ersten Generation von Migranten. Daß dabei die religiöse Komponente sehr wesentlich ist, wird später noch zu diskutieren sein.

In jüngster Zeit ist allerdings in den USA unter dem Deckmantel des Multikulturalismus an den Schulen und Universitäten eine Entwicklung eingetreten, die fast schon als Kampfansage gegen das tradierte "weiße" westliche Bildungsgut gedeutet werden kann. Die Stanford University, die immerhin als eine der besten des Landes gilt, nennt nach massiven Studentenprotesten den obligaten Einführungskurs für alle Studenten nicht mehr "Western Culture", sondern "Cultures, Ideas and Values". Die Werke von DWEMs (dead white European males), wie Plato, Machiavelli, Darwin oder Freud, müssen antikolonialistischer Kampfliteratur weichen. An der Temple University fordert das Institut für Afro-Amerikanische Studien einen "afrozentrischen" Lehrplan, in dessen Mittelpunkt nicht das westliche Ideal des freien Individuums stehen soll, sondern das afrikanische der Gemeinschaft. Schwarze Studenten klagen über den Zwang, sich weißes Bildungsgut aneignen zu müssen, und Houston Baker, ein prominenter schwarzer Professor an der University of Pennsylvania, behauptet, das "hegemoniale westliche Bildungsgut" beruhe in ungesundem Umfang auf Lesen und Schreiben. Er empfiehlt statt dessen eine stärkere Berücksichtigung der "mündlichen Tradition" und der Rap-Musik. Neuankömmlinge aus den hispanischen Ländern weigern sich, Englisch als die offizielle Sprache Amerikas anzuerkennen und in Amerika lebende Hispanics, die dafür eintreten, daß auch Einwanderer aus Lateinamerika ermutigt werden sollten, Englisch zu lernen, werden als Gastvortragende an Universitäten wieder ausgeladen.[38]

Die entscheidende Frage ist, inwieweit es sich hier um Einzelphänomene handelt, die für Amerika als großem, multiethnischen Land kein so großes Gewicht haben. Daß Präsident Bush 1990 die Erstellung einer "Haßverbrechens-Statistik" angeordnet hat, deutet darauf hin, daß die gegenseitigen Aus- und Abgrenzungen der ethnischen Gruppen und auch der darin involvierte Fanatismus als ernste Probleme angesehen werden.

Obwohl von einigen Wissenschaftlern die These vertreten wird, daß die europäischen Aufnahmestaaten von Arbeitsmigranten faktisch zu Einwanderungsländern geworden sind,[39] spricht doch eine Reihe von Fakten dagegen. Von ihrer Entstehungsgeschichte her sind die flächenmäßig zu den größten der Welt zählenden Staaten Amerika und Kanada traditionelle Einwanderungsländer mit einem Nebeneinander verschiedener Ethnien. Allerdings sind diese immer einem gewissen Assimilationsdruck von seiten der "WASP" (White Anglo Saxon Protestants) ausgesetzt. Für Amerika und Kanada stimmt die Bezeichnung Einwanderungsland insofern, als jährlich Einwanderungskontingente für bestimmte Nationalitäten festgelegt werden und die Einwanderer nach einer gewissen Aufenthaltsdauer die Staatsbürgerschaft erhalten.

Beides trifft für die BRD und andere europäische Staaten nicht zu. Ferner besteht seit dem 19. Jahrhundert in Europa das Leitbild ethnisch homogener Nationalstaaten, was einerseits nicht ausschließt, daß alteingesessene ethnische Minderheiten dort weiterbestehen und es immer wieder zu einem Aufflackern ethnonationalistischer oder regionalistischer Bewegungen kommt, andererseits betreiben die meisten dieser Nationalgesellschaften heute eine staatlich kontrollierte Abschottung gegen "fortgesetzten ethnischen 'Problemimport' durch Immigration."[40] Dies hat seinen Grund darin, daß die europäischen Staaten sich nicht als Einwanderungsländer verstehen und die jeweilige Bevölkerung mehrheitlich wünscht, daß dies auch so bleibt. Inwieweit durch ethnische Segmentierung bzw. Binnenintegration ein allmähliches Hineinwachsen von zugewanderten Minderheiten in die Aufnahmegesellschaft erreicht werden kann, wurde an anderer Stelle bereits diskutiert.

Auf einen wesentlichen Unterschied zwischen Einwandererkolonien in Amerika und Kanada und Binnenintegration ist jedoch hinzuweisen. Die europäischen Arbeitsmigranten sind wesentlich mobiler insofern, als das Pendeln zwischen Herkunfts- und Aufnahmeland weit verbreitet ist. Dadurch sind sie nicht ausschließlich der Kultur des Aufnahmelandes ausgesetzt, sondern tauchen zumindest periodisch in jene ihrer Herkunftsgesellschaft ein. Durch den Bau eines oder gar mehrerer Häuser, die man zu vermieten hofft, oder auch den Erwerb von Geschäftsanteilen im Heimatland hält man sich die Option auf eine mögliche Rückkehr offen. Inwieweit durch solche Akkulturations- und Re-Akkulturationsprozesse wenn auch nicht "multikulturelle" so doch "bikulturelle" Identitätsstrukturen sich herausbilden und bei welchen ethnischen Gruppen dies der Fall sein wird, kann derzeit noch nicht abgeschätzt werden. Jedenfalls erscheint "...das Pendeln als eine wohlüberlegte, sinnvolle und rationale Handlungsstrategie zur Satisfaktion einer 'bilateralen' Struktur von Bedürfnissen und Interessen kultureller, sozialer und ökonomischer Art."[41] Zwar ist, wie empirische Umfragen zeigen, bei den meisten Ausländern der grundsätzliche Wunsch, in die Heimat zurückzukehren, stark ausgeprägt, jedoch bestehen keine genauen Vorstellungen über den Zeitpunkt der Rückkehr.[42]

Es besteht kein Zweifel darüber, daß in allen europäischen Staaten mit einem hohen Anteil von Arbeitsmigranten besondere Probleme mit jenen muslimischen Glaubens bestehen. Die "kulturelle Distanz" wird hier am deutlichsten wahrgenommen, sowohl von seiten der Migranten als auch der Aufnahmegesellschaft. Im Beitrag Finkielkrauts zur "Multikulturalismus-Diskussion" in Frankreich kommt indirekt zum Ausdruck, daß er die Menschenrechte oder auch Grundrecht der Person vor allem durch "barbarische Traditionen" für gefährdet erachtet. Daß er sich dabei auf das islamische Strafrecht bezieht, ohne dieses explizit zu nennen, geht aus folgender Frage hervor: “Gibt es eine Kultur da, wo man über Delinquenten körperliche Züchtigung verhängt, wo die unfruchtbare Frau verstoßen und die Ehebrecherin mit dem Tode bestraft wird.”[43] Es würde zu weit führen, hier auf Details des islamischen Strafrechtes einzugehen. Jedoch sei angemerkt, daß bei einer abstrakten Betrachtung die Strafen des islamischen Strafrechtes außerordentlich grausam wirken, ihre praktische Anwendung jedoch schon von jeher durch das Prozeßrecht ganz wesentlich eingeschränkt worden ist.[44]

Auch für die Bundesrepublik Deutschland stellt die Islampräsenz ein vieldiskutiertes und kontrovers beurteiltes Problem dar. Es leben dort schätzungsweise 1,7 Millionen Muslime, von denen die Türken mit rund 1,44 Millionen den höchsten Anteil ausmachen. Die zunehmende Präsenz der Türken drückt sich in folgenden Zahlen aus. Stammten 1961 noch fast 57 % der Ausländer aus den heutigen EG-Staaten, so waren es Ende 1986 nur noch 30 %. Demgegenüber ist der Anteil der Türken an den Ausländern im Gebiet der BRD von 1 % 1961 auf rund 32 % zum Jahresende 1986 angestiegen.[45] Der überwiegende Teil der türkischen Muslime gehörte in ihrem eigenen Land zu den unterprivilegierten Schichten und entstammt meist einer ländlichen Gegend.[46] In ihrer religiösen Orientierung sind diese Menschen mit deutlicher Mehrheit dem Volksislam zuzuordnen. Für deren Anhänger ist u.a. charakteristisch, daß sie Gewohnheiten und Vorstellungen als “islamisch” wahrnehmen, obgleich diese zu einem guten Teil mit dem Leben im bisherigen ländlichen Milieu ihres Heimatlandes zusammenhängen. Der fundamentalistische Islam, dessen religiöses Verständnis vom sogenannten “religiösen Integralismus” oder der Allzuständigkeit der Religion in Staat und Gesellschaft bestimmt wird, dürfte in der Bundesrepublik Deutschland keine sehr große Anhängerschaft haben.[47]

In einem jüngst erschienenen Beitrag kommt Fuad Kandil zu dem Ergebnis, daß für das Heimisch-Werden der Muslime “...ein religiöses Modell zur Bewältigung der völlig anderen Situation als Minderheit in einer fremdkulturellen, säkularistischen Umwelt erforderlich ist, das von den hier lebenden Muslimen entwickelt werden muß.”[48] Gleichzeitig fordert er aber auch die Gesellschaft der Bundesrepublik auf, den Islam als ein Element der geistigen Landschaft in der Bundesrepublik zu akzeptieren. Ob eine Umsetzung dieser Forderungen in gesellschaftspolitische Konzepte gelingen kann, muß offen bleiben, wenn ja, dann ist es sicher ein sehr langwieriger Prozeß. Jedenfalls warnt Kandil zu Recht davor, hier mit dem Konzept der multikulturellen Gesellschaft zu operieren, einem, wie auch dieser Überblicksartikel gezeigt hat, doch sehr diffusen Begriff, der dementsprechend zur Untermauerung sehr unterschiedlicher Wertungsstandpunkte verwendet wird. Nicht selten wird schlicht konstatiert, die Deutschen müßten zur Kenntnis nehmen, in einer multikulturellen Gesellschaft zu leben, was möglicherweise eher dazu geeignet ist, potentielle Ängste noch zu steigern. Im übrigen fällt bei der

Durchsicht der Literatur zum Problem des Kontaktes von Deutschen und Arbeitsmigranten auf, daß dabei zu sehr die deutsche Seite des Problems betrachtet wird. Häufig werden negative Einstellungen der Deutschen gegenüber Arbeitsmigranten und ihren Familien empirisch belegt und allzu simplifizierend die Ansicht vertreten, bei etwas gutem Willen könne man diese Einstellungen zum Positiven wenden. Hingegen sind negative Einstellungen der Migranten gegenüber den Deutschen recht selten Gegenstand der Forschung und wenn ja, dann werden diese ablehnenden Haltungen als instrumentell verständliche Mittel zur Verteidigung der personalen oder ethnischen Identität der Arbeitsmigranten verteidigt. Die Frage, ob es sich dabei nicht auch um erkenntnismäßige Verzerrungen handelt, wird kaum gestellt.[49]

Möglicherweise hängt die derzeitige Beliebtheit des Konzeptes der multikulturellen Gesellschaft in der Bundesrepublik Deutschland auch damit zusammen, daß es an einer kollektiven deutschen Identität mangelt. Bernd Estel führt für die Geringschätzung der Nation seitens der Westdeutschen,[50] also das Umschlagen des früheren Nationalismus in eine eher negative Selbstbewertung in erster Linie die Judenvernichtung der NS-Zeit an. Weitere Gründe kommen hinzu wie etwa die (west)alliierten Umerziehungsversuche nach 1945 und ihre spätere Fortsetzung unter deutscher Regie oder die seit Ende der 60er Jahre insbesondere den öffentlichen und den pädagogischen Raum dominierende Art der Demokratisierung, die im Nationalismus überhaupt nur ihren Feind sah und ihn entsprechend perhorreszierte.[51] Gleichzeitig kam es zu einer Transformation des Nationalismus in Regionalismus, die nach 1945 einsetzte, in der Folgezeit zurückging und sich seit Ende der 70er Jahre wieder verstärkte. So kam es zu einer "...Verlagerung der positiven kollektiven Identität von der Nation auf das einzelne Bundesland, den (Quasi)Stamm, die Landschaft, die eigene Gemeinde, wie sie sich aktuell in der Neuentdeckung von Heimat, der Erinnerung an und die Wiederbelebung von lokalen Eigentümlichkeiten der verschiedensten Art äußert, und die gelegentlich eine Verbindung mit grün-alternativen Sub- oder Gegenkulturen eingeht."[52]

Es ist nicht auszuschließen, daß diese "Regionalisierung" von Identität auf Kosten des "kollektiven Sinns" das doch recht diffuse Modell einer multikulturellen Gesellschaft auf den Weg brachte. Die hier lebenden 4,5 Millionen Ausländer (das sind 5,8 % der Gesamtbevölkerung der heutigen Bundesrepublik), egal wie nah oder fern uns ihr Kulturkreis steht, werden in die "regionalen Identitäten" in der BRD eingereiht und im Multikulturalismus verortet. Doch es werden auch andere Stimmen laut, die angesichts des europäischen Einigungsprozesses vehement den Erhalt der europäischen Nationalkulturen (sic!) in ihrer jeweiligen Eigenheit fordern. "Der europäische Geist reifte stets an den Gegensätzen der europäischen Nationalkulturen. Deren allmähliche Nivellierung wäre kulturpolitisch fatal. ...Zu den Aufgaben einer künftigen europäischen Kulturpolitik wird es vielmehr gehören, die Ungleichzeitigkeit zwischen Wirtschaft und Politik auf der einen Seite, der Kultur auf der anderen Seite aufrechtzuerhalten. Auch zwischen beiden deutschen Staaten wäre nicht die Angleichung der Kulturen anzustreben, sondern die Bewahrung der Differenzen auf gleichem Niveau kulturpolitischer Liberalität. Unbestritten sollte sein, daß es ein kulturelles Wiedervereinigungsgebot nicht geben darf."[53]

Worin besteht aber das Besondere der Kultur in der ehemaligen DDR? Dazu vertritt Lepenies den Standpunkt, daß jeder Bundesbürger, der Wissenschaftler, Künstler und die Kulturprodukte der DDR zu Kenntnis nehmen kann (das Beiwort zur DDR als "ehemalig" fehlt!), die subtile Ausdifferenzierung zweier deutscher Kulturen, ob in Musik, Literatur oder Malerei als geistigen Zugewinn erleben wird. Dabei gehe es "...um das Vokabular und den Sprachgestus, um den Lektürekanon und den Debattenstil." Leider erfährt der Leser nicht, um welchen Lektürekanon oder Debattenstil es sich dabei handelt. Der öffentliche Debattenstil zumindest war nicht von freier Meinungsäußerung geprägt. Dazu mußten sich die Bürger eigene Nischen suchen, z.B. im Theaterleben.

Was die Literatur anbelangt, so gab es sicher einige herausragende Schriftsteller, denen es gelang, Botschaften zu schmuggeln "...versteckt zwischen allegorischen doppelten Böden oder unter dem Deckmantel literarisch-historischer Anspielungen, vorbei an den wachsamen Augen der literarischen Grenzbeamten."[54] Daß es bei einigen Schriftstellern, wie beispielsweise Christa_Wolf, eine hohe "Sprachkultur" gegeben hat und noch gibt, ist nicht zu bezweifeln, was häufig als bewußte Gegenreaktion auf die vollkommene Korruption der Öffentlichkeitssprache gedeutet wird.

Für russische Exilschriftsteller, wie etwa Alexander Solschenizyn mit seinen ethisch fundierten Anklageschriften gegen das sowjetische System, gäbe es kein deutsches Pendant.[55] Daß die Exilschriftsteller aus der damaligen DDR keinen Solschenizyn hervorgebracht haben, mag - so meine These - auch damit zusammenhängen, daß sie in eine Bundesrepublik gekommen sind, in der, wie sozialwissenschaftliche Befunde zeigen, eine negative Selbsteinschätzung der Bewohner und ein Mangel an nationalem Selbstbewußtsein vorherrschen.[56] Wie soll sich bei einer solchen Bewußtseinslage ein fundierter Wertmaßstab für die Beurteilung gesellschaftlicher Zustände ausbilden können? Da bleibt den Deutschen wohl allein der Reiz des Wohlstandes.

Das Gesellschaftsmodell des Multikulturalismus ist offensichtlich von Nordamerika ausgehend nach Europa transferiert worden. Es ist so diffus, daß damit

- die beschädigte und unsichere kollektive Identität eines Volkes "repariert" werden kann, indem man diese Identität "regionalisiert";
- der Ethnozentrismus, meist nur bei der "mainstream"-Kultur verortet, ein für allemal totgesagt werden kann;

- alle Lebens- und Denksysteme auf die gleiche Stufe gebracht werden können;

- fast schon verlorengegangene ethnische Identitäten durch museale Pflege und wissenschaftliche Erforschung geweckt werden können;

- die verschiedenen ethnischen, kulturellen und religiösen Gruppen in einem gemeinsamen wirtschaftlichen und politischen Rahmen unter Erhalt ihrer Eigenständigkeit in geregelten und spannungsarmen Beziehungen leben können;

- geförderte Ethnien ihre Kampfansage gegen das hegemoniale westliche Bildungssystem begründen können;

- aus dem "Affirmative Action-Programm" für eine nicht weiße Bevölkerung ein "Rassismus gegen die Weißen" abgeleitet werden kann;

Wenn die multikulturelle Gesellschaft ein derartiger Selbstbedienungsladen ist, dann sollten wir sie möglichst schnell verabschieden.

Anmerkungen:

1: Steiner-Khamsi, G., Postmoderne Ethnizität und nationale Identität kanadischer Prägung, in: Soziale Welt, Jg. 41, 1990 Heft 3, S. 284.
2: Lentz, C., Zwischen "Zivilisation" und "eigener Kultur": Neue Funktionen ethnischer Identität bei indianischen Arbeitsmigranten in Ecuador, in: Waldmann, P./Elwert, G. (Hg.), Ethnizität im Wandel, Saarbrücken 1989, S. 129ff.
Elwert, G., Nationalismus, Ethnizität und Nativismus - Über Wir-Gruppenprozesse, in: Waldmann, P./Elwert, G. (Hg.), Ethnizität im Wandel, Saarbrücken 1989, S. 34.
3: Elschenbroich, D., Eine Nation von Einwanderern. Ethnisches Bewußtsein und Integrationspolitik in den USA, Frankfurt/New York 1986, S. 126).
4: ebd.
5: ebd., S. 228.
6: ebd., S. 229.
7: ebd., S. 157.
8: ebd., S. 158ff.
9: ebd., S. 14f.
10: Sulich, I., Eisleute gegen Sonnenmenschen, in: Salzburger Nachrichten vom 8.9.1990, S. IV.
11: Ausführungen zum "neuen" Rassismus in den USA entnommen aus: Sulich, ebd.
12: Steiner-Khamsi, aaO., S. 289.
13: Brockhaus Enzyklopädie, Bd. 11, 1990, Stichwort Kanada, S. 396.
14: Steiner-Khamsi, aaO., S. 292, Übersetzung der Verf.
15: Waldmann, P., Ethnischer Konflikt und Klassenkonflikt - ein Diskussionsbeitrag zu widersprüchlichen Theorieansätzen, in: Waldmann, P./Elwert, G. (Hg.), Ethnizität im Wandel, Saarbrücken 1989, S. 263ff.
16: Time v. 22.Mai 1989, S. 26.
17: Steiner-Khamsi, aaO., S. 290.
18: ebd., S. 291.
19: Finkielkraut, A., Die Niederlage des Denkens, Reinbek bei Hamburg 1989, S. 111.
20: ebd., S. 114.
21: ebd., S. 102.
22: ebd., S. 103.
23: ebd., S. 103.
24: ebd., S. 113.
25: Esser, H., Multikulturelle Gesellschaft als Alternative zu Isolation und Assimilation, in: Esser, H. (Hg.), Die fremden Mitbürger, Düsseldorf 1983, S. 30.
26: ebd., S. 31ff.
27: Korte 1980, S. 50ff.
28: Steiner-Khamsi, aaO., S. 290.
29: Elschenbroich, aaO., S. 133.
30: Steiner-Khamsi, aaO., S. 290.
31: Elwert, G., Probleme der Ausländerintegration, in: Kölner Zeitschr.f.Soz. u. Sozialpsych., Jg. 34, 1982, S. 717-731.
32: Heckmann, F., Die Bundesrepublik: Ein Einwanderungsland? Zur Soziologie der Gastarbeiterbevölkerung als Einwandererminorität, Stuttgart 1981.
33: Scheuringer, B., Flüchtlingssoziologie - was ist das?, in: Österr. Zeitschr. f. Soziologie, Jg. 13, 1988 Heft 3, S. 59ff.
34: Hettlage, A./Hettlage R., Kulturelle Zwischenwelten. Fremdarbeiter - eine Ethnie?, in: Schweizerische Zeitschr. f. Soziologie, 1984 Heft 2, S. 357-403.
35: Scheuringer, aaO., S. 61.
36: Elwert, aaO., S. 724ff.
37: Elschenbroich, aaO., S. 145.
38: Uthmann v., J., Napoleon, der Nasendieb, FAZ vom 6.3.1991, S. 33.
39: Heckmann, aaO.
40: Kreckel, R., Ethnische Differenzierung und "moderne" Gesellschaft. Kritische Anmerkungen zu Hartmut Essers Aufsatz in der Zeitschr. f. Soziologie, Jg. 17, 1988, S. 235-248, in: Zeitschr. f. Soziologie, Jg. 18, S. 166.
41: Giordano, Ch., Zwischen Mirabella und Sindelfingen. Zur Verflechtung von Uniformierungs- und Differenzierungsprozessen bei Migrationsphänomenen, in: Schweizerische Zeitschr. f. Soziologie, 1984 Heft 2, S. 458.
42: Zander, J., Ausländer in Deutschland - Einführung in die Probleme, in: Geißler, H., Ausländer in Deutschland - Für eine gemeinsame Zukunft, Bd. 1: Entwicklung und Programme, München/Wien 1982, S. 26.
43: Finkielkraut, aaO., S. 111.
44: Ende, W./Steinbach, U., Der Islam in der Gegenwart, München 1984, S. 190.
45: Cornelius, I., Von der Pyramide zum Pilz. Die Bevölkerungsentwicklung in der Bundesrepublik Deutschland: Bestandsaufnahme und Perspektiven, in: Landeszentrale für politische Bildung Baden-Württemberg (Hg.), Bevölkerungsentwicklung und Bevölkerungspolitik in der Bundesrepublik, Stuttgart, Berlin, Köln, Mainz 1988, S. 28f.
46: Kandil, F., Der Islam in der Bundesrepublik Deutschland,

in: Kaufmann, F.-X./Schäfers, B. (Hg.), Religion, Kirchen und Gesellschaft in Deutschland, Gegenwartskunde Sonderheft 5, Opladen 1988, S. 91ff.
47: ebd., S. 94ff.
48: ebd., S. 103.
49: Schweitzer 1984, S. 108ff.
50: Der Artikel erschien 1988.
51: Estel, B., Gesellschaft ohne Nation? Zur nationalen Identität der Deutschen heute, in: Sociologia Internationalis, Bd. 26, 1988, S. 193.
52: ebd., S. 200.
53: Lepenies, W., Wandel wie noch nie: Wissenschaft und Kultur im heutigen Europa, in: Berliner Journal f. Soziologie, Bd. 1, 1991, S. 47.
54: Ash, T. G., "Und willst du nicht mein Bruder sein". Die DDR heute. (Spiegel-Buch), Reinbek bei Hamburg 1981, S. 128.
55: ebd., S. 130.
56: Estel, 1988, aaO., S. 194ff.

WEST Magazine, Flandern

Im Gespräch

Wolfgang Lebrecht

... ist Group Product Manager bei der Reemtsma GmbH und verantwortlich für die Marke Peter Stuyvesant. Das Inter-view fand anläßlich der Auftaktveranstaltung zur Botschafter-Promotion 1991 im Hyatt Regency in Köln statt.

Herr Lebrecht, Sie sind Group Product Manager der Marke Peter Stuyvesant bei Reemtsma. Welche Tätigkeiten machen Sie, was ist Ihr Aufgabenfeld?

Ich bin verantwortlich für den gesamten Auftritt der Marke Peter Stuyvesant in Deutschland und zwar von der Produktseite bis zur kreativen Seite.

Aus welcher Idee heraus, aus welchem Anlaß heraus wurde die Kampagne "Come together" gestartet? Was waren die einzelnen Entwicklungsstufen im Laufe der Zeit?

Da muß man ein bißchen in die Geschichte der Marke Peter Stuyvesant zurückgehen. Diese Marke ist 1959 eingeführt worden und war sicherlich die erste Marke, die nicht das Produkt, sondern von Anfang an eine bestimmte Idee in den Mittelpunkt stellte, nämlich die Idee der Internationalität, der Weltoffenheit, der Toleranz. Sie tat dies damals, verbunden mit dem Slogan *Der Duft der großen weiten Welt*, in einer Zeit, die gekennzeichnet war vom Anfang der Europäischen Gemeinschaft und vom Beginn des Wirtschaftswunders.

Sie setzte sich in eine Zeit hinein, die durch die ersten Anzeichen von Akzeptanz gegenüber den Deutschen, gegen das Nachkriegsdeutschland geprägt war und die damals mit dem Slogan und mit den Inhalten, die die Kampagne hatte, sichtlich so etwas traf wie das Lebensgefühl der damaligen Zeit. Dieses Lebensgefühl war geprägt von der Sucht, zumindest dem Gefühl der Begierde, dem Bedürfnis nach Anerkennung durch andere, dem Bedürfnis die Welt kennenzulernen, sich anderen kulturellen Einflüssen auszusetzen, ja generell dieser Aufbruchstimmung, die es mit dem Beginn des deutschen Wirtschaftswunders gab.

Peter Stuyvesant und diese Kampagne *Der Duft der großen weiten Welt* porträtierte in dieser Zeit ein Lebensgefühl, eine Grundstimmung in dieser Gesellschaft. Diese Kampagne hat sich dann in vielen Irrungen und Wirrungen weiterentwickelt. Sie hat über eine lange Zeit sicherlich dieses Lebensgefühl sukzessive verlassen, aber in *Come together* aus unserer Sicht eine neue Definition dieses alten Grundthemas wiedergefunden.

Come together soll verstanden werden als eine Aufforderung zum vorurteilsfreien Umgang mit anderen Menschen, mit fremden Kulturen und Nationen. Wir sehen die Parallelität zu dem *Duft der großen weiten Welt* darin, daß es in den sechziger Jahren sicherlich ein Grundbedürfnis dieser Gesellschaft traf, das geprägt war von eskapistischen Tendenzen und sicherlich noch stärker geprägt war von dem Verlangen, die Welt außerhalb Deutschlands touristisch zu erleben. Ich glaube, diese Gesellschaft ist heute so weit, daß wir uns über diese sehr materialistisch orientierten Grundströmungen hinwegsetzen können und wir heute das Miteinander der Menschen stärker in den Mittelpunkt stellen können, aber mit genau der gleichen Grundidee der

Weltoffenheit, der Toleranz und der Internationalität. So definieren wir *Come together*.

Wenn man die Werbespots aus den Jahren 1959 bis 1991 miteinander vergleicht, dann ist es für mich sehr auffällig, daß zu Beginn der Freiheitsbegriff der "weiten Welt" sehr stark gekoppelt war mit technischem Fortschritt, vor allem der Luftfahrt. Währenddessen, wenn man jetzt den Begriff der Freiheit, der Offenheit betrachtet, es doch sehr konkret auf den einzelnen Menschen und seine Kultur zugeht.

Ich glaube, diese Filme repräsentieren ja auch eine Grundstimmung jeder dieser Zeitepochen. Diese Technikorientierung Anfang der sechziger Jahre, die Sie in den alten Spots ja auch gesehen haben, war ein Ausdruck von Zukunftsoptimismus. In den sechziger Jahren sah man Zukunft und technologischen Fortschritt viel enger miteinander verbunden als heute und viele Probleme, die ein Fortschritt technologischer Art mit sich bringt, hat man gar nicht gesehen und konnte sie vielleicht auch nicht wahrnehmen. Ein typisches Sprichwort aus der damaligen Zeit war: "Hauptsache, der Schornstein qualmt".

Eine Menge von Problemen, die wir heute im ökologischen und im sozialen Bereich haben, waren damals in ihrer vollen Tragweite auch gar nicht so sichtbar, sondern das Bedürfnis der Menschen war ein ganz anderes. Es war das Bedürfnis aufzubrechen. Diese Gesellschaft hatte eine Vision. Sie wollte die Trümmer des Zweiten Weltkrieges und auch ihrer Vergangenheit hinter sich lassen und war an sich an einem Punkt, wo es hieß: "Aufbruch zu neuen Ufern".

Entscheidend ist, daß wir heute Zukunftsoptimismus nicht mehr pur über technologischen Fortschritt definieren können. Ich glaube, daß Entwicklungsprozesse in Gesellschaften nur noch stattfinden durch die Öffnung gegenüber anderen Kulturen und im Lernen sich zu öffnen, die positiven Seiten, die das Individuum mitbringt zu beachten. Deswegen ist heute auch der Mensch im Mittelpunkt unserer Kampagne und nicht mehr wie früher diese Verherrlichung der Technik.

Wie erfolgreich ist die Kampagne? Was läßt sich über die Reaktionen der Öffentlichkeit, der Umsatzentwicklungen, etc. sagen?

Ich glaube, daß die Kampagne *Come together* wieder vielleicht vergleichbar ist mit dem, was der *Duft der großen weiten Welt* in den sechziger Jahren wollte. Sie trifft eine Grundstimmung unseres Lebensgefühls und ich glaube auch, daß dieser alte Menschheitstraum, das Miteinander von Kulturen, heute wieder weit stärker ist als in der Vergangenheit, und deswegen auch diese Kampagne eine sehr hohe Durchschlagskraft hat. Die Kampagne hat es geschafft, innerhalb von knapp zwei Jahren einen dreißig Jahre alten Slogan, nämlich den *Duft der großen weiten Welt*, aus den Köpfen unserer Zielgruppe klar zu verdrängen. Die Marktforschung sagt, daß auf die Frage, mit welcher Kampagne Peter Stuyvesant heute wirbt, die Antwort kommt *Come together* und eben nicht mehr der *Duft der großen weiten Welt*. Das ist für 30 Jahre zu 2 Jahre schon ein Ergebnis, wo man sagen kann, hier liegt eine gewisse Durchschlagskraft in der Kampagne.

Seit dem Einsatz der Kampagne *Come together* haben wir es geschafft, den Marktanteil der Marke Peter Stuyvesant zu stabilisieren und haben bereits die ersten Tendenzen an Wachstum. Hier scheint es so zu sein, daß das natürlich auch zu einem kommerziellen Erfolg beigetragen hat, neben der sicherlich sehr weitgehenden Beachtung der Kampagne in politischen, in sozialen und kulturellen Kreisen, die sich sonst normalerweise dieses Themas, eben multikulturelle Gesellschaft, annehmen. Es ist zum Teil schon so, daß wir von dieser Seite auch relativ stark unter Beobachtung im Sinne von "sind wir glaubwürdig, meinen wir das ernst?" genommen werden. Das ist an sich eine *Überwachung*, der wir uns gerne stellen, weil es auch für uns ein Regelmaß bedeutet. Aber wir sind jemand, der Werbung treibt und wir sind keine Ersatzpartei.

Trotzdem gleich die Frage hinterher: Nehmen Sie "Come together" ernst? Ist "Come together" eine weltanschauliche Botschaft jenseits eines, ich sage das einmal überspitzt, Werbegags oder eines Surfens auf der Zeitgeistwelle? Und wenn es eine weltanschauliche Botschaft ist, welches Weltbild steckt dahinter, welche Vorbilder werden angeboten?

Es ist viel mehr als ein plattes Werbeklischee. Ich glaube, dazu sind die Bilder auch zu eigenwillig, zu individualistisch, nicht glatt genug, daß man sagen könnte, dies sei eine normale Werbekampagne. Dahinter steht ein klares Glaubensbekenntnis. Hier steht eine Idee dahinter. Wir versuchen mit dieser Kampagne das Lebensgefühl dieser Generation unserer Zeit auszudrücken. Wir haben hier eine Kampagne ins Leben gerufen, die Inhalte hat, die eine Idee hat und diese Idee sagt, daß wir die Herausforderung der Zukunft nur dann schaffen, wenn wir über Toleranz und Öffnung von uns selbst gegenüber anderen Kulturen und Menschen den Fortschritt wiederholen.

Sie setzen also auf die Macht der Kommunikation?

Ich setze auf die Macht der Idee, ja.

Real existierende multikulturelle Gesellschaften, zum Beispiel in Amerika, werfen ja offensichtlich mehr Probleme auf, als sie lösen. Ganz zu schweigen davon, daß die Realität auch wenig mit dem in der Werbung propagierten Idealbild zu tun hat. Ich nenne jetzt mal solche Stichworte wie Ghetto, Rassismus, Ausländerfeindlichkeit, Kriminalität, Drogen, Gewalt,

Verelendung, usw. Liegt da nicht ein Widerspruch oder meint "Come together" gar etwas anderes als das amerikanische Modell?

Ich glaube, *Come together* meint etwas anderes. *Come together* meint und greift auf einen alten Menschheitstraum, nämlich, daß sich alle Menschen dieses Planeten wirklich verstehen. Es gibt Probleme und die Frage ist, ob man eine Kampagne problematisieren sollte oder ob man nicht vielmehr die Chance ergreifen sollte, die sie nämlich hat, hier ein positives Bild, vielleicht eine Lösung, vielleicht auch nur die individuelle Art eines Miteinander-Umgehens aufzuzeigen. Also anstatt, wie viele andere Organisationen es tun, die sich mit diesen gravierenden Problemen auseinandersetzen, sich ausschließlich auf die problematisierende Seite zu konzentrieren, nutzen wir die kommunikative Macht, die Werbung eben hat, und versuchen diesen Mythos eines Idealbildes zu vermitteln. Nämlich dem Einzelnen deutlich zu machen, was er davon hat, wenn er sich gegenüber anderen kulturellen Einflüssen öffnet.

Wir haben, ganz banal, lateinische Schrift, wir haben arabische Ziffern, also hier ist die Öffnung ja schon in die Annalen dieser Gesellschaft eingegangen. Es ist heute vollkommen selbstverständlich, im Gegensatz zum Beispiel vor zehn, fünfzehn Jahren, daß die Gastronomie sehr deutlich die Vielfalt, die diese Welt zu bieten hat, aufzeigt. Das ist etwas ganz normales, daß sich nicht einmal der schlimmste Rassist davor scheut, zum Italiener zu gehen, um Cannelloni zu essen oder zum Chinesen, um etwas anderes kennenzulernen. Ich glaube, daß ist die einfachste Art und Weise, andere Kulturen kennenzulernen. Manchmal habe ich das Gefühl, das viele Leute nicht in der Lage sind, über die real existierenden Probleme hinwegzuspringen, um die positiven Seiten aufzuzeigen. Wenn man den Leuten deutlich macht, was man davon hat, auf andere Kulturen einzugehen und von ihnen zu lernen, dann wird das etwas sein, was auch diese Gesellschaft deutlich weiter bringen kann, als wie sie aus eigenen Kräften vielleicht imstande wäre, es zu schaffen.

Es ist ja ein europäisches Erbe, mit kolonialem Geist in die Welt auszugreifen. Wenn ich jetzt ganz provozierend die Verbindung herstelle "Zigaretten statt Glasperlen, Kommunikation statt Krieg", mit dem einzig großen Ziel eines weltweiten Absatzmarktes. Tue ich da dem Konzern Unrecht oder ist da nicht doch ein wahrer Kern dabei?

Nein, Sie tun dem Konzern insofern Unrecht, aber das können Sie nicht wissen, weil diese Kampagne ausschließlich in Deutschland geschaltet wird. Ich weiß nicht, welchen Deutschen Sie noch mit Glasperlen hinter dem Ofen hervorholen wollen. Diese Zeiten sind vorbei.

Kolonialismus ist vielleicht ein Stichwort, das uns auf den Punkt zurückbringt, den wir vorhin schon hatten. Was wir anbieten, ist keine Lösung,

"Come together" - Werbeplakat und rechtsradikaler Aufkleber

und die Kampagne soll auch nicht so verstanden werden, daß es hier eine Lösung gibt. Ich glaube, im kolonialen Geist, mit dem wir uns herumzuschlagen, ist an sich schon der Beginn der Intoleranz zu sehen, weil die Gesellschaften damals aus einem wie auch immer gearteten Sendungsbewußtsein, nämlich etwas mehr Wahrheit, etwas mehr Richtigkeit über die Lebens- und Wertvorstellungen zu besitzen, in die Welt ausgezogen sind, um die Glaubenslehre ihrer eigenen Wert- und Moralvorstellungen zu predigen. Immer dann, wenn diese Wertvorstellungen fremde Kulturen getroffen haben, haben sie meistens mehr Unheil angerichtet, als daß sie den einzelnen Kulturen geholfen haben. Dieser Glasperlenkolonialismus hat mehr zerstört, als er in irgendeiner Weise zur Entwicklung, zur Weiterentwicklung dieser Gesellschaften beigetragen hat.

Warum wird, wenn die Kampagne ausschließlich in Deutschland läuft, der Spruch "Come together" in englischer Sprache und nicht in deutscher verwendet? Ist das ein Zugeständnis an die multikulturelle Gesellschaft und ihre Einheitssprache, dem Englischen?

Das hat ganz einfach phonetische Gründe. *Come together* ist eben kürzer und prägnanter als z.B. *Kommt zusammen*. Das deutsche Äquivalent ist schlicht nicht headline-geeignet, wie man in der Fachsprache sagen würde. Mit *Come together* setzen wir aber auch bewußt einen Akzent in Richtung Internationalität.

"Come together" setzt also auf Völkerverständigung, wenn ich das richtig verstanden habe.

Fangen wir einen Schritt vorher an. *Come together* ist vielleicht viel einfacher, weil wir hier auch eher die Möglichkeit des Ansatzes sehen: ein Aufruf an jeden Einzelnen, vorurteilsfrei mit anderen Menschen umzugehen, egal welcher Nation, welcher Kultur, welcher Rasse diese Menschen angehören. Es ist das Abenteuer *Mensch*, das im Mittelpunkt steht. Das Sich-Öffnen anderen Menschen, anderen Kulturen gegenüber. Mehr können wir nicht erreichen.

Wir haben keine politische Parole, wir haben auch nicht den Anspruch, die Welt zu verbessern. Das, was wir leisten können, das was Kommunikation leisten kann, ist eine Ansprache an jedes Individuum. Mit einer Idee, und diese Idee heißt *Come together - and learn to live as friends.*

Wenn ich jetzt sage, ich will mich öffnen nach außen, ich will mich öffnen anderen Dingen, dann setzt das voraus, daß außer mir selbst, außer meinem eigenen Weg in der Welt, in der Geschichte noch mindestens ein anderer, wenn nicht sogar eine unendliche Vielzahl an anderen Wegen existiert. "Come together" müßte dann ja davon ausgehen, daß es die Vielfalt der Kulturen erhalten will und nicht in einer einzigen, schlagwortartig und pauschalisiert gesagt, "One World" zusammenschmelzen will?

Ich glaube, daß es nicht richtig wäre und auch nicht funktionieren wird, hier einen globalen Schmelzprozeß anzuzetteln. Es ist auch nicht die Öffnung nach außen gemeint, sondern es ist mehr die Öffnung nach innen bei jedem selbst. Ich meine, daß es wichtig ist, daß man für sich selbst soviel Toleranz, soviel Lebenserfahrung aufbringt, zu erkennen, daß es mehr als eine Wahrheit und mehr als ein *richtig* gibt. *Richtig* und *falsch* ist ja auch im Laufe von Jahren einem mehrfachen Wandel ausgesetzt, das heißt die Vorstellungen von *richtig* und *falsch* ändern sich ja in unserem Leben mehrmals. Es ist eine Frage der Zeit, wann wir eine Situation, einen Vorgang, ein Projekt als positiv und dann wieder als negativ beurteilen. Insofern ist es mehr ein Aufruf zur Öffnung nach innen, des Aufnehmens anderer Einflüsse, anderer kultureller Botschaften. Es ist mehr die kulturelle Bereicherung für uns selbst, die uns weiterbringt, die uns neue Impulse setzen kann. Daran glaube ich und das kann auch erreicht werden.

Geht diese kulturelle Bereicherung dann über einen westlichen Hedonismus heraus, das heißt also über eine Bereicherung des rein Optischen, rein Akustischen, rein Kulinarischen? Ist diese Bereicherung irgendwie auf ethische Aspekte, auf Werte aus oder reduziert sie sich eben ausschließlich auf das Optisch-Akustisch-Kulinarische?

Sicherlich geht es darüber hinaus. Das Optisch-Akustisch-Kulinarische ist das einfachste und es ist der Anfang der Änderung. Nehmen Sie ein ganz profanes Beispiel, nehmen Sie all die Deutschen, die Spanien oder Italien zu ihrem liebsten Urlaubsland gemacht haben. Das Kennenlernen von Lebensweise, von Weltanschauung in diesen Ländern hat dazu beigetragen, diese Kulturen, diese Menschen besser zu verstehen. Nehmen Sie die typischen deutschen preußischen Tugenden und im Gegensatz dazu die italienische Lebenseinstellung, die alles etwas lockerer nimmt - da ist schon eine Öffnung passiert.

Sicherlich werden einige sehr stark bedauern, daß diese ehemaligen deutschen Tugenden des treu, zuverlässig, ordentlich immer stärker aufweichen. Aber ich glaube, das ist so ein Einfluß, dem wir uns ausgesetzt haben, der positiv ist und daß diese Faktoren dazu beitragen, daß unser Weltbild sich deutlich gewandelt hat, daß wir in der Lage sind und bereit sind, andere Sachen aufzunehmen, zuzuhören und unsere eigenen Wertvorstellungen und Moralvorstellungen zu überdenken und sie auch vielleicht verändert zu haben.

Aber das ist ein Prozeß, den kann man nicht einer Gesellschaft vorschreiben, sondern den muß jeder Einzelne für sich selbst erleben.

Kann man dann in dem Sinne auch die neue Stufe der Kampagne, also die Botschafter-Promotion verstehen?

Die Botschafter-Promotion ist für uns ein Mechanismus, wo wir stellvertretend für eine Kampagnenidee fünf "Botschafter" aussuchen. Der Begriff des Botschafters ist sicherlich kein idealer Begriff, denn der setzt immer soviel Kompromißmachen voraus, und es sind natürlich auch keine Botschafter im diplomatischen Sinne, sondern es sind ganz normale Mitglieder dieser Gesellschaft. Aber wir werden uns hüten, cw-Wert-geprüfte Deutsche zum Beispiel nach Japan zu schicken.

Wir geben hier fünf Menschen die Möglichkeit, in fünf Erdteilen Erfahrungen mit Kulturen, mit Menschen zu machen, die weit ab sind von jeder touristischen Erfahrung und die Einblicke, und ich hoffe tiefe, in die ursprüngliche Kultur geben können und so bei einigen vielleicht eine Bereicherung, vielleicht eine Öffnung erreichen. Es ist nichts weiter, als das Erlebbarmachen. Es ist eine ausgesprochene Einladung, sich auf das Abenteuer *Mensch*, und zwar das eines anderen, einzulassen. Von beiden Seiten.

Wenn ich mir den neuen Prospekt anschaue, dann heißt es hier jeweils im letzten Satz "Willkommen in einer anderen Welt". Ich persönlich lese daraus vorrangig natürlich immer die Aufforderung, diese andere Welt auch als andere Welt zu erhalten.

Das ist richtig. Jede Kultur muß ihre eigene Identität behalten. Ansonsten bekommen wir ein Sammelsurium oder einen melting pot. Ich glaube, daß jede Kultur ihre Identität behalten sollte. Was nicht heißt, daß sie sich nicht ändert, daß sie sich nicht öffnet, daß sie nicht die positiven Seiten anderer mit aufnimmt. Aber wie jeder Mensch auch, muß eine Kultur zu sich selbst finden. So wie wir uns verändern, verändern sich auch Kulturen, so wie jeder Mensch in seinem Leben seine Glaubensrichtungen oder seine Wertvorstellungen überarbeitet, verändern sich mit der Zeit auch Wertvorstellungen, Moral und ethische Begriffe von Kulturen.

Es wird immer etwas Faszinierendes, etwas Fremdes sein, wenn wir mit anderen Kulturen in Verbindung kommen. Das hat aber nichts damit zu tun, daß man nicht soviel Toleranz und Offenheit mitbringen sollte, wirklich neue Sichtweisen und Verständnis für andere aufzubringen; versuchen sich kennenzulernen, sich zu öffnen, die andere Seite einfach besser zu verstehen. Der erste Schritt zu einem besseren Umgang zwischen den Menschen ist die Öffnung in einem selbst und das Zugehen auf den anderen, und auch der Versuch, die Denk- und Lebensweise anderer Menschen und Kulturen nachzuvollziehen, zu verstehen. Das heißt nicht: übernehmen, nicht vorbehaltlos übernehmen.

Ich denke, daß ein solches Abenteuer *Mensch*, das in einer solchen Begegnung ja drin ist, schon zu Veränderungen, schon zum Überdenken ganz bestimmter Einstellungen führen wird. Es ist schon die Macht der Idee, die da dahintersteht.

Der französische Anthropologe Claude Levi-Strauss hat anläßlich einer Rede vor der UNESCO festgestellt, daß die Vielfalt der Kulturen auf der Welt der eigentliche Reichtum der Menschen sind, jedoch die fortschreitende Verstrickung der Kulturen aufgrund der Fortschritte in der Kommunikation und in der Beweglichkeit, in der Mobilität der Menschen einen Vorgang in Bewegung setzt oder antreibt, daß diese Kulturen sich aufgrund dessen, daß sie immer näher zusammenrücken sich auch immer mehr angleichen, sich immer mehr gegenseitig abschleifen. Letztendlich kommt es dadurch zu einem Prozeß der kulturellen Verarmung, der vielleicht auch durch solche Kampagnen wie die Ihre beschleunigt wird. Sehen Sie diese Gefahr auch?

Ich weiß nicht, ob es eine Gefahr ist. Ich glaube eher, daß es ein natürlicher Prozeß ist. So wie in der Vergangenheit Gesellschaften sich verändert haben, werden sie sich heute verändern und sie werden sich auch in Zukunft verändern. Es gab auch mal einen anderen schlauen Mann, der gesagt hat: “Das einzig Beständige in unserem Leben ist der Wandel”.

Gesellschaften und Kulturen sind nicht dazu verurteilt, sich nicht weiterzuentwickeln, sondern sie werden sich weiterentwickeln. Wir leben in einem Zeitalter der weltweiten Kommunikation und hier künstliche Reservate des Stillstandes zu schaffen, halte ich für einen sehr unnatürlichen Prozeß. Ich glaube, daß die Bereiche der Kulturen überleben werden, die es wert sind, zu überleben. Da wird sicherlich ein, wie auch immer gearteter darwinscher Prozeß einsetzen. Es werden ganz bestimmte Sachen sein, die überflüssig, überholt, überdenkenswert sind, die sich abschleifen werden. Ob es ein gefährlicher Prozeß ist, weiß ich nicht. Ich bin kein Anthroposoph und auch kein Philosoph. Ich halte das eher für einen ganz natürlichen Prozeß, und eher die Ausschaltung dessen für gefährlich.

Genauso übrigens, wie ich die Intoleranz für gefährlich halte, mit der wir, die westlichen Kulturen, manchmal in andere Kulturen einbrechen. Es ist dieses unglaubliche Sendungsbewußtsein, die bessere Lösung, die bessere Wahrheit, die besseren Wertvorstellungen mitzubringen, das in der Regel mehr Chaos und Verluste für solche Gesellschaften verursacht, als es positive Wirkungen aufbringt. Jede dieser Gesellschaften sollte man intakt halten und ihnen die Chance geben, sich selbst zu entwickeln. Sie an das Gängelband nehmen und auf deutschen, auf europäischen oder auf westlichen Zivilisationsschritt zu bringen, das halte ich für die absolut falscheste aller nur möglichen Varianten.

Jede dieser Gesellschaften, wenn sie denn wirklich intakt ist, wird soviel Kraft haben, sich selbst weiterzuentwickeln. Alles das, was an ihrer Kultur positives ist, wird sie bewahren, und alles, wo es bessere Alternativen dazu gibt, dem wird man sich auch öffnen und hier wird sicherlich auch ein Entwicklungsprozeß stattfinden.

Insofern ist der Begriff Botschafter dann falsch gewählt. Es müßte eher "der Lernende" heißen, weil er ja nichts bringt, sondern vielmehr lernen soll.

Ja sicherlich, aber wenn sie in der Kommunikation stehen und sagen, sie suchen jetzt fünf "Lernende", das hört sich schon relativ merkwürdig an. Insofern haben wir es hier zu tun mit unserer Unfähigkeit, mit unserer Sprache richtig umzugehen. Aber an sich haben Sie vollkommen recht: es sind "Lernende". Es sind keine Botschafter. Sie bringen etwas mit zurück. Sie sollen, und dafür gibt es dann auch einen relativ ausführlichen Selektionsprozeß, vor allem die Gabe mitbringen, zuhören zu können, lernen zu können, mit offenen Augen durch die Welt zu gehen, die sie dort vorfinden werden.

Also "Austauscher" wäre dann der noch bessere Begriff.

Austausch ist sowieso vorgesehen, weil jeder dieser Botschafter, besser *Lernenden*, die Möglichkeit hat, ich betone, die Möglichkeit hat, wenn Gastgeber und Gast sich verstehen, zum Gegenbesuch nach Deutschland einzuladen. Das hat im letzten Jahr, als wir zum ersten Mal diese Aktion durchgeführt haben, auch in allen fünf Fällen geklappt, aber dafür gibt es keine Garantie. Wir machen alles Mögliche, um Konflikte zu begrenzen; wir werden also keinen Hooligan in einen Zen-Tempel nach Japan schicken, denn da wäre abzusehen, daß dort ein etwas größerer Konflikt auftreten würde. Wir haben bei diesem Selektionsprozeß einige Sicherheitsstufen eingebaut, wo wir Affinitäten, wo wir Toleranz, etc. versuchen unter die Lupe zu nehmen, doch eine absolute Sicherheit wird es nie geben. Konflikte werden auftauchen und die Leute haben auch so etwas wie einen Notruf, aber im Prinzip müssen sie wirklich lernen vierzehn Tage mit sich und einer fremden Kultur umgehen zu können. Das ist das Abenteuer *Mensch*.

Ich glaube auch, daß Kulturen dazu da sind, daß sie gelebt und nicht für das Museum konserviert werden. Wenn man den sehr nationalistisch geprägten Demonstrationen von Vertriebenenverbänden zusieht, dann ist das meiner Meinung nach keine gelebte Kultur, sondern eine konservierte, die nichts mehr mit Vitalität und wirklicher Existenzberechtigung zu tun hat. Kulturen, die funktionieren, die werden gelebt, und dann sind sie meines Erachtens auch wert, daß man sie wirklich hegt und pflegt. Und dann entwickeln sie sich ganz automatisch selber weiter.

Camel hat seine Trophy, Marlboro hat sein Abenteuer-Team und Stuyvesant hat jetzt seine "Come together"-Trips sozusagen, mit dem Unterschied, daß die letztgenannte Promotion allerdings den Vorteil hat, eine glaubwürdigere, wenn nicht sogar die glaubwürdigste Botschaft zu vermitteln.

Ja klar. Alle diejenigen, die in der Kommunikation zu tun haben, versuchen, Inhalte und Ideen von Kampagnen für den Konsumenten nachvollziehbar deutlich zu machen. Die einen sehen Sinn und Idee ihrer Kampagne darin, Jeeps durch Naturschutzgebiete fahren zu lassen, die anderen haben 5000 Meilen Perestroika versucht, sind aber dann schon nach ein paar Tagen gescheitert.

Wir sehen den Sinn unserer Promotion darin, die Inhalte der Kampagne *Come together - and learn to live as friends* den Leuten zugänglich zu machen. Sie sollen einfach diese Chance bekommen, zu wirklich sehr außergewöhnlichen Zielen zu reisen. Die Tatsache, daß Sie als normal Sterblicher so gut wie nie die Möglichkeit haben werden, im Hauptkloster des Zen-Buddhismus in Kyoto vierzehn Tage bei einem der Hauptpriester zu verleben, um einen Einblick in diese tiefe Philosophie, die den gesamten asiatischen Raum im wesentlichen repräsentiert, zu haben, das werden Sie, außer einer Sight-Seeing-Tour vielleicht, normalerweise nicht bekommen. Hier geben wir jemandem die Möglichkeit über zwei Wochen dieses Leben, die Denkweise, die Lebensweise, die Weltanschauung dieser Menschen nachzuvollziehen.

Oder die Tatsache, daß wir jemand nach Nordirland schicken, der dort gemeinsam mit einem katholischen Priester in einer nordirischen Stadt lebt, in der es eine Grenze der Konfession genau in der Mitte einer Straße gibt, nachzuvollziehen und zu sehen, zu was menschliche Intoleranz alles fähig ist und auch, daß es in allen diesen Bereichen und Gesellschaften Menschen gibt, die sich für die Überwindung dieser Intoleranz einsetzen. Das sind normalerweise Reiseziele, wenn man das Wort Reiseziel in diesem Zusammenhang überhaupt benutzen darf, die schon eine andere Dimension dieser Idee und auch dieser Aktion deutlich machen sollen.

Der Unterschied wird ja dann klar, wenn man es auf den einzelnen Menschen bezieht. Die Camel-Trophy als auch das Marlboro-Abenteuer-Team sprechen ja an sich nur den ganz individuellen, ja machosportlich begeisterten Hedonisten an, das heißt den Mann, der eben gerne mit viel PS durch die Natur braust und nur für sich selber irgendwelche Genüsse sucht, während ja doch die Botschafter bei Stuyvesant dorthin geschickt werden, wo nicht nur der Genuß zählt, sondern wo auch, vielleicht sogar vor allem der Konflikt auftaucht und wo wirklich auch der Geist gefordert ist, wenn sie jetzt das Zen-Kloster ansprechen.

Es ist ja kein Urlaub in dem Sinne, sondern es setzt ja voraus, daß der Mensch wirklich bereit ist, sich dem Zen zu öffnen und dort ein bißchen hineinzuschnuppern oder im Falle Nordirland in einen seit Jahrhunderten schwelenden Konfliktherd hineingesetzt wird. Insofern ist es ja an sich kein normaler Urlaub.

Nein, wir haben aus unserer Sicht, die wir an der Konzeption daran gearbeitet haben, natürlich auch versucht einen Spannungsbogen zu schaffen. Wir haben einmal sicherlich mit Nordirland einen Konflikt, ein sehr programmatisches Ziel, wir haben eine *Destination*, die sehr stark mit Philosophie zu tun hat; wir haben uns mit Alaska eine der letzten mit der Natur in sehr enger Verbindung lebenden Gesellschaften herausgesucht und auch einen Gastgeber dort gefunden; wir haben, was Geschichte anbetrifft, den Felachen und seine Familie, die seit Jahrhunderten mit ihren typischen ägyptischen Segelbooten den Nil befährt; und wir haben Australien, das vielleicht am zutreffendsten mit dem Begriff von Abenteuer zu verbinden ist.

Insofern haben wir unterschiedliche Akzente gesetzt, von Konflikt bis hin zu Abenteuer. Das ist der Spannungsbogen, den wir dieses Jahr gezeichnet haben und von dem wir sehen werden, wie die Verbraucher darauf reagieren werden. Wir wollten auch ganz bewußt nicht nur eine Welt zeigen. Wir wollten nicht nur die Fidschi-Inseln und die normalerweise touristisch sehr interessanten Bereiche haben, sondern wir wollten die Vielfalt von Kulturen, mit ihren Problemen, mit ihrer Faszination, mit ihren Landschaften, mit ihren Besonderheiten zeigen. Mit diesen fünf so definierten Schwerpunkten haben wir einen relativ großen Bogen geschaffen.

Um das jetzt mal von der anderen Seite zu betrachten: wie waren denn die Reaktionen zum Beispiel des Zen-Mönchs, wie waren die Reaktionen des irischen Pfarrers auf das Herantreten des Stuyvesant/Reemtsma-Konzerns mit diesem Anliegen. Wie waren die Reaktionen des Eskimos oder des Felachen?

In der Selektion, im Aufspüren von geeigneten Partnern liegt eine der Hauptschwierigkeiten, die wir haben. Aber immer dann, wenn man sie mit der Idee von *Come together* konfrontiert, gingen fast überall die Türen auf. Das zeigt auch, daß *Come together* nicht nur hier in Deutschland etwas ist, was eine Aktualität und eine Akzeptanz findet, sondern auch bei unseren Gastgebern ähnlich ankommt.

Aber diese ganzen *Destinations* sind normalerweise dadurch gefunden worden, daß wir über Bekannte, Freunde, Mitarbeiter versucht haben, hier Kontakte zu finden und zusammenzuführen. Es mag vielleicht sehr weit weg klingen, aber der zweithöchste Mönch im Zen-Buddhismus ist ein Bayer, nämlich Franz Anneser. Anneser kommt aus der Nähe von München und ist seit dreißig Jahren in Kyoto. Ihn wiederum kannte ein Berater von uns, weil dieser Mönch ihn auf einer Japanvortragsreise begleitet hat und er ihn, als er über Zen-Buddhismus in Deutschland Vorträge gehalten hat, hier begleitet hat. So können die Zufälle manchmal spielen. Das wohl schwierigste neben

TOGETHER
COME
'97
„KOMM, VERSTEHE IRLAND.
NORDIRLAND KOMMT NICHT AUS DEN SCHLAGZEILEN. WORAUF VERTRAUEN DIE MENSCHEN HIER INMITTEN DES MISSTRAUENS? EIN PRIESTER VERSUCHT EINE ANTWORT. WILLKOMMEN IN EINER ANDEREN WELT.

ALASKA

ÄGYPTEN

JAPAN

AUSTRALIEN

IRLAND

dem Zen war wohl in Alaska etwas zu finden, weil diese Gemeinschaften, diese Familienbande dort extrem eng und sehr geschlossen sind und man immer dann, wenn man dort nicht als Freund aufgenommen wird, keinen Fuß auf die Erde kriegt. Hier ist es gelungen Dr. Rousselot, er ist Leiter der Nordamerika-Abteilung im Völkerkundlichen Museum in München und Spezialist für Alaska, für uns zu gewinnen. Er ist dann nach Alaska geflogen und hat mit Jester Hardley und seiner Familie jemanden gefunden, der bereit war, einen Botschafter aufzunehmen. Hardley war fasziniert und überzeugt von der Idee und hofft, daß der Gast so ist, daß sie sich verstehen und daß er auch mal Deutschland kennenlernt, weil das ist für sie eben genauso weit weg wie für uns Alaska.

Es wurde auf der Veranstaltung vorhin ein ganz beeindruckender Satz gesprochen und zwar war von der Familie als der Keimzelle der Kulturen der Welt die Rede. Das ist ein sehr konservatives Herangehen an diese Thematik, was nicht unbedingt heißt, daß es deswegen schlecht sein muß. Aber die Familie als die Keimzelle der Kulturen zu definieren, das ist ja doch etwas, was ich nicht erwartet hätte.

Ich habe schon gesagt, Kulturen müssen leben. Kulturen werden also niemals überleben können, wenn sie von oben, von der Seite, von unten aufgedrückt werden, sondern sie müssen letztendlich in der kleinsten Sozialeinheit des Menschen, der Familie, gelebt werden und dort familiären Niederschlag finden. Nur wenn sie dort wirklich verankert sind, dann lebt eine Kultur. Insofern glaube ich, daß Familien oder sehr enge Sozialverbände immer die Keimzellen von Kulturen gewesen sind und sein werden. Es gibt Glaubensrichtungen und Kulturen, die man versucht hat einem Volk, einer Gemeinschaft überzupfropfen, aber die dann sofort abgestreift wurden, wenn eine Gesellschaft in der Lage war, sich selbst zu befreien. Deswegen glaube ich fest daran, daß Kulturen leben, und sie leben und sind dann vital, wenn sie in den kleinsten Einheiten leben.

Wie sehen die Pläne für die Zukunft aus, nach der Botschafter-Aktion? Was wird beibehalten, was wird geändert werden?

Diese Botschafter-Promotion ist eine zeitlich begrenzte Aktion, die ungefähr zweieinhalb bis drei Monate kommunikativ am Markt sein wird. Darüberhinaus haben wir unsere Kampagne, die weiterhin zwei Menschen unterschiedlicher Herkunft, die wirklich normal vorurteilsfrei miteinander umgehen, in den Mittelpunkt stellen wird. Und das dritte Standbein der Kommunikation ist sicherlich der Bereich Kino, wo wir die dramaturgischen Möglichkeiten des Mediums Film dazu nutzen, dieses ganz normale zufällige Zusammentreffen von zwei Menschen erkennbar unterschiedlicher sozialer und kultureller Herkunft aufzeigen und diese Normalität eines vorurteilsfreien Miteinanders als nachvollziehbares täglich erlebbares Ereignis versuchen darzustellen.

Mit dem Jazzfilm, der jetzt gerade in den Kinos anläuft, haben wir auch für den Werbefilm sicherlich einen Mechanismus, ein Konzept gefunden, das in der Lage ist, diese Idee sehr reduziert für jeden nachvollziehbar filmisch und damit auch dramaturgisch umzusetzen: Also die Faszinationen der Möglichkeit der täglichen Begegnung mit anderen Menschen aus anderen Kulturkreisen. *Come together* ist nicht nur ein Mythos, der irgendwo ganz hoch oben in den Wolken schwebt, sondern wo jeder von uns die Möglichkeit hat, dieses täglich nicht nur zu erleben, sondern auch bewußt nachzuvollziehen, welche Vielfalt es in unserer Gesellschaft, welche Vielfalt es in anderer Gesellschaften gibt. Das ist genau das, was wir in den Mittelpunkt stellen.

Haben Sie irgendwelche Ideen für das nächste Jahr? Machen Sie die Botschafter-Aktion weiter oder kommt da noch irgendetwas Neues hinzu? Spukt da schon etwas im Kopf herum?

Es spukt etwas im Kopf herum. Ab Juni sitzen wir schon wieder an der Planung. Es wird auch 1992 das geben, was wir mit Botschafter bezeichnet haben. Es wird ein *Come together 92* geben, wir werden wieder fünf Ziele und fünf Botschafter haben.

Und ich verrate Ihnen jetzt noch eine Kleinigkeit, denn ab heute Abend ist der Vertrag unterzeichnet. Wir werden in Kooperation mit *Experiment e.V.*, einer international arbeitenden amerikanischen Organisation einen Fond von 100.000.- DM einrichten. Über die fünf Botschafter hinaus, die wir bei dieser Aktion auswählen, eröffnen wir hier die Möglichkeit für etwa 150 bis 200 Leute, zu den unterschiedlichsten Kulturen, Nationen und Völkern dieser Erde zu reisen, denn einen Teil der Kosten, die entstehen, werden wir tragen. Kennen Sie *Experiment e.V.*?

Nein.

Experiment e.V. ist eine amerikanische Organisation, die in den dreißiger Jahren gegründet worden ist und die sich zum Ziel gesetzt hat, Familienaustausche zu organisieren, also Menschen unterschiedlichster Nationen zu anderen Völkern, in andere Länder zu bringen und dort auch in Familien aufzunehmen. *Experiment e.V.* ist an uns herangetreten und hat uns gefragt, ob wir nicht etwas zusammen machen können, allerdings mit sehr viel Vorbehalt auf ihrer Seite, denn sie sind zum Beispiel Träger des Austauschprogrammes des Deutschen Bundestages, also eine sehr integre und sehr gemeinnützige Vereinigung.

Es ist zum ersten Mal, daß ein gemeinnütziger Verein mit diesem Anspruch, nicht nur an uns herangetreten ist, sondern uns diese Kooperation angeboten hat. Wir werden gemeinsam mit diesem Fond die Möglichkeit eröffnen, hier in Familien in aller Welt reisen zu können. *Experiment e.V.* hat diese Familien, also keine Pensionen, sondern das sind wirklich intakte Familien und dort können Leute ganz normal für drei bis vier Wochen Urlaub in Familien machen. Wir haben im letzten Jahr 225.000 Bewerber gehabt und wir rechnen dieses Jahr mit nicht weniger, aber es ist irgendwie unbefriedigend, nur fünf auswählen zu können, sondern wir wollten jetzt versuchen diesem Gedanken der Botschafter noch mehr Platz zu geben und den Leuten eine etwas breitere Möglichkeit zu öffnen, andere Menschen und andere Kulturen kennenzulernen. Das haben wir mit dieser Kooperation mit *Experiment e.V.* vor.

Nach welchen Kriterien werden diese Personen ausgewählt?

Diese Kriterien werden die ganz normalen Kriterien von *Experiment e.V.* sein. Wenn man sagt, ich würde gerne eine Familie in Australien, in Südafrika, in Chile, etc. kennenlernen, dann kommt normalerweise ein ehrenamtlicher Mitarbeiter von *Experiment e.V.* und überprüft ein bißchen die Einstellung von diesen Leuten, denn es gibt ja nicht wenige, die sich auf diesem Wege einen billigen Urlaub erhoffen. In Abhängigkeit von diesen "Bewerbungsgesprächen" werden die Leute für diese Programme zugelassen oder nicht. *Experiment e.V.* wird für uns genau dieselben Kriterien an die restlichen 224.995, die eben nicht zu den fünf Botschaftern gehören, ansetzen. Dafür haben wir dann diesen Fond zur Verfügung, nicht um die Flugkosten zu tragen, die sollen die Leute selbst zahlen, sondern um das Arrangement vor Ort zu bezahlen. Da wird es auch eine Abstufung geben. Nordamerika zum Beispiel ist so ein Land, da wird der Zuschuß von uns geringer sein als wenn jemand nach Rußland gehen will oder in Gebiete, wo es mehr um Kultur als um touristische Aspekte geht.

Werden die Botschafter irgendwie vermarktet, wenn sie wieder zurück sind?

Nein, sie werden nicht vermarktet. Es ist so, daß wir wie im letzten Jahr ein sehr reges Medieninteresse haben. Es gibt einige Medientermine, die diese Botschafter haben. Diese Termine werden sie wahrnehmen. Sie müssen das nicht, aber in der Regel tun sie es. Das ist die einzige *Vermarktung*, die wir mit diesen Leuten betreiben. Im letzten Jahr bei der ersten Botschafter-Kampagne hat sich gezeigt, daß sich zwischen Gast und Gastgeber eine sehr intensive Beziehung aufgebaut hat. Wir hatten letztes Jahr eine Hamburgerin, die in das Navajo-Reservat als Botschafterin gegangen ist und dann die Indianerin mit nach Hamburg genommen hat. Die sind in diesem Jahr mit der gesamten Familie wieder dorthin geflogen. Das zieht jetzt so langsam seine Kreise, wie ein ganz kleiner Stein, der ins Wasser geworfen wird.

BERLIN

eine Stadt für Alle

Mangel an Eigenständigkeit wird durch Weltteilnahme ersetzt. Man kann aber an der Welt nicht teilnehmen wie an einem Weltkrieg. Weil die Welt nichts ist. Weil es die Welt gar nicht gibt. Weil die Welt eine Lüge ist. Weil es nur Bestandteile gibt, die miteinander gar nichts zu tun haben brauchen. Weil diese Bestandteile durch Eroberungen zwanghaft verbunden, nivelliert wurden. Welt ist ein imperialer Begriff. Auch wo ich lebe, ist inzwischen die Welt. Früher ist hier Bayern gewesen ... Bayern ist eine Kolonie der Welt. Auch dieses Stück Erde ist Welt geworden. Je mehr die Welt regiert, desto mehr wird die Erde vernichtet, werden wir, die dieses Stück Erde bewohnen, vernichtet ...

Herbert Achternbusch

Der Rassismus - Was ist das?

Alain de Benoist

Studium der Literatur, der Philosophie und der Geschichte. Chefredakteur von "Nouvelle Ecole". Mitarbeiter u.a des "Figaro-Magazine" und "Spectacle du Monde". Herausgeber von "Krisis". Lebt in Paris. Zahlreiche Veröffentlichungen auch in deutscher Sprache, u.a. Aus rechter Sicht, Heide sein..., Kulturrevolution von rechts, Demokratie - Das Problem.

Was ist unter dem Begriff »Rasse« zu verstehen? Eine Rasse, schreibt Nobelpreisträger André Lwoff, ist »eine Gruppe von Menschen, die durch Heirat innerhalb der Gruppe verwandt sind und sich von anderen Gruppen durch die Häufigkeit bestimmter erblicher Merkmale unterscheiden«.[1] Das ist zweifellos eine einfache und deutliche Antwort. Schwieriger wird es allerdings beim Begriff »Rassismus«.

Man ist nämlich heutzutage immer mehr dazu geneigt, das Wort »Rassismus« in einem höchst ausgedehnten, wenn nicht äußerst unscharfen Sinne zu gebrauchen. In Frankreich beispielsweise wird der Begriff »Rassismus« in Beziehung gebracht mit feindlichen oder ablehnenden Haltungen gegenüber einer Menschengruppe, die irgendwelche unterscheidende Merkmale (ethnische, religiöse, wirtschaftliche, alter- oder geschlechtsbezogene...) besitzt. Es ist die Rede von »Antijugend-, Antiarbeiter- oder Antifrauen-Rassismus«. Diese Anwendung, die jede menschliche Gemeinschaft zu »verrassen« neigt, halten wir für sehr strittig. Sie höhlt den Begriff von seinem tatsächlichen Inhalt her aus und kann nur zur Verwirrung beitragen. Jeder Rassismus schließt nämlich eine Ablehnung des Anderen mit ein, aber nicht jede Ablehnung des Anderen ist als Rassismus zu bezeichnen. Nach unserer Auffassung wäre es ratsamer, den Begriff »Rassismus« weiterhin mit dem der Rasse oder der Ethnie zu verknüpfen und zur allgemeinen Bezeichnung der Ablehnung des Anderen auf »Alterophobie« oder »Heterophobie« (Feindschaft, Abneigung gegenüber dem Andersartigen) zurückzugreifen, bei der der Rassismus im strengen Sinne nur eine besondere konkrete Äußerung wäre.

Wir halten fest, daß Rassismus zum einen eine ablehnende oder grundsätzlich feindliche Haltung ist, die einige dieser Feindschaft entsprechende Praktiken nach sich ziehen kann und gegen eine oder mehrere Rasse in ihrer Gesamtheit gerichtet ist, auch sogar gegen Einzelpersonen nur aufgrund ihrer Rassenzugehörigkeit. Wir halten zum anderen fest, daß Rassismus eine *Lehre* ist, die die Rasse als wesentlichen oder gar hauptsächlichen Faktor der Geschichte ansieht; sei es, daß die bedeutenderen Zivilisations- oder Kulturereignisse durch die Rasse erklärt werden, oder daß die Konflikte, die treibende Kraft der Geschichte, letztlich als Rassenkonflikte wahrgenommen werden, oder daß das individuelle oder gemütsmäßige Verhalten auf Rassenzugehörigkeit zurückgeführt wird.

Beide Aspekte - die rassistische Haltung und die Rassenlehre - überschneiden sich nicht unbedingt. An der Grenze kann eine Rassentheorie durchaus auf eine Rangordnung der Rassen verzichten. Umgekehrt kann man rassistische Haltungen zeigen, ohne sich deshalb auf eine zusammenhängende Rassenlehre zu berufen. Historisch gesehen kommt eine solche Verbindung jedoch oft zustande, entweder gleichzeitig, durch zufälliges Zusammenfallen, oder nacheinander. Im letzteren Fall ist die Theorie vom Vorrang der Rasse eine später erfolgende Konstruktion, die nachträgliche Rationalisierung eines antreibenden Gefühls oder eines konkreten Willens; Konstruktion und Rationalisierung haben dann für die Theorie eine hauptsächlich rechtfertigende Bedeutung.

Ich möchte zunächst die rassistischen Haltungen erörtern. Im gesellschaftlichen Leben entsprechen sie der Übertragung eines alterophobischen Vorurteils auf der Ebene der Rasse oder der Ethnie. Sie äußern sich durch Xenophobie (Fremdenhaß), Verachtung des Anderen, grundsätzliche (häufig mit Furcht vermischte) Feindlichkeit ihm gegenüber, überhaupt durch seine Abwertung, die gleichzeitig eine Selbstüberbewertung oder vielmehr eine Überbewertung der eigenen Zugehörigkeit nach sich zieht.

Angesichts seines durchgängigen Charakters entspricht dieser Ausschließungsreflex gegenüber dem Anderen wahrscheinlich einer angeborenen Neigung, die phylogenetisch (das heißt im Laufe der Stammesgeschichte) erworben wurde. Wir können nämlich annehmen, daß unter »Natur«-Bedingungen das Mißtrauen oder die grundsätzliche Feindschaft gegen den unbekannten Fremden eine der Voraussetzungen zum Überleben ist. Zahlreiche Verfasser weigern sich übrigens, diesen Ausschließungsreflex - ebensowie das Begehren bestimmter Verbindungen - als Frucht der »Ignoranz« zu deuten, und fassen ihn lieber als eine in der biologischen Struktur verwurzelte Neigung auf.[2]

Auf diese Grundhaltung propft die rassistische Xenophobie eine rein »monotheistische« Deutung auf; diese besteht darin, eine an angeblich objektiven Wertmaßstäben ausgerichtete Einheitshierarchie stillschweigend oder nicht einzusetzen; in Wirklichkeit sind solche Unterscheidungsmerkmale nur die Projektion besonderer Werte. Diese Denkart läuft darauf hinaus, die eigene Zugehörigkeit als »objektiv« überlegen vorauszusetzen, ohne sich dessen bewußt zu sein, daß die ihr zugeschriebene Überlegenheit lediglich eine ideale, rein subjektive Projektion ist. Sie beruht auf dem vollständigen Mangel an »Differenzierungsvermögen«, das Georges Heuse als die »Fähigkeit« bezeichnete, »die zeitliche und räumliche Relativität der biopsychologischen Strukturen und der psychosozialen Einrichtungen wahrzunehmen«.

Wie gesagt, eine typisch »monotheistische« Deutung. Die rassistische Haltung hängt nämlich offenbar mit der zumindest stillschweigenden Überzeugung zusammen, daß es nur *eine* Wahrheit, eine einzige Wahrheit gebe. Und dieser Auffassung liegt bekanntlich der Monotheismus zugrunde. Die Annahme eines einzigen Gottes schließt auch die einer einzigen Wahrheit mit ein. Und damit sind alle Bedingungen gegeben, um eine absolute Intoleranz gegenüber denjenigen zu rechtfertigen, die sich außerhalb der Wahrheit, also im Irrtum, befinden - einem gleichermaßen absoluten Irrtum, gegen den gegebenenfalls alle Mittel des Zwanges und des Ausschlusses eingesetzt werden dürfen. Die Überzeugung, das Wahrheitsmonopol zu besitzen, macht den Weg frei für Verfolgungen und Massenmorde. Die Kirche, die nur durch die relative Schwäche der ihr zur Verfügung stehenden Mittel eingeschränkt war, ließ sich im gesamten Verlauf ihrer Geschichte bekanntlich nicht entgehen, auf sie zurückzugreifen. Geht Jahwe nicht schon in der Bibel mit dem Beispiel voran, wenn er die Sintflut gegen eine Menschheit auslöst, die seiner Erwartung nicht entsprochen hat? Jahwe kennt auch den Haß: »Ich liebte Jakob, Esau aber haßte ich.«[(Maleachi 1,3)] Diesen Haß predigt er denjenigen, die ihn anrufen: »Sollen mir nicht verhaßt sein, die dich hassen, Jahwe? Sollen mir zum Greuel nicht sein, die wider dich aufstehen? Ja, hassen will ich sie mit glühendem Haß, sie wurden mir selber zu Feinden.«[(Psalm 138, 21-22)] Anläßlich seines Aufenthalts beim Philisterkönig Achis übt auch David den Völkermord aus.[(1 Samuel 27,9)] Mose ordnet die Ausrottung des midianitischen Volkes an.[(Numeri 31,7)] Josua metzelt die Enakiter nieder.[(Josua 11, 12-21-22)] »Aus den Städten dieser Völker, welche dir Jahwe, dein Gott, als Erbbesitz geben will, sollst du keine Seele am Leben lassen.«[(Deut. 20, 16)]

Dadurch, daß der Monotheismus die Idee einer einzigen Wahrheit verbreitet, neigt er außerdem dazu, den Anderen zugunsten des Ganz-Anderen abzuwerten. Er neigt dazu, die Unterschiede zwischen den Menschen und den Völkern zu verwischen, die er als nebensächlich, da »zu menschlich«, erscheinen läßt: »Alle Völker«, ist bei Jesaja zu lesen, »sind vor ihm (Jahwe) wie ein Nichts, null und nichtig gelten sie vor ihm.«[(Jesaja 40, 17)]

Es sei schließlich daran erinnert, daß die biblische Tradition den drei Söhnen Noahs: Japheth, Sem und Ham jeweils den Ursprung der Europäer, Asiaten und Afrikaner zuschreibt und daß im Buch Genesis Noah folgenden Ausspruch gegen Kanaan richtet, den Nachkommen Hams, also gegen die schwarze Rasse: »Verflucht sei Kanaan und sei seinen Brüdern ein Knecht aller Knechte! Gelobt sei der Herr, der Gott Sems, und Kanaan sei sein Knecht. Gott breite Japhet aus und lassen ihn wohnen in den Zelten Sems, und Kanaan sei sein Knecht!«[(Genesis 9, 25-27)] Die Befürworter der Rassentrennung in Amerika versäumten natürlich nicht, dieses zweifelhafte Zitat zur Rechtfertigung des Sklaventums einzusetzen.

Dies vorausgesetzt, ist es offensichtlich, daß der Ethnozentrismus auch einer natürlichen Neigung des menschlichen Geistes entspricht. Während das Selbstbewußtsein sofort transparent, das heißt erkennbar, für sich selbst ist, wird der Andere zunächst als »Objekt« wahrgenommen, das das Bewußtsein aufgrund der Angaben einer stets subjektiven Information deutet beziehungsweise instrumentalisiert. Groß ist dann die Versuchung, den Anderen als Projektion seiner selbst zu deuten, was in einer zweiten Phase dazu führen kann, alles abschaffen zu wollen, was dieser Projektion nicht entspricht.

Diese Neigung, andere durch sich selbst zu deuten, ist um so widersinniger, als sie nicht nur das Verständnis des Anderen verwehrt, sondern auch das Verständnis seiner selbst, da man sich seiner eigenen Identität nur durch Gegenüberstellung mit dem durchweg veränderlichen Außen völlig bewußt werden kann. Wir brauchen den Anderen, um zu wissen, worin wir uns von ihm unterscheiden. Den Anderen anerkennen, zu der Ansicht gelangen, daß er mich um das bereichern kann, was ihn von mir unterscheidet, bedingt, daß er tatsächlich der Andere ist, und nicht der Gleiche. Die Ablehnung des Anderen ist somit auch die Ablehnung der dialektischen Bewegung, die einem ermöglicht, sich durch fruchtbare Auseinandersetzung mit dem Anderen zu formen und zu verwandeln. »Ab einem hinreichenden Grad von *Fremdenunkenntnis*«, bemerkte Jules Monnerot, »ist mein Gott wohl der einzige.« Und möglicherweise deshalb zieht der Universalismus nicht nur die Negierung der Identität der anderen nach sich, sondern erzeugt auch die Unkenntnis oder das Unbewußtsein der eigenen Identität bei demjenigen, der ihn vertritt.

Die Ablehnung des Anderen läuft außerdem mit der Ablehnung dessen zusammen, was sich aus ihr ableiten läßt: das dialektische Werden der Völker und der Menschen - zugunsten einer Theorie vom Abschluß der Geschichte. Diese Theorie läßt letztlich die zeitliche und die räumliche Homogenität zusammenfallen, indem sie die durch die menschliche Vielfalt hervorgerufene Weltbewegung aufhält.

Hinzu kommt, etwas am Rande, eine Art Zwangsvorstellung von der »Reinheit« - »niedere« Elemente würden die Rasse »verschmutzen«. Diese Zwangsvorstellung ist übrigens, wenn auch auf einer anderen Ebene, in manchen Umweltbewegungen der Gegenwart anzutreffen und wird weiterhin unter dem Blickwinkel der Naturalität aufgefaßt: die »Unreinheit« sei ein Vergehen an der »Naturordnung«, deren Einhaltung ein Requisit des Heils wäre.

Dieser fremdenfeindlichen Haltung steht das klare Bewußtsein der menschlichen Vielfalt, der Relativität der Normen und der mannigfaltigen, unermeßlichen Eigenart der Menschengruppen entgegen. Robert Jaulin schreibt in diesem Zusammenhang: »Die Ethnologie muß die allgemeine politische These aufstellen, daß die Menschheit in der Mehrzahl existiert. Eine solche Ethnologie fällt also aus dem Rahmen gegenüber allen großen universalistischen Mythen, ob von links oder von rechts. Es gibt weder Mehrheiten noch Minderheiten, eine Zivilisation läßt sich nicht quantitativ bestimmen. Eine Zivilisation ist eine *Qualität*. Eine Zivilisation hat eine Farbe, Gerüche, einen Boden, sie ist Bewegung, Geschichte, eine Ethnie ist auf sie beschränkt.«[3]

Ich möchte mich nun den Rassentheorien zuwenden. Es geht nicht darum, sie hier in ihrem geschichtlichen Zusammenhang darzustellen, und ich werde mich darauf beschränken, einige gemeinsame Kennzeichen hervorzuheben. Das Hauptmerkmal dieser Theorien, und das in jeder Hinsicht wohl am meisten anfechtbare, ist ihr *Reduktionismus*. Der Begriff Rasse ist ein Ordnungsbegriff der naturwissenschaftlichen Systematik. Der Rassismus ist lediglich eine Form von biologischem Reduktionismus, die als solche die menschliche Eigenart geringachtet.

Wir konnten bereits öfter unterstreichen, daß der Mensch ein Tier, aber nicht nur ein Tier ist. Die biologischen Faktoren sind bei ihm nur potentiell bestimmend: sie bestimmen lediglich einen Rahmen, einen Sockel, ein Fundament. Von allen Lebewesen ist der Mensch das einzige, das nicht völlig von seiner Zugehörigkeit zur Art *be-handelt* wird - oder zur Rasse als Unterart. Seine biologische Beschaffenheit erzeugt eine Reihe von Möglichkeiten, die das Erlebte *gestalten*, die sich aber ebenso wenig auf das Erlebte zurückführen lassen, wie dieses auf sie. Sofern sich der Mensch-als-Mensch nicht auf diese biologische Beschaffenheit reduzieren läßt, untersteht er nicht der Natur, sondern Kultur, nicht der Biologie, sondern der Geschichte.

Die mechanistische Beziehung, die die Rassentheorie zwischen Rasse und Kultur einführt - ein einfacher ursächlicher Zusammenhang -, ist unseres Erachtens unhaltbar. Wir können mit François Jacob festhalten: »Die Vererbung bestimmt nicht die Kultur, was die Anhänger des Rassismus auch immer behauptet haben. Die Vererbung bestimmt die Fähigkeit, eine Kultur anzunehmen.«[4] Ebenso können wir Claude Lévi-Strauss in diesem Punkt folgen, wenn er behauptet, daß »jede Kultur genetische Fähigkeiten ausliest, die durch Rückkopplung auf die Kultur zurückwirken, die zunächst zu ihrer Verstärkung beigetragen hatte«.[5]

Die sich auf die unbestrittene Verwandtschaft von Mensch und Tier stützende Rassentheorie schließt sich sogar dem Standpunkt Schopenhauers an, dem zufolge bei Mensch und Tier die Hauptsache, das Wesentliche, identisch sei. Mit anderen Worten: sie benutzt als Stütze die keineswegs nachgewiesene These einer Reduzierung des menschlichen Gesellschaftstriebes auf den tierischen. Auf diese Weise führt sie die Geschichte auf eine bloße Begleiterscheinung der Biologie zurück. Die Soziologie beschränkt sich dadurch auf die angewandte Zoologie.

Demnach verwirft die Rassentheorie die Trennung, die der Monotheismus zwischen dem Menschen und dem Rest der Welt - vor allem der Tierwelt - eingeführt hat. Dabei verfällt sie allerdings ins andere Extrem: Während der Monotheismus sozusagen ein »Verbot biologischer Sympathie« mit dem übrigen Leben verhängt hatte, stellt der Rassismus diese ursprünglich vorhandene, dennoch relative Sympathie als absoluten Bestimmungsfaktor auf. Die monotheistische »Trennung« schaltet den Menschen von der *Physis* ab, löst ihn sogar von seinen biologischen Zugehörigkeiten los und verurteilt dadurch, was bei ihm aus seiner Natur hervorgeht. Dagegen leugnet der Rassismus diesen Bruch derart, daß er die Offenkundigkeit der menschlichen Eigenart in Frage stellt und durch die Negierung jeglicher Selbstwerdung den Menschen beinahe mit dem Tier auf eine Stufe stellt.

Mag sich die Rassentheorie in diesem Punkt von dem Monotheismus unterscheiden, beide weisen doch Gemeinsamkeiten in manch anderem Bereich auf. Zunächst übernimmt die Rassentheorie auch die oben erwähnte einheitliche Abstufung, so daß sie öfter eine Hierarchie bietet, die streng zwischen »niederen« und »höheren« Rassen unterscheidet. Ferner ist der Rassismus von einer gewissen ontologischen Metaphysik nicht allzu entfernt, sofern er die geschichtliche Begebenheit an sich leugnet und dadurch alles abzuwerten neigt, was in den Gesellschaften aus der Neuerung, der durchgreifenden Veränderung, dem Zutagetreten neuer Formen hervorgeht; stattdessen berücksichtigt er ausschließlich unveränderliche biologische Tatsachen. Die Rassen werden in dieser Sicht zu statischen Wesenheiten. Die Geschichte mit allen ihren Verwandlungen ist nur noch ein Abbild des Zusammenspiels dieser Wesenheiten.

Schließlich stellt die Rassentheorie eine *einseitige* Denkart dar. Indem sie den Gang der Geschichte ausschließlich mit Rasseneinflüssen und -gegensätzen zu erklären versucht, gehört sie zu den Lehren, die die Existenz eines umfassenden erklärenden Modells, eines allgemeingültigen »Schlüssels« voraussetzen, ob dieser Schlüssel der der Rasse, der Wirtschaft, der Sexualität oder des Klimas ist. Solche Lehren schließen die Behauptung vom Vorrang der theorischen Vernunft ein.

Der Rassismus unterscheidet sich in dieser Hinsicht nicht wesentlich vom Marxismus. Die marxistische Theorie führt alles letzten Endes auf die *Klasse* zurück, so wie die Rassentheorie letztlich auf die *Rasse* zurückführt. Der Marxismus zielt auf die Abwertung oder die Vernichtung einer Klasse oder Pseudoklasse ab, so wie der Rassismus auf die Abwertung oder die Vernichtung einer Rasse oder Pseudorasse abzielt. Im klassischen Marxismus ist der Begriff der »objektiv« höheren, da »im Sinne der Geschichte« handelnden Klasse mit dem vergleichbar, was bei der Rassentheorie der Begriff der »objektiv« höheren Rasse ist - hier auch in einem reduzierenden Geschichtsrahmen, der die Klasse durch die Rasse ersetzt und damit das Wirtschaftliche durch das Biologische als umfassenden erklärenden Faktor des menschlichen Werdens.

Von »höheren« und »niederen« Rassen zu sprechen ist offenbar eine doppelte Widersinnigkeit. Zum einen, weil eine solche Denkweise das Vorhandensein eines allgemeinen kulturellen Bezugsrahmens voraussetzt: ohne gemeinsamen Bezugspunkt läßt sich die Verschiedenheit nämlich nicht hierarchisieren - und weil es keinen gemeinsamen Bezugspunkt gibt, mit dem die geschichtlich-kulturellen Leistungen der einzelnen Völker eigentlich zu werten sind. Jeder zum Wertmaßstab erhobene Bezugspunkt ist zwangsläufig die Projektion eines besonderen Wertesystems. Zum anderen, weil eine solche Denkweise darauf hinausläuft, stets relative Wesenheiten in einem absoluten, überhistorischen Zusammenhang zu verankern. Man leugnet den dynamischen Wert der Bevölkerungen und stellt diese stattdessen als platonische Wesenheiten mit einseitigem Überlegenheitsgrad hin.

Wenn der Marxismus die erklärende Gültigkeit des Biologischen in Frage stellt, schlägt er lediglich vor, *herüber,* auf die Ebene der gesellschaftlichen *Physis,* zurückzukommen. Wir dagegen werden versuchen *hinüber*zukommen; wir werden mit anderen Worten versuchen, zu den Errungenschaften der Humanwissenschaften und der Anthropobiologie solche hinzusetzen, die die Eigenart des Menschen zu erfassen ermöglichen, da diese sich in einer bestimmten Anzahl von Veränderungen und Brüchen äußert, von Verhaltensweisen und Mustern, von Mythen und Strukturen, von Sprachen und Techniken, von Gewissensfragen und Ereignissen.

Nun möchten wir eine andere Form von Rassismus ansprechen, die vielleicht subtiler, dennoch gleichermaßen unheilvoll ist. Verglichen mit dem erwähnten *ausschließenden* Rassismus, könnte man diese Form als *assimilierenden* Rassismus bezeichnen. Man kann nämlich ein Volk auf zwei Weisen zugrunde richten, das heißt den Anderen abschaffen. Die eine besteht darin, ihn zu beseitigen; die andere darin, zu leugnen, was seine *Andersheit* ausmacht. Eine geläufige Form des Völkermordes, die radikalste, ist die physische Vernichtung. Es sei lediglich an den wohl größten Völkermord aller Zeiten erinnert, an die systematische Ausrottung der Indianer: fast hundert Millionen in Lateinamerika, vierzehn Millionen in Nordamerika. Eine andere Form von Genozid besteht darin, die *Lebensgrundlagen* einer Bevölkerung zu zerstören, indem die eigentümlichen Fundamente ihrer Einrichtungen, ihrer Glaubenshaltungen, ihrer gesellschaftlichen, kulturellen und moralischen Werte erschüttert werden, indem man sie um ihre eigene Identität bringt, um ihr Erbe und damit um ihr Schicksal, ihre Persönlichkeit und ihre Seele.

Völker sind keine zufälligen Gebilde, auch keine Ansammlung anonymer Individuen. Es sind Gemeinschaften, und als solche besitzen sie Eigentümlichkeiten, die mit dem spezifischen Erbe verbunden sind, das jede Generation auf ihre Art aktualisieren soll. Diese Eigentümlichkeiten können verloren gehen. Man kann sie aber auch tilgen. So etwas nennt man *Akkulturation* (ein Begriff, den der amerikanische Ethnologe J.W. Powells 1880 prägte). Es handelt sich dabei um eine besondere Form von ethnischer oder soziokultureller Überfremdung: Auf eine bestimmte Bevölkerung werden Werte, Strukturen, Symbole oder Archetypen, die dem eigenen Erbe nicht entsprechen, einseitig übertragen. Die Akkulturation besteht heute in dem kollektiven Identitätsverlust, in der Verneinung der Identität, ihrer Vernachlässigung, ihrer Verdrängung - in der Gefahr für eine Kultur, das zu werden, was Jean Poirier eine »Heterokultur« nennt.

Den Europäern weiszumachen, daß sie die alleinigen Erben der »jüdisch-christlichen Tradition« sind, oder, wie es noch vor nicht allzu langer

Zeit Gebrauch war, den jungen Senegalesen von ihren »Ahnen den Galliern« zu erzählen, ist eins und dasselbe. In beiden Fällen handelt es sich um eine Akkulturationserscheinung mit schwerwiegenden Folgen. Sie läuft nicht nur darauf hinaus, ein Volk zu täuschen. Sie zwingt es auch, ein *Scheinverhalten* anzunehmen, ein schizophrenes Verhalten *selbstzerstörerischer Nachahmung,* das in vielen Fällen entweder zur Unangepaßtheit durch geistige Entwurzelung führt oder zur grotesken Entpersönlichung. Im letzteren Fall versucht man *tatsächlich* die dem aufgedrängten Modell entsprechende Persönlichkeit zu verwirklichen, was Arnold Mandel »die Erprobung vollkommener Tugend« genannt hat.

Hierbei muß offensichtlich scharf unterschieden werden zwischen der *Integration,* die nicht unbedingt einen Zusammenbruch der kollektiven Identitäten herbeiführt, und der hauptsächlich durch Akkulturation gekennzeichneten *Assimilation*, die letztlich zur Tilgung des Erlebten führt. Das jüdische Volk, zum Beispiel, wurde schon sehr früh der doppelten Gefahr des Antisemitismus und der Assimilation ausgesetzt, die im ersten Fall sein Überleben, im zweiten seine Identität und in beiden die *Existenz* seiner festen Eigenart bedrohte.

Dieser assimilierende Rassismus läßt noch deutlicher den verarmend sich auswirkenden Einfluß der universalistischen Lehren erkennen. Gewiß, nicht jede Rassentheorie ist universalistisch. Aber jeder Universalismus birgt irgendeine Form von Rassismus in sich, da er als allgemeingültige Norm die maßlose Projektion eines besonderen Werte- und Normensystems aufstellt. Ebenso, da er auf einem Denken gründet, das nicht vom Einzelnen zum Allgemeinen schreitet, sondern die Bestimmung jedes Besonderen aus einer abstrakten, allgemeinen, von vornherein aufgestellten Auffassung herleitet.

Im Namen der angeblich einzigen Wahrheit und der angenommenen Gleichheit der Menschen vor Gott wollten die Missionare die kleinen Chinesen als »Söhne Abrahams« taufen und den Dritte-Welt-Völkern religiöse Anschauungen und damit soziokulturelle Werte aufzwingen, die nicht die ihren waren. Die weltlichen universalistischen Ideologien verfuhren ihrerseits nicht anders: sie exportierten »historische Gesetze« und »Universalwerte«, die angeblich »objektiv« waren, im Namen eines rationalen Absoluten, das bald »Zivilisation«, bald »Fortschritt«, bald »Gerechtigkeit« oder »Wahrheit« genannt wurde und das jedesmal die menschliche Vielfalt verringerte, die kollektiven Identitäten ausradierte, die Akkulturation förderte.

Ausdrücklich oder nicht liefen diese Erkenntniswege darauf hinaus, das *westliche Modell* als Muster, als allgemeines Bezugssystem, als einzige Wahrheit zu nehmen. Sieht man aber das westliche Modell als allgemeingültig an, so schafft man tatsächlich die Voraussetzungen zu einem neuen Rassismus. Zum einen trat das »westliche Modell« offenbar nur im Westen auf, und es fragt sich dann, warum die anderen Völker kein vergleichbares hervorgebracht haben; die Behauptung, es liege an der »Zeit«, am »Klima«, am »soziokukIturellen Umfeld« usw., ist reine Mutmaßung, die natürlich nur Skepsis hervorrufen kann. Zum andern befördert diese Denkweise die Vorstellung, daß die anderen Entwicklungsmodelle, die anderen Lebensweisen im wesentlichen vorübergehend seien, daß sie verschwinden (demnach seien sie weniger gut, also minderwertiger) oder gar auf »folkloristische« Formen zum Gebrauch der Touristen reduziert werden müßten.

Ein Ethnozentrismus also, aber ein um so fürchterlicherer, als er sich hinter »großmütigen« Gedanken und großgeschriebenen Begriffen schützt. Im vorigen Jahrhundert behaupteten Missionare und koloniale Verwalter, sie würden »die Zivilisation« bringen. »Die Zivilisation oder die Kultur zu bringen«, bemerkt Alain Peyrefitte, »heißt die Kultur und die Zivilisation derjenigen, die man zum 'Fortschritt'verhelfen will, für minderwertig halten.«[6] Alain Peyrefitte fügt hinzu: »Alle Illusionen der Europäer rühren davon her, daß sie niemals ernstlich an die Existenz der anderen Rassen und der anderen Kulturen geglaubt haben; einen jungen Neger zu 'zivilisieren', ihm die europäische Lebensweise und Denkart zu vermitteln bedeutete für die Missionare, ihn aus der Unwissenheit, und nicht aus einer anderen Kultur zu reißen.«[7]

Selbst Karl Marx war nicht der letzte, der ein pseudoobjektives System aufbaute, dem gegenüber die kulturellen Eigenheiten im wesentlichen als störend empfunden werden. Für ihn sei die Geschichte jeder Gesellschaft bis zum heutigen Tag die Geschichte des Klassenkampfes. Solche Äußerung folgt demselben Denkmechanismus, der schon die Theologen zu der Behauptung trieb, es gebe außerhalb des Christentums keine Zivilisation. Der Soziologe Jean Baudrillard unterstrich, wie sehr die Marxschen Begriffe die Aufgabe erschweren, die unterschiedlichen Mentalitäten und Verhaltensweisen, die in sozialwissenschaftlichen Abhandlungen am Werk sind, zu erkennen.[8]

Es gibt noch eine weitere Form subtilen Rassismus, die ich erörtern möchte. Sie besteht darin, zu behaupten, daß alle Kulturen einen hohen Wert hätten ... bis auf unsere. Hier verläuft der Weg anders. Es findet keine Ablehnung des Anderen statt, sondern vielmehr *Selbstablehnung*. Mit anderen Worten: Man verläßt den Bereich der berechtigten *Alterophilie* (Neigung zum Fremden), um den der *Alteromanie* (Sucht nach dem Fremden) zu betreten. Man bekennt sich dazu, alle Kulturen außer der eigenen zu lieben. Statt nach außen gerichtet zu sein, kehrt sich die Alterophobie gewissermaßen gegen ihren Urheber. Ein typischer Fall von Alteromanie ist das Verhalten jener Forscher, die sich nicht ohne Grund über die späteren Auswirkungen der kulturellen Zerstörung bei den Bororos und den Dogons sorgen, die aber angesichts der Vernichtung der kollektiven Identitäten in Europa unberührt bleiben, was vermuten läßt, diese Identitäten seien ihnen gleichgültig.

Diese Alteromanie geht auf jenen »Idealismus des guten Wilden« zurück, der in den Salons des 18. Jahrhunderts gepflegt wurde und ist die westliche Form des »Selbsthasses«. Die Ethnologie versteht sich dann nicht mehr als Diskurs *über* den Anderen, sondern als Diskurs *des* Anderen schlechthin: Man verfällt in einen umgekehrten Ethnozentrismus, der nach Raymond Arons Einschätzung dazu verleitet, in den sogenannten »primitiven« Gesellschaften die Norm zu sehen, »an der die Vorzüge der sogenannten zivilisierten Gesellschaften gemessen werden müßten«.[9]

Meiner Meinung nach darf »bleiches Gesicht nicht doppelzüngig« sein. Man kann gleichzeitig eine äußerst konservative Haltung zu den anderen und eine höchst revolutionäre zu sich selbst einnehmen. Man kann zwar sich darüber freuen, daß die amerikanischen Neger ihre Wurzeln wiederentdecken, und gleichzeitig die Bemühungen der Europäer verspotten, sich ihre wiederanzueignen; den einen die endogamische Heirat (also nur innerhalb eines bestimmten sozialen Verbandes) empfehlen, sie aber den anderen abraten, ja gar verbieten. Die Akkulturation der Eskimos und der Indianer ist jedoch nicht mehr und nicht weniger verurteilbar als die überfremdende Akkulturation der Europäer durch das amerikanische Modell...

In dieser Sicht - und in dieser Logik - hat Thierry Maulnier folgende Fragen aufgeworfen: »Wenn es darum geht, zu erwägen, was auf kürzere oder längere Sicht wünschenswert wäre ... Ist es etwa die allgemeine Rassenmischung, das Verschwinden der Unterschiede, eine Menschheit, die auf einen einzigen morphologischen und psychischen Typus reduziert ist? Sonderinteressen an Konflikten wären dann abgeschafft. Was aber wird in diesem Fall aus den Negern? Was aus den amerikanischen Indianern und dem, was von ihrer ursprünglichen Kultur übrig ist? Was wird aus den fernen Stämmen, die zu Recht die Sorge meines Kollegen Lévi-Strauss erweckt haben, was aus den Eingeborenenstämmen, die vielleicht das gleiche Recht auf ihre besondere Lebensweise haben wie jene Tierarten, über die wir uns aufregen, weil sie vom Aussterben bedroht sind? Besitzen einzelne Volksgruppen hinsichtlich ihrer Identität Rechte, die andere nicht haben? Wird das Recht auf Besonderheit bestimmten Zweigen der Gattung Mensch zugestanden, anderen aber verweigert? Verweigert aber insbesondere uns unglücklichen Abendländern, die anscheinend als einzige vom Recht auf Erhaltung unserer Eigenart ausgeschlossen sind. Wir befinden uns aber dann in der Quadratur des Kreises: Wie sollen wir uns ganz allein kreuzen?«[10].

Wir erleben gegenwärtig, vor allem aber seit Ende des Zweiten Weltkrieges, eine riesige Welle der Vereinheitlichung und der Gleichmacherei. Unsere Zeit vergöttlicht das Gleiche und gesteht dem Anderen nur den Status oberflächlicher Existenz zu. Diese Vereinheitlichungswelle steht im Zusammenhang mit dem Vormarsch der nun herrschenden Gleichheitsideologie. Da sie die Unterschiede zwischen Menschen und Kulturen für vorübergehend oder gering hält, ist sie selbstverständlich nur wenig dazu geneigt, sich über die zunehmende Aushöhlung der unterschiedlichen Kulturen aufzuregen. Aber auch mit der weltweiten Verbreitung des Amerikanismus, das heißt der zugleich materialistischen und moralisierenden Ideologie einer »Weltrepublik«, in der die Verschiedenartigkeit der menschlichen Gruppen einen Konsens nur noch auf der Ebene der *Dinge* einräumt.

Grund zur Hoffnung sehen wir angesichts dieser Welle nur in der Behauptung der kollektiven Identitäten, in der geistigen Wiederaneignung des jeweiligen Erbes, in der Besinnung auf die Wurzeln und die kulturellen Besonderheiten. Gegenüber dem Plan einer »Weltzivilisation, die im Grunde die kulturellen Eigenheiten verstümmelt«[11] rechnen wir auf die Sprengung des Einheitsmodells, ob durch die Wiedergeburt der Mundarten oder die Behauptung der ethnischen Minderheiten, ob durch unterschiedliche Erscheinungen, wie die Dekolonisation,[12] die Behauptung der Negritude, den politischen Pluralismus der Dritte-Welt-Länder, die Wiedergeburt einer lateinamerikanischen Zivilisation, das Wiederaufwachen einer islamischen Kultur. Und mit Henri Lefebvre deuten wir dieses Ringen um Machteinfluß als »titanischen Kampf zwischen homogenisierenden Mächten und differenzierenden Fähigkeiten«.

Wie sie auch immer aufgefaßt werden, ob als anpassende, oder als strukturelle, symbolische, maßgebende Systeme, die *Kulturen* stehen im Mittelpunkt der gegenwärtigen Betrachtung über den Menschen. Wir sind der Ansicht, daß Kultur alles umfaßt, was zu der Natur hinzukommt und als solches, beim Menschen, aus dem typisch Menschlichen hervorgeht. Als ständig ändernde *Schicksale* gründen sich solche Kulturen ausschließlich auf kollektiven Identitäten, die durch ein ganzes System von Traditionen und Kenntnissen, aber auch von intuitiven Vorstellungen erfaßt werden. Den Kulturen liegt ausschließlich das Recht auf Verschiedenheit zugrunde, gewiß ein Recht auf individuelle Verschiedenheit, aber auch und vor allem auf kollektive.

Das Recht auf Verschiedenheit ist ein Recht, kein Muß. Wie alle Rechte ist es aber dafür auch mit Pflichten verbunden: das Recht auf Verschiedenheit zu fordern schließt die Verpflichtung mit ein, dieses Recht auszuüben - und vor allem in dieser Verschiedenheit die Quelle neuer Normen zu finden. Das Recht auf Verschiedenheit bedingt bei weitem keine Ablehnung der Normen oder die Rechtfertigung der Abweichung; jede Eigenart verlangt eine Begriffsbestimmung und unterscheidende Merkmale, die seine Anwendung ermöglichen, also Normen. Es geht also keineswegs darum, sich in die Vergangenheit zu versenken, oder den technischen und naturwissenschaftlichen Fortschritt auszuklammern, oder eine sperrende bzw. ausschließende Haltung zu befürworten. Es gilt ebensowenig, die Aufrechterhaltung der kollektiven Identitäten zu einem Selbstzweck zu machen - sozusagen zu einer »Vergötterung der Chromosomen« - sondern vielmehr zu einem Mittel, das Schicksal der Völker neu zu gestalten und die grundlegenden Werte zu vertiefen.

Unser Antirassismus ist gewiß nicht derjenige, auf den sich angeblich »antirassistische« Bewegungen berufen, die in Wirklichkeit universalistisch eingestellt sind und nur für Verwirrung sorgen wollen; außerdem qualifizieren sie einander ab. Der Antirassismus, den wir befürworten, äußert sich auf zwei Ebenen: zunächst auf der theoretischen, indem er Unzulänglichkeiten und Fehleinschätzungen des biologischen Reduktionismus, der sich unter anderem in der Rassenideologie niederschlägt, als solche hervorhebt, ohne deshalb in den noch schlimmeren makrophysikalischen Reduktionismus zu verfallen; indem er vielmehr eine allgemeine Theorie der menschlichen Eigenheit entwickelt. Dann auf der praktischen Ebene der konkreten Haltungen, indem er eine Erziehung zur Mannigfaltigkeit entwickelt. Eine solche Erziehung zielt nicht darauf ab, Zugehörigkeitsgefühle zu schwächen, sondern sie in positive und fruchtbare Auseinandersetzungen einzubinden. Eine Erziehung, die nicht nur auf die Anerkennung des Anderen hinarbeitet, sondern diesen dazu ermutigt, seine Verschiedenheit fortbestehen zu lassen; eine Erziehung, die alle Völker anregt, sich innerhalb ihrer jeweiligen Eigentümlichkeit fortzuentwickeln, damit sie deren höchste Formen verwirklichen.

Manche werden möglicherweise entgegnen, daß diese Denkart einer Abkapselung, der Kommunikationslosigkeit gleichkomme. Genau das Gegenteil trifft unserer Ansicht nach zu: Damit eine Kommunikation, ein Austausch und eine gegenseitige Bereicherung erfolgen, müssen die in Verbindung stehenden Gruppen Verschiedenheit in sich tragen, sonst findet keine Kommunikation statt, sondern nur der Austausch des Gleichen gegen das Gleiche, das heißt letzten Endes ein »mehrstimmiger Monolog«. Hat das Allgemeine einen Sinn, so kann man nur von einer Besonderheit aus dorthin gelangen. Was den Universalismus betrifft, glauben wir aufgezeigt zu haben, daß er in Wirklichkeit lediglich eine ungeheuerlich gewordene Subjektivität ist, eine Subjektivität, die sich derart aufgebläht hat, daß sie sich als ein alle Völker zwingendes Absolutes auf- und darstellt. Freddy Raphael bemerkt folgerichtig: »So wie der Einzelne verpflichtet ist, in seinem Wesen zu beharren, so muß jede menschliche Gemeinschaft für ihr Fortbestehen sorgen. Diese Forderung nach Fortbestand ist keineswegs ein Reflex hochmütiger Abkapselung, sondern die Einsicht in das einmalige Schicksal einer jeden Menschengruppe.«[13]

Zu einer Zeit, in der die Assimilation droht, die Theorie der »einen Welt« (*One World*) auf dem Vormarsch ist, Gleichheitsideologie und Internationalismus weiterhin einen hohen Stellenwert haben, ist es dringend notwendig, die Schädlichkeit und den Irrtum der rassistischen Haltungen und Theorien zu verurteilen, damit diese nicht mehr mit der unverzichtbaren

Notwehr und Verteidigung kollektiver Identitäten verwechselt werden. Es ist für alle Völker, Rassen und Kulturen, die noch ihrer selbst bewußt sind, dringend notwendig, sich gegen ihren einzigen gemeinsamen Feind zu verbünden: nämlich gegen diejenigen, die sie *alle* zugrunde richten wollen, um ihnen *allen* dieselbe Lebensweise, denselben Lebensrhythmus, dasselbe Lebensniveau, dieselbe verarmende und zerstörerische Pseudozivilisation aufzuzwingen. Es ist notwendig, dringend notwendig, eine neue Kultur zu schaffen.

Anmerkungen:

1: André Lwoff in *Le Monde*, v. 24./25. April 1977.
2: Siehe zum Beispiel Levic Jessel (*The Ethnic Process. An Evolutionary Concept of Languages and Peoples*, Mouton, den Hag 1978), der von »biological need for ethnic neighborhoods« spricht und erkennen läßt, daß »the ethnic process ... is most likely reflected in brain tiissue function«; S. 200.
3: Robert Jaulin, *Les chemins du vide*, Christian Bourgois, Paris 1977.
4: François Jacob, in *Le Nouvel observateur* v. 10. September 1972.
5: Claude Léevi-Strauss, in *Le Monde* v. 25. März 1971.
6: Alain Peyrefitte, in *La Nef*, September-Dezember 1964.
7: Ende des 19. Jahrhunderts erklärte der französische Ministerpräsidnet Jules Ferry: »Die höhere Rasse erobert nicht reinem Vergnügen, auch nicht in der Absicht, den Schwachen auszubeuten, sondern ihn zu zivilisieren und zu sich selbst hochzuheben.« Zur Zeit der 3. Republik war die Politik »kolonialer Assimilation« die offizielle Lehre. Im Jahre 1931 faßt die Liga der Menschenrechte die »demokratische Kolonisierung« als Ausübung eines »Erstgeburtsrechts« auf, als Notwendigkeit, die revolutionären Gedanken von 1789 weltweit zu verbreiten. Es ist nicht weniger bemerkenswert, daß zu den ersten Widersachern des Kolonialismus überzeugte Gegner der Gleichheitslehre gehörten: Gustave Le Bon, Léopold de Saussure, Oswald Spengler usw. Engels seinerseits begrüßte die Eroberung Algeriens als einen Sieg der »Zivilisation« über die »Barbarei«.
8: Wir brauchen nicht an den Antisemitismus des jungen Marx, an seine rassistischen Bemerkungen gegen Ferdinand Lassalle zu erinnern. Lassalle ist seiner Meinung nach »ein echter Jude aus dem slawischen Grenzgebiet«, »der schmierige Jude aus Breslau«, »der jüdische Neger«, »der polnische Jude«. Am 30. Juli 1862 schreibt er Engels: »Es ist mir völlig klar, daß er, wie auch seine Kopfbildung und sein Haarwurchs beweist, von den Negern abstammt, die sich dem Zug Moses aus Ägypten anschlossen (wenn nicht seine Mutter oder Großmutter von väterlicher Seite sich mit einem Nigger kreuzten). Nun, diese Verbindung von Judentum und Germanentum mit der negerhaften Grundsubstanz muß ein sonderbares Produkt hervorbringen. Die Zudringlichkeit des Burschen ist auch niggerhaft.« Und am 7. August 1886 schreibt er demselben Engels, daß der Typ des gemeinen Negers nichts als die Entartung eines viel höheren Typs sei.
9: Raymond Aron, in *Le Figaro littéraire* v. 25. August 1956.
10: Thierry Maulnier, *Le sens des mots*, Flammarion, Paris 1978.
11: Freddy Raphael, in *Les Nouveaux Cahiers*, Winter 1977-78.
12: Jacques Berque sieht in der Dekolonisation »das Scheitern einer einseitigen, trügerischen Einheitsmodell für die ganze Welt«.
13: Freddy Raphael, aaO.

Zwischen Gott und der Welt - Die jüdische Einwanderung nach Deutschland

Dr. Irene Runge

Geboren in New York als Tochter jüdischer Emigranten. 1949 Rückkehr nach Deutschland (DDR). Studium und Promotion in ökonomie/ Soziologie. Mitarbeiterin an der Hum-boldt-Universität Ber-lin im Bereich Ethnographie. Mehrere Buchpublikationen und zahlreiche Essays zu den Komplexen Minoritäten und Judentum. Mitglied des Sprecherrats des Jüdischen Kulturvereins Berlin.

Es geht nicht. Wie kann ich angesichts der Drohungen, die ein Sadam Hussein gegen Israel, gegen das jüdische Volk ausstößt, über die unterschiedlichen Sichtweisen, Mißverständnisse und Interessenskonflikte zwischen Juden in Deutschland, der jüdischen Immigranten und der nichtjüdischen Majorität diskutieren? Als ganz irrelevant und kleinlich entpuppen sich plötzlich die gerade noch so gewichtigen Differenzen. Die Möglichkeit eines chemischen, bakteriologischen oder atomaren Schlags gegen den jüdischen Staat zwingt zu verändertem Denken. Deutschlands Geschichte, die Shoa, die Vernichtung von zwei Dritteln der europäischen Judenheit, ein zweiter Weltkrieg und sein Ende für dieses Deutschland, die Gründung des Staates Israel, die Kriege seither, jüdische Migrationen und neue Probleme, alles gehört zusammen.

Wie kommt es, daß in Deutschland so anders auf diese Gegenwart reagiert wird als anderswo in dieser Welt? Der deutsche Aufschrei, meinte er sich selbst mit seinem "Nie wieder Krieg"? Die geschäftige Rücksichtnahme auf jene, denen dieser Krieg nutzt und wütender Protest stehen scheinbar beziehungslos gegeneinander, in Scham winden sich Freunde Israels und präzise argumentieren Uraltfeinde amerikanischer Militärdoktrin. Deutsche Verantwortung wird allerorten beschworen, das Massenleid der Völker am Golf erschreckt und entsetzt jeden Tag aufs Neue, deutsches Gas, deutsche Technik, deutsche Experten bedienten die Seite des Diktators: Es dauerte eine Weile, bevor dies medienweit bekannt wurde. Ost- und Westdeutschland haben sich auch in dieser Region geschäftsmäßig ergänzt, doch die einen hofierten Israel, während die anderen sich demagogisch untersetzt distanzierten. In Alt- und Neudeutschland dauerte es endlose Tage, bevor ein "Hände weg von Israel" sich formierte. Zusammenhänge brechen auf.

Im Januar 1991 hatte der 200.000ste Einwanderer aus der Sowjetunion Israel erreicht. In Deutschland hatte just eine deutsche Ministerkonferenz entschieden, man werde sowjetische jüdische Immigranten ohne Quotierung aufnehmem, gerade zeigte sich, daß dafür keine Begleitumstände geplant, keine Rechtssituation definiert, keine Mittel bereitgestellt, keine Öffentlichkeit informiert wurden. Doch jüdische Einwanderer waren schon da, weniger als 4 000 Menschen hatten sich zwischen April und Ende Dezember auf den Weg gemacht. Warum die Statistik nur ungefähre Daten kennt, ist nicht nachvollziehbar. Vielleicht aber gehört auch das in den Katalog der Fragen, die gestellt werden müssen.

Angst vor einem Bürgerkrieg, vor antijüdischen Ressentiments, vor Pogromhetze und Übergriffen, vor zunehmender ökonomischer Unsicherheit, aus Erfahrung, daß Sündenböcke in Krisenzeiten benötigt werden, macht aus Sowjetjuden Flüchtlinge. In Deutschland, dies ist endlich klar, werden sie geduldet. Für einen Flüchtlingsstatus reicht ihre Angst bisher nicht aus.

Im Jahre 1990 begannen Juden in jenes Land zu kommen, dessen vormalige Führer ohne nennenswerten Einspruch vor einem halben Jahrhundert die Ausrottung der Judenheit anwiesen und zur Realität befördern ließen. Die Neueinwanderer kamen, weil sie diese Geschichte für nicht wiederholbar halten, weil sie dem Nachkriegsfrieden trauen, weil sie denken, jene Sprüche von der Wieder-Gut-Machung meine auch sie. Doch das neue Deutschland tut sich so schwer wie das alte, und ist keineswegs bereit, das kaum angelaufene Modell "Jüdische Integration" Ost zu übernehmen. Der längst überfälligen Normalität deutsch-jüdischen Miteinanders fehlt es an Selbstverständlichem. Auf deutschen Straßen, in den Wohn- und Klassenzimmern, in den Büros ist dies kaum ein Thema, nicht einmal angesichts der Gefahr, die ganz Israel bedroht. Das Wegsehen aber bringt nichts, denn deutsche und jüdische Existenz verweben sich aufs Neue, zur Geschichte ist die Gegenwart gekommen. Wieder stehen osteuropäische Juden vor der Tür, wieder drohen Pogrome, wieder ist Krieg. Sie fliehen wie seinerzeit ihre Vorfahren in jenes Land, dessen Kultur, dessen Reichtum, dessen Stärke ihnen Zukunft zu versprechen scheint. Sie wissen noch nicht, daß sie Verwaltungsakte sein werden. Mit bornierter Gefälligkeit argumentieren Politiker über Einreisequoten und bemessene Hilfe und legitimieren Beamte, in üblicher Manier die Vorgänge abzuarbeiten. Paragraphen werden bemüht, die deutsche Verantwortung zitiert, doch unter der Hand bleibt ungewiß, wie man sich verhalten wird, sollte die Zahl der Juden wachsen. Es bleibt dabei, daß das 40jährige Verdrängen deutscher Geschichte die Gegenwart belastet. Dem Mangel an Offenheit entsprechen unklare Entscheidungen. Auf das niemals vergessene Leid paßt kein bürokratisches Normativ.

Da hatte vielleicht so mancher gemeint, die deutsche Einigkeit hebe die deutsche Vergangenheit sozusagen dialektisch auf. Doch das Gegenteil ist eingetroffen. Die Lage am Golf zwingt das vereinte deutsche Volk in freier Selbstbestimmung, seine unverarbeitete Geschichte als vorgelagerte Altlast wahrzunehmen. Die Zeit der Spaltung ist vorüber, die Chance der Schuldzuweisungen an die jeweils andere Seite der Mauer. Geblieben sind getrennte Erfahrungen im Umgang mit der Shoa, die es quellen- und selbstkritisch zusammenzuführen gilt.

Verwirrung war östlicherseits entstanden, als es im Herbst 1989 hieß, sowjetische Juden wollten auf immer nach Deutschland kommen. Damals bedeutete Deutschland noch DDR. Es war in jenem bewegten November des Jahres 1989, als die Anrufe aus Moskau und anderswo zunahmen, als Briefe mit der Frage eintrafen, ob eine Umsiedlung nach Berlin möglich sei. Für diesen Fall gab es keine Regeln, kein Gesetz, kein Amt. Als die Gerüchte um wartende Einwanderer zunahmen, als die gewendeten Behörden wie eh und je sich für nicht zuständig erklärten, als noch immer nicht vorstellbar schien, daß Pamjatbewegung und Judenhaß eine ernstzunehmende Gefahr für jüdisches Leben darstellen könnten, als die Anfragen dringlicher wurden, war Handeln angezeigt. Doch im fast gleichen Atemzug war von hunderten jüdischer Kulturvereine zu hören, die unter dem Vorzeichen Glasnost in vielen Orten der Sowjetunion wieder ein vielfältiges nichtreligiöses jüdisches Leben beginnen wollten. Zeitgleich erfuhr man von manchen frommen Rabbinern aus Übersee und Israel, die ins Sowjetland reisten, um vor Ort neue religiöse Schulen und Zirkel zu besuchen oder zu gründen, deren Mitglieder den ehernen Gesetzen jüdischen Rechts verpflichtet, diese Regeln wie schon ihre Altvorderen in Rußland, in der Ukraine und anderswo befolgen wollten. Parallel hierzu sah man im Fernsehen Bilder von Menschenmassen, die vor Ausreisebehörden und Konsulaten auf ein Visum warteten, um auf die Reise nach Israel oder anderswo zu gehen.

In Ostberlin, damals noch DDR, schrieb Anfang Februar 1990 der gerade gegründete kleine Jüdische Kulturverein dem Zentralen Runden Tisch, dieser solle öffentlich die Regierung Modrow auffordern, all jenen Juden die Einreise zu garantieren, die aus Angst vor antijüdischen Exzessen und Drohungen ins nunmehr neue Deutschland kommen wollten. Dem Verein wurde nie eine Antwort zuteil, aber irgendwann im April schließlich waren die ersten Juden da, um zu bleiben. Sie kamen einfach als Touristen, als Dienstreisende, sie brachten einen Koffer voller Kleidung, ihre Papiere, manchmal nicht einmal das. 48 Juden, so hieß es im Mai, müßten versorgt werden, später waren es annähernd 70, dann 113. Bis zum Jahresende hatte sich die Zahl auf vielleicht 3 700 erhöht. In keinem Verhältnis zu diesen Zahlen stand die kränkende, weil überdeutliche Reserviertheit gegen diesen kleinen Immigrantenstrom, der doch eigentlich das Ziel aller alt- und neudeutschen Träume von der Versöhnung zwischen den Völkern darstellen könnte. Zu Deutschland-Ost gab es aus sowjetisch-jüdischer Sicht seinerzeit nur die Alternative Israel. Wer beides nicht wollte, und auch dies ist bekannt, der mußte zu Hause bleiben und warten, ob und wann es sonstwohin gehen könne.

Warum nicht Israel? fragten nicht nur Journalisten und Beamte, und verstanden ganz plötzlich nicht mehr, daß Freizügigkeit ein allgemeines Menschenrecht ist. Warum nicht Deutschland? fragten die Einwanderer und wunderten sich, daß dessen Reichtum gerade jetzt nicht ausreichen sollte, auch ihnen zu helfen. Nein, hörte man, es geht nicht gegen Israel, denn diese Option bleibt uns als Hoffnung, als Traum, als Möglichkeit, nein, sagten sie, es geht vielmehr um ein schnelles Ende des bisherigen Lebens in Moskau und anderswo. New York, dieser Wunsch war unerreichbar weit.

Sowjetjuden nach Deutschland? ängstigten sich in Übersee jüdische Organisationen und verwiesen nachdrücklich auf die Shoa, den Massenmord am jüdischen Volk, keine 50 Jahre her. Sie sprachen von Tätern und Opfern. Alles vergessen? fragten sie und hielten die Wiederholbarkeit in einem

Großdeutschland für womöglich denkbar. Rechtsradikalismus und Neonazis schienen kurzzeitig das Bild jener deutschen Zukunft zu bestimmen. Von wachsendem Antisemitismus war die Rede, aus der Ferne schien es, als wären breit angelegte antijüdische Eruptionen nur verdeckt, würden platzen, sollten da Sowjet- oder andere Juden in deutsche Städte und Gemeinden kommen.

Plötzlich hatte sich alles verkehrt, es war fast, als meinten da welche, die Juden seien schuld, nur ihre Abwesenheit wäre die Garantie für Deutschlands neugewonnene Unschuld.

Erbittert argumentierte der Ostberliner Jüdische Kulturverein von Anbeginn gegen diese perfide Logik, und forderte die Medien auf, das Thema zu veröffentlichen. Normalität mußte anbrechen, nur so, dies ist nicht zu verkennen, läßt sich sogar mit unlösbaren Mißverständnissen leben.

Wo in dieser Welt, die Frage bleibt anzumerken, gibt es keine Antisemiten? Und ausgerechnet Deutschland soll frei davon sein?

Das Schweigen geht seinem Ende zu. Als die Juden kamen, nahm in Deutschland-Ost, damals gerade noch DDR, mit dem Zugewinn an Erkenntnissen zum Thema, medial vermittelt, privat und offiziell alltäglich Solidarität mit den Eingewanderten zu. Die Geschichte des Holocaust hatte sich für viele Deutsche erstmals mit der Gegenwart verbündet, aus Opfern wurden Menschen, das abstrakte Opfer lebte, die Juden bekamen Gesichter, Schicksale, konkrete Bedürfnisse, die es unbürokratisch zu lösen galt.

Die meisten der sowjetischen Juden, fast durchgängig als "Russen" bezeichnet, wollten nach Berlin. Sie widersetzten sich dem Angebot, in andere Städte und Gemeinden zu gehen. In Berlin fühlten sie sich geborgen, nur hier war zudem jüdische Hilfe zu erwarten. Ein erster Ausdruck behördlicher Unsicherheit war die vorübergehende Überlegung, dieses Aufgabenfeld der Jüdischen Gemeinde zuzuschieben. Die strikte Trennung von Staat und Religion schien ausgesetzt.

In Ostberlin hielt man folglich die altetablierte Jüdische Gemeinde bzw. den gerade noch existierenden Verband Jüdischer Gemeinden für zuständig in Sachen Einwanderung. Deren Vereinigung aber mit dem Zentralrat der Juden wie die der Berliner Gemeinden Ost und West war nur noch eine Frage der Zeit. Ausgespart wurde zugleich, daß die winzigen DDR-Gemeinden sich kaum selbst, geschweige denn eine solche Arbeit handhaben konnten. Woher diese Idee kam, staatliche bzw.kommunale Aufgaben auf die Religionsgemeinschaften zu delegieren, darüber wurde öffentlich nicht nachgedacht.

Hatte man je davon gehört, daß der Klerus in Sachen polnische Einwanderung die Kriterien vorgeben sollte? Gezielt übersehen wurde bei diesem Vorgang auch die Ostberliner Orthodoxiegemeinde Adass Jisroel, ganz zu schweigen vom Jüdischen Kulturverein Berlin, der sich wie die anderen ebenso von Anbeginn um die Einwanderer bekümmerte. Also ging es nicht um gemutmaßte Kompetenz, sondern allein darum, sich der unangenehmen Verantwortung für ein absehbar schwieriges Geschäft zu entziehen?

Dem Eingangsirrtum, eine jüdisch-religiöse Zuständigkeit für Immigrationsfragen zu postulieren, folgten daraus abgeleitete weitere. Nach der Prämisse der Zuständigkeit war nunmehr jüdisches religiöses Recht angefragt, wenn es um Gewährung von Aufenthalt und Unterstützung ging. Der religiöse Standpunkt aber konnte auf keinen Fall staatlicher Entscheidungsfindung zugrundeliegen. Spätestens hier ist anzumerken, daß Judentum stets zweierlei ist: Zugehörigkeit zu Volk und Religion. Wer zum Volke gehört, kann dieser Religion durchaus entsagen, wer ins Judentum aus religiösen Gründen aufgenommen werden will, wird zugleich ein Mitglied des Volkes. Im Hinblick auf die sowjetischen Juden ist letzteres zu vernachlässigen, wichtig ist auch nicht, daß eine Konversion im orthodoxen Sinn äußerst kompliziert gehandhabt wird und jede leichte Form von jeweils anderen Rabbinern gegebenenfalls nicht anerkannt. Dies ist ein anderes Thema. Judentum, sagt klardas jüdische Gesetz, vererbt sich über die Mutter: Nur wer eine jüdische Mutter hat, ist Jude. Wie dieses Judentum dann gelebt oder vernachlässigt wird, ist für die Frage der Zugehörigkeit zum Judentum unerheblich. Mit dieser Definition wird die Aufnahme in Religionsgemeinden geregelt, abstrahiert werden kann hier von reformierter Sicht, die dem Vater die gleiche Funktion zuspricht. Soweit, so gut. Für die Lage der einwandernden Juden sollte genau dies zum Problem werden. Die Zuerkennung einer jüdischen Nationalität, die in der Sowjetunion Diskriminierung befördert, erfolgt nicht nach jüdischem Verständnis. Ist der Vater Jude, kann das Kind als Jude eingetragen sein. Ist die Mutter Jüdin und der Vater Russe, kann es die russische Nationalität erhalten, und ist doch Jude im Sinne des Judentums. Antisemiten aller Coleur aber legen ihren antijüdischen Handlungen beide Varianten zugrunde. Wer Moskau oder anderswo flieht, tut es wegen der Angst, als Jude verfolgt zu werden, sei er nun Jude im Sinne des Judentums oder Jude im Sinne der Nationalität. Der Judenhaß richtet sich gegen das Judentum an sich.

Da kommen also die Einwanderer, zumeist ist ihnen bislang die jüdische Tradition fremd, von Religion ganz zu schweigen. Sie sind Atheisten oder nicht, nun aber sollen sie sich religiös erklären, aber nur bei der Gemeinde, die deutscherseits für die richtige angesehen wird. Wer nur einen jüdischen Vater hat, fällt durch die Maschen, ihm kann keine Unterstützung zuteil werden, denn, so die Begründung, eine Gemeinde ist für ihre Mitglieder da und Mitglied kann nur werden, wer eine jüdische Mutter hat...Etwa so sieht die Konsequenz jenes Ablaufs aus, der mit einem anpasserischen Grundirrtum begann. Sowohl die Religionsgemeinde Adass Jisroel als auch der Kulturverein kämpften gegen diese Politik an, die Menschen in Not klassifiziert und diskriminierend Religionszugehörigkeit belohnt, als wäre die A-Religiösität sowjetischer Immigranten ein Sündenfall per se. Dogmatisch würden Menschenschicksale verfügt, Familien, und nicht selten handelt es sich um sogenannte Mischehen, zerrissen, wenn diesem Vorgehen kein Einhalt geboten wäre. Unerträgliches Unrecht manifestierte sich aufs Neue. Die die gekommen sind, stehen zwischen Baum und Borke, ohne zu wissen, warum. Vielleicht läßt sich mit gutem Willen rekonstruieren, daß das Prinzip historische Wurzeln hat, beispielsweise aus einer Zeit stammt, als sowjetische Juden in den siebziger Jahren nach Westberlin kamem, um endlich in Freiheit ein religiöses Leben zu führen. Wer um der Religion willen floh, wollte in die Religionsgemeinschaft integriert werden, andere Gründe hat es vielleicht nicht gegeben, so einigte man sich auf ein Verfahren, das der heutigen Lage nicht mehr entspricht. Aber vielleicht ist es auch ganz anders gewesen. Das Dokument, das dies alles belegen soll, ist der Öffentlichkeit nicht zugänglich.

In der Sowjetunion heute sind die religiöse Freiheit und ein nichtreligiöses jüdisches kulturelles Leben, was die Rechtslage angeht, garantiert. Die Bedrohung der Juden ist Teil der neuen Freiheit anderer, denen Pogrome als Mittel probat erscheinen, um religiösen Haß, antiisraelische Demagogie und traditionellen Antisemitismus zu transportieren, die auch mittels der Medien durch antijüdische Parolen nationalistische Bewegungen zu einen suchen. Die Gefahr ist nicht mehr berechenbar.

Wer nach Deutschland flieht, will von all dem weg. Und die Suche nach religiöser Identität ist kaum der Grund, in dieses Land zu kommen, anstatt in Israel jüdische, auch religiöse Vielfalt zu finden. Emigration ist immer Verlust und Hoffnung in einem.

Warum verlassen Menschen ein Land, in dem sie geboren worden sind, dessen Sprache sie kennen, in dessen Kultur sie beheimatet waren? Jeder, der geht, bringt seine eigene Geschichte mit. Um diese Geschichten, um den Umgang mit jenen Einwanderern rankt sich, auf Unkenntnis und Sprachlosigkeit gegründet, ein Wust von Legenden, Halbwahrheiten und Mißverständnissen.

Als der in aller Welt zwischen Juden übliche Streit über jüdische Inhalte schließlich sogar in Deutschland öffentlich wurde, gab es verblüffende Reaktionen, die wesentlich davon ausgingen, daß die früheren Opfer sich besser einig zu sein hätten. Wieso eigentlich? Außenstehende maßten sich an, die realen Interessenskonflikte zwischen Juden für untragbar zu erklären. Es interessierte nicht die innerjüdische Debatte um Selbstdefinition und rabbinische Meinungen. Hat das deutsche Ordnungsprinzip auch hier seine Maßstäbe setzen wollen, so, als wäre dem deutsche Gewissen eine besondere Spezies Juden angemessen, die sich nicht ihren eigenen, sondern anderen Bedürfnissen anzupassen haben? Harmonie soll sein, und Vergebung, Folklore und Witz, Intelligenz mit Geschäftssinn gepaart, das Bild des Juden in

Deutschland hat zumeist wenig mit der Realität zu tun, in der Juden sich auf diesem Boden eingerichtet haben oder es wollen.

Wer als Jude verfolgt wird, dem soll das Leben in Deutschland offenstehen, hatte seinerzeit der Jüdische Kulturverein verlangt, wohl wissend, daß damit nicht der Halacha, wohl aber denen geholfen wird, in denen das Judentum verfolgt ist.

Es ist symptomatisch für die verquere Unbeholfenheit dieses Umgangs zwischen Deutschen und Juden, daß kaum ernsthaft versucht wurde, den Ursachen dieser Probleme auf die Spur zu kommen, geschweige denn mit jenen über diese Fragen zu sprechen, die betroffen sind. Noch immer sind die Fragen unbeantwortet, die sich aus der aktuellen Situation einer neuen Einwanderung ergeben. Viele Aspekte müssen hier gesehen werden. Unwissenheit, Scheu, Borniertheit und philosemitische Anpassung paralysierten seit jeher in Ost wie West die Erkenntnis, daß das Judentum wie überall, so auch in Deutschland alles andere als ein monolithischer Block ist. Jüdische Vielfalt steht auch hier anstelle von Einfalt. Divergenz und Widerspruch ersetzen die Unterordnung unter ein zentrales Dogma, das lebendige Judentum bedient sich der Interpretation und ist sich demzufolge rabbinischer Uneinigkeit gewiß. Doch wenn es um ganz Israel geht, stellt sich Einigung her.

Mit den Sowjetjuden kommt eine Erinnerung zurück, auch die an das Versagen, das Schweigen, das Zusehen und Mitmachen. Klischees werden vorgekramt. Die neuen Juden entsprechen nicht dem, was man für überliefert hält. Neuerliche Unsicherheit entsteht, weil sie russisch sprechen und kein jiddisch, geschweige denn hebräisch kennen, weil sie eher wie Moskauer sind und keine Bilderbuchjuden der nostalgischen Verehrung. Der philosemitische Kitt ist nicht zu ertragen. Die antisemitische Vorurteilspflege versteckt sich diskret. Es bleibt unausgesprochen eine mentale Diskriminierung durch jene abnorme Situation, die vor über 50 Jahren begann und seither auf ihre Auflösung wartet. Wir werden mit all dem auch weiterhin leben müssen.

Im Dilemma zwischen dem zionistischem Traum einer Heimat Israel und der Normalität eines Lebens von Juden in Deutschland stecken alle Seiten gleichermaßen. Kann, darf und soll es Juden in Deutschland geben? Das Leben hat diese Frage längst nicht entschieden. Was wird sein, wenn viele Juden kommen, wenn sich viele jüdische Vereine und Gemeinden bilden, wenn Assimilation und das Beharren auf der Tradition des Judentums sichtbare Möglichkeiten geworden sind? Wird auch dafür Akzeptanz vorhanden sein? Werden jüdische Kinder mit ihren anderen Traditionen aufwachsen können, ohne sich als Fremde fühlen zu müssen? Wird man in Deutschland mit realen Juden in der ganzen Spannbreite widersprüchlicher Anschauungen leben wollen, oder doch nur mit solchen zum Ausgrenzen, mit den Objekten pädagogischen Eifers, mit Juden zum Vorzeigen und Vergeben deutscher Verantwortungslosigkeit, an die in Wellen Personen und soziale Gruppen erinnern oder erinnert werden? Normalität ist längst nicht erreicht. Kann es sie überhaupt geben nach Auschwitz? Muß es sie geben wegen des neuen Diktators, wegen der Bedrohung. ein zweites Mal in diesem Jahrhundert in Israel das Volk der Juden zu vernichten? Alle Antworten sind möglich.

Unberührt von all diesen Zweifeln sind jene aus Odessa, Riga, Moskau, Leningrad, Kishinow oder Baku nach Deutschland gekommen. Sie haben diese Chance genutzt, sie haben das Wagnis auf sich genommen, das Land ihrer Kindheit aufzugeben, der Ungewißheit zu entfliehen, der Angst ein Ende zu bereiten, der Frage, wann Drohungen wahrgemacht werden könnten. Jetzt sind sie es, die dazu beitragen, diesen fast hoffnungslos verstrickten deutsch-jüdischen Dialog zu beleben.

Judentum ist zugleich Diaspora und Israel, Sammlung und Zerstreuung, das Recht auf den jüdischen Staat und Leben in der Galut, also auch in Deutschland, mit allem Bedenken, das ich durchaus teile.

Vangelis Pavlidis / Griechenland

FAZ

"Meine Tochter ist
schon wieder schwanger!

Danke, Fremder."

"Meine Neue ist schon
wieder eine Gelbe!

Danke, Fremder."

Horstmann & Trautmann & Voggenreiter, in: Claus Leggewie: MultiKulti, Rotbuch, 1990

Die laufende Völkerwanderung ist ein "fait social total" (Marcel Mauss). Man kann aber aus einem sozialen Faktum keine moralische Norm basteln. Die Einwanderungsgesellschaft ist nicht utopiefähig. Weder kann die ethnische Vielfalt an sich jemanden retten, noch wird sie die europäische Menschheit ins Unglück stürzen. Weder verschönt uns "MultiKulti" den grauen Alltag, noch versetzt sie alles in einen Zustand schlimmster Unübersichtlichkeit. Sie ist weder Quell unverdorbener Solidarität noch institutionalisierter Rassenkrieg. Die multikulturelle Gesellschaft ist weder rechts noch links, nicht einmal vorn: schlechter Stoff für rechte Volksgruppenideologen und Surrogatsozialisten. Die multikulturelle Gesellschaft ist eine Dauerbaustelle, ein weiteres "stabiles Provisorium". Das schafft Aussicht auf Verbesserung, aber bisweilen auch Stockung und Verdruß.

Claus Leggewie

Kärntens gewachsene Multi-Kultur

Jürgen Hatzen-bichler

Geboren 1968 in Kalgenfurt/Kärnten. Studiert Philosophie und Geschichte. Chef-redakteur der Zeitschrift "Identität" und Mitarbeiter u.a der "Junge Freiheit". Zur Zeit Arbeit an einem Sammelband zum Thema Regionalismus (erscheint im Herbst 91 im Verlag Edition K3).

Die Frage, wie Völker und Volksgruppen, Minderheiten und Mehrheiten in einem zukünftigen Europa gemeinsam leben können, entwickelt sich immer mehr zu einem zentralen Problem, vor allem deshalb, weil mit der Einwanderung von Fremdarbeitern und Asylanten neue ethnische Minderheiten geschaffen werden, mit denen umzugehen die westlichen Demokratien noch kaum gelernt haben. So entsteht die unreflektierte Zielvorstellung von einer "Integration", die in der Praxis das Herauslösen jener neuen Minderheiten aus ihrem kulturellen Kontext bedeutet, um sie, kulturell sterilisiert und damit praktisch vernichtet, in die Gesellschaften des Einwanderungslandes als Mitbürger ohne Beachtung von Ungleichheiten einzubeziehen.

Die Frage bleibt, ob die neue multikulturelle Gesellschaft nicht auch anders aussehen könnte, nämlich so, daß die nationalen Identitäten der Minderheiten bewahrt bleiben können. In Grenzgebieten lebten bisher schon immer verschiedene Völker mit- wie auch gegeneinander. In solchen Gebieten kann man untersuchen, was von der Mehrheit dafür getan wird, damit auch die Minderheit ihre nationale Identität erhalten kann. Als konkretes Beispiel soll uns hierfür das österreichische Bundesland Kärnten dienen, in dem seit Jahrhunderten Deutsche und Slowenen leben.

Das leidvolle Lied des Miteinander

Um die Situation verstehen zu können, ist ein kurzer Abriß der geschichtlichen Entwicklung in Kärnten notwendig. Bevölkerungsgeschichtlich hat das Land viel erlebt. Zuerst ist es keltisch besiedelt und dabei ein bedeutender Teil des keltischen Königreiches Noricum, das bis an die Donau reicht. Der zunehmende Handel mit Rom führt zuert zu einer wirtschaftlich-kulturellen Vereinnahmung durch die südlichen Nachbarn, die letztendlich in einer widerstandslos hingenommenen militärischen Besetzung im 1.Jahrhundert nach der Zeitrechnung endet.

Diese kelto-romanische Bevölkerung wird dann zur Zeit der Völkerwanderung um erste germanische Siedler bereichert. Ostgoten, Langobarden, Gepiden und andere germanische Stämme, die durch das Land ziehen, lassen sich neben und mit der bisherigen Bevölkerung nieder. Hinzu kommt nach 150 Jahren der Germanenherrschaft im 6.Jahrhundert die Besiedelung des Landes durch Slawen, die Vorfahren der heutigen Slowenen. Noch vor dem Jahre 750 richten allerdings diese Slawen einen Hilferuf an den bairischen Herzog Odilo, ihnen im Kampf gegen die Awaren zuhilfe zu kommen. Die Baiern kommen dem Hilferuf nach, bleiben aber selbst im Land und schließen es 788 dem Karolingerreich an. Gleichzeitig kommt die ausschlaggebende deutsche Siedlerwelle ins Land, die Errichtung von Klostern, die weitgehende Urbarmachung des Landes, Straßenbau und Handel bestätigt endgültig die Rolle der Deutschen als Vormacht im Lande. 976 wird Kärnten dann ein eigenes Herzogtum, das erst 1335 zu den Habsburgern kommt.

Ein Zeichen des gemeinsamen Lebens ist auch die Herzogseinsetzung, deren rituelle Technik bis 1414 zweigeteilt war: Zuerst mußte der neue Herzog zum Herzogstein bei Karnburg, wo er in windischer Sprache, also slawischem Dialekt, einem freien Bauern als Vertreter des Volkes versprechen mußte ein guter Landesfürst zu sein, dann ging es einige Kilometer weiter zum Herzogstuhl bei Maria Saal, wo der Herzog in deutscher Sprache seine Lehen neu vergab, sich huldigen ließ und Recht sprach.

Als Windische bezeichnete man damals die slawischen Teile der Bevölkerung, die vor allem in Südkärnten lebten und Bauern waren. Die restlichen Teile des Landes waren deutsch, in Südkärnten, Krain und der Untersteiermark, letztere nach dem Ersten Weltkrieg Jugoslawien zugesprochen, waren Städte und Märkte in der Hand des deutschen Bürgertums.

Größere Konflikte kamen erst gegen Ende des 19.Jahrhunderts auf, als mit dem auftauchenden Panslawismus eine sehr langsam greifende Nationalisierung der Windischen in Richtung Slowenentum eintrat. Seit damals streitet man sich auch, ob die Windischen ein sogenanntes *schwebendes Volkstum* waren, oder ob es sich um einen slowenischen Dialekt handelt, der nun durch die slowenische Hochsprache verdrängt wird. Tatsache jedenfalls ist, daß die Windischen im wachsenden Konflikt zwischen slawischem und deutschem Nationalismus als bekennende Gruppe fast vollständig aufgerieben wurden, wobei aber angenommen werden darf, daß sich der weit größere Teil dabei zu einem deutschen Nationalitätsbekenntnis entschloß.

Nach dem Ersten Weltkrieg griff der SHS-Staat[1], der Vorläufer Jugoslawiens, nach Norden, um weite Teile des Landes in seine Hand zu bekommen, da, so dessen Begründung, dieses Land slawisches Mutterland sei. Es folgte der Kärntner Abwehrkampf, Gefechte von Freikorps, wie man sie auch aus Schlesien und von anderen Schauplätzen des deutschen Nachkriegs kennt.

Eine Volksabstimmung am 10.Oktober 1920 unter Alliierter Kontrolle brachte schließlich die Entscheidung. In der Abstimmungszone waren 39.291 Personen stimmberechtigt, wovon 94,94% ihre Stimme abgaben. 22.025 Personen (59%) entschieden sich für Österreich, 15.279 (41%) für Jugoslawien. Ganz anders verteilt war aber die Nationalitätenzusammensetzung im Südkärntner Abstimmungsgebiet: Bei der Volkszählung 1910 hatten 31,4% als Umgangssprache Deutsch angegeben, während sich 68,6% zur slowenischen Umgangssprache bekannten.[2] Allein der Vergleich der Zahlen zeigt, daß sich viele Kärntner slowenischer Umgangssprache, der Begriff faßt Windische und Nationalslowenen zusammen, für Österreich gestimmt hatten, wobei man annehmen darf, daß auch Deutsche für Jugoslawien stimmten, das wirtschaftlich solider schien als Österreich, welches mit dem Untergang der Habsburger-Monarchie nicht nur geographisch auf ein Minimum geschrumpft war.

Die nächste Eskalation des Verhältnisses zwischen Deutschen und Slowenen in Kärnten erfolgte dann während der NS-Zeit. Hatte man die Slowenen bis 1941 weitgehend in Ruhe gelassen, so begann nach dem Jugoslawien-Feldzug eine radikale Germanisierungspolitik. Aus Kärnten wurden 272 slowenische Familien ausgesiedelt, auch in den nach dem Ersten Weltkrieg abgetrennten Gebieten, wo vormals die Slowenen die Deutschen zwangsslowenisiert hatten, wurden jetzt die Slowenen zwangsgermanisiert. Das förderte nicht nur stark die Entwicklung der kommunistischen Partisanenverbände unter Tito, sondern das Vorgehen der Nationalsozialisten in Kärnten erregte teilweise auch den Widerspruch wichtiger, deutscher Persönlichkeiten, auch des Gauleiters Rainer, so daß diese Umsiedlungen 1943 gestoppt wurden.

Nach der deutschen Kapitulation am 8.Mai 1945 versuchte Jugoslawien erneut, Kärnten an Slowenien anzugliedern. Partisanenverbände besetzten Teile des Landes sowie die Landeshauptstadt Klagenfurt. Auf einem Plakat der Partisanen wurde am 12.Mai 1945 bekanntgegeben: "Die Jugoslawische Armee ist in Kärnten eingerückt, um das Land ein für allemal von den Nazi-Verbrechern zu säubern und um der gesamten slowenischen und österreichischen Bevölkerung die wahre Volksdemokratie, Freiheit und Wohlstand im neuen siegreichen und starken Groß-Jugoslawien zu gewährleisten."[3] Die englische Besatzungsmacht in Kärnten verhinderte jedoch diesen völkerrechtswidrigen Zugriff.

Das Problem der Behauptung

Das Zusammensein war aber auch nach 1945 nicht ohne Spannungen. So erhitzten bis zum heutigen Tage der Streit um zweisprachige Ortstafeln, die Frage zweisprachiger Schulen und die Amtssprache, politische Interventionen Sloweniens in Kärnten und mangelnde Kompromißbereitschaft auf beiden Seiten die Gemüter, wobei man auch nicht vor Bombenattentaten verschont geblieben ist.

Nachdem der Artikel 7 des österreichischen Staatsvertrags die Republik verpflichtet, den nationalen Minderheiten der Kroaten und Slowenen die gleichen Rechte zu geben wie der Mehrheitsbevölkerung, beschloß die österreichische Bundesregierung 1972 ein Gesetz, nach dem im Kärntner Unterland, in Südkärnten also, zweisprachige Ortstafeln anzubringen seien. Die Auswahl der Ortschaften erfolgte ohne Zugrundenahme der Ergebnisse der Volkszählung und löste Protestkundgebungen großer Teile der Kärntner Bevölkerung aus. Beim folgenden *Ortstafelsturm* wurden zweisprachige Ortstafeln entweder beschmiert oder überhaupt demontiert. Auch von slowenischer Seite gab es ähnliche Aktionen, bei denen deutschsprachige Ortstafeln mit dem slowenischen Ortsnamen bemalt wurden. 1977 folgte die endgültige gesetzliche Regelung bei Ortstafeln. So prangen sie jetzt im

Unterland in zwei Sprachen, zum Beispiel: Windisch Bleiberg - Slovenji Plajberg, Bodental - Poden, Jaunstein - Podjuna, Globasnitz - Globasnica, ...!

Besonders wichtig für die Behauptung der nationalen Identität ist die Frage des Schulunterrichts, besonders der Unterrichtssprache. Kernproblem hierbei ist das Elternrecht, also das Recht der Eltern zu entscheiden, in welcher Sprache die eigenen Kinder unterrichtet werden, in weiterer Folge, welcher Volksgruppe sie angehören. Deutsche Eltern befürchteten eine schleichende *Slowenisierung* ihrer Kinder, slowenische Eltern einen Identitätsverlust. Es hat zwar schon vor 1918, in der Monarchie, zweisprachige Schulen gegeben, doch blieb diese Frage ein ständiges Reizthema. Die Regelung sieht jetzt vor, daß ab einer Anmeldung von neun Kindern pro Klasse zum zweisprachigen Unterricht diese in der halben Unterrichtszeit deutsch, in der anderen slowenisch zu unterrichten sind. Das praktische Problem ist, daß damit die restlichen Kinder in der Klasse nur die halbe Unterrichtszeit zur Verfügung haben, da sie ja nicht slowenisch lernen.

Gemäß einer neuen Regelung aus dem Jahr 1988 soll jetzt ein Zweitlehrer sich mit den deutschen Kindern beschäftigen. Zentrierte zweisprachige Schulen, die also nur von Schülern besucht werden sollten, die Deutsch und Slowenisch lernen, werden aber von den Minderheitenvertretern weitgehend abgelehnt, da sie glauben, daß das eine "Ghettoisierung" der Minderheit darstellen würde. Eine Ausnahme stellt das Bundesgymnasium für Slowenen in Klagenfurt dar.

Was die Stellung einer nationalen Minorität in einem Grenzgebiet von den neuen Minderheiten der Asylanten und Fremdarbeiter klar unterscheidet, ist, daß die ersteren ein angestammtes Hinterland haben, welches größtenteils danach strebt, sie zu unterstützen. Im Falle Kärntens bekamen die Slowenen seit 1945 immer die Hilfe Jugoslawiens. Das reichte von der verstärkten Gründung jugoslawischer Firmen im Grenzgebiet bis zur direkten Unterstützung von Organisationen der Minderheit.

Auch jetzt, wo Slowenien seinen Austritt aus der jugoslawischen Föderation anstrebt, hat sich daran nichts geändert, eher das Gegenteil ist der Fall.[4] Die frischgelernten Demokraten von jenseits der Grenzen haben ein ausgeprägtes nationales Denken, wobei man sich besonders für die Kärntner Slowenen einsetzt, was natürlich nicht immer geschickt ist, denn die Angst, daß der südliche Nachbar Gebietsansprüche erhebt, ist bei der deutschen Bevölkerung noch immer wach.

Wenn Slowenien zum Beispiel einen Botschafter in Österreich ernennt und dafür einen Kärntner Slowenen nimmt, wenn man einen Slowenischen Weltkongreß mit Sitz ausgerechnet in der Landeshauptstadt Klagenfurt gründen will, dann wird das von vielen als eine neuerliche Provokation aufgefaßt, die eine vernünftige Minderheitenpolitik erschwert, denn man hat den zweimaligen Griff nach Kärnten nicht vergessen.

Andererseits wiederum gefallen vielen Slowenen die alljährlichen Feierlichkeiten zum 10.Oktober, dem Datum der Volksabstimmung, nicht. Sie sehen darin - zu Unrecht - Feiern, die gegen sie gerichtet sind. Überhaupt erscheinen die Vertreter der Minderheit manchmal sehr trutzig, was aber kein Wunder ist, denn die Zahl der Slowenen nimmt ständig ab. Die Daten der Volkszählungen 1951, 1961, 1971 und 1981 bestätigen das. Bekannten sich 1951 noch 22.367 Personen als Slowenen, so waren es 1981 nur mehr 14.204, die als Umgangssprache slowenisch angaben. Noch krasser ist die Abnahme bei den Windischen, die im gleichen Zeitraum von 19.728 Personen auf 2.348 geschrumpft sind.[5] Glaubt man den Zahlen von 1981, sind nurmehr 2,7% der Kärntner Bevölkerung Slowenen.

Die Slowenen behaupteten lange, sie seien das Opfer einer schleichenden Zwangsgermanisierung. Eine Studie des Institutes für Empirische Sozialforschung (IFES) will das glatte Gegenteil herausgefunden haben, nämlich daß es einen harten, sehr kleinen Kern der slowenischen Minderheit gebe, der es aber durch seine radikale Politik der Minderheit unmöglich mache, sich zur Volksgruppe zu bekennen, da diese Politik für die Masse nicht nachvollziehbar sei. Daher assimiliere man sich lieber freiwillig. Die Reaktionen der Minderheitenorganisationen waren eindeutig. So erklärte der kommunistisch orientierte *Zentralverband der Kärntner Slowenen*, daß der "nationale Bekenntniszwang" beseitigt werden müsse, während man ein obskures regionales Selbstbewußtsein forderte, welches neu entstehen müsse.[6] Ähnliche Fehler sieht auch der Obmann des *Zentralverbandes der Kärntner Slowenen* selbst: "Wir haben breite Kreise der Kärntner Minderheit durch einen nationalen, politischen Alleinvertretungsanspruch über Jahrzehnte hinweg aus der Minderheit ausgegliedert. Die nationale slowenische Liste hat nach dem Motto gearbeitet: nur wer uns wählt, ist Slowene. Wir sind dabei, dies zu ändern..."[7] Ähnlich, aber von der anderen, deutschen Seite kommend, sieht das auch der national-liberale Publizist Andreas Mölzer, wenn er schreibt: "Insgesamt geht es darum, ob die Kärntner Slowenen in einem sich öffnenden und möglicherweise künftig in irgendeiner Form integrierten Mitteleuropa eine Existenzchance für die Zukunft haben, oder ob sie in ihrem nationalpolitisch bewußten Teil auf wenige hundert intellektuelle slowenische Gymnasiasten, Studenten und Priester zusammenschrumpfen."[8]

Insofern werden sich die Vertreter der Minderheit umorientieren müssen. Nebenbei liegt man sich aber selbst in den Haaren, denn neben dem *Zentralverband* gibt es noch den größeren, christlich-sozialen *Rat der Kärntner Slowenen*. Beide sind Dachverbände von slowenischen Vereinen. Nachdem die Umwälzungen in Jugoslawien den Kommunisten die Macht entzogen haben, konzentriert sich die Schützenhilfe Sloweniens mit seinem neuen, ebenfalls christlich-sozialen Ministerpräsidenten jetzt auf den *Rat der Kärntner Slowenen*, was besonders in letzter Zeit natürlich viel böses Blut schafft.

Beide Organisationen sind auch im Volksgruppenbeirat der österreichischen Bundesregierung vertreten, wobei beide jeweils vier Sitze innehaben. Für diese Funktion sind sie durch keine Wahl legitimiert.

An sich hat die slowenische Volksgruppe aber eine sehr rege Vereinstätigkeit entwickelt. Es gibt rund 60 slowenische Kulturvereine und 20 Vereine mit volkstumspolitischer Ausrichtung, die im Jahr an die 1000 Veranstaltungen abhalten. Selbstverständlich fördern die Kärntner Slowenen einen regen Kulturaustausch mit der Republik Slowenien.9 Es gibt eine slowenische Genossenschaft, in der sich acht bäuerliche Genossenschaften und eine Viehzuchtgenossenschaft zusammengeschlossen haben. Neun slowenische Banken und Darlehenskassen haben 20 Filialen.[10]

Bei Wahlen tritt die *Koroska Enotna Lista - Kärntner Einheitsliste* (KEL) an, die auch in Gemeinderäten mit 40 von 2380 zu vergebenden Mandaten vertreten ist, aber nicht im Kärntner Landtag. Als man von Seiten der national-liberalen Freiheitlichen Partei Österreichs (FPÖ) vorschlug, den Minderheiten im Nationalrat je ein Direktmandat zu geben, wurde das von einer Minderheitensprecherin abgelehnt. Das würde zu einer Ausgrenzung der ethnischen Minderheiten führen, behauptete sie. Die von Seiten des Kärntner Landeshauptmanns Jörg Haider ausgehende Initiative, eine Minderheitenkammer zu schaffen, damit die Minderheit durch Wahlen legitimierte Vertreter offizieller Art bekommen könne, wurde ebenfalls abgelehnt, denn dadurch fühle man sich kontrolliert. Dahinter steht die - berechtigte - Angst einzelner Minderheitenorganisationen, besonders der kommunistisch orientierten, man könnte ihre Größe dadurch genau feststellen, womit sie selbst innerhalb der Minderheit zur Minderheit würden. Die Situation ist paradox. Während man sich auf der einen Seite empört, daß man zuwenig Mitspracherechte hat, fühlt man sich auf der anderen Seite ausgegrenzt, wenn man eine eigene, demokratisch gewählte und damit legitimierte Vertretung hätte.

Aber nicht nur die Minderheit hat Komplexe, auch die Mehrheit ist ihrer nicht ganz ledig. Man spricht von der "Kärntner Urangst", dem ständigen Gefühl des Bedrohtseins durch eine mögliche Okkupation. Der Partisanenkult, der Teilen der Slowenen eigen ist, hat in Kärntenb nie fußgefaßt, dafür aber viel Mißtrauen erregt. Daraus folgen viele Vorurteile gegenüber der slowenischen Minderheit, die sich auch auf politischer Ebene durch den Druck von unten Stimme verschaffen. Wenn man aber die Ebene der hohen Politik verläßt, wenn man sich in das Unterland begibt, dann sieht man, daß auch in der Volksgruppe die Suppe meistens nicht so heiß gegessen wird, wie man sie kocht. Auf der menschlichen Ebene klappt das Zusammenleben besser als auf der politischen. Das gemeinsame Leben ist friedlich, das Miteinander der Menschen halbwegs harmonisch, wenn nicht gerade politische Randorganisationen die slowenische Regierung oder auch die Bundesregierung in Wien mit ihrer mangelnden Sensibilität für Nationalitätenfragen Unruhe schaffen.

Für viele Kulturen

Es gibt in Kärnten also eine *Multi-Kultur*, wenn man die Bezeichnung so haben will. Die Minderheit ist klarerweise eine Bereicherung des Landes, wie so oft gesagt wird, jedoch wäre eine solche Stellungnahme unvollständig, wenn man nicht auch sagen würde, daß die Existenz zweier Volksgruppen nebeneinander selbstverständlich auch Spannungen schafft. Es liegt in der Natur der Dinge, daß sich verschiedene Interessen herausbilden, daß manchmal das Behaupten der Minderheit als ein Beschneiden der Rechte der Mehrheit empfunden wird. Wenn man jedoch für die Erhaltung der nationalen Minderheiten aus Prinzip ist, wenn man also nicht nur das eigene Volk ins Auge faßt, sondern auch die andere Volksgruppe, so ist klar, daß gerade die Minorität in der Bewahrung ihrer nationalen Identität eigener Rechte bedarf.

Die Kernfragen bleiben: Der Schulunterricht in der entsprechenden Muttersprache; die Erhaltung des Brauchtums der Minderheiten; gleichberechtigte, wirtschaftliche Entwicklungsmöglichkeiten für Minderheit und Mehrheit; gegenseitige Achtung politischer Interessen und beiderseitige Kompromißbereitschaft; legitimierte politische Vertretung der Minderheiten.

Die ersten drei Punkte sind in Österreich weitgehend erfüllt, während es in den Fragen der Achtung politischer Interessen und einer legitimen Vertretung mangelt. Bei der Achtung der Interessen des jeweils anderen liegt die Intoleranz abwechselnd bei beiden Seiten, wobei jedoch nicht die Gefahr besteht, daß das ins Unerträgliche eskaliert. In der Frage der legitimen politischen Vertretung sind es, wie oben schon ausgeführt, meistens die Organisationen der Minorität selbst, die Wahlen untereinander ablehnen, denn mit solchen Wahlen könnte man die Gewichtungen der einzelnen politischen Gruppen in der Minderheit ausdifferenzieren, hätte damit auch legitimierte Ansprechpartner. Politisch extreme Organisationen würden aber an Einfluß verlieren.

Neu ist das Einschwenken gemäßigter Teile der Minderheit in der Frage der direktmandate in parlamentarischen Vertretungen. Der Leiter des Volksgruppenzentrums, in dem Kärntner Slowenen, Burgenländische Kroaten und Ungarn und Wiener Tschechen integriert sind, sprach sich für die Einrichtung eines Bundes-Reststimmenmandates für Volksgruppen aus. Dieses soll für sie reserviert und ohne Überwindung einer Prozentklausel erringbar sein.[11]

Die Frage des Umgangs mit einer gewachsenen Minderheit spielt natürlich in einen anderen Bereich hinein, in den der Ausländerfrage. Die Ausländer, also vor allem Asylanten und Fremdarbeiter, haben sich in der

Nachkriegszeit zu neuen, ethnischen Minderheiten herangebildet, die teilweise zahlenmäßig weit über dem liegen, was in Grenzgebieten an Minderheiten vorhanden ist. Daß sie erst seit drei Generationen im Land sind, ändert nichts an der Tatsache, daß sie da sind und daß sie wahrscheinlich auch bleiben werden.

Die Reaktion darauf bewegt sich äußerst selten auf der Ebene der Gleichgültigkeit. In weiten Teilen der Bevölkerung ist man wohl eher für eine Rückführung der Ausländer, während die herrschende Politikerkaste und die meist egalitär eingestellten Intellektuellen für eine totale Einbindung der Fremden sind.

Die Forderung "Ausländer raus" und der Schrei nach "Integration" haben eines gemeinsam, nämlich daß sie Phrasen sind. Die eine Seite übergeht das Problem insofern, als sie übersieht, daß Ausländer, die zum Beispiel in der dritten Generation hier sind, die ehemalige, alte Heimat nicht mehr als Heimat begreifen können, da sie kulturell entwurzelt wurden. Die andere Seite übersieht, daß die Integration, so wie sie es meinen, Assimilation bedeutet, weitere Entwurzelung, und damit eine Form nationaler Unterdrückung ist. Die Entwurzelung führt in weiterer Folge dazu, daß sich die neuen Minderheiten in sich abschließen und, in gesellschaftliche Randgebiete gedrängt, in der Rebellion enden, da sie weder als *Neu-Deutsche* noch als Fremde, d.h. Andere akzeptiert werden. Nicht nur, daß da ein neues, ansatzweise revolutionsfähiges Proletariat entsteht, Rebellion ist auch die Flucht in die Gewalt der Jugendbanden und in Kriminalität. Hier findet man neue Identifikationsmuster und kann seinen Haß ausleben.[12]

Was also tun? Gerade in letzter Zeit ist das Schlagwort von der *multikulturellen Gesellschaft* schon zum Zauberbegriff für die Lösung aller Probleme mit ethnischen Minoritäten geworden. So wie man heute davon redet, handelt es sich um Scheinlösungen, die angeboten werden, denn die Integration, und das ist damit gemeint, ist eine zutiefst völker- und damit menschenfeindliche Alternative zu einem Projekt der Ungleichheit, das aber Gleichberechtigung bedeutet. Die Forderung nach Integration ist die Forderung von Menschen, die nie mit einer über Jahrhunderte gewachsenen Minderheit zu tun gehabt haben, die nicht wissen, welchen Wert es für eine Volksgruppe und ihre Menschen hat, ihre nationale und kulturelle Identität und damit sich selbst zu erhalten.

Man muß die Vorstellungen einer egalitären, multikulturellen Gesellschaft wandeln in die einer differenzierten, mehrere Kulturen umfassenden. Multi-Kulturen statt Multikultur! Nur wenn man bereit ist, mehrere Kulturen nebeneinander existieren zu lassen, kann man von einer Bereicherung sprechen, denn diese Bereicherung entsteht durch das Bestehen von Verschiedenartigkeit, von Vielfalt. Die gewaltsame und gegenseitige Anpassung, und das wäre der andere Prozeß, bedeutet die Auslöschung beider Identitäten, wobei das Neue nicht einmal ein Surrogat dessen sein würde, was die alten Teile waren.

In der Praxis bedeutet das, daß als erster Schritt auch Minderheitenschulen für Türken und andere Nationalitäten eingerichtet werden müßten, in denen nicht nur zweisprachig unterrichtet wird, sondern in denen vor allem die der Minderheit eigene nationale Tradition und Kultur vermittelt wird. Die neuen Minoritäten brauchen ebenfalls eine repräsentative politische Vertretung, womit aber nicht unbedingt das allgemeine Wahlrecht gemeint sein muß, sondern vor allem eigene Minderheitenparlamente, in denen die Minderheit selbst ihre Vertreter wählen kann, so daß man legitimierte Ansprechpartner hat. Eigene Kulturzentren für die Ausländer sollten an sich selbstverständlich sein, ebenso wie die Möglichkeit der freien Religionsausübung. Die Auswirkungen des islamischen Fundamentalismus zum Beispiel sind besser in Kauf zu nehmen als anarchische Ghettos heimatlos gewordener Generationen von Ausländern.[13] Was klarerweise gleichzeitig offenbleiben muß, ist die Möglichkeit einer Rückkehr in die alte Heimat. Obendrein muß der Staat natürlich in punkto Einreise und Ansiedlung von Angehörigen der neuen Minderheiten strenger werden, denn ein solches Konzept einer neuen Fremdenpolitik geht nur bis zu einer gewissen Größe des Fremdenanteils in einem Land. Wenn diese, schwer zu ermittelnde Größe überschritten wird, kommt es zur Explosion der instinktgebundenen Abwehr- und Verteidigungsmechanismen. Schon jetzt ist der *Fremdenhaß* nicht nur eine paranoide Verstiegenheit, sondern eine sehr gefühlsmäßige Reaktion auf einen politischen Mißstand, der von den tonangebenden Parteien und Gesellschaftsschichten noch kaschiert wird, noch verdeckt werden kann!

Daß natürlich auch ein identitärer Weg zur Lösung der Volksgruppenfragen nicht einfach ist, daß er ebenfalls nicht den *ewigen Frieden auf Erden* bringen wird, das sei nicht bestritten. Wo Verschiedenes aufeinander prallt, da gibt es Spannungen und Konflikte, wie es ja die Geschichte der Völker und Menschen deutlich zeigt. Die wesentliche Herausforderung bleibt aber, daß selbst und gerade im Moloch des entstehenden, noch sehr kapitalistisch-wirtschaftlich orientierten Europas die Erhaltung der Völker eine zentrale Aufgabe ist, denn die Vielfalt der Völker ist die Grundlage für die Kreativität Europas. Grenzgebiete mit natürlich gewachsenen Minderheiten zeigen, daß das möglich ist. Nur wenn die Entwicklung über einen natürlichen Nationalismus, also ein an sich notwendiges Selbstbewußtsein, das die Achtung des Anderen in seiner Identität einschließt, wenn das in einen alles Andere verachtenden Chauvinismus umschlägt, dann kann es zur Katastrophe kommen, zum Ethnozid. Gleiches passiert aber, wenn jedes Volk und jede Volksgruppe die Bindung an nationale Identitäten aufgibt, nur daß dann eben die *multikulturelle* Auslöschung alle zu Opfern macht.

Anmerkungen

1: Der SHS-Staat war der Vorläufer des heutigen Jugoslawien. Er entstand aus dem panslawischen Nationalrat der Slowenen, Kroaten und Serben. Unter König Peter I. wurde am 1.Dezember 1918 das Königreich der Serben, Kroaten und Slowenen (Kraljevina Srba Hrvata i Slovenaca) ausgerufen.
2: Statistische Angaben nach: Ogris, Alfred (Hrsg.): Der 10.Oktober 1920 - Kärntens Tag der Selbstbestimmung; Verlag des Kärntner Landesarchivs, Klagenfurt, 1990, S.179.
3: Zitat nach einem Faksimile des Plakats in: Feldner, Josef: Grenzland Kärnten; Verlag Heyn, Klagenfurt, 1982, S.60.
4: Die panslawischen Träume sind inzwischen weitgehend verflogen. Es bleiben die nationalen unds demokratischen Ziele einzelner Völker. Vor allem Slowenien und Kroatien wollen eigenständige Republiken werden, die maximal noch in einer lockeren Konföderation mit den anderen Teilrepubliken Jugoslawiens verbunden bleiben sollen. Gegen solche Plänem, die schon verwirklicht werden, stellen sich die Serben und die serbisch dominierte, noch immer kommunistisch orientierte Armee. Bis jetzt hat man es mehrere Male erfolgreich geschafft, die Klippe Bürgerkrieg zu umschiffen. Beobachter glauben jedoch, daß ein bewaffneter Konflikt auf Dauer kaum vermeidbar ist. Davon wäre auch Österreich betroffen, denn im Falle eines Bürgerkriegs in Jugoslawien rechnet man mit bis zu 100.000 Flüchtlingen. Offizielle Stellen geben zu, daß man entsprechende Hilfeleistungen bereits eingeplant hat.
5: Land Kärnten (Hrsg.): Minderheiten im Alpen-Adria-Raum; Klagenfurt, 1990, S.163.
6: Golznig, Gerd: Slowenen-Probleme, in: Monatsschrift "Die Aula", 1/91; Graz, S.12.
7: "Politik muß den Grundkonsens finden" - Interview mit dem Obmann des Zentralverbandes der Kärntner Slowenen, Dipl.Ing.Feliks Wieser, in: Das gemeinsame Leben; Zeitungs- und Wirtschaftsverlag Reinhard Eberhard, Klagenfurt, 1990, S.143f.
8: Mölzer, Andreas: Kärnten - Modell für Mitteleuropa, in: Das gemeinsame Leben; aaO., S.41ff.
9: Land Kärnten (Hrsg.): aaO., S.168.
10: Land Kärnten (Hrsg.): aaO., S.169.
11: Kurier, 17.01.91.
12: Der Spiegel, Serie "Geil auf Gewalt - Jugendbanden in Deutschland", Nr. 46 und 47/90.
13: Scholl-Latour, Peter: Das Schwert des Islam; Fernsehsendung, ORF, 16.01.91. Scholl-Latour gab in der Sendung frei eine entsprechende Aussage eines französischen Mullas wieder.

identité, 4/89

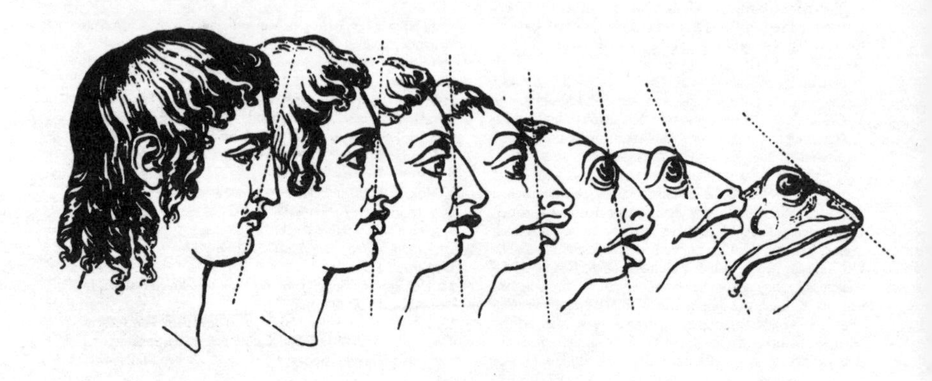

In der letzten Zeit ist es Mode geworden, über die Nivellierung der Nationen zu reden, über das Verschwinden der Völker im Kochtopf der modernen Zivilisation. Ich bin ganz und gar nicht dieser Meinung ... Eine Nivellierung der Nationen wäre um nichts besser als ein Gleichmachen der Menschen: ein Charakter, ein Gesicht. Die Nationen bedeuten den Reichtum der Menschheit, die Gesamtheit der verschiedenen Persönlichkeiten; selbst die geringste Nation trägt ihre besondere Farbe, birgt eine eigene Facette des göttlichen Entwurfs in sich.

Alexander Solschenizyn

(K)ein Platz für den Islam?

Ein paar Gedanken zur Rolle der Muslime in unserer multikulturellen Gesellschaft

Ahmad von Denffer

Deutscher Muslim. Tätig am Islamischen Zentrum München (Pressesprecher). Herausgeber der Zeitschriften "Al-Islam" und "Al-Islam Aktuell". Autor zahlreicher in verschiedenen Sprachen erschienenen Bücher und Übersetzer islamischer Quellentexte.

Bismillah - Im Namen Gottes

Mit dem herzerweichenden Appell "Ein Platz für wilde Tiere" trat vor Jahren der damalige Direktor des Frankfurter Zoos Prof. Grzimek auf allen Kanälen an die Öffentlichkeit und machte auf die Bedrohung, Mißhandlung und Ausrottung der verschiedensten Tierarten aufmerksam. Die Anhänger des Islam, die keine Tiere, sondern Menschen sind, haben bislang keine auch nur annähernd wirksame Unterstützung durch Politiker oder Medien erfahren, obwohl auch sie weltweit bedroht sind, mißhandelt und ausgerottet werden. Nur gelegentlich rückt diese Tatsache ins Blickfeld der öffentlichen Diskussion, wie z.B. während der Zeit des Zweiten Golfkrieges. Die Opfer dieses Krieges sind fast ausschließlich Muslime. So war es auch im Ersten Golfkrieg, so in Afghanistan, in Palästina, im Libanon, in Indien, in Kaschmir...Diese Liste ließe sich erheblich erweitern. Im nahöstlichen Raum, und darüber hinaus in den von Muslimen besiedelten Gebieten gibt es kaum eine Gesellschaft, in der die Menschen sich nicht tagtäglich tyrannischen Machtstrukturen, Diktatur und Korruption ausgesetzt sehen, und vielerorts sind sie gezwungen, sich auf die Flucht zu begeben, um wenigstens Leib und Leben vor der Vernichtung zu bewahren.

Die große Mehrheit der bei der Flüchtlingsorganisation der Vereinten Nationen registrierten Flüchtlinge aus aller Welt sind Muslime. Ein äußerst geringer Prozentsatz dieser Flüchtlinge kommt auch nach Deutschland und liefert dort Munition für die rhetorischen Schlachten um Asylanten und Ausländer, die vor allem vor den Wahlen geschlagen werden. Statistisch gesehen spielen sie allerdings für das Gesamtbild der Muslime in Deutschland kaum eine Rolle. Die große Mehrheit der hier lebenden Muslime ist schon seit etwa einer Generation im Land und wurde seinerzeit als "Gäste" zur Arbeit eingeladen: die "Gastarbeiter" - übrigens eine weltweit einmalige kulturelle Erscheinung, seine Gäste arbeiten zu lassen.

Diese Muslime, vor allem Türken, haben brav und stumm, weil der deutschen Sprache kaum mächtig, alle hier anfallenden Arbeiten getan, die von den Gastgebern nicht mehr getan werden wollten, und sie haben sich damit einen bedeutenden Verdienst um den Bestand der Bundesrepublik Deutschland und ihre Fortentwicklung, gerade auch auf wirtschaftlichem Gebiet, erworben. Ein Bundesverdienstkreuz hat man bisher noch keinem von ihnen verliehen, am Ende gar wegen der kulturellen Verschiedenheit? Ein sichtbares Zeichen für den erfolgten Eintritt Deutschlands in die real existierende multikulturelle Gesellschaft (bayerisch, deutsch, amerikanisch) wäre also die erstmalige Verleihung eines "Bundesverdiensthalbmondes mit Stern" an einen türkisch-stämmigen muslimischen Müllmann...

Voraussetzungen

Bei der Debatte um die Rolle dieser Muslime in Deutschland ergeben sich immer wieder erhebliche Vorbehalte. Der Islam, so heißt es, müsse "bestimmte Voraussetzungen" erfüllen, damit er hierzulande einen Platz finden könne. Ist der Islam überhaupt verfassungskonform? wird gefragt, und die logische Folgerung muß lauten: Wenn der Islam nicht verfassungskonform ist, dann sind am Ende seine Anhänger Verfassungsfeinde. Und für die gibt es natürlich keinen Platz in dieser Gesellschaft. Oft ist damit die Debatte auch schon wieder beendet. Wird aber doch der etwas weitere Weg eingeschlagen und die Weltreligion Islam auf den Prüfstand der Grundgesetzkonformität gehoben, stellt sich sehr bald heraus, daß er in manchen Fragen tatsächlich abweichende Positionen vertritt. Das ist zwar auch bei anderen Weltreligionen der Fall, doch die sind in Deutschland schon lange "Körperschaften des öffentlichen Rechts", ein Status, der den Muslimen in Deutschland bislang nicht zugestanden wurde. Ihnen steht deshalb für ihre religiösen Einrichtungen derselbe rechtliche Rahmen offen wie den Kaninchenzüchtern und Briefmarkensammlern, nämlich die Rechtsform des "eingetragenen Vereins". Die abweichenden islamischen Vorstellungen aber müßten den hiesigen Normen angepaßt werden, damit der Islam auch hier in die Landschaft paßt. Besonders viel Sorgen macht man sich in diesem Zusammenhang um die Frauen, um Ehe und Familie, und da gibt es im Islam doch manches, was zuerst einmal den hier gültigen Vorstellungen angepaßt werden müßte, bevor man ernsthaft über eine Dauerpräsenz von Muslimen in Deutschland reden kann. Als ob nicht die Dauerpräsenz schon längst Realität geworden sei...

Toleranz

In der Debatte um den Platz des Islam und der Muslime hier in Deutschland wird dem Islam sehr häufig eine mangelnde Toleranz gegenüber anderen Menschen und Kulturen vorgeworfen und oft sogar "aufgerechnet": Wenn in Arabien keine Kirchen gebaut werden dürfen, wieso sollen dann hier Moscheen errichtet werden? Aber schon diese Art der "Aufrechnung" zeigt ein ungutes Verständnis der christlichen (nicht der islamischen) Rechts- und Werteverhältnisse. Im Gegensatz zu den meisten Ländern der außereuropäischen Welt besteht hier ja die freie Religionsausübung, die auch das Errichten von Kultstätten einschließt, auf Grund verfassungsmäßiger Rechte der Menschen, und die können doch nicht abhängig gemacht werden davon, ob anderenorts solche Rechte denn auch bestehen oder geachtet werden. Davon abgesehen zeigen solche Einwände auch eine mangelnde Kenntnis der tatsächlichen Verhältnisse. In den meisten Ländern, in denen inmitten einer muslimischen Mehrheitsbevölkerung z.B. christliche Minderheiten leben, genießen diese durchaus Religionsfreiheit, verfügen über eigene Kultstätten und meist sogar ein eigenes privates, dem staatlichen überlegenes, Bildungs-

und Gesundheitswesen. Die große Moschee am Regent's Park in London wurde dort in den siebziger Jahren errichtet, nachdem man in Kairo schon vor dem Zweiten Weltkrieg ein entsprechendes Grundstück zum Bau einer christlichen Kathedrale zur Verfügung gestellt hatte. Nebenbei: Die Moschee in München wurde andererseits an den äußersten Nordrand der Stadt direkt neben die Kläranlage und den Müllberg plaziert.

Die Frage nach der Toleranz gegenüber anderen Völkern und Religionen kann sich der Islam schon deshalb stellen, weil der Koran, seine Heilige Schrift, im Gegensatz zu den Heiligen Schriften manch anderer Weltreligion, ausdrücklich entsprechende Anweisungen enthält und diese auch im Laufe der Geschichte immer wieder zum Ausdruck kamen. Während in Europa, speziell auch in Spanien im Mittelalter Andersgläubige, insbesondere auch die Juden, durch Inquisition und Folter gemartert und vertrieben wurden, fanden sie Aufnahme im muslimischen Nordafrika und im Osmanischen Reich. Der Koran erklärt kategorisch: "Es gibt keinen Zwang im Glauben"(2:256), ein Satz, den man in anderen Heiligen Schriften vergeblich sucht. Der Koran weist jedermann zurecht: "Ihr Menschen, Wir haben euch geschaffen aus einem männlichen und einem weiblichen Wesen und haben euch zu Völkern und Stämmen gemacht, damit ihr einander kennt. Der Edelste von euch bei Allah ist der Gottesfürchtigste von euch."(49:13)

Zur Rolle der Frau

Das Grundgesetz postuliert die Gleichberechtigung von Mann und Frau, das islamische Recht sieht dies nicht vor. Ein besonders großer Dorn im Auge vieler Menschen ist deshalb die angebliche Unterdrückung der Frau im Islam. Dabei ist über die Rechtsposition der Frau im Islam in der Öffentlichkeit kaum etwas bekannt. Das Stichwort "Mehrehe" genügt, um in den Köpfen der meisten Menschen die Assoziation mit den Vorstellungen vom "Ölscheich und seinem Harem" hervorzurufen, wie sie die Boulevard-Presse dort über Jahrzehnte hineingepflanzt hat. Vor allem deutsche Männer fühlen sich berufen, für die Wahrung der Rechte der "unterdrückten islamischen Frau" zu streiten. Dabei handelt es sich um ein Klischee. Welche Vorstellung von der Rolle der Frau und ihrer rechtlichen Position in der hiesigen Gesellschaft müßte ein außerirdischer Besucher denn haben, der die Bahnhofs- oder Hafenviertel europäischer Großstädte besucht?

Natürlich gibt es Frauenunterdrückung auch - nicht nur, sondern auch - in Ländern mit muslimischer Bevölkerung, aber das zeigt allenfalls, daß dort die vom Islam der Frau gegebenen Rechte eben mißachtet und nicht beachtet werden.

Der Islam versieht die Frau mit mehr Rechtssicherheit und Freiheit als manches abendländisches Rechtswesen das bisher getan hat. Zum Beispiel widerspricht zwar die Mehrehe der deutschen Rechtslage, aber sie bedeutet in Wirklichkeit eine größere persönliche Freiheit für die betroffenen Menschen. Um dies erkennen zu können, vorab einiges Grundsätzliches zur Ehe nach islamischem Recht:

Die Ehe ist ein Vertrag, der rechtswirksam wird, wenn die folgenden Voraussetzungen erfüllt sind: Das Einverständnis der beiden Eheleute muß vorliegen und bekundet werden. Niemand, auch keine Frau, darf gegen den eigenen Willen verheiratet werden. Zwar hört und liest man verschiedentlich das Gegenteil, doch handelt es sich dann nicht um nach islamischem Recht geschlossene Ehen. Die Schließung der Ehe geschieht vor Zeugen und ist der Öffentlichkeit bekanntzugeben. Unerlässlicher Bestandteil der Eheschließung ist die Übereignung der sogenannten “Morgengabe” (al-mahr) vom Ehemann an die Ehefrau. Das bedeutet, daß der Ehemann der Ehefrau zur Hochzeit eine vorher vereinbarte und vertraglich geregelte Sache von Wert übereignet. Zu beachten ist auch, daß es nach islamischem Recht auch zwischen Eheleuten keine Gütergemeinschaft gibt, d.h. die “Morgengabe”, z.B. ein Geldbetrag, eine Wohnungseinrichtung o.ä., geht über in das alleinige Eigentum der Frau. Dies alles läßt schon erkennen, daß die muslimische Ehefrau nach dem islamischen Recht materiell weit besser abgesichert ist als nach anderen Rechtsvorstellungen. Der Ehemann erhält weder zur Hochzeit noch sonst eine vergleichbare Zuwendung, die in sein Eigentum übergehen würde. Hinzu kommt, daß nach islamischem Recht allein der Ehemann seiner Frau und den gemeinsamen Kindern gegenüber unterhaltspflichtig ist. Die Frau hat zwar ihr persönliches Eigentum, das dem Zugriff jeder anderen Person einschließlich des Ehegatten entzogen ist, und über das nur sie allein verfügt, aber sie ist rechtlich nicht verpflichtet, zum Unterhalt beizutragen. Wenn sie z.B. den Kindern ein weiteres Paar Schuhe kauft - und das tun die meisten Mütter - dann geschieht dies aus natürlicher Liebe den Kindern gegenüber, während die Erstausstattung dem Ehemann obliegt. Hieran läßt sich ablesen, daß nach dem islamischen Recht zwar keine Gleichberechtigung zwischen Mann und Frau besteht, dies aber keineswegs eine Benachteiligung für die Frau, sondern allenfalls für den Mann bedeutet. Der muslimische Mann empfindet das allerdings nicht als Diskriminierung, sondern hält eine angemessene Verteilung von Rechten und Pflichten zwischen Männern und Frauen für besser und gerechter als eine abstrakte Gleichberechtigung, die in Wirklichkeit die jeweiligen Besonderheiten von Männern und Frauen nicht berücksichtigt und ihnen deshalb Gewalt antut.

Die Einehe ist auch unter Muslimen die Norm. Statistisch gesehen sind Mehrehen selten. Das hängt schon allein damit zusammen, daß nach islamischem Ehe- und Familienrecht der Ehemann allein unterhaltspflichtig ist und er im Falle einer zweiten Ehe beide Ehefrauen und Familien gleich behandeln muß. Die meisten muslimischen Ehemänner sind ausreichend damit beschäftigt, den Unterhalt auch nur für eine Familie zu sichern. Aber das islamische Recht erlaubt die Mehrehe, während das hiesige Recht sie verbietet. Zwar hat ein großer Teil der in Deutschland lebenden Männer Beziehungen zu mehr als einer Frau, aber eben außerehelich. Das ist aus islamischer Sicht eine Herabsetzung von Frauen. Während die Ehefrau vom Gesetz her auf gewisse Weise abgesichert ist, bewegt sich die nicht geheiratete "Nebenfrau" des deutschen Mannes im rechtlosen Raum. Auch die Pflichten des Mannes gegenüber diesen beiden Frauen sind hierzulande ganz unterschiedlich.

Das islamische Recht geht andererseits davon aus, daß Beziehungen zwischen Männern und Frauen stets im Rahmen der Ehe stattfinden und erlaubt deshalb auch die Mehrehe. Ein typischer Fall, der den Sinn dieser Bestimmung illustrieren kann, ist der folgende: Ein junger Mann und ein junges Mädchen heiraten - früh, weil nach islamischer Regel die Ehe ja die Voraussetzung für die Beziehung ist. Da sich beide noch in der beruflichen Ausbildung befinden, beschließen sie, in den ersten Ehejahren auf Kinder zu verzichten. Das gelingt ihnen auch. Nach vielleicht zehnjähriger glücklicher Ehe halten sie die Zeit für gekommen, jetzt auch Kinder zu haben, aber das gelingt ihnen nun nicht. Ärztliche Untersuchungen ergeben, daß die Frau keine Kinder bekommen kann. Etwa zehn Prozent aller in Deutschland geschlossenen Ehen bleiben ja kinderlos, und wenn vielleicht in der Hälfte der Fälle der Mann nicht zeugen kann, bleiben immer noch fünf Prozent der Ehen kinderlos, weil die Frau nicht empfängt. Der Wunsch nach eigenen Kindern ist nun aber stark und ein adoptiertes Kind kann nicht immer ein leibliches ersetzen. Nach dem deutschen Recht hat der betroffene Ehemann keine Möglichkeit, ein eigenes leibliches eheliches Kind zu bekommen - außer, er scheidet sich von seiner Frau und heiratet eine andere. Das islamische Recht sagt: Nein, in diesem Fall ist es nicht nötig, eine zehnjährige glückliche Ehe zu zerstören, nur weil die Frau kein Kind bekommen kann. Unter der Voraussetzung, daß alle Betroffenen einverstanden sind, ist hier eine Mehre-

he möglich. Einen Zwang zu dieser Entscheidung gibt es nicht. Die zweite Eheschließung setzt das Einverständnis aller Beteiligten voraus. Aber im Gegensatz zum hiesigen Recht *können* sie sich für diese Alternative entscheiden, wenn sie das möchten. Dies bedeutet für sie einen weitreichenderen Entscheidungsspielraum als er nach dem deutschen Recht mit der vorgeschriebenen Einehe möglich ist, und das ist real gesehen ein Mehr an persönlicher Freiheit für den einzelnen Menschen.

Dieser Hinweis zeigt auch, daß es durchaus lohnenswert sein kann, sich intensiver mit den islamischen Vorstellungen über Freiheit und Menschenrechte zu befassen und sogar zu fragen, ob der Islam nicht vielleicht auch Lösungsmöglichkeiten für Probleme bietet, denen man sich in unserer Gesellschaft gegenübersieht. Eine Abkehr vom immer noch vorherrschenden allein eurozentrischen Blick auf die übrige Welt wäre also vielleicht doch anzuraten.

Krieg und Frieden

Ein weiterer Vorwurf, der den Muslimen immer wieder gemacht wird, ist der, sie würden ihren Glauben "mit Feuer und Schwert" verbreiten. In vielen Köpfen geistert das Reizwort "Heiliger Krieg" herum. Auch das ist ein seit Jahrhunderten tradiertes Vorurteil dem Islam gegenüber. Den Begriff "Heiliger Krieg" kennt der Islam überhaupt nicht. Er stammt vielmehr aus dem Abendland und wurde speziell in der Kreuzzugszeit dazu benutzt, die Menschen hierzulande "im Namen Christi" zum Überfall auf die Muslime anzustacheln. Die Kirche lehrte damals, daß dem, der sein Leben im Kampf gegen die "Heiden" ließ, die Vergebung aller seiner Sünden gewährleistet sei. Das alles ist nur noch wenigen Historikern geläufig, und der Begriff "Heiliger Krieg" kann deshalb den Muslimen übergestülpt werden, die in Wirklichkeit ja die Opfer jenes unheiligen Angriffs aus dem Abendland geworden waren.

Auch wenn man sich zurückerinnert, wie der Islam nach Deutschland gekommen ist, muß man ehrlicherweise zugeben, daß dazu weder ein Feuer entzündet noch je ein Schwert gezückt wurde. Vielmehr kamen die Muslime auf *Einladung* nach Deutschland, mit zuvor erteilter Aufenthalts- und Arbeitserlaubnis. Dies müßte jedem aufrichtigen Beobachter zu der Erkenntnis verhelfen, daß die Feuer- und Schwert-These auch in unserer Epoche und unserer Umgebung unbrauchbar ist, und daß man, wenn man bei der Wahrheit bleiben will, nun endlich aufhören sollte, andauernd von der Militanz und Agressivität des Islam zu reden. Islam heißt *Frieden machen*, und Friedenmachen auf allen Ebenen - zuvorderst mit Gott - ist sein Programm. Die Lehre über Krieg und Frieden, die auf dem Koran beruht, verbietet den Muslimen jedweden Krieg mit einer einzigen Ausnahme: der Notwehr speziell gegen Bedrohung der religiösen Freiheit. Wenn das Recht der Menschen, sich für das Leben nach dem Islam zu entscheiden, bedroht und gewaltsam eingeschränkt wird, dann darf der Muslim nicht nur, sondern dann muß er sich dagegen wehren, notfalls auch unter Einsatz von Leib und Leben, d.h. mit allem, was er ist und hat. Diesen ganzen Einsatz bezeichnet der Koran als "dschihad", also: sich voll und ganz für etwas einsetzen. Der Begriff "dschihad" wird dabei auf den verschiedensten Gebieten verwendet und hat mit "Krieg" bzw. "Heiligem Krieg" an sich nichts zu tun, und würde man sich nicht "voll und ganz einsetzen" für die Freiheit, sich zum Leben nach Gottes Willen entscheiden zu können, dann wäre dieses wesentliche Element der Menschenrechte nicht gegen Einschränkungen und Verletzungen aufrecht zu erhalten.

Der Koran sagt: "Es ist denen erlaubt, die kämpfen, weil ihnen Unrecht geschah, und Allah ist ihnen zu helfen schon imstande, diejenigen, die herausgetrieben wurden aus ihren Häusern, ohne Recht, nur weil sie sagten: 'Unser Herr ist Allah' - und wenn es nicht Allahs Abwehren der Menschen untereinander gäbe, wären bestimmt die Einsiedeleien zerstört und die Kirchen und Gebetsstätten und Moscheen, in denen Allahs Namen viel gedacht wird..."(22:39-40) Aus demselben Grund ist man ja auch in der Bundesrepublik Deutschland bereit, die Grundrechte einschließlich der Rechte auf Freiheit des Gewissens und der Religion zu schützen und eben notfalls auch mit Gewalt zu verteidigen. In diesem Zusammenhang gilt dieselbe Einstellung als verfassungsgemäß, demokratisch und rechtsstaatlich, die im Zusammenhang mit dem Islam als aggressiv und militant bezeichnet wird. Zu einem erfolgreichen Gelingen des Zusammenlebens in einer multikulturellen Gesellschaft würde aber gehören, daß nicht mit zweierlei Maß gemessen wird.

Fragen an die deutsche Gesellschaft

Die beiden Beispiele der Fragen nach der Rolle der Frau und dem Kriegsbegriff müssen an dieser Stelle genügen. Mit Recht stellt man hierzulande, wenn man etwas nicht weiß oder nicht versteht, Fragen an den Islam und an die Muslime, und das Fragen und Antworten kann dazu beitragen, daß die bestehende Unkenntnis und die Vorurteile gegenüber dem Islam doch langsam abgebaut werden können und man zu einer sachlichen Betrachtung kommt. Auch seitens der Muslime, die in Deutschland leben, gibt es Fragen an die Gesellschaft, denen man sich stellen muß, wenn man mit Menschen anderen Glaubens und anderer Kultur zusammenlebt. Besonders wichtig für das friedfertige Zusammenleben ist dies, wenn in einer multikulturellen Gesellschaft die "Einheimischen" die absolute Mehrheit bilden und die "Zugereisten" kleinere Minderheiten darstellen. Da kann schon allein das Zahlenverhältnis erdrückende Auswirkungen haben. Umso mehr Rücksichtnahme und Einfühlungsvermögen wären deshalb im Umgang mit den Minderheiten geboten. Im Zusammenhang hiermit erleben die Muslime in

Deutschland bedauerlicherweise sehr häufig das Gegenteil. Ausnahmen bestätigen stets die Regel, heißt es, und deshalb können Ausnahmen als Alibi nicht dienen. Es fehlt im Umgang mit den Muslimen oft an der selbstverständlichen Achtung, die man dem anderen allein schon deshalb schuldig ist, weil er Mitmensch ist. Darüberhinaus ist aber auch zu beobachten, daß sich Muslime die Verwirklichung von in dieser Gesellschaft festgeschriebenen Rechten oft erst mühsam erkämpfen müssen. Dabei fühlen sie sich im Vergleich zu anderen zwar letztlich nicht de jure, aber doch de facto benachteiligt und diskriminiert. Eine der wichtigsten Fragen der Muslime an die Gesellschaft ist darum die Frage nach der Diskrepanz zwischen Verfassungsgebot und Verfassungswirklichkeit bzw. Rechtsnorm und Rechtswirklichkeit. Einige Beispiele mögen dies illustrieren. Wenn sie in gewisser Weise provozierende Themen aufgreifen, so kann das nur der Verdeutlichung nützen.

Thema Kopftuch

Wenn man in Deutschland auf der Straße einer muslimischen Familie begegnet, erkennt man das meist nicht am Auftreten und der Erscheinung des Mannes oder der Kinder, sondern an der Kleidung der Frau, deren hervorstechendes Merkmal das Kopftuch bildet, das bei jedem Wetter getragen wird. Wie unfähig manche Menschen hierzulande sind, anderen auch nur die freie Wahl der Kleidung zuzugestehen, erleben immer wieder muslimische Mädchen und Frauen in Deutschland, die wegen ihres Kopftuches beschimpft, belästigt oder sogar tätlich angegriffen werden. Noch unerträglicher und diese Tendenzen in manchen Kreisen der Bevölkerung verstärkend aber muß es sich auswirken, wenn Politiker, staatliche Einrichtungen und Behörden sich ganz ähnlich verhalten. Muslimische Mädchen und Frauen werden erheblichem Druck ausgesetzt und müssen trotz eindeutiger Rechtslage erhebliche Widerstände überwinden, wenn sie z.B. bei der Beantragung von Personalausweis, Reisepaß oder Führerschein ein Foto vorlegen, das sie mit Kopftuch zeigt. Auch der Hinweis bleibt fruchtlos, daß dieses Bild tatsächlich darstellt, wie die betreffenden Person in der Öffentlichkeit stets auftritt.

Das Beharren des Beamten auf einem Paßbild ohne Kopftuch ist ja bei einer muslimischen Frau, die in der Öffentlichkeit Kopftuch trägt, schon deshalb unsinnig, weil sie bei einer Personenkontrolle z.B. am Flughafen ja auch Kopftuch tragen wird, im Paß aber ohne Kopftuch abgebildet sein würde. Sollte sie nun etwa auch noch am Flughafen zur Paßkontrolle ihr Kopftuch ablegen müssen? Dies wäre, ebenso wie der Zwang, sich ohne Kopftuch fotografieren lassen zu müssen, eine eklatante Verletzung der Religionsfreiheit, weil die Bedeckung des Kopfhaares der Frau in der Öffentlichkeit nach islamischer Auffassung ein religiöses Gebot ist. Als besonders schmerzlich kommt dann noch der diskriminierende Hinweis des Beamten hinzu: “Ja, wenn sie eine katholische Nonne wären...” - denn selbstverständlich haben die katholischen Nonnen im Rahmen der geschützten freien Religionsausübung das Recht, für ihre Personaldokumente in ihrer Ordenskleidung abgebildet zu werden, also auch mit bedecktem Kopfhaar. Der Muslim fragt sich hier, weshalb der einen - der christlichen Frau - ganz selbstverständlich zugestanden wird, was ihr verbrieftes Recht ist, nämlich sich ihren religiösen Vorstellungen gemäß zu kleiden, während der anderen - der muslimischen Frau - dasselbe verbriefte Recht, sich ihren religiösen Vorstellungen gemäß zu kleiden, verweigert wird. Zweierlei Maß aber bildet kein Vertrauen bei denen, die dadurch ungerecht behandelt werden.

Noch schlimmer sind entsprechende Auswirkungen an den Schulen, wenn erstmals eine muslimische Schülerin mit einem Kopftuch am Unterricht teilnehmen will. Selbst Fälle, wo ein Schulleiter eine solche Schülerin von der Schule verwiesen hat, sind bekannt geworden. Zwar hat zum Schluß ein Verwaltungsgericht bestätigt, daß dies alles unrechtmäßig geschehen ist und die Schülerin selbstverständlich nicht gezwungen werden darf, ihr Kopftuch abzulegen, aber der Schaden, der dadurch entstand, daß eine “untere Instanz”, hier die Schulleitung, ein verfassungsmäßiges Recht nicht zugestehen wollte, ist kaum noch gutzumachen. Wo Menschen in der freien Ausübung ihrer Religion gehindert werden, entsteht Ablehnung, wächst Mißtrauen und kann sich sogar Feindschaft bilden, besonders, wo diese Religion, die da behindert wird - wohlgemerkt de facto, wenn auch nicht de jure -, die Verteidigung der Freiheit des Lebens nach ihren Grundsätzen als Pflicht versteht. So gesehen, wäre am Ende eine gewisse Sorge vor der Haltung der Muslime in Deutschland gegenüber der dominanten Kultur dann doch noch berechtigt. Gott bewahre uns davor, daß derartige Spannungen weiter zunehmen. Es liegt an uns, den hier in Deutschland lebenden Menschen, sie abzubauen. Die Muslime ertragen dabei seit Jahren, was anderen Menschen und Religionsgemeinschaften niemals zugemutet wurde. Es wird höchste Zeit, daß die Gesellschaft ihre Pflichten auch den Muslimen gegenüber anerkennt und die Rechte der Muslime nicht weiter in Abrede gestellt und tagtäglich verletzt werden.

Ein weiterer eklatanter Fall ist z.B. das Schächten. Sowohl Juden wie Muslime sind von ihrer Religion angewiesen, nur Fleisch von Tieren zu essen, die geschächtet wurden. Auch sieht das Tierschutzgesetz in seiner Neufassung vor, daß im Falle eines religiösen Zusammenhangs das Schächten zu genehmigen ist. Während nun jüdische Metzger solche Genehmigungen erhalten, werden sie muslimischen Metzgern verweigert. Dabei maßen sich die zuständigen Behörden entgegen der gültigen Rechtssprechung an, selbst darüber zu befinden, was nach islamischen Grundsätzen erforderlich sei. Sie behaupten, obwohl diese Frage überhaupt nicht in ihrem Zuständigkeitsbereich liegt, daß für die Muslime das Schächten der Tiere kein religiöses Gebot darstelle und verweigern deshalb die Genehmigungen dazu. Dies muß unweigerlich zur gerichtlichen Auseinandersetzung führen, aber dort, wo um die Verwirklichung verbrieften Rechtes gegen den Staatsapparat vor Gericht gekämpft werden muß, entsteht keine Sympathie.

Noch skandalöser ist die Sache des islamischen Religionsunterrichtes an deutschen Schulen. Rechtlich gesehen, und darüber gibt es überhaupt keinen Zweifel, liegt es im Zuständigkeitsbereich der jeweiligen Religionsgemeinschaft, solchen Unterricht einzurichten und auch seine Inhalte zu bestimmen. Das ist nicht die Aufgabe des Staates. Trotzdem haben inzwischen in vielen Bundesländern, allen voran Nordrhein-Westfalen, aber auch Bayern, die Kultusministerien Religionsunterricht für muslimische Kinder an den öffentlichen Schulen eingeführt und darüberhinaus auch selbstherrlich die Lehrpläne dazu aufgestellt. Den in Deutschland lebenden Muslimen wurde damit ihr verbrieftes Recht genommen, selbst über die Fragen des Religionsunterrichtes zu entscheiden. Das hätte man sich gegenüber den christlichen Kirchen nicht herausnehmen können und gegenüber der jüdischen Religionsgemeinschaft niemals gewagt. Dasselbe Recht, das auch den Muslimen in Deutschland zusteht, wird aber im Falle des Islam ganz offen und unter Federführung staatlicher Beamter gebrochen. Das ist - im Gegensatz zum Rechtsgebot - die Rechtswirklichkeit für die Muslime in der deutschen Gesellschaft.

Man muß deshalb ganz ausdrücklich auf diese Umstände hinweisen und davor warnen, sie einfach abzutun. Eine Gesellschaft, die auf solche Weise mit ihren Minderheiten umgeht, sät Wind und kann Sturm ernten. Ein Staat, der einer solchen Diskrepanz zwischen Verfassungsnorm und Verfassungswirklichkeit achtlos gegenübersteht und sich durch seine Organe selbst am Entstehen dieser Diskrepanz beteiligt, darf sich über Mißtrauen und Ablehnung nicht wundern. Menschen, die in einer solchen Gesellschaft und einem solchen Staat erleben, daß Minderheiten wohl theoretisch gleichgestellt sind, aber dennoch praktisch diskriminiert werden und nahezu immer ungestraft diskriminiert werden können, werden dadurch jedenfalls zum friedfertigen Zusammenleben in einer multikulturellen Gesellschaft weder erzogen noch ermutigt. Der soziale Sprengstoff ist längst vorhanden, und die Lunte glimmt. Unklar ist allenfalls, ob sie sich noch einmal löschen läßt, bevor sie zündet.

Muslimische Beiträge

Es wäre zweifellos eine Katastrophe für die gesamte Gesellschaft, wenn sich in Deutschland das Zusammenleben mit Menschen anderen Glaubens und anderer Kultur nach wenigen Jahrzehnten erneut als unmachbar herausstellen würde. Aber darüberhinaus würden bei einem Ausbleiben des Zugehens auf den Islam und die Muslime in Deutschland auch eine Reihe von möglichen muslimischen Beiträgen für die Gesamtgesellschaft verloren gehen. Der Islam könnte tatsächlich ganz anders als man das immer aufgrund des geschürten Feindbildes annimmt, eine Reihe von heilenden und friedensstiftenden Beiträgen auch in der deutschen Gesellschaft leisten. So gesehen, würden die Muslime im Rahmen der multikulturellen Gesellschaft eine nicht unbedeutende Rolle spielen.

Ein eindeutiges Beispiel möge dies verdeutlichen: Man bedenke, daß es sich bei den Muslimen weltweit gesehen um die größte "Abstinenzlervereinigung" handelt. Der Islam lehnt Alkohol und Drogen völlig ab. Daß der Alkohol mit den Drogen auf einer Stufe steht, daß Alkohol eben auch nichts anderes als eine Droge ist, hat man inzwischen auch hierzulande begriffen. Nur unterscheidet man noch zwischen "legalen" und "illegalen" Drogen. Von den "legalen" Drogen schöpft der Staat seine Gewinne ab, indem er sie besteuert, von den "illegalen" Drogen profitieren "illegal" handelnde Verbrecher. Auch ist inzwischen erkannt, daß selbst Alkohol als eine "Einstiegsdroge" angesehen werden muß. Das menschliche Elend, das durch alle Drogen, Alkohol eingeschlossen, verursacht wird, ist jedem bekannt, der nicht mutwillig die Augen davor verschließt. Der finanzielle Aufwand für die Gesellschaft, der durch das "Aufarbeiten" der Schäden durch Drogen, Alkohol eingeschlossen, entsteht, ist immens. Die erforderlichen Anti-Drogen- und Anti-Alkohol-Programme brauchen eine Lobby und brauchen weitreichende Unterstützung in der Bevölkerung, um sich positiv auszuwirken. Es gibt in der Bundesrepublik Deutschland keine andere millionenstarke Interessengruppe, die sich eindeutig und kompromißlos für die Verwirklichung solcher Programme einsetzen würde. Nur die Muslime sind derart geschlossen gegen Alkohol und Drogen. Mit ihrem Gewicht könnten sie einiges dazu beitragen, daß in der Gesamtgesellschaft ein Umdenken einsetzt, sich eine Bewußtseinsveränderung einstellt und schließlich der Alkoholkonsum ebenso geächtet wird wie die "illegalen" Drogen.

Eine ähnliche Entwicklung hat ja schon bei den Eßgewohnheiten eingesetzt. Der Islam erlaubt bekömmliche Nahrung und untersagt, was dem Menschen schädlich ist. Besonders herausragend ist dabei das Verbot des Schweinefleisches. Die Muslime sind in Deutschland heute die zahlenmäßig relevanteste Gruppierung, bei der vom Verzicht auf Schweinefleisch auszugehen ist. Aber inzwischen sind sie damit nicht mehr allein. Abgesehen davon, daß auch den Juden Schweinefleisch von ihrer Religion untersagt ist, gibt es mittlerweile immer mehr Menschen, die aus rein gesundheitlichen Erwägungen und oft sogar auf ärztlichen Rat hin kein Schweinefleisch mehr essen. Dies stellt eine eindeutige Annäherung der unterschiedlichen Eßgewohnheiten dar, und diese sind wiederum nicht zu unterschätzende Ausdrucksformen kultureller Eigenheiten. Es gibt also durchaus Hoffnung, daß sogar in solch grundsätzlichen Bereichen wie der Ernährung mehr Verständnis für die muslimischen Grundsätze möglich ist. Warum sollte sich das nicht ebenso im Zusammenhang mit dem Alkohol einmal so entwickeln? Auch auf vielen anderen Gebieten könnte der Islam heilende und friedensstiftende Alternativen zu vorherrschenden Trends eröffnen, so z.B. im Bereich von Ehe und Familie, dem Abbau der bestehenden Kinderfeindlichkeit, der Ermutigung zu zwischenmenschlichen Beziehungen als Gegenkraft zur bestehenden bindungslosen Anonymität, dem sozialen Ausgleich und der sozialen Ungerechtigkeit, wie sie sich u.a. in der katastrophalen Wohnungslage zeigt, der Befreiung aus dem Konsumzwang und der staatlich geförderten lebenslangen Verschuldung über Zinsen und Hypotheken und vieles mehr.

Der wesentliche Unterschied dabei wird allerdings stets derjenige bleiben, daß ein Muslim das, was er tut, mit Bezug auf Gott tut, während ein anderer Mensch, der z.B. auf Schweinefleisch oder Alkohol verzichtet, dabei zuerst oder sogar allein die eigene Gesundheit im Blickfeld hat. Anders gesagt stellt sich für ihn die Folge der besseren Gesundheit allenfalls nur dann ein, wenn er sich aus irgendeinem Grund mit seiner eigenen Gesundheit auseinandersetzt. Der Muslim aber verzichtet zuerst auf Schweinefleisch und Alkohol, weil er Gott als den obersten Gesetzgeber anerkennt. Natürlich genießt er dadurch auch die Früchte der besseren Gesundheit, aber diese sind in seinem Fall die Folge der Anerkennung der Gebote Gottes und damit des Willens Gottes und nicht abhängig davon, ob er sich nun als Individuum auch gerade und zur rechten Zeit mit diesen Fragen befaßt.

Allgemeiner gesagt ist wohl das Erinnern daran, daß Gott dem Menschen etwas zu sagen hat, das zu befolgen Heilung und Frieden bedeutet, der wichtigste Beitrag der Muslime in dieser Gesellschaft. Das Bemühen der Muslime, konsequent nach bestimmten für wertvoll und richtig erachteten Grundsätze zu leben, macht auch anderen Menschen hierzulande Mut, sich auf den Glauben zu besinnen. Dies hört man immer wieder in Gesprächen. Wenn die in Deutschland lebenden Muslime an der auf dem Worte Gottes - dem Koran - beruhenden Lebensweise festhalten und damit für jedermann sichtbar zeigen, daß auch heute in der modernen Industriegesellschaft Mitteleuropas zu Ausgang des 20. Jahrhunderts wesentliche Fragen des Lebens aufgrund religiöser Überzeugungen und nicht nach dem Opportunitätsprinzip oder der Profitmaximierung entschieden werden können, dann leisten sie damit einen unersetzlichen Beitrag zur Festigung und zur Sicherung der persönlichen Rechte und der Freiheit jedes einzelnen Menschen in dieser Gesellschaft, die durch die zunehmende Vermassung aufs äußerste gefährdet sind. Schon aus eigenem Interesse sollte man sich deshalb nicht angepaßte und duckmäuserische Muslime heranziehen wollen, sondern sich einen kritischen, selbstbewußten und lebendigen Islam wünschen. Die Geschichte, auch gerade die abendländisch-mittelalterliche, ist voll von Beispielen dafür, wie ein derart gelebter Islam dem Wohlergehen aller Menschen gedient hat, die mit ihm in Berührung kamen oder auch nur in seiner Nachbarschaft gelebt haben. Wer hätte denn wirklich davon Nutzen, wenn diese Quelle des Wohlergehens für alle Menschen gerade heute in unserer Gesellschaft aus Unkenntnis heraus verschüttet oder gar mutwillig zubetoniert werden würde?

Muslime beim Straßengebet in Marseille

Verortung in Raum und Zeit

Die ideologischen Grundlagen für das egalitäre Weltbild der westlichen Gesellschaften und die differentialistische Alternative

Robert Steuckers

Jahrgang 1956. Studium der Germanistik und Anglistik. Leitet ein Übersetzungsbüro in Brüssel. Herausgeber der Zeitschriften "Orientations" und "Vouloir". Mitarbeiter bei "Nouvelle Ecole", "Dissident", "Trasgressioni", "Elemente", "The Scorpion". Wissenschaftlicher Mitarbeiter der "Presses Universitaires de France". Mitglied der GRECE.

Jede vorindustrielle Gesellschaft ist ursprünglich ein Gewebe von mehr oder weniger autonomen und bäuerlichen Gemeinschaften, die zur Nahrungsautonomie und Selbstversorgung tendieren. Der Geograph und Ethnologe Friedrich Ratzel (1844-1904) und der Soziologe Gustav Ratzenhofer (1842-1904), die beide die Grundlagen der Soziologie und der Völkerkunde festgelegt haben, stellen fest, daß die menschlichen Gemeinschaften sich langsam stabilisieren, wenn sie das Stadium des Nomadismus verlassen, sich Boden aneignen und diesen mit ihrem spezifischen Genie prägen. Für Ratzel (s. Völkerkunde, 3 Bände, 1885/1888), weicht die moralisch hochwertige und patriarchalisch- kriegerische Kultur des Nomadismus allmählich vor der moralisch schwächeren, vorstädtischen und matriarchalisch-bäuerlichen Kultur der Seßhaftigkeit. Für Ratzenhofer dagegen kommt die Kulturstufe erst nach der Eroberung von unordentlichen, nomadisierenden, auf einem bestimmten Raum zerstreuten oder durch allerlei Katastrophen sozial zerstörten Haufen durch eine "starke Rasse", die die Besiegten dominiert. Dieser Prozeß der Dominanz erlaubt nach Ratzenhofer und Gumplowicz die Entfaltung der Kultur. Aber sowohl für Ratzel als für Ratzenhofer, das heißt sowohl der Prozeß des unkriegerischen Seßhaft-Werdens als in der Kulturwerdung durch Eroberung, wirkt der Faktor Zeit als identitätsschaffend.

Landwirtschaft und Dominanz führen zur Schaffung von Identitäten, die nicht notwendigerweise ewig und immer Wandlungsprozessen ausgesetzt sind.

Diese Identitäten wirken vielfältig und kulturproduzierend. Jede dieser Identitäten entspricht einem Boden, paßt sich einem spezifischen Ort an. Diese Vision von Ratzel impliziert kein geschlossenes Weltbild: es gibt sog. Identitätskerne und -randzonen; diese letzten gehen fruchtbare spezifische Mischungen ein, die sich später als eigenständige Kulturen erweisen. Die Geschichte ist also ein unendliches Spiel von positiven und kulturschaffenden Differenzierungen innerhalb der Identitätskerne. Wenn man das Beispiel Deutschlands nimmt, gibt es selbstverständlich eine Vielfalt von ortsverbundenen Schattierungen innerhalb des deutschen Volkes selbst: Nordseedeutsche (mit Holländern und Skandinaviern verbunden), Alpendeutsche (mit Lombarden, Veneten, Slowenen, Welschschweizern verbunden), ostdeutsche Landwirte (die Kontakte zu Westslawen und Balten unterhalten), Rheindeutsche (die über das Elsaß Kontakte mit Lothringern und anderen Gallo-Romanen bzw. Franzosen pflegen), usw. Der gleiche Prozeß läßt sich in den romanischen und slawischen Ländern beobachten.

Die Differenzierungen sind geographisch bedingt, so daß es unmöglich ist, ihre konkreten Resultate, das heißt die ethnischen Identitäten, philosophisch zu verleugnen, entweder durch die kritiklose Affirmation einer hypothetischen Rassenreinheit oder durch die ebenso kritiklose Affirmation einer durch wahllose Mischung vereinheitlichten Welt. Beide Affirmationen negieren den unentrinnbaren Faktor "Erde", Quelle stetiger präziser Wandlungen. Die Affirmation der Rassenreinheit negiert die manchmal kulturreichen Mischungen der Identitätsrandzonen, während die Affirmation der Weltmischungseuphorie alle möglichen differenzierten und kulturschaffenden Wandlungen prinzipiell ablehnt.

Diese dynamischen und autonomen Gemeinschaften sind Hindernisse für alle willkürlich-zentralisierenden Gewalten. Um aber Kontrolle ausüben zu können, müssen die zentralisierenden Gewalten die Nahrungsautonomie der freien menschlichen Gemeinschaften aufheben. Historische Beispiele eines solchen Prozesses fehlen nicht: Karl der Große erobert das Sachsenland und gibt seinen Gefolgsleuten die *Allmenden* (Gemeindegüter) der Sachsen als persönliche Lehen. Die *Allmende* der Gemeinschaft wird so das persönliche *Leod* (Lehensgut) des karolingischen Herrn. Die nächsten Generationen können die Lebensquelle Boden nicht mehr richtig umverteilen, so daß ein Prozeß der Re-Nomadisierung entsteht. Junge Norddeutsche müssen, durch Not und Mangel an Boden gezwungen, ihre Heimat verlassen, kinderlose Mönche werden, Söldner für fränkische Könige oder für den römischen Papst werden, sich als Sklaven für die Bagdader Kalifen verkaufen, usw. Alle sozialen Unruhen des Mittelalters sind Folgen dieser Feodalisierung. Die neuen historischen Forschungen legen eben den Akzent auf diese Enteignung der Bevölkerung. So zum Beispiel der russische Historiker Porschnew, die Franzosen Bercé, Walter, Bois und Luxardo, der Deutsche Schibel.[1]

Die bäuerlichen Gemeinschaften wurzelten auf der Unveräußerlichkeit des Bodens. Der Boden war Eigentum der Gemeinschaft, d.h. sowohl der zeitgenössischen Generationen als auch der Verstorbenen und der Künftigen. Die Feodalisierung durch die karolingische Enteignungspraxis, die Einführung des spätrömischen Rechtes (von Flavius Justitianus kodifiziert) und des Kirchenrechtes (Codex juris canonici) hatte als Resultat, daß der Boden veräußerlich geworden ist, was die Lebenssicherheit der Bevölkerung in Gefahr brachte und bringt. So aber sind auch die Grundlagen der Identität erschüttert.

Hauptaufgabe der identitätsbewußten Kräfte der europäischen Geschichte wurde also, diesen Rechtsstatus wieder zu beseitigen, damit die geistigen Kräfte sich entfalten können. Die blutigen Etappen dieses Kampfes lassen sich aufzählen: Westfälische Bauernrevolte in 1193, die Revolte der Stedinger in 1234, die Bauernaufstände des 15.Jahrhunderts (Deutschland, Böhmen, England), der große deutsche Bauernkrieg (1525/26), der Erhebung der niederländischen Städte gegen das spanisch-absolutistische Joch, die gleichzeitige Revolte der Spanier und Katalanen gegen die königlichen Beamten, die französischen und normannischen Erhebungen der sog. *Croquants* und *Nouveaux Croquants* im 16.Jahrhundert. Alle diese blutig niedergeschlagenen Erhebungen wollten das alte ureuropäische Recht mit dem Prinzip der Unveräußerlichkeit des Bodens wieder einführen.

Wenn sich während und besonders gegen Ende des Mittelalters die Figur des Bürgers auf der Vorszene hebt, bedeutet das keineswegs das Verschwinden des impliziten Individualismus des oben erwähnten spätrömischen Rechtes. Die Städte waren am Anfang Zufluchtsort für besitzlose Bauern. Dort konnten sie innerhalb neuer städtischer Gemeinschaften bzw. Zünfte arbeiten und ihre eventuell angeborenen Fähigkeiten gelten lassen. Zur gleichen Zeit schwärmten aber in diese mittelalterliche Städte Spekulanten aller Art, die bald mit den Fürsten Front gegen die Zünfte und die ländliche Bevölkerung machten. Statt der Willkür des Feodalismus einen Riegel vorzusetzen, verstärkte diese Spekulantenkaste den impliziten Individualismus in Europa.

Max Boehm schreibt, daß das germanische Rechtsempfinden die Gesellschaft pluralistisch faßt, so daß die verschiedenen Körperschaften, aus denen jede Gesellschaft besteht, von einer konkreten Autonomie genießen.[2] Aber "bereits gegen Ende des Mittelalters setzt sich die etatistische Gegenbewegung spätrömischer Prägung durch. Die Fürstengeschlechter richten mit Hilfe der geldspendenden Spekulanten eine absolute Herrschaft im Staate auf, die im allgemeinen in der Richtung einer Straffung der Staatsgewalt und einer Schrumpfung gesellschaftlicher Autonomie wirkt. Nicht im 'finsteren Mittelalter', sondern in der 'aufgeklärten' Neuzeit verfallen weite Teile des Volkes in drückende Leibeigenschaft, und auch der religiöse Befreiungskampf der Reformatoren hat zunächst nur einen verstärkten Gewissensdruck des Staates zur Folge. Namentlich im Umkreis des spanischen und französischen Einflusses entwickelt sich zwischen Staat und Volk eine polare Gegensätzlichkeit und scharfe Spannung, die sich dann vor allem in der Französischen Revolution entlädt. Durch sie erhält zwar der Gedanke der absoluten Fürstenherrschaft, keineswegs aber die Staatsgewalt selber den entscheidenden Stoß. Das eigentliche Opfer dieser Entwicklung ist die korporative Volksfreiheit, die Volksautonomie, die durch den grundsätzlichen Individualismus und Unitarismus (bzw. Zentralismus) des romanischen Denkens zutiefst in Frage gestellt wird. Das Volk macht sich - ganz im Sinne der Theorie von Rousseau - nicht autonom, sondern souverän. Es sichert einen staatsfreien Raum den Menschenrechten im Sinne des neuzeitlichen Individualismus und nicht den Gesellschafts- und Körperschaftsrechten" (M.H. Boehm, op.cit., S. 32-33).

In einem solchen historischen Kontext heißt Freiheit, angepaßte ortsverbundene bzw. konkrete Sozialitäten schaffen, genauso wie die ersten städtischen Gemeinschaften Europas neue konkrete Sozialitäten gegenüber der karolingisch-feudalen Entwurzelung waren. Der Brüsseler Historiker Alphonse Wauters erklärt in seinem wichtigen Buch *Les libertés communales* (Brüssel, 1878)[3], wie die mittelalterlichen Kommunen Orte der volksverbundenen Kreativität waren. Seine historischen Entdeckungen und seine

Analyse der Quellen ergänzen glänzend die Theorien des *Volkhaften* und *Volklichen* bei Max Böhm.[4] Die Entstehung der mittelalterlichen Kommunen entspricht der Entstehung einer institutionsschaffenden Freiheit, die der kürzlich verstorbene deutsche Professor Bernard Willms, in Anlehnung an Hobbes, als die Grundfreiheit des Menschen als politisches Wesen theorisiert hatte.[5] Wenn die menschliche Grund- und Urfreiheit darin besteht, Institutionen bzw. institutionelle Begrenzungen zu schaffen, dann ist sie eben konkrete Freiheit. Abstrakt und steril bleibt aber eine absolute konzipierte Freiheit, weil diese dann unproduktiv-unfruchtbar inmitten eines dschungelhaften "Naturzustandes" bleibt. In einem solchen, von Hobbes meisterhaft theorisierten, dschungelhaften Naturzustand kann die Freiheit sich eben nicht entfalten, weil Alle ihre Freiheit absolut gelten lassen wollen. Jede raum- bzw. ortsgebundene Gemeinschaft produziert also ihre bedingte, aber nur so mögliche Freiheit, damit sich die positiv-nützlich-notwendigen Eigenschaften der Gemeinschaft optimal entfalten können.

Das Denken von Hobbes ensteht in einem Europa, das alle religiösen Stützen verloren hat und mit den harten nackten Fakten der Freiheit und des durch Bürgerkriege wiedergekommenen Naturzustandes konfrontiert wurde. Die Illusion der mittelalterlichen theologischen Zeitalter war verschwunden. Aber der Mensch liebt die Illusionen, so billig diese oft sind. Die großen illusionslosen Denker des 17.Jahrhunderts (Hobbes, Balthasar Gracian, Pascal, Galilei, Giordano Bruno) haben nicht viele Schüler gehabt. Eine neue Illusion - die Aufklärung - ist gekommen, um den Europäern eine grenzenlose, das heißt abstrakte Freiheit zu versprechen. Die aufklärerische Denkweise ist insofern im Grunde pervers, als sie alle Institutionen als irrational gegründet ablehnt bzw. kritisiert. Wenn diese Denkweise mittlerweile metapolitisch Fortschritte macht, können die Institutionen nicht mehr optimal funktionieren. Einige Anhänger der aufklärerischen Denkweise meinen manchmal völlig zu Recht, daß die Institutionen, die unter der Kritik der Aufklärer untergehen, bereits innerlich morsch gewesen sind. Aber die Aufklärung ist allzuoft nur Kritik und schafft deshalb nicht die Bedingungen einer Rekonstruktion neuer Institutionen nach dem Verschwinden der alten und morschen Institutionen. So kentert die ganze europäische Ideologie in den Schablonen der Abstraktheit und der Unfruchtbarkeit. Pädagogisch gesehen ist also die aufklärerische Denkweise nicht für den Menschen als *civis*, als *zoon politikon* geeignet. Da die ganze Philosophiegeschichte seit Aristoteles den Menschen primär als *zoon politikon*, als politisches Wesen, betrachtet, kann man sich wohl fragen, ob die aufklärerische Besessenheit jenseits ihrer üblichen Phrasen noch menschlich ist.

Die Anhänger der Aufklärungsideologie behaupten, ihre philosophischen Grundlagen hätten dazu beigetragen, die freiheitlichen Institutionen der Französischen Revolution zu schaffen. Alle wertfreien Historiker sind jedoch der Meinung, daß Frankreich nach zwanzig Jahren aufklärerischem Regime definitiv geschwächt wurde. Die Aufhebung des Zunftwesens durch die Gesetze von Le Chapelier in 1791 ohne entsprechende Einführung eines dem preußischen ähnlichen allgemeinen Erziehungswesens hat zu einer kompletten Desorganisation der konkreten Sozialität Frankreichs geführt und damit in den folgenden Jahrzehnten zu einem gewerblichen Rückzug, der noch heute deutliche Spuren hinterläßt.

Besonders im Westen des Landes wollten die Bauern ihr uraltes Gemeinwesen bewahren, das heißt frei über ihr eigenes Schicksal entscheiden. Dieser ortsverbundene Wille opponierte gegen die grenzenlosen bzw. universellen Prinzipien der Aufklärung. So entschieden sich die an die Macht gekommenen Pariser Intellektuellen aufklärerischer Prägung für eine "Entvölkerungsstrategie" in den aufständischen Gebieten der Bretagne, der Vendée und des Anjous. Etwa 300.000 unschuldige Dorfbewohner (Erwachsene und Kinder beider Geschlechter) dieser westfranzösischen Region wurden massakriert. Konkrete ortsverbundene Menschen hatten sich erhoben und gegen abstrakte Ideen rebelliert.

In den von den Revolutionsarmeen eroberten germanischen Gebieten - die südlichen Niederlande und das Rheinland - gab es am Anfang eine wahre Begeisterung für die Revolutionsideen. Tatsächlich verkündeten der französische General Dumouriez und seine Freunde, die in Jemappes (Hennegau) die kasierlichen Armeen besiegten und kurz danach in Brüssel einmarschierten, daß künftig die Gemeindeversammlungen ihre Bürgermeister und deren Berater direkt für ein Jahr wählen werden. Dieser Wahlmodus wurde generell in Flandern, Brabant und im Rheinland akzeptiert. Aber die Pariser Behörden führten dieses rein demokratische Prinzip nicht ein. Die *Convention* entschied sich für die Benennung der Bürgermeister ohne Wahl. Entscheidungsort dieser Benennung: Paris, Hauptstadt der triumphierenden politischen Aufklärung!

Dumouriez, ein ehrlicher Mann, nimmt Abschied und flüchtet nach Preussen. Auch Verlooy, ein Schüler Herders, der inzwischen Bürgermeister von Brüssel geworden war, verläßt seine Heimat. Viele deutsche Intellektuelle aus dem Rheinland, unter ihnen Görres, folgen diesem Beispiel. Die Revolutionsbefürworter sind so sehr schnell Revolutionsfeinde geworden, eben weil die Revolution alle Ortsverbundenheit ablehnte. Die Einführung des erwähnten Wahlmodus hätte den diversen und differenzierten Wirklichkeiten Europas die Möglichkeit gegeben, sich Geltung zu verschaffen. Ein solcher Wahlmodus rechnet mit den unentbehrlichen Faktoren Raum und Zeit. Jeder Ort hat seine eigene Dynamik. Was hier gilt, gilt nicht notwendigerweise auch dort. Hier ist der Boden sandig und karg, hier gibt es kaum Verkehr und dort ist der Boden fruchtbar und fett und die Nähe eines Flußes beschleunigt den Verkehr. Die Bedürfnisse der verschiedenen Orte sind deshalb grundverschieden und brauchen konsequenterweise eine angepaßte Modulierung. Der am Anfang des Revolutionsprozesses vorgeschlagene Wahlmodus war eben eine solche Modulierung. Die deutsche Bewegung mit Arndt und Freiherrn von Stein, die südniederländisch-belgischen Traditionalisten-Demokraten (die zwei Generationen von Rechtsanwälten der Familien Raepsaet aus Gent und Dumortier aus Tournai/Doornik) wurden während der Restauration - die eben nichts restauriert - die energischen Vorkämpfer eines solchen angepaßten Wahlmodus.

Die Aufklärung wurde auch schon von Kant - dem wohl kühnsten Denker der Aufklärung, aber auch zur gleichen Zeit demjenigen, der die Unzulänglichkeiten der Aufklärung am deutlichsten gesehen hat - als zu mechanistisch beurteilt. In seiner *Kritik der Urteilskraft* (1790) unterscheidet Kant die Naturprodukte und die Kunstprodukte. Die Naturprodukte sind keine Produkte eines willkürlichen Willens. Nur Kunstprodukte sind Produkte eines Willens, der sich außerhalb des Produktes selbst befindet.

Naturprodukte sind simultan Ursache und Wirkung ihrer selbst. Die aufklärerisch-mechanistische Denkweise betrachtete die Staaten und Nationen als Uhrwerke, die von dem Willen oder der Laune eines äußerlichen Souveräns bzw. Fürsten abhingen. Die Aufklärung ist also nicht demokratisch. Ihre politische Modalität ist die der aufgeklärten Despotie. Die Französische Revolution und besonders die *Convention* übernehmen bloß diese Modalität ohne Achtung für das, was Kant die innerliche bildende Kraft eines Naturproduktes genannt hat. Die Nationen und Völker sind solche Naturprodukte, die von einer innerlichen bildenden Kraft beseelt sind. Der von Dumouriez, Verlooy und Görres suggerierte Wahlmodus implizierte eben eine Achtung für diese innerliche bildende Kraft, die von Ort zu Ort und Zeit zu Zeit variiert. Die aufklärerische *Convention* ist diesen unersetzlichen Kräften gegenüber taub und blind geblieben. Der romantische Protest in Deutschland ist politisch betrachtet ein Wille, dieser Kraft eine freie Bahn wiederzugeben, zu gestalten bzw. zu organisieren. Aus dieser Perspektive gesehen, gestaltet die Aufklärung nicht: sie ist unfruchtbar und autoritär im eigentlichen Sinn des Wortes. Das anti-autoritäre Pathos der zeitgenössischen Aufklärung ist deshalb bloße Tarnung, ist aber auch die Spur eines schlechten Gewissens. Wenn sie bis zur letzten Konsequenz durchgeführt wird, bringt sie die Menschheit in einen neuen Naturzustand, in dem eine moderne Fassung des Nomadismus herrscht. Die aktuellen Beispiele der melting-pot-Gesellschaft in den Vereinigten Staaten, der Unsicherheit der Pariser Vorstädte und des Hooliganismus in Großbritannien zeugen dafür.

Wenn man sich dieser Fakten bewußt ist, was sollte man tun? Eine geortete Gemeinschaft zu organisieren, heißt heute eine Sozialpolitik neuer Art vorzuschlagen, da die herrschenden Systeme eben zu einem erneuten Naturzustand tendieren. Produkt der Aufklärung ist nämlich die *Déclaration des droits de l'Homme et du Citoyen*. Diese Déclaration ist eine Mischung von aufklärerischem Gedankengut und allgemeingültigen Prinzipien. Da kürzlich bekannte französische Historiker wie Jean-Joel Brégeon und Reynald Sécher die Perversität der politischen Aufklärung, der *Convention*, dadurch erörtert haben, daß sie deren Logik der Entvölkerung hervorhoben, brauchen wir hier nicht die aufklärerischen Elemente zu analysieren, sondern nur die allgemeingültigen. Diese schaffen die feudalen Reste aus dem Weg. Und das bedeutet konkret, daß jeder Bürger wieder das Recht hat, das *seine* zu genießen als Mitglied einer Gemeinschaft. Als Mitglied einer Gemeinschaft hätte er ein *Allod* (von Abgaben befreiter persönlicher Grund und Boden) bekommen und die Gesamtgemeinschaft hätte wieder ihre *Allmende* als Lebenssicherheit haben müssen. Die *Convention* hat aber alle kirchlichen und aristokratischen Güter den reichen Emporkömmlingen verkauft, ohne eine soziale Umverteilung einzuleiten! Damit konfisziert die undemokratische Revolution dem Volke seine Nahrungsautonomie. Die feudalen Herren werden durch miserable Parvenüs ersetzt. Darum hat Proudhon vom Eigentum als Diebstahl geredet. Der Sozialismus des 19.Jahrhunderts, bevor er oligarchisiert wurde (s. Roberto Michels), hat nur eine Teilumverteilung verursacht. Der Kommunismus dagegen verstaatlicht alles, was am Ende bedeutet, daß nur die Parteifunktionäre Eigentümer werden.

Die heutige Diskussion über das garantierte Grundeinkommen (Opielka in D.; Gorz in F.) in linken non-konformistischen Kreisen könnte eine Lösung anbieten, besonders wenn man dazu ein am schweizerischen Modell angelehntes Wahlsystem hinzufügt. Aber solange die Gruppierungen der Linken noch von aufklärerisch-autoritären Ideen beeinflußt bleiben, ist diese Lösung nicht möglich. Ein garantiertes Grundeinkommen an jeden Bürger als Ersatz der *Allmende* wäre nur möglich in einem Europa, in dem das Recht auf Bürgerschaft begrenzt gewährt wird. Die Linke kann also nicht einerseits konkret das garantierte Grundeinkommen vorschlagen und andererseits die Asylantenflut bejahen. Diese Flut würde dieses Grundeinkommen lächerlich machen und entsetzlich reduzieren, so daß die jahrhundertelange Entfremdung am Ende doch erhalten bliebe. Um jedem Bürger das Seine zu geben, muß man notwendigerweise den Zugang zur ortsgebundenen Bürgerschaft beschränken. Wie Reinhold Oberlercher es sagte, die Freizügigkeit sei wohl eine der Todsünden der Aufklärung, da sie die Lösung der sozialen Frage unmöglich mache. Hier auch sind Schranken notwendig, um eine konkrete Aktion durchführen zu können und auch um überhaupt Politik treiben zu können.

Das garantierte Grundeinkommen muß minimal bleiben, damit man nicht davon leben kann, aber damit man trotzdem etwas zum Überleben im Ernstfall hat, wie in vorfeudaler Zeit unsere Bauern ihren *Allod* hatten. Die Einführung eines garantierten Grundeinkommens ist durchaus möglich, da unsere Staaten dann keine Arbeitslosenunterstützung mehr zahlen und auch die Verwaltung dieser Arbeitslosigkeit nicht mehr finanzieren müssen. Durch eine angepaßte Steuerpolitik kann dann der Staat ohne Mühe die Gelder bei denen, die es nicht nötig haben, wieder einkassieren. Diese Regulierung verlangt auch keinen Abbau der sozialen Sicherheit, wie die Neo-Liberalisten es vorgeschlagen hatten.

André Gorz, französischer Befürworter des garantierten Grundeinkommens, fügt hinzu, daß dieses Einkommen es für viele Leute ermöglichen würde, andere, nicht gewinnbringende Aktivitäten zu leisten, z.B. ökologisch sinnvolle Aktivitäten oder die Bildung von Netzwerken für Kinderversorgung, die dann einfach und problemlos privatisiert werden könnten.

Mit dem garantierten Grundeinkommen als Recht des Bürgers in einer begrenzt gehaltenen Gemeinschaft, sind die Gefahren der Aufklärung, dieser Religiosität der Schrankenlosigkeit, nicht gebannt und ausgeschlossen. Der schrankenlose, durch Kredite geförderte Konsum würde die Gelder des garantierten Grundeinkommens rasch aufsaugen. Deshalb muß der Staat als Organisationsinstrument der Sozialität Gesetze einführen, damit Kredite nicht wahllos gewährt werden, beesonders an Leute, die diese nur für Konsum benutzen. Solche Gesetze wollte vor wenigen Jahren der wallonische Minister Busquin einführen. Sein Projekt ist von den Banken und den konservativen Politikern torpediert worden.

Die Grundlagen des egalitären Denkens liegen also in der "Entgemeinschaftungspraxis" des Feudalismus und in dem mechanistischen Denkmuster der Aufklärung, und nicht notwendigerweise im Gedankengut der sozialistischen Tradition, da die linken Gruppierungen einen egalitären Diskurs entwickelt haben, der letzter Hand Ungleichheiten schafft. Egalitarismus im Sinne des Verfassers bedeutet selbstverständlich nicht Gleichheit der Chancen. Das ist eben, was dieser verallgemeinern will. Egalitarismus ist eher diese gefährliche Ablehnung aller differenzierenden Ortsverbundenheit, die Zeit und Raum ständig produziert. Wenn alle Räume der Erde gleichgeschaltet und unter den gleichen Mustern ent-organisiert werden, dann ist Chancengleichheit eben unmöglich, da diese nur in einem raum- und zeitlich bedingten Rahmen erreicht werden kann.

Der Mensch, als begenztes Wesen, kann nur Verantwortung für etwas Begrenztes übernehmen. Da der Mensch kein Gott bzw. kein allmächtiges Wesen ist, kann er nur teilmächtig handeln. Der Mensch kann also nur in einem begrenzten Raum und, da er sterblich ist, in einer begrenzten Zeit handeln und nicht universell. Universell denken und handeln wollen heißt, deshalb unverantwortlich weil ortlos denken und handeln. Die großen Ideen der Brüderschaft, der Caritas, der Menschenrechte können nur von konkreten Menschen in begrenzten Räumen verwirklicht werden. Diese großen Ideale sind nur konkret möglich, wenn man sie im nahen Ort, in dem man geboren wurde, und nur da - um die Sprache des alemannischen Philosophen Martin Heidegger nachzuahmen - zu verwirklichen versucht. Dieser Ort bleibt für jeden Sprungbrett in der nahen oder fernen Welt. Die sockellosen Ideologien, sei es die ortfremde Religion im Frühmittelalter oder die gewollt ortlose Aufklärung, verpassen die Möglichkeit, etwas von der ideellen Caritas oder der ideellen Chancengleichheit zu verwirklichen.

Fazit: die differentialistische Alternative verlangt Verantwortung für den Mitmenschen an dem Ort, in den man hineingeboren wurde, und Aufmerksamkeit für die Vorgänge in der Welt. Das ist gewiß keine Sackgasse, da die Möglichkeiten dieser Welt unendlich sind, wenn man die schöne bunte Welt nicht mit herzlosen Schablonen gleichschalten will.

Da die multikulturelle Gesellschaft eine *Gesellschaft* und keine *Gemeinschaft* ist, kann sie nicht harmonisch funktionieren. Harmonie kommt immer nur relativ und mit der Zeit und nicht wenn ständig neue Wellen an Menschen unordentlich strömen. Der langfristige Prozeß der "Vergemeinschaftung" ist unter solchen Umständen unmöglich. Sobald einige Schichten in einer bestimmten Gemeinschaft assimiliert bzw. "vergemeinschaftet" sind, warten noch unruhige und ungeduldige Schichten auf diese versprochene Assimilation, die nur mit langer Zeit zu erreichen ist. Manche Ideologen und Politiker meinen, daß mit einer formellen und beschleunigten Einbürgerung eine Lösung zu finden ist. Das ist eine aufklärerische Illusion, die den äußerst wichtigen Faktor Zeit nicht mit einberechnet. Notwendig wäre, die Substanz der Gesetzgebungen in Europa, die die Staatsbürgerschaft nur nach Fristen von 20 bis 30 Jahren gewährten, mit Aufmerksamkeit zu studieren. Diese Gesetzgebungen waren orts- und zeitbewußt. Die Wiedergeburt Europas braucht keine großen und pompösen Phrasen. Nur ein sachliches, ruhiges Orts- und Zeitbewußtsein.

Anmerkungen:

1: Boris Porchnev (franz. Schreibweise für Porschnew): *Les soulèments populaires en France au XVIIième siècle*, Paris, Flammarion 1972. Gérard Walter: *Histoire des Paysans de France*, Paris, Flammarion 1963. Paul Bois: *Paysans de l'Ouest*, Paris, Flammarion 1971. Yves-Marie Bercé: *Révoltes et révolutions dans l'Europe moderne, XVIième-XVIIIième siècle*, Paris, PUF 1980. Hervé Luxardo: *Les Paysans. Les républiques villageoises, 10ième-19ième siècles*, Paris, Aubier 1981. Karl-Ludwig Schibel: *Das alte Recht auf die neue Gesellschaft. Zur Sozialgeschichte der Kommune seit dem Mittelalter*, Sendler, Frankfurt 1985.

2: Max Hildebert Boehm: *Das eigenständige Volk*, 1923.

3: Alphonse Wauters: *Les libertés communales. Essai sur leur origine et leurs premiers développements en Belgique, dans le Nord de la France et sur les bords du Rhin*, Brüssel 1878, Reprint Brüssel 1968.

4: Für Max Boehm ist das Völkische die biologische Grundlage des Volkes; das Volkhafte ist die soziale Grundlage des Volkes und das Volkliche ist die synthetische Gesamtgrundlage aller konstitutiven Elemente des Volkes.

5: Bernard Willms: *Idealismus und Nation*, 1986; ders.: *Thomas Hobbes. Das Reich des Leviathan*, 1987.

Im Gespräch

S O S Rassismus

Gregorio Roper
und
Jose del Pozo

Nationalistische Front

Jürgen Rieger
und
Meinolf Schönborn

Anmerkung:
Das Manuskript wurde dem SPIEGEL zur Veröffentlichung angeboten. Er antwortete: "Selbst in Gestalt eines Streitgesprächs kann eine so extensive Ausbreitung rechtsextremen Gedankenguts im SPIEGEL nicht verantwortet werden." Dialogängste sind keine guten Voraussetzungen für die Zukunft, schon gar nicht, wenn ein gesellschaftspolitisches Problem nur durch Dialoge friedlich gelöst werden kann.

Ulbrich: Was stellt Ihr Euch unter einer multikulturellen Gesellschaft vor?

Roper: Was stelle ich mir unter einer multikulturellen Gesellschaft vor? Das ist vielleicht nicht das richtige Wort. Ich denke, wir sollten uns nicht mehr auf einer Ebene von Kulturen oder Ethnien bewegen, sondern uns mehr auf die Abhängigkeit beziehen, die wir zueinander als Menschen haben, die in einer begrenzten Welt überleben und existieren wollen. Ob ein Mensch die Daseinsberechtigung hat, an einem Ort zu leben, das sehe ich nicht durch eine bestimmte Grenze oder eine politische Anschauung oder durch eine kulturelle oder ethnische Herkunft bestimmt, sondern wir haben genauso wie jeder andere das Recht auf eine Teilhabe an den Früchten dieser Welt. Ich weiß nicht, ob Ihr die afrikanische oder die indianische Gesellschaft kennt: die Früchte dieser Welt bzw. die Erde gehören keinem, die Erde ist international und allgemein für alle da. Die Frage multikulturell oder multiethnisch ist nicht eine Frage, die gestellt werden sollte, sondern eine Frage, die gelebt werden muß.

NF: Wir sind nicht der Auffassung, daß die Erde für alle da ist. Ich glaube auch nicht, daß die Indianer dieser Auffassung waren. Die Indianer haben auch ihre Plains aufgeteilt in Territorien. Die Menschen haben, solange sie überhaupt als Menschen existieren, in Gruppen gelebt. Diese Gruppen haben sich zunächst als ganz kleine Gruppen gebildet, als Sippen, als Familien, dann als Stammesverbände, schließlich als Völker. Diese Völker waren durch die Sprache definiert. Die dauerhafteste und beste Organisationsform ist, wenn eine staatliche Einheit, eine Nation, sich um ein Volk bildet, das eine gemeinsame Sprache hat. Dann gibt es die wenigsten Konflikte. Wir haben andere Möglichkeiten des Zusammenlebens versucht. Das einzige Land, wo das eigentlich funktioniert hat, ist die Schweiz. Überall sonst klappt es nicht. Wir sehen es jetzt in der Tschechoslowakei, wir sehen es im Augenblick gerade in Yugoslawien. Auch dort ist es so, daß die verschiedenen Völker, die letztlich alle sogar Europäer sind, also nicht einmal verschiedenen Rassen, sondern der selben europiden Großrasse angehören, gleichwohl aufgrund ihrer verschiedenen Sprachen schon soviel Unterschiede aufweisen, daß sie nicht miteinander zusammenleben können und wollen, jedenfalls auf Dauer nicht. Wir sehen es genauso bei den Afrikanern, wenn wir nach Soweto sehen zu den Stammeskriegen zwischen den Zulus und den anderen afrikanischen Stämmen.

Del Pozo: Klar gibt es Probleme in Jugoslawien und der Tschechoslowakei. Die Minderheiten sollen ihre Rechte haben, die diese ethnischen Minderheiten integrieren in eine Gesellschaft, so daß sie sich frei entfalten können. Das ist das Problem, das in Jugoslawien ansteht, daß sie sich jahrelang nicht entfalten konnten und dasselbe Problem haben wir hier in Deutschland.

NF: Das Zusammenleben von verschiedenen Völkern und Volksgruppen in einem Raum hat immer wieder zu Spannungen und zu Aggressionen geführt. Es gibt ganz wenige Beispiele, wo das konfliktlos gegangen ist. Im Regelfall ist es immer so gewesen, daß das zu ganz erheblichen blutigen Auseinandersetzungen geführt hat und letztendlich dazu, daß die stärkere und größere Gruppe die kleineren Gruppen entweder unterdrückt, ausgerottet oder sonstwie assimiliert hat. Und das war dann das Ende dieser kleineren Gruppe.

Del Pozo: Ich stimme da nicht ganz überein mit dem Gedanken, daß sich Rassen nicht miteinander verstehen können. Ich will gar nicht von Rassen reden, ich möchte einfach nur von gleichen Rechten reden. Es geht hier nicht darum, daß wir Unterschiede machen, daß wir die deutsche, die germanische Kultur irgendwie abschaffen wollen, oder daß wir unsere Kultur der deutschen Gesellschaft aufoktroyieren wollen, sondern wir meinen, die Bundesrepublik ist ein Einwanderungsland geworden.

Es leben z.B. 150 Nationalitäten hier im Raum Frankfurt. Das ist einfach eine Bereicherung für die Gesellschaft, sei es im kulturellen, im sozialen, im nachbarschaftlichen Miteinander. Man kann sich heute nicht mehr ausgrenzen, man kann sich nicht mehr einigeln und sagen, unsere Kultur ist die beste Kultur und wir lassen keinen hier herein. Wo jeder den Gedanken heute hat, daß Europa sich öffnet, daß Grenzen abgebaut werden, daß Mauern fallen, wehren wir uns gegen eine neue Mauer, dagegen, daß Menschen ausgegrenzt werden, daß sie diskriminiert und daß sie rassistisch verfolgt werden, daß Fremdenhaß entsteht. Wir meinen, daß gerade das Gegenteil der Fall sein muß. Ein Land mit so vielen Kulturen und so vielen Menschen ist einfach eine Bereicherung, auch des Miteinander und der Erfahrung, die man sammelt. Es gibt kein Land mehr heute auf der Welt, das auf eine eigene Kultur pocht und sich total abgrenzen will von den anderen Kulturen. Ich müßte ja sonst Beispiele sehen, ich sehe aber keine Beispiele.

NF: Die Botschaft hör' ich wohl, allein mir fehlt der Glaube, wenn ich höre, daß Ihr nicht gekommen seid, um uns unsere germanische Kultur zu nehmen. Sicherlich, das ist nicht die Absicht, aber das ist letztendlich die Folge. Denn wenn 150 Nationalitäten in einem Raum zusammenleben, wie das in Frankfurt der Fall ist, dann kann sich eine eigenständige Kultur nicht mehr herausbilden. Dann gibt es eben keine deutsche Kultur mehr, und keine italienische mehr, etc., es gibt ein Sammelsurium von verschiedensten Einflüssen, woraus sich eine einheitliche Kultur nicht bilden kann. Ich bin durchaus für die Vielfalt der Kulturen. Die Vielfalt der Kulturen kann sich aber nur dann erhalten, wenn die Träger dieser Kultur eigenständig diese Kultur entwickeln können. Das Problem ist eben, daß man eigentlich keine einheitliche Kultur mehr machen kann, wenn man zuviele Einflüße hat. Man kann mit geringen fremden Einflüssen, wie es sie immer gegeben hat, eine

Bereicherung einer Kultur erreichen. Wenn aber in einem so großen Umfang eine Einwanderung stattfindet, und es ist in der Tat eine Einwanderung, dann bedeutet dies, daß eine geschlossene Kultur nicht mehr entstehen kann. Die Bundesrepublik ist Einwanderungsland geworden. Die Regierung behauptet immer, sie sei kein Einwanderungsland, aber tatsächlich ist sie es, denn wenn ich meine Grenzen nicht dicht mache, wenn ich, wie im Januar dieses Jahres geschehen, 16.000 Asylbewerber hereinlasse, dann bedeutet das, daß ich praktisch offene Grenzen habe. Damit wird sich der Anteil von Ausländern an der deutschen Gesamtbevölkerung immer stärker erhöhen und dadurch das, was man deutsche Kultur nennen könnte, letztendlich immer mehr zerbröckeln und zerbröseln.

Del Pozo: Wir reden von Einwanderern, nicht mehr von Gastarbeitern, weil wir keine Gäste hier sind. Wir sind Arbeiter, die hierhergekommen sind, die ihre Steuern bezahlen, ihre Sozialbeiträge bezahlen, die genauso an dem Wohlstand mitgeholfen haben, und es geht nicht mehr an, daß wir heute 4,5 Millionen Menschen in der Bundesrepublik einfach ausgrenzen. Das ist einfach nicht mehr möglich, sondern das Gegenteil muß der Fall sein. Es müssen gleiche Rechte her. Die Bundesrepublik ist de facto ein Einwanderungsland geworden und dementsprechend muß sie sich auch ändern.

NF: Deutschland ist ja mehr als nur das, was in den letzten zehn oder zwanzig Jahren aufgebaut worden ist. Deutschland ist in Jahrhunderten aufgebaut worden und wenn wir die alten Städte sehen, dann sind die durch unzählige Generationen von Deutschen aufgebaut worden. Wenn jetzt jemand hereinkommt und sagt, ich habe zwar in meinem Land keinen Kindergarten, hier ist aber ein Kindergarten gebaut worden und in diesen Kindergarten schicke ich jetzt meine Kinder hinein, dann benutzt er das, was von anderen bezahlt und aufgebaut ist für seine eigenen Kinder. Ich bin der Meinung, daß es durchaus verständlich ist, wenn er das versucht. Man muß aber unseren Standpunkt verstehen, wenn wir sagen, unser Volk hat das aufgebaut und weil unser Volk das aufgebaut hat, darum soll unser Volk auch Nutznießer bleiben.

Del Pozo: Sie haben vorhin gesagt, wir haben das deutsche Land aufgebaut, wir sehen nicht ein, daß dann andere Leute kommen und es uns wegnehmen und übervölkern. Das stimmt einfach nicht so. Sie müssen bedenken, daß es seit 1960 hier eine größere Einwanderung von Gastarbeitern gegeben hat, weil sie nötig waren, besonders um diese Bundesrepublik aufzubauen. Und sie haben dieses Land mitaufgebaut.

NF: Wir haben uns nie als Einwanderungsland erklärt. Wir haben in der Tat in den Jahren ab 1960 gesagt, wir nehmen Gastarbeiter herein, aber wie der Begriff schon sagt, *Gast*-Arbeiter, Arbeiter auf Zeit. Gäste hat man nur auf Zeit, Gäste hat man nicht auf Dauer. Es ist niemandem gesagt worden, der nach 1960 kam, und es ist sicherlich auch Ihnen nicht gesagt worden, Sie könnten hier einwandern, Sie könnten solange hier bleiben, wie Sie hier bleiben wollen, sondern es ist ganz bewußt immer gesagt worden, wir sind kein Einwanderungsland. Solange es hier Arbeit gibt, solange könnt ihr hierbleiben und solange seid ihr hier als Gäste auch gerne gesehen, aber wenn es die Arbeit nicht mehr gibt, dann müßt ihr zurück.

Del Pozo: Viele soziale Einrichtungen, viele Betriebe könnten heute einfach nicht funktionieren ohne uns. Viele Betriebe müßten heute schließen, Krankenhäuser, städtische Einrichtungen oder öffentliche Verkehrsmittel. Heute ist es eine klare Realität, daß diese Menschen Bestandteil dieser Gesellschaft sind.

NF: Wir haben 2 Millionen Arbeitslose in der Altbundesrepublik und zahlreiche Arbeitslose zunehmend in den fünf neuen Bundesländern. Wir haben 2 Millionen Gastarbeiter hier und das bedeutet, daß jeder Ausländer, der hier eine Arbeit hat, einem Deutschen einen Arbeitsplatz wegnimmt. Die Behauptung, es würde in vielen Betrieben nichts mehr laufen ohne Ausländer, stimmt nicht. In Hamburg sind 96% der Männer von der Müllabfuhr Deutsche und keine Ausländer. Es geht sehr wohl ohne Ausländer, auch in solchen Berufen wie Drecksarbeit, wo man normalerweise immer sagt, die Deutschen seien nicht bereit, dies zu machen. Es ist auch nicht richtig, daß die Gastarbeiter hier unseren Wohlstand aufgebaut hätten. 1960 war es so, daß bereits die Schäden vom Kriege beseitigt waren, daß Deutschland schon wieder aufgebaut worden war, und gerade weil wir eben Arbeitskräftemangel hatten, hat man gesagt, hier kann auf eine begrenzte Zeit, so wie es die Schweiz beispielsweise auch gemacht hat, jemand, der in Deutschland arbeiten möchte, seine Arbeit finden. Aber es ist ihm nie zugesichert worden, du darfst auf alle Ewigkeit hierbleiben, du darfst hier Wurzeln schlagen.

Roper: Es ist sicherlich richtig, was Sie gesagt haben, daß der Aufbau Deutschlands weitgehend vollzogen war, als es dazu kam, daß die Einwanderungen stattgefunden, oder sagen wir so, die Gäste eingeladen wurden. Aber es ging bei dieser Einladung nicht um einen Aufbau im Sinne von Überleben, sondern es ging bei dieser Einwanderung um einen Ausbau dessen, was bereits angelegt worden war.

NF: Die Frage des Lebensstandardes ist gar nicht das entscheidende. Wir könnten in der Bundesrepublik auch mit weniger Lebensstandard ganz gut leben. Der entscheidende Gesichtspunkt ist für mich, daß das deutsche Volk sich auflösen wird und daß wir letztendlich vor der selben Gefahr stehen wie die Bevölkerung von Hawai.

Vor 1820 gab es dort nur eine reine hawaiische Bevölkerung, die Polynesier, dann wanderten Asiaten und Neger ein. Um 1920 war es so, daß von der gesamten hawaiischen Urbevölkerung noch 3% reine Polynesier übriggeblieben waren, 13% waren Mischlinge und der Rest waren Asiaten und Neger. Und heute gibt es keinen einzigen reinen Hawaianer mehr. Innerhalb von 150 Jahren hat sich die Bevölkerung eines Landes völlig umgewandelt und umgeschichtet. Angesichts der rapiden Zunahme, die wir hier durch die Einwanderung haben und dem riesigen Geburtenwachstum in der Dritten Welt, wird es das auch bei uns geben. Auch wir werden letztendlich die Bevölkerung total umgeschichtet sehen. Aber das ist unser Land, das ist unser Volk, wir haben es für unsere Kinder und unsere Nachkommen aufgebaut und nicht für diejenigen, die aus der ganzen Welt hierherkommen, um hier ihren Vorteil zu suchen.

Roper: Ich finde Ihre These recht interessant und ich kann einige Punkte vielleicht einsehen. Sie haben aber die Geschichte nicht ganz verfolgt. Ich sehe auch, daß Deutschland seit jeher kein homogenes Land gewesen ist. Es gibt kein Deutschland in dem Sinne, als eine Rasse, es gibt keine *deutsche Rasse*. Es gibt auch keine afrikanische Rasse, sondern es gibt eine Menge von verschiedenen Völkern, die in diesem Gebiet leben. Die Geschichte Deutschlands, um hier anzuknüpfen, hat Einflüsse von verschiedenen Völkern erlebt. Sie können nicht von einem deutschen Volk reden, wenn Sie nicht gleichzeitig berücksichtigen, daß auch dieses deutsche Volk sich über die Jahrhunderte aus verschiedenen Wanderungen zusammengesetzt hat. Auch Europa wurde erst bewandert - und wird stets bewandert werden; ob wir von den Franzosen oder von den Polen reden, die damals wegen des Bergbaus im Ruhrgebiet waren, oder den Religionsverfolgten, wie die Calvinisten, die in den folgenden Jahrhunderten hier hereingekommen sind.

NF: Es ist sicherlich richtig, daß die Deutschen keine einheitliche Rasse bilden. Es gibt in Deutschland verschiedene Rassen, die aber sehr eng miteinander verwandt sind. Es macht eben schon einen Unterschied, ob man jetzt die verschiedenen Rassen innerhalb Deutschlands betrachtet, ob man beispielsweise Nachbarvölker sieht, die Calvinisten aus Frankreich oder die Polen, die ins Ruhrgebiet eingewandert sind, oder ob wir jetzt die Völker betrachten, die nun zunehmend einwandern, eben aus Afrika, Asien, dem gesamten Mittelmeergebiet, etc. Das sind Wanderungen, die hat es früher in den deutschen Bereich nicht gegeben.

Es hat Versuche gegeben, diesen Bereich zu erobern. Die Türken waren vor 300 Jahren vor Wien, die Hunnen haben versucht, diesen Raum zu erobern. Was in den letzten Jahrtausenden nie gewaltsam gelungen ist, wird jetzt also auf friedlichem Wege vorgenommen, es wird eine Landnahme hier durchgeführt. Dieses Gebiet, was schließlich unserem Volk gehört, wird von anderen Menschen besiedelt. Ich bin grundsätzlich der Auffassung, daß jedes Volk ein Recht auf sein Land hat.

Ich bin gegen Kolonialismus. Ich habe Verständnis dafür gehabt, daß Rhodesien die weiße Herrschaft abgeschüttelt hat. Das war berechtigt, weil dort Weiße hingegangen sind in ein Land, was ihnen nicht gehörte, wo sie nicht entstanden sind, wo sie nicht gewachsen sind. Ich bin aber genauso dagegen, daß nunmehr jetzt Afrikaner hierherkommen und dieses Land besiedeln.

Roper: Die These, daß ein Volk das Recht darauf hat, einen Teil der Erde sein Gebiet zu nennen und dieses zu kultivieren und für seine Nachkommen zu bewahren, halte ich für reell. Da sehe ich keinen Grund, irgendwie einen Ansatz dagegen zu finden.

Wir haben sehr viele Deutsche empfangen in unseren Ländern, die nicht zurecht gekommen sind mit der Gesellschaft oder gar andere Weiten gesucht haben. Die Tatsache, daß wir sie angenommen haben, ohne diesen Widerstand, heißt, daß wir etwas offener sind, und es heißt auch, daß Menschen verschiedener Kulturen und Herkunft zusammen leben können. Die Aussage, daß die Deutschen nach Ihrer Sicht das Recht auf eine eigene Kultur haben, finde ich okay. Es gibt sehr viele Errungenschaften, die sehr positiv sind für die gesamte Weltgesellschaft, die aus Deutschland kommen, aber andererseits habe ich auch nicht die Angst oder die Befürchtung, daß die deutsche Kultur untergehen könnte. Ich denke, die Kultur erweitert sich in dem Moment, wo Sie gerade zwei Tassen Tee da vor sich stehen haben. Diese Kultur hat sich dadurch bereichert, daß Einflüsse aus anderen Kulturen hierhergekommen sind. Sind Sie in Ihren ganzen Wohlstandsmerkmalen nicht schon multikulturell? Als Person, als Mensch? Beziehen wir uns auf den Menschen, und nicht auf ein Konglomerat, das nicht homogen ist.

NF: Die Rassen sind ja keine Spielerei der Natur. Daß Sie eine schwarze Haut haben, ist kein Zufall, sondern hängt ganz einfach damit zusammen, daß Ihre Vorfahren in einem Gebiet gelebt haben, das eine starke Sonneneinstrahlung hatte. Gegen diese starke Sonneneinstrahlung mußte eine stärkere Pigmentbildung vorhanden sein, damit die Haut nicht verbrennt. Die Weißen können in den Tropen nur mit Sonnenschutzmitteln leben, Sie können in den Tropen ohne Sonnenschutzmittel leben. Andererseits ist es so, daß Sie hier Schwierigkeiten haben, Vitamin D zu bilden, weil Ihre Haut zu viel ultraviolettes Licht wegfiltert. Das ist die große Gefahr bei Türkenkindern: schon ein Drittel der türkischen Kinder hier wird rachitisch, wenn sie nicht mit Vitamin D zusätzlich versorgt werden, und bei Afrikanern wird es noch viel stärker sein. Wenn die kein zusätzliches Vitamin D bekommen, dann würden sie in diesem Bereich überhaupt nicht lebensfähig sein. Es ist kein Zufall, daß die einen eine dunkle Haut und die anderen eine helle Haut haben. Das hängt mit den klimatischen Bedingungen der Räume zusammen, wo ihre Vorfahren jeweils entstanden sind.

Für verschiedene Rassen gibt es verschiedene optimal angepaßte Lebensräume. Es ist nicht sinnvoll, daß die ganze Welt durcheinander wandert und die Rassen in Räume geraten, denen sie eigentlich biologisch nicht angepaßt sind. Und damit komme ich auf einen weiteren Punkt, nämlich die Gefahr einer Rassenvermischung. Eben weil die Rassen durch Jahrzehntausende hindurch und sogar, soweit es die Großrassen betrifft, durch Jahrhunderttausende eine unterschiedliche Entwicklungslinie haben, ist es problematisch, daß sie sich mischen. Die Mischlinge sind weder dem einen noch dem anderen Bereich gut angepaßt. Es sind biologische Untersuchungen da, die zeigen, daß es zu erhöhter Krankheitsanfälligkeit, also z.B. Krebs, Lungentuberkolose, Hüftgelenksluxation und ähnlichen Dingen kommt, wenn man Rassen mischt. Die Schizophrenierate ist erhöht, Geisteskrankheiten treten vermehrt auf. Das alles sind Konsequenzen, wenn man die multikulturelle Gesellschaft schafft. Wenn Menschen verschiedener Rassen zusammenleben, dann mischen sie sich. Diese Mischungen sind biologisch schädlich, deswegen lehnen wir sie ab. Nicht deswegen, weil wir sagen, der eine ist minderwertiger als der andere, der eine ist höherwertiger als der andere, sondern weil die Mischung für jede Rasse schlecht ist. Multikulturelle Gesellschaft bedeutet Mischung, - und Mischung bedeutet Untergang letztendlich jeder Kultur.

Del Pozo: Ich möchte an sich gar nicht eingehen auf Ihre rassistische Position. Ihre Äußerungen, die sprechen für sich. Sie beweisen Ihr Verständnis für andere Kulturen. Die Realität ist aber anders. Auch Deutsche leben in Kanada, in Spanien, in Amerika...

NF: Wenn Deutsche in Kanada leben, dann liegt das daran, daß die kanadische Regierung gesagt hat, wir sind ein Einwandererland und es darf eine Quote von soundsoviel Deutschen jedes Jahr hereinkommen. Die haben auch nicht jeden Deutschen genommen, sie haben nur Deutsche genommen, die ein bestimmtes Vermögen hatten, und zwar ein sehr hohes Vermögen, die einen Beruf hatten, der dort gebraucht wurde.

Del Pozo: Dort haben sich auch Rassen vermischt, und ich glaube nicht, daß dort dadurch Krankheiten entstanden sind. Ich bin selber rassenvermischt, wie Sie sagen, ich habe eine deutsche Frau und zwei Kinder und ich habe noch keine Anzeichen von Krankheiten bemerkt bei meinen Kindern. Die wachsen ganz normal und natürlich auf. Ich sehe diese Unterschiede, die Sie machen, diese rassistischen Unterschiede nicht. Ich möchte hier nicht von Rassen reden, ich rede von Kulturen. Und für mich sind Kulturen immer ein Thema, das sehr ernsthaft ist. Das ist für mich eine Bereicherung, ich lerne gern von anderen Leuten, ich lerne gern von anderen Kulturen.

Roper: Sie haben eine Weltanschauung, nicht rassistisch vielleicht, eher ziemlich menschenfremd, nicht als Vorwurf, sondern eher vielleicht, damit wir uns durch das Gespräch gegenseitig bereichern. Die biologischen Erkenntnisse, die Sie hier geäußert haben, stimmen nicht hundertprozentig. Da ich hier lebe, müßte ich an sich nach 15 Jahren krepiert sein, aus Mangel an Vitamin D.

NF: Herr Pozo hat gesagt, seine Kinder sind nicht krank und Sie sagen, Sie haben keine Schwierigkeiten mit der Vitamin D-Versorgung. Gegen viele

Dinge gibt es Hilfsmittel. Wir werden zum Prothesenmenschen. Wir werden durch Vitamin D - Gaben und ähnliche Dinge natürlich unterstützt und es ist ein Unterschied, ob ein junger Mensch Vitamin D nicht bekommt oder jemand schon voll ausgewachsen ist. In Sachen Krankheitsanfälligkeit ist es so, daß nicht jedes rassengemischte Kind krank ist, die Krankheitshäufigkeit ist einfach höher. Beispielsweise Schizophrenie ist um ein 4-5 faches höher bei rassengemischten Kindern als bei anderen Kindern. Das bedeutet aber nicht, daß jedes rassengemischte Kind jetzt schizophren ist. Das wäre eben dummes Zeug. Das ist einfach eine Frage der prozentualen Verteilung. Dazu kommt, daß im Regelfall nicht die erste Generation die Schwierigkeiten bringt, sondern, das weiß derjenige, der die Mendelschen Gesetze kennt, die F2-Generation, d.h. die Generation, bei der die Aufspaltung der Erbanlagen stattfindet. Die erste Generation ist relativ einheitlich, und man setzt beispielswiese auch in der Tierzucht bevorzugt die erste Generation ein. Die erste Generation ist sogar oftmals besser noch als die Ausgangsrassen, sie ist schnellwüchsiger, kräftiger oftmals, die Tiere setzen mehr Fleisch an. Aber die Briten sagen dann: cross and kill. Sie werden nicht zur Fortpflanzung gebracht, sondern werden getötet, denn die nachfolgende Generation ist schlechter als die beiden Ausgangsrassen. Deswegen muß man ganz stark unterscheiden und die Enkel betrachten, wenn man auf die Gefahr der Rassenmischung eingeht. Da gibt es eine ganze Reihe von Untersuchungen, die diese Schwierigkeiten aufzeigen.

Jose del Pozo

Del Pozo: Sich auszugrenzen von anderen Menschen, das ist für mich, - also, ich kann das gar nicht nachvollziehen. Ich lebe jetzt dreißig Jahre hier in der Bundesrepublik, ich habe jede Menge Kontakte gehabt mit vielen Kulturen, mit vielen Menschen.

Das jetzt in Rassen zu trennen, in biologische Konzepte, das klingt für mich, ich muß es offen sagen, wie faschistische Ideale. Und die will heute und im Jahr 2000 keiner mehr haben, bis auf Randgruppen, die das völkische Gedankengut wieder in die Gesellschaft einfließen lassen wollen. Aber die Realität ist Gott sei Dank anders.

Es gibt Fremdenhaß, es gibt Ausländerfeindlichkeit, aber man muß einerseits trennen zwischen Menschen, die unbewußt oder auch bewußt keinen Kontakt gefunden haben zu diesen Nationalitäten und andererseits eben auch Organisationen, wie Ihre zum Beispiel, die regelrecht Kampagnen durchführen und die Menschen praktisch in eine Ecke drängen, die beleidigend ist, die diskriminierend ist und die faschistisch ist.

NF: Ich ziehe mir nicht den Schuh an, daß das rassistische Positionen sind, daß das faschistische Ideale sind, daß irgendwer in irgendwelche Ecken gedrängt wird. Das bringt doch nicht allzu viel in dieser Diskussion, wenn wir gegenseitig Vorwürfe machen wollen.

Wir sollten vielleicht gleich noch mal versuchen zu definieren, was Rassismus überhaupt ist. Das ist immer ein Totschlagswort, Faschismus, völkisches Gedankengut, Rassismus. Viele, wenn sie das hören, halten sofort den Mund und hören auf zu denken. Ich höre da nicht auf zu denken und ich bin der Meinung, man sollte es tatsächlich einmal definieren. Rassismus bedeutet für mich Rassenhaß. Bedeutet: ich werte einen anderen allein deswegen ab, ich bekämpfe einen anderen, verachte einen anderen, hasse einen anderen nur deswegen, weil er einer anderen Rasse angehört oder aber, wenn wir jetzt den Kolonialismus sehen, ich beherrsche einen anderen, beute einen anderen aus, weil er einer anderen Rasse angehört. Das ist für mich Rassismus. Rassismus ist für mich nicht, wenn ich darauf bestehe, daß mein eigenes Land von meinen eigenen Landsleuten besiedelt bleibt, wenn ich also meinen eigenen Bereich hier verteidige.

Roper: Interessant der Name, den wir haben: SOS - Rassismus. Hilfe, Hilfe gegen den Rassismus. Manchmal bin ich etwas verblüfft über die Ansätze, die Sie geäußert haben, angefangen bei der Biologie. Biologie war nicht meine Stärke, ich bin ein einfacher Techniker.

Wenn ich mit einer Person irgendwie eine Beziehung aufbaue, sehe ich nicht seine oder ihre Hautfarbe, ich sehe seinen oder ihren Charakter, ich sehe ob ich mit ihr zusammenpasse. Ich jage nicht danach, um mit einer Person wegen ihrer Rasse zu kopulieren. Wo käme ich denn da hin?

Ich finde es ganz interessant dieses Gespräch, ich finde es auch sehr positiv, daß Sie sich mit uns unterhalten, die wir ja klar eine ganz andere Auffassung haben von Menschlichkeit oder gar eine ganz andere Weltanschauung, die nicht auf angeblichen territorialen, geschichtlichen Grundlagen basiert. Was ist Rassismus? Für mich ist Rassismus die Tatsache, daß Sie mich, meine Hautfarbe hervorheben, um zu sagen, Du hast diese Rechte oder

Du hast diese Rechte nicht. Ich finde, wenn ich hier lebe, wenn ich die gleiche Belastung habe wie Sie, und auch noch die gleichen Verpflichtungen wie Sie, warum soll ich dann nicht auch die gleichen Rechte haben? Für mich ist das ein Ausdruck von Rassismus.

Weiß ist eine Farbe, die es nicht gibt. Als Mensch sind Sie nicht weiß. Sie haben eine Farbe. Rassismus ist für mich ein aufoktroyierter Begriff, der nur dazu dient, die eigenen Ängste durch irgendwelche Merkmale, die anders sind, zu begründen und dadurch auch noch andere Menschen zu unterdrükken.

NF: Wenn hier kritisiert wurde, daß ich von Negern gesprochen habe, dann ist das so, daß ich eben nicht nur die Afrikaner meine, wenn ich sage, ich möchte Angehörige fremder Rassen hier nicht haben, sondern genauso beispielsweise schwarze US-amerikanische Soldaten. Die sind für mich eben als solche auch nicht akzeptabel hier, weil ich ein von einem Rassenbewußtsein ausgehendes Denken habe. Die gehören hier nicht her, ob sie nun aus Afrika oder aus Amerika kommen. Das hat auch nichts mit eigenen Ängsten zu tun.

Jeder, der irgendwo lebt, hat nicht automatisch gleiche Rechte. Jedes Land, jedes Volk der Erde behandelt die eigenen Staatsbürger und diejenigen, die dort aufgewachsen sind, anders als diejenigen, die nicht dazugehören. Das ist in Afrika und in Asien genauso wie in Europa. Und man kann nicht hierherkommen und sagen, ich fordere, ganz einfach weil ich hier lebe und arbeite, die gleichen Rechte, die es für diejenigen gibt, die hier schon immer gelebt haben.

Roper: Auch Deutschland war nicht Deutschland bis, Sie wissen ja wann Deutschland gegründet worden ist. Es gab nicht die Deutschen, es gab mehrere verschiedene Länder in Deutschland, auf dem Gebiet der heutigen Bundesrepublik. Wieso ist es dazu gekommen, daß diese Menschen bereit waren, mit anderen zu leben? Genauso soll es dazu kommen, daß wir als Menschen uns auf einen Punkt beziehen, wo wir miteinander und nicht gegeneinander handeln.

NF: Deutschland ist ja nun nicht erst seit dem letzten Jahr Deutschland. Deutschland ist vor über 1000 Jahren als Reich schon entstanden. Es ist also sehr viel älter. Deutsche als solche hat es immer gegeben. Der Unterschied deutsch - französisch zieht sich über 1200 Jahre durch die deutsche Geschichte hindurch und läßt sich immer wieder belegen. Deutsch - slawisch, deutsch - welsch, da empfand man sich früher schon immer als eine Einheit und hat als solches sich auch gemeinsam gefühlt, gemeinsam reagiert. Das läßt sich in der deutschen Kultur durchaus darstellen. Deutschland ist also nicht eine Sache, die nun vielleicht mit Bismarcks Reich angefangen hätte.

Wir haben aber durch die Verschärfung der wirtschaftlichen Situation einerseits und durch die verstärkte Zuwanderung von außen andererseits eine

Entwicklung in der Bundesrepublik, die die Ausländerproblematik immer stärker ins Bewußtsein rückt. Der Ausländerhaß wird dadurch stärker. Ausländerhaß kommt ganz unvermeidbar mit einem verstärkten Zustrom von Ausländern. Man kann dagegen Appelle machen, man kann eine Organisation wie SOS-Rassismus gründen und kann sagen, wir wollen jetzt den Ausländerhaß bekämpfen. Das ist utopisch. Man kann den Ausländerhaß nur bekämpfen, wenn man eine reinliche Trennung und Scheidung der Rassen herbeiführt. Wenn Sie vor 60 Jahren die Meinung der Deutschen über die Türken erfragt hätten, hätten 95% der Deutschen gesagt, die Türken sind prima. Und wenn Sie heute fragen, sagen vielleicht 70%, wir mögen die Türken nicht. Jetzt wo Millionen Türken hier sind, da gibt es die Spannungen, da gibt es die Auseinandersetzungen, da gibt es Haß. Den hat es vorher nicht gegeben. Die Einwanderung der Türken hier in diesen Bereich hat zu einer Belastung und zu vermehrtem Rassenhaß und Völkerhaß geführt. Und wenn man das bekämpfen will, dann muß man eben die Wanderungsbewegungen bekämpfen.

Roper: In Wirklichkeit interessiert mich nicht, was die Vergangenheit, was Geschichte, was die Besetzung von Territorien angeht, sondern es interessiert mich eher die Zukunft dieser Erde. Ich sehe Tag für Tag, daß die Verflechtungen der Länder untereinander immer komplizierter werden. Ich sehe auch noch die Abhängigkeiten, die ein Land in Europa gegenüber einem Land in Afrika hat.

Wenn Sie aber von einer geschlossenen deutschen Gesellschaft reden, müssen Sie auch von einer Gesellschaft reden, die für sich selbst besteht und sich selber genügt, daß sämtliche Bedürfnisse aller Menschen dieser Gesellschaft von den Menschen dieser Gesellschaft und von der Erde dieser Gesellschaft, also von den eigenen Ressourcen, vollkommen gedeckt werden können und daß sie nicht über ihre Grenzen hinausschauen, um etwas, sei es eine Nadel, in Anspruch zu nehmen. Auf diese Nadel hätten Sie demnach nicht die Berechtigung, da es keine deutsche Nadel wäre. Nun, Metall, Nadel, das ist vielleicht etwas abwegig, das könnten sie produzieren, aber wie steht es mit Nahrung? Offensichtlich gibt es aber nicht ausreichend Nahrung, die hier produziert wird, daß so ein extremer Import aus anderen Ländern gerechtfertigt ist. Sie haben auch ein Bedürfnis nach Energie. Die Wälder, reichen die für alle Zeiten, reichen Holzkohle oder Bergbau, um den Bedarf zu decken? Wenn so, warum verwenden sie dann Öl? Öl kommt nicht aus Deutschland.

Die ganzen wirtschaftlichen Verflechtungen jedes Landes sind stärker geworden, somit die Entfernungen kürzer und somit auch die Abhängigkeiten stärker. Was bedeutet das, wenn Deutschland sich abschottet, oder gar Europa? Soll die Maxime sein, eine Gesellschaft aufzubauen, die zwar von anderen hereinnimmt, aber nichts herausgibt? Nein, das wäre ein schiefes

Verhältnis, das funktioniert nie. Soll es eine Gesellschaft sein, die, wenn sie Arbeit braucht, Arbeitskräfte nach Bedarf hereinholt und den Menschen, der hinter dieser Kraft steckt, vergißt?

NF: Ich bin durchaus für Warenaustausch. Ich bin dafür, daß wir Güter kaufen und daß andere Völker unsere Güter kaufen, so sie das wünschen. Ich sage nicht, wir sollen uns gegen die Waren abschotten. Waren sind aber Sachen. Menschen zu verschieben in einem großen Umfang, Menschen zu entwurzeln, Menschen heimatlos zu machen und zu glauben, diese würden jetzt irgendwo eine neue Heimat finden können, das halte ich für absurd. Und das ist eben der Unterschied: Menschen sind nicht gleichzusetzen mit irgendwelchen Gütern. Waren kann man verschieben, die kann man von einem Land ins andere Land schicken, aber Menschen sollten in dem Bereich bleiben, wo sie eben angestammt herkommen und hingehören.

Ich bin nicht der Auffassung, daß wir Verpflichtungen hätten zur Hilfe, und ich meine auch, das wirkt letztendlich nur schädlich. Es würde ein Lebensstil, der hier produziert worden ist, in irgendwelche fremden Länder hineinverpflanzt und dann dort sehr viel Unheil anrichten. Wenn die Entwicklungsländer für ihre Rohstoffe so wenig Geld bekommen, dann liegt das an dem Gesetz von Angebot und Nachfrage. Die arabischen Länder haben es richtig gemacht, die haben die OPEC gegründet und den Ölpreis festgesetzt. Von allein passiert das aber nicht. Für die Versäumnisse der Entwicklungsländer jetzt die Industrievölker verantwortlich zu machen und zu sagen, ihr seid die ganz Bösen, weil ihr euch eure Rohstoffe so billig einkauft, das ist nach meiner Meinung eine verkehrte Sache. Da wird wiederum mit Moralismus und mit dem Totschlaghammer Rassismus-Faschismus-Ausbeutung-Kolonialismus gearbeitet, der da nicht passend ist. Wenn die deutsche optische Industrie kaputtgeht, weil die Japaner beispielsweise bessere Ferngläser bauen, dann kann ich auch nicht von Rassismus reden.

Roper: Die Zukunft. Es gibt zwei Szenarien, die möglich sind. Einmal, so wie ich vorhin gesagt habe, ein Szenario wo jeder zufrieden ist, jeder sein Auskommen hat. Dann sage ich, im Grunde genommen ist kein Bedürfnis da für Wanderungen. Eine Wanderung entsteht nicht aus dem Willen, daß ich Deutschland betreten will. Wanderung entsteht einmal dadurch, daß eine ungerechte Verteilung existiert, die nicht von unseren Ländern hervorgerufen ist. Eine Wanderung entsteht gerade durch diese Geschichte, die auch aus dem Norden kommt. Die Ursachen davon kommen aus dem Norden. Nun, wir haben den Schlamassel, wie soll die Zukunft aussehen? Wir können nicht verlangen, daß in zehn, fünfzehn Jahren die gesamte Umverteilung so geschieht, daß keiner mehr das Bedürfnis hat, zu wandern.

Wandern? Ich verlasse nicht meine Freunde, meine Familie aus dem einfachen Grund, weil sie mir auf den Geist gehen. Das ist vielleicht ein Grund, den Sie ansehen wollen. Welche Türken kamen her? Nicht der Türke, der zufrieden und wohlauf war. Der Türke, der hierher kam, war eigentlich der, der seine Existenz nicht anders sichern konnte. Glauben Sie, daß ein Türke, der die gleiche Arbeit, das gleiche Auskommen in der Türkei hat, einen Anreiz verspürt, nach Deutschland zu kommen? Um etwas mehr Geld zu verdienen? Nein, das ist doch nicht Grund genug. Die Vorstellung heißt nicht, Wandern aus Wohlstand, sondern Wandern, weil ich das brauche für meine Seele.

Zweites Szenario: Anstelle von Wohlstandsverteilung geben wir dieser multikulturellen Gesellschaft eine Chance. Ich glaube, in beiden Fällen hätten wir die Möglichkeit, in Frieden miteinander zu koexistieren. Ich glaube, Sie wollen Frieden. Die zweite Möglichkeit heißt, daß wir die Toleranz aufbringen, die an sich für die gesamte Weltbevölkerung notwendig ist.

NF: Die Forderung nach einer multikulturellen Gesellschaft finde ich an sich schon eine Zumutung gegenüber den Deutschen. Sie sagen zwar, Sie wollen uns unsere Identität nicht nehmen, und das glaube ich Ihnen auch, aber die Folge ist doch trotzdem, daß Sie uns die Identität nehmen. In dem Moment, wo wir eine multikulturelle Gesellschaft haben, haben wir eben keine deutsche Gesellschaft mehr. Dann haben wir eine Gesellschaft, die gesprenkelt ist aus afrikanischer Gesellschaft, aus spanischer Gesellschaft, aus türkischer Gesellschaft, und was auch immer. Und dann ist es eben keine deutsche mehr.

Ich möchte gerne verhindern, daß irgendwo vielleicht noch mal ein Reservat oder ein Naturpark gemacht wird, ja und da können wir unsere Kultur machen, wie jetzt die Indianer in Nordamerika. Die haben ihre Reservate und da haben sie ihre Kultur. Und einstmals gehörte ihnen das ganze Land und einstmals war eine indianische Kultur auf dem ganzen nordamerikanischen Kontinent. Und was ist durch die Einwanderung daraus geworden? Wir sehen es ja heute. Ich möchte vermeiden, daß wir zu Indianern in unserem eigenen Lande werden.

Roper: Es ist wirklich interessant, ich lerne immer dazu. Ich wußte nicht zum einen, daß die Kultur der Indianer durch die Einwanderung vernichtet wurde. Das war keine Einwanderung. Ich unterscheide zwischen Einwanderung und gewaltsamen Eindringen. Gewaltsames Eindringen geschieht mit Waffen, um Herr des Landes werden. Eine Einwanderung, die wir eher bevorzugen, ist eine Einwanderung, die durch die natürlichen menschlichen Bewegungen zustandekommt.

NF: Wir leben hier in einem Land, das zwar keiner kriegerischen Invasion, aber einer friedlichen Invasion unterliegt. Es ist völlig egal, ob jetzt 4 Millionen Ausländer mit Gewalt und Krieg hereinkommen und sich niederlassen oder ob 4 Millionen Ausländer hereinkommen mit Touristenbussen und dann in irgendwelchen Ausländerghettos untertauchen. Vom Effekt her ist es genau dasselbe. Sie nehmen ein Stück Land dieser Erde in Anspruch, was ursprünglich gesehen nicht ihre Heimat und die Heimat ihrer Vorfahren war und nehmen diese Heimat einem anderen Volk weg.

Ich bin gegen solche Wanderungen, jedenfalls dann, wenn die Bevölkerungsmehrheit dies nicht will. Alle Umfragen in der deutschen Bevölkerung haben ergeben, und zwar mit einer Mehrheit von ca.70%, daß die Deutschen eben keine *Bereicherung*, wie Sie es sagen, wollen. 70% der Deutschen wollen - stabil seit 1960 - die Ausländer aus Deutschland heraushaben. Die Regierung hat den Volkswillen nie respektiert in dieser Sache. Ich bin aber der Meinung, der Wille des Volkes sollte da entscheiden. Wenn jemand erwünscht ist, dann ja, aber wenn die Bevölkerung, und so ist es nun mal bei unserer Bevölkerung, und ich meine, so ist es auch zu recht, eine Einwanderung anderer Rassen und Völker nicht wünscht, dann sollte man diesen Wunsch der Bevölkerung respektieren. Dafür leben wir in einer Demokratie.

Roper: Wenn Sie sagen, die Politiker haben gegen den Willen der Bevölkerung gehandelt, dann ist das auch wiederum ein bißchen an der Tatsache vorbeigeraten. Ich sage *ein bißchen* höflicherweise. Die Politiker, wenn sie von der Bevölkerung gewählt werden und sie nicht das tun, was die Bevölkerung will, wieso können sie sich an der Macht halten? Wieso ist nicht die Nationalistische Front oder irgendeine andere Partei, die Ihre Ansätze vertritt, an der Regierung, wenn 70% der Bevölkerung der Meinung sind, daß die Ausländer zu gehen haben? Heißt es, daß die Wählerschaft nicht mündig genug ist, um zu entscheiden oder gar ihren Willen durchzusetzen? Nein, ich denke nicht, daß der Deutsche so schwach ist. Der Deutsche weiß als Mensch, was für ihn gut ist.

NF: Die Motive, warum man eine Partei wählt, sind ja vielfältige und die wichtigsten Motive sind im Regelfall, das kann man immer wieder sehen, die wirtschaftliche Entwicklung. Wenn es den Leuten wirtschaftlich einigermaßen gut geht, wählen sie die Regierungspartei. Und es spielen andere Dinge noch eine Rolle, vielleicht innere Sicherheit etc. Das Ausländerproblem als solches hat bis heute nicht den entscheidenden Stellenwert bei den Wahlen gehabt. Deswegen haben die Deutschen eben, obwohl sie zur Ausländerfrage diese Meinung hatten, nicht eine Partei gewählt, die zur Ausländerfrage unseren Standpunkt vertreten hat.

Del Pozo: Tatsache ist, daß die Bundesrepublik ein Einwanderungsland geworden ist. Es leben 4,5 Millionen Menschen hier, es werden in der nächsten Zeit durch den Abbau der Grenzen noch mehr Zuwanderer kommen, es werden Flüchtlinge kommen. Wobei wir auch diskutieren müssen, wo diese Flüchtlingswellen entstehen und warum sie entstehen. Wir sollten auch die Ausbeutung der Dritten Welt endlich stoppen und Rahmenbedingungen schaffen, die es diesen Ländern ermöglicht, ihre eigene Identität zu finden, ihre eigene Kultur, ihre eigene Lebensauffassung und ihre eigene Wirtschaft aufzubauen.

Jetzt ist die Bundesrepublik nun de facto ein großes deutsches Land geworden und innerhalb der eigenen Kultur, wie Sie es gern immer sagen, gibt es ja auch schon Diskriminierungen, gibt es Rassismus gegenüber den eigenen Landsleuten in den neuen Bundesländern. Das ist in Deutschland anscheinend irgendwie sehr stark ausgeprägt.

Wir können nicht mehr mit einem Ausländergesetz leben, es muß ein Einwanderungsgesetz her, das die Zuwanderung in die Bundesrepublik regelt. Ich bin also dafür, wir reden in Zukunft von einem Einwanderungsgesetz, davon, daß wir eine geregelte Quotierung machen. Es muß dabei gewährleistet sein, daß der soziale Bereich abgedeckt ist und das die Diskussion im europäischen Rahmen stattfindet. Wir können nicht sagen, wir machen vor den Toren Europas zu, weil das einfach nicht der Realität entspricht. Es werden immer Zuwanderer kommen, sei es geregelt oder sei es ungeregelt, aber es ist besser für alle, auch für uns selber, daß wir eine geregelte Einwanderung haben, daß wir nicht nur restriktive Gesetze haben, sondern auch Gesetze, die uns hier in diesem Land die Möglichkeiten geben, uns zu artikulieren, uns als eigene Kultur einzubringen, ohne daß wir jemandem etwas wegnehmen wollen. Wir wollen den Deutschen nicht ihre eigene Identität wegnehmen, im Gegenteil. Aber man kann das nicht abschotten, indem man sagt, wir machen eine radikale Rassentrennungspolitik, wie Sie von der Nationalistischen Front es geäußert haben...

NF: Gibt es eine spanische Kultur nach Ihrer Auffassung?

Del Pozo: Selbstverständlich gibt es sie.

NF: Gibt es eine deutsche Kultur?

Del Pozo: Ich leugne die ja gar nicht.

NF: Gut, gibt es eine amerikanische Kultur?

Del Pozo: Ja, aber sie kann auch ...

NF: Nein, eine amerikanische gibt es nicht. Die Amerikaner haben keine Kultur. Coca-Cola - ist das Kultur?

Del Pozo: Naja, gut, das ist Ihre Einstellung. Ich halte nichts davon, die Kultur mit dem Begriff Coca-Cola zu identifizieren - das ist für mich schon eine Beleidigung. Ich sehe nicht die Kultur in der Coca-Cola.

NF: Es gibt in Spanien eine Kultur, es gibt in Deutschland eine Kultur, es gibt keine Kultur in Amerika, weil die Amerikaner nie zu einer Einheit zusammengewachsen sind. Sie fühlen sich auch nicht als eine Einheit. Die Polen dort fühlen sich noch in der dritten Generation als Polen, die Mexikaner fühlen sich als Mexikaner und nicht als Gringos. Deswegen gibt es kein einheitliches Amerika und keine amerikanische Kultur.

Del Pozo: Keiner will Ihnen das streitig machen.

NF: Es gibt dort aber nicht eine multikulturelle Gesellschaft, sondern es gibt ein Kulturchaos. Und dasselbe wird bei uns entstehen. Es wird keine multikulturelle Gesellschaft entstehen, sondern ein Kulturchaos. Und es wird nicht nur ein Kulturchaos entstehen, sondern es wird letztendlich ein Verfall auch der Wirtschaft entstehen.

Del Pozo: Wenn Sie solche Rassentrennung betreiben, wie Sie vorhin gesagt haben, dann erinnert mich das an die Rassentrennungspolitik der Faschisten früher und ein Beispiel dafür will ich Ihnen gleich nennen. Dort wurde auch Rassentrennungspolitik betrieben und biologische Merkmale untersucht, z.B. bei Sinti und Roma, und es wurden 500.000 Menschen praktisch hingerichtet, weil sie nicht mit den arischen Prinzipien dieser Kultur in Einklang waren, nicht angepaßt waren, andere Hautfarben hatten und eine andere Art der Denkweise. Aber Sie haben uns auch vorhin, und das hat mich sehr gestört, Sie haben Vergleiche gezogen zwischen menschlichen Rassen und tierischen Rassen in der Tierzucht. Das ist ein sehr starker Vergleich und das zeugt davon, wie sehr sich Ihre Gedanken in der Biologie und in der Rassentrennungspolitik verankert, verfestigt haben.

Ich habe sehr vieles hier gelernt von den Deutschen, so denke ich auch, daß die Deutschen auch von mir gelernt haben. Nur mit dem Miteinander kann man dieses Land weiter aufbauen und es geht nicht mehr an, daß wir uns abschotten. Ich bin für eine klare Einwanderungspolitik, und das Ausländergesetz muß endlich weg vom Tisch, es muß ein Einwanderungsgesetz in Deutschland her. Und dann bin ich für eine geregelte Einwanderung.

Meinolf Schönborn

NF: Es wundert mich nicht, daß Sie für eine weitere Einwanderung sind, denn es ist klar: jeder Ausländer, der jetzt zuwandert und jeder Mensch einer fremden Rasse, der jetzt zuwandert, erhöht natürlich die Bedeutung der schon hier ansässigen Ausländer, ihr Gewicht, ihre Forderung nach Teilnahme an den Wahlen, zunächst mal den kommunalen, dann auch denen zum Bundestag. Und das bedeutet, daß jeder Ausländer, der hier ist, ein Interesse daran hat, hier weitere Ausländer nachzuholen. Das Interesse der Deutschen ist aber ein anderes. Wir sind eines der am dichtest besiedelten Länder der Erde. Wir sind zwar faktisch...

Del Pozo: Auch eines der reichsten vor allem.

NF: Eines der reichsten Länder der Erde sind wir auch, aber eines der dichtest besiedelten Länder, und mich interessiert im Augenblick nicht der Reichtum, sondern mich interessiert, daß Bäume abgehackt werden, daß neue Siedlungen gebaut werden, daß Wohncontainer aufgestellt werden, daß zunehmend Straßen und Autobahnen gebaut werden. Wegen unseres großen Reichtums kommen natürlich viele Menschen hierher, aber das führt dazu, daß unsere Lebensqualität als Deutsche letztendlich immer schlechter wird.

Wir sind faktisch ein Einwanderungsland, indem eben hunderttausende Ausländer jedes Jahr hier zuwandern. Wir sind ein viel stärkeres Einwanderungsland als die USA jemals gewesen sind. Nur die Frage ist eben, ob wir das auch juristisch werden sollten. Rechtlich gesehen sind wir bisher nämlich noch kein Einwanderungsland.

Die Mobilität ist da, die Wanderungsbewegungen von Ost nach West, von Süd nach Nord sind da, kann man das überhaupt stoppen? Wenn man eine entsprechende Politik macht, kann man das selbstverständlich stoppen. Wenn man einen Visumszwang einführt und die Grenzen stärker bewachen würde, dann könnte man auch die illegalen Grenzübertritte verhindern, und wenn man dann in den Ausländerghettos, die wir hier ja zum Teil auch schon haben, stärkere Razzien durchführen würden, dann könnte man auch sehr schnell die Illegalen erfassen und abschieben. Wenn man den politischen Willen hat, dann kann man sehr schnell diese Mobilität, diese Wanderungsbewegungen stoppen. Die Frage ist nur, ob man das will oder nicht.

Del Pozo: Das ist ja ein Polizeistaat.

NF: Was heißt Polizeistaat, das klingt immer so furchtbar. Die Polizei muß ja nichts Schlechtes sein. Wenn sie Nationalisten unterdrückt, ist sie was Schlechtes. Aber wenn sie beispielsweise die Grenzen schützt gegen illegale Zuwanderung, ist das nichts Schlechtes.

Warum ist es denn so, daß die Amerikaner ihre Weltmachtstellung verlieren? Weil sie eben eine Vielzahl von Zuwanderungen haben, aus Mexiko, aus Puerto Rico, usw., die letztendlich nur eine Belastung sind für dieses Volk, - Volk ist es ja nicht, für diese Gesellschaft -,die dazu führen, daß ein enormer Teil des Bruttosozialprodukts für Sozialhilfe aufgewendet werden muß. Sie haben nicht mehr die Begabung, ihre eigene Wirtschaft stark zu halten, und genauso wird es uns bei einer Zuwanderung aus der Dritten Welt ergehen.

Roper: New York ist eine Stadt, wo viele Menschen verschiedener Kulturen leben. Sie sagen, daß die Amerikaner keine Kultur haben, weil es die Puertoricaner gibt, die ihre eigene Kultur in Amerika pflegen, die Engländer, die ihre eigene Kultur in Amerika pflegen usw. Sie sagen auch, daß Amerika seine Weltmachtstellung aus dem Grunde im Begriff ist zu verlieren, weil es ein Schmelztiegel geworden ist. Die These, wonach Amerika ein Schmelztiegel geworden ist, ist ein bißchen weit an der Realität vorbei.

Es gibt nicht Schwarze, Puertoricaner, Indianer, Iren, Engländer, Deutsche seit 60 oder 70 Jahren, sondern es gab sie vorher, Jahrhunderte vorher, und die haben trotzdem der USA zu einer Weltmachtstellung verholfen. Die Vorherrschaft der Amerikaner im wirtschaftlichen Sektor gab es spätestens seit dem Ende des Ersten Weltkrieges. Die Frage nach dem Verlust der Weltmachtstellung ist nicht damit zu verbinden, was für Völker dort leben, sondern eher damit, daß die Verflechtungen weitaus größer geworden sind und sie sich übernommen haben. Die Weltmachtstellung kostet. Da werden Sie mir zustimmen.

Es gibt kein Land auf der Welt, in der Geschichte, das eine Weltmachtstellung gehabt und diese bewahrt hat über Jahrhunderte. Die Römer waren in einer Weltmachtstellung, die Spanier, die Engländer, wo stehen die jetzt heute? Ist Deutschland schlechter dran, weil es nie Weltmacht gewesen ist? Die Türkei war auch eine Weltmacht. Hat sie diese Stellung auch heute noch nach so vielen Jahren? Das ist eine natürliche Wandlung in der Geschichte, daß Weltmächte sich ablösen, bis dahin, daß es irgendwann vielleicht keine Weltmächte mehr gibt.

Genscher, der deutsche Außenminister, hat kürzlich gesagt, wir steuern in eine Richtung, wo man nicht mehr von Weltmacht reden sollte, sondern von einer Gesellschaft. *Einer* Gesellschaft hat er gesagt. Vielleicht ist Genscher nicht repräsentativ für die Deutschen, wie Sie sagen, aber in der Tat ist es so, daß wir in die Richtung gehen müssen, um die Zukunft bewältigen zu können. Es zählen nicht mehr die staatlichen Grenzen, die an sich willkürlich gezogen worden sind.

NF: Man kann in vielen Gebieten Amerikas nicht einmal mehr in einen Lebensmittelmarkt reingehen, ohne da schon schußsichere Glasscheiben zu haben. In vielen amerikanischen Schulen ist es so, daß die Lehrer nur noch mit dem Colt in das Klassenzimmer gehen. Das sind die Verhältnisse der multikulturellen Gesellschaft, und das will ich hier für uns verhindern.

Roper: Wenn wir über die Zukunft reden, können wir nicht von Kriminalität in New York reden als ein Merkmal dafür, daß die multikulturelle Gesellschaft gescheitert ist. Kriminalität gibt es immer dort, wo es Wohlstandsunterschiede gibt, wo es auch noch Unterdrückung gibt, wo Sozialisierung nicht existiert in dem Sinne, daß die Gelegenheit, die Möglichkeit zur Sozialisierung nicht gegeben ist. Wenn ich wohlauf bin, wenn ich Wohlstand genieße, warum soll ich dann kriminell werden? Können Sie mir das erklären? Wenn ich wohlauf bin, warum soll ich dann wandern? Dann laßt uns den Wohlstand teilen zu gerechten Preisen, und dann können wir darüber reden, daß es keine Wanderung mehr gibt. Vorher nicht!

NF: Wir werden, wenn wir hier das Ausländerproblem nicht lösen, die selben Verhältnisse haben wie in Amerika, wir werden unseren Wohlstand verlieren, wir werden die Sicherheit verlieren und wir werden hier Rassenkriege bekommen, die ungeahnt sind. Und da täusche man sich nicht: Die Deutschen sind Schafe, die Deutschen lassen sich unheimlich viel gefallen, lassen sich auch von Asylbewerbern Rassismusvorwürfe gefallen. Die Deutschen entschuldigen sich auch noch bei dem Ausländer für die Fremdenfeindlichkeit. Nur man täusche sich nicht. Tacitus hat geschrieben vom furor teutonicus. Churchill hat gesagt, die Deutschen lecken einem entweder die Füße ab oder sie sitzen einem an der Kehle. Noch lecken die Deutschen den Ausländern hier die Füße ab, irgendwann sitzen sie den Ausländern aber an der Kehle. Das sage ich. Ich möchte das nicht, das will ich betonen, aber es wird kommen. Und es wird deswegen kommen, weil die Ausländerzahl hier laufend zunimmt. Dann sitzen die Deutschen den Ausländern an der Kehle und dann passiert mit den Ausländern, was mit Juden und Zigeunern passiert ist. Dann wird man ein furchtbares Geschrei anfangen und wird sagen, das ist ja entsetzlich, das ist ja furchtbar, wie konnte denn das geschehen? Ja, wie konnte es geschehen? Weil man auf uns rumgetrampelt hat, dreißig, vierzig Jahre, weil man uns immer ein schlechtes Gewissen eingeredet hat und weil sich das ein Mensch eine ganze Weile gefallen läßt; aber irgendwann sagt er, jetzt ist Schluß und zieht seinen Colt und schießt!

Zunächst einmal zur Weltmachtstellung der USA. Es hat sicherlich in die USA Einwanderungen gegeben, etwa seit dem 17.Jahrhundert, nur die Einwanderung ist Jahr für Jahr geringer gewesen als die Einwanderung prozentual gesehen nach Deutschland. Das, was wir im Jahr 1989 an Einwanderung hatten, war dreimal so hoch, prozentual gesehen auf die Gesamtbevölkerung, wie die USA 1865 im stärksten Einwanderungsjahr hatten. Bis 1870 wanderten vorwiegend Menschen ein aus germanischen Völkern, Iren, Engländer, Deutsche, Skandinavier, Niederländer. Das war ein in etwa einheitlicher Bevölkerungskern, kann man sagen...

Roper: Das heißt, Sie würden akzeptieren, daß Tschechen, Norweger, Dänen hier einwandern?

NF: Ja, das würde ich akzeptieren.

Roper: Dann ist es eine Rassentrennung.

NF: Ja, richtig, weil ich von einem Rassenstandpunkt ausgehe...

Roper: Das ist Rassismus.

NF: Die Engländer sind im Jahre 450 aus Schleswig-Holstein nach England rübergewandert. Wenn jetzt ein Engländer einwandert, der wandert ja eigentlich nur zurück. Der ganze Norden ist in der Bronzezeit letztlich einmal eine Einheit gewesen, und dann haben sich die Sprachen etwas differenziert. Die Mentalität zwischen einem Deutschen und Schweden ist sehr viel ähnlicher als zwischen einem Deutschen und einem Spanier, da werden Sie mir rechtgeben. Und diese Mentalitätsunterschiede, und auch die kulturellen Unterschiede zwischen Romanen und Germanen, und die Gemeinsamkeiten unter den Germanen, die muß man natürlich auch betrachten. Es ist sicherlich kein Problem, wenn ein Schwede oder ein Niederländer einwandert, weil eben die Ähnlichkeit gegeben ist, und je größer die Entfernung, umso geringer ist die Ähnlichkeit.

Ein Niederländer paßt eher hier herein als ein Tscheche, und ein Tscheche paßt eher hierein als ein Spanier, und ein Spanier paßt eher hierein als ein Mexikaner, ein Mexikaner paßt eher hierein als ein Afrikaner oder Asiate. Das ist der Punkt. Ich gehe also von der Ähnlichkeit aus. Je ähnlicher die Menschen sich sind, desto eher können sie auch gut miteinander harmonieren und problemlos miteinander leben. Und das ist für mich das Kriterium, ob ich bereit bin, einen zu akzeptieren, der hier lebt.

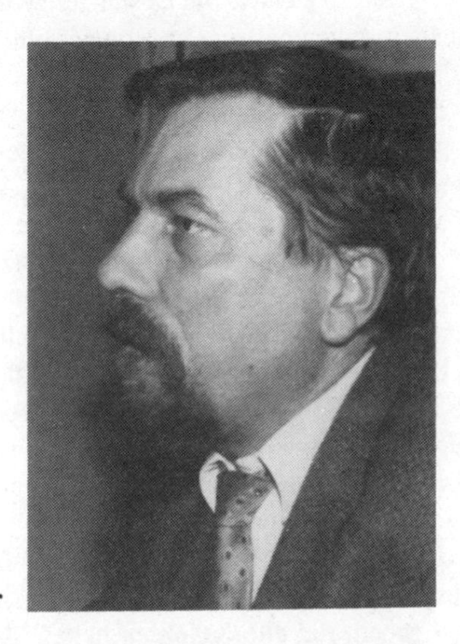

Jürgen Rieger

Um wieder auf die Weltmachtstellung der Amerikaner zu kommen. Die Amerikaner haben 1924 Einwanderungsgesetze gemacht und danach mußten 94% der Einwanderer aus den germanischen Ländern sein. Deutschland hatte ein Kontingent von 60.000 Einwanderern pro Jahr. Wenn aber nur 30.000 Einwanderer aus Deutschland kamen, war es nicht so, daß jetzt 30.000 Slawen kommen konnten. Es durften sogar nur 200 Türken im Jahr einwandern. Das war die Einwanderungsgesetzgebung, die bis 1965 gegolten hat. Anschließend hat sich das total umgeschichtet, und heute haben wir eine ganz andere Einwanderung in die USA. Die Folgen sehen wir eben an dem Verlust der Weltmachtstellung. Es gibt allerdings das Phänomen, und da gebe ich

Ihnen Recht, daß eine Weltmacht einfach über ihre Verhältnisse lebt, zu viele Verpflichtungen hat, ihre Kräfte überdehnt. Bei den Engländern mit ihrem Weltreich ist das der Fall gewesen. Die Spanier haben ihr Weltreich überdehnt, die Türken haben es überdehnt.

Aber wenn man die Römer beispielsweise ansieht, dann haben die nicht ihr Weltreich überdehnt, sondern die Römer sind an der Rassenmischung zugrundegegangen. Man kann anhand der Grabsteine in Rom feststellen, daß im 3. und 4.Jahrhundert 90% der Menschen, die in Rom gelebt haben, nichts mehr mit den Römern unter Cicero, unter Cäsar zu tun hatten. Das war ein Sammelsurium der verschiedensten Völkerschaften. Sie hatten letztendlich nicht mehr die biologische Kraft, sich zu erhalten, weil sie eben im gesamten Mittelmeerbereich ein *grenzen*-loses Weltreich gebildet und dann nachher das römische Bürgerrecht auf alle ausgeteilt hatten. Es waren eben keine Römer mehr gewesen. Sie hatten zwar das römische Bürgerrecht, aber sie sahen nicht so aus wie die Büsten, die wir heute bei uns in der Pinakothek in München stehen haben. Die Römer hatten keine rassistische Gesellschaft - und daran sind sie zugrundegegangen!

Sie haben richtig gesagt, es wird gewandert, weil der Wohlstand hier höher ist als in den Ländern, aus denen ausgewandert wird und dann haben Sie erwähnt, daß das an Ausbeutung läge.

Wir haben nur wenige Jahrzehnte eigene Kolonien gehabt. Togo wollte, als es selbständig wurde, das dreizehnte Bundesland werden. Der damalige togaische Staatspräsident hatte diesen Antrag gestellt, weil man so gute Erinnerungen an die deutsche Kolonialherrschaft gehabt hat. Wir haben nämlich in den Jahrzehnten, in denen wir die Kolonien hatten, nur hineingesteckt, hatten Eisenbahnen und Straßen gebaut. Sicherlich wollten wir auch mal Gewinn rausziehen, aber in den besagten Jahren haben wir nicht ausgebeutet. Und weil wir nichts ausgebeutet haben, sind wir auch nicht verpflichtet, irgendetwas wieder gut zu machen.

Das ist sehr beliebt, die Deutschen immer zur Wiedergutmachung heranzuziehen. Da kann man nach England, in die Niederlande oder nach Spanien gehen, die alle Kolonien hatten, die sie ausbeuteten. Zu uns bitte nicht, wir haben die Kolonien nicht ausgebeutet. Das, was wir an Wohlstand hier geschaffen haben, das haben wir mit eigener Leistung geschaffen. Das haben wir nicht durch Ausbeutung von Afrikanern oder Asiaten geschaffen. Wenn wir von unserem Wohlstand etwas abgeben, ist das freiwillig, aber es besteht kein Anspruch, juristisch sowieso nicht, aber auch kein moralischer Anspruch von irgendjemand darauf zu sagen, der Wohlstand muß geteilt werden.

Die Wanderungsbewegungen haben wenig mit der Armut der Völker zu tun. Afrika war immer arm, Südamerika war immer arm. Das hat etwas damit zu tun, daß sich die Bevölkerung in der Dritten Welt alle 25 Jahre verdoppelt. Und deswegen existiert da kein Raum mehr, und deswegen werden da die Wälder abgeholzt, weil man Feuerholz braucht zum Kochen...

Del Pozo: Wir sind es doch, die das Ozonloch und den Treibhauseffekt mitproduzieren...

NF: Ich rede jetzt nicht vom Ozonloch...

Del Pozo: Schuld am Raubbau der Wälder sind doch die großen Möbel- und Papierindustrien...

NF: In Brasilien wird weniger Wald abgeholzt, als durch Brandrodung entsteht, um Platz zu gewinnen für die Anlage neuer Felder. Wenn sich eine Bevölkerung, die vorher stabil gewesen ist, alle 25 Jahre verdoppelt, dann naht die Katastrophe. In Afrika war ursprünglich die Bevölkerungszahl stabil. Da hat sich die Bevölkerung deswegen nicht vermehrt, weil es keine Medikamente gab. Dann kam der weiße Mann, hat Medikamente gebracht, hat geimpft, hat die Malaria bekämpft und ausgerottet und dadurch...

Del Pozo: Also hat auch der Deutsche Verantwortung zu tragen...

NF: Nein, hat er durchaus nicht...

Del Pozo: Aber Sie haben doch gesagt, der Weiße hätte die Überbevölkerung zu verantworten...

NF: Er hat ausgebeutet, das habe ich doch gesagt. Die Deutschen haben nicht ausgebeutet. Bitte verstehen Sie mich nicht fehl, ich habe gesagt, wir sind hingegangen, um da mal einen Profit daraus zu machen...

Del Pozo: Na also...

NF: Aber in den paar Jahrzehnten, in denen wir da waren, haben wir sie nicht ausgebeutet. Bis zu dem Zeitpunkt, wo wir sie hatten, 1914, haben wir mehr hineingesteckt, als wir herausholten...

Del Pozo: Das stimmt doch einfach nicht.

NF: Das können wir anhand der Aus- und Einfuhrprotokolle, die erhalten geblieben sind, beweisen. Nicht umsonst gibt es in den ehemaligen Kolonien keine Feindschaft gegenüber den Deutschen. In der Regierung von Namibia sitzen drei deutsche Minister. Vermutlich deswegen, weil die Afrikaner dort so schlechte Erinnerungen an die Deutschen haben.

Heute verhungern viel mehr Kinder als vor zwanzig oder dreißig Jahren, weil dieser Raum so viele Menschen nicht ernähren kann. Und dann schickt man *Brot für die Welt* und jede Menge Medikamente hin, bringt die Kinder hoch und die setzen dann wieder acht oder zehn Kinder in die Welt. Natürlich müssen diese dann auswandern. Diese Bevölkerungsexplosion in der Dritten Welt ist der Grund. Wenn dort nicht Geburtenplanung gemacht wird, ganz rigoros, dann wird es, unabhängig davon, ob das Land hier arm oder reich ist, immer die Wanderungsbewegungen geben, weil der Platz dann nämlich nicht mehr da ist. Das müßte das erste Programm sein, eben darauf hinzuwirken, daß die Entwicklungsländer sich um eine geringere Geburtenrate bemühen.

Del Pozo: Das will ich nicht bestreiten, aber machen Sie nicht immer nur Geschichtsunterricht bei uns, sondern gehen Sie doch mal auf die heutige Situation ein.

Wir leben bald im Jahr 2000, nun reden Sie mal, wie die Zukunft aussehen soll. Gemäß Ihrer Zukunftsperspektive, müßte jeder in seinem Häuschen leben, sich einigeln, sich total abschotten von den anderen Igeln. Nur damit wir uns ja nicht irgendwie zusammenführen, daß es ja nicht irgendwie zu einer Vermischung der Rassen kommt. Diese Gedanken, die Sie hier verbreiten, sind Minderheitsgedanken in der Bundesrepublik. Das sieht man ja an den Erfolgen, die Sie in der Bevölkerung haben. Keiner wählt Sie. Gott sei Dank kann ich da nur sagen.

Ich bin dafür, daß man sich besser versteht, daß man Diskriminierung abbaut und daß wir diesen Tendenzen, die leider auch in der Gesellschaft vorhanden sind, entgegentreten. Aber Gott sei Dank ist Ihre These noch nicht so weit gedient, wie Sie es sich erhoffen.

NF: Die NF ist noch nicht zu Wahlen angetreten und wird erst dann antreten, wenn sie die Chance hat, 5% der Stimmen zu erreichen. Deswegen können Sie die NF zur Zeit auch noch nicht wählen, aber man wird sie wählen können. Ich bin davon überzeugt, daß die Ausländerproblematik gerade durch die Zuwanderung bei zunehmend mehr Bundesdeutschen zu einem Überdenken der ganzen Ausländerfrage führen wird und dazu, daß sie dann eben auch Parteien wie der NF die Stimme geben werden...

Del Pozo: Sie benutzen die Ausländer für Ihr Programm...

NF: Nein, ich habe schon einen Programmpunkt. Ich will nämlich unsere Kultur und unser Volk erhalten und ich meine auch, daß das ein ehrenwertes Ziel ist und nicht mit Rassismus verwechselt werden darf.

Wir haben die Türkei nie ausgebeutet, wieso haben wir eine Verpflichtung, die Türken hier herein zu lassen? 20% der Türken, die hier leben, sind arbeitslos. Prozentual sind sehr viel mehr Türken arbeitslos als Deutsche. Aber gerade weil es jetzt auch in den neuen Bundesländern so viel Arbeitslose gibt, haben die Türken, die hier arbeitslos sind und unserem Sozialwesen zur Last fallen, überhaupt kein Recht hierzubleiben. Warum sagt man denen nicht, du kriegst eine Fahrkarte, fahr zurück? Warum gibt man denen also noch Geld? Es ist doch ein einziger Skandal!

Del Pozo: Es sind aber keine Waren gekommen, es sind Menschen gekommen. Und mit Menschen muß man auch menschenwürdig umgehen...

NF: Ja, sie können doch zurückgehen...

Del Pozo: Sie sind für Sie wie eine Ware, die man verschieben kann...

NF: Nein, es ist ihnen nicht gesagt worden, wir kaufen dich für alle Zeit. Wenn ich eine Ware gekauft habe, dann kann ich sie behalten. Wenn ich einem Menschen sage, du darfst hier solange arbeiten, wie ich Arbeit habe, dann darf er solange arbeiten, wie ich Arbeit habe. Und wenn ich keine Arbeit mehr habe, dann hat er zurückzugehen. Wir haben keinem Türken gesagt, du darfst dich hier niederlassen, du darfst hier einwandern. Es gibt keine einzige Resolution einer Bundesregierung, die besagt hätte, daß jeder Türke, der hierher kommt, bleiben kann, ein Einwanderungsrecht hat, ja, daß der auch dann bleiben darf, wenn er arbeitslos ist und dann noch zehn oder zwanzig Jahre unsere Sozialhilfe bekommen darf und hinterher noch unsere Rente. Dieses Recht ist nie zugestanden worden. Das würde die Regierung auch nicht durchkriegen, weil sie dann nämlich vom Volk weggefegt würde.

Bundeskanzler Kohl hat immer betont, daß Deutschland kein Einwanderungsland sein darf. Aber er tut nichts dagegen. Das Volk glaubt ja, und das ist eben die Tragik, daß Kohl volkliche Interessen vertritt. Bevor er gewählt wurde, hat Kohl versprochen, er werde die Ausländerzahl halbieren. Das werden Sie von SOS-Rassismus sicherlich wissen, daß er das gesagt hat. Was hat er gesagt und was hat er davon gehalten? Es gibt heute 1 Million Ausländer mehr. Kohl weiß ganz genau, was das Volk denkt, und wenn er sagt, ich halbiere die Ausländerzahl, dann wird er auch gewählt. Aber er hat es nicht eingehalten. Das Volk erkennt noch nicht, daß es von den Politikern nach Strich und Faden belogen wird.

Del Pozo: Aber es ist doch klar: Weil ein reiches Europa jahrelang die Dritte Welt ausgebeutet hat, erleidet es jetzt die Konsequenzen dieser Ausbeutung. Man kann nicht jahrelang Länder ausrauben, ihre Rohstoffe entnehmen und dann sagen, so jetzt bleibt ihr dort, hungert weiter, wir sind nicht moralisch verantwortlich. Sie sagen das einfach so leicht, wir sind nicht moralisch verantwortlich. Nein, die reichen europäischen Gesellschaften, inklusive die deutsche Gesellschaft, sind mitverantwortlich für die Hungerkatastrophen in Afrika und für die Asylproblematik hier in Europa, weil sie mitverantwortlich sind für die Situation, in der die Menschen dort leben. Deswegen muß Europa auch Verantwortung dafür tragen und sich bewußt sein, daß es sich nicht davonstehlen kann.

NF: Wir sind nicht verpflichtet, irgendwelche Menschen aus der Dritten Welt aufzunehmen, da wir dort keinen ausgebeutet haben. Sie haben gesagt, Europäer hätten das gemacht. Ich fühle mich nicht als Europäer, ich fühle mich als Deutscher. Wenn ein Engländer einen Inder ausgebeutet hat, interessiert mich das nicht, daß muß der Engländer mit seinem Gewissen ausmachen. Ich habe nur für das einzustehen, was mein Volk gemacht hat, und für nichts anderes sonst. Ich möchte Deutschland als Deutschland erhalten. Ich bin gegen ein Europa ohne Grenzen, was 1992 leider entstehen wird, weil das die multikulturelle Gesellschaft zwangsläufig nach sich bringt.

Del Pozo: Das wäre schön, wenn das so wäre.

NF: Ja, das bringt sie zwangsläufig, dann kann jeder Araber in Spanien landen mit irgendwelchen Booten und ist dann blitzartig in Deutschland drin....

Del Pozo: Sie sagen da Sachen, die einfach nicht stimmen. Es gibt eine europäische Gesetzgebung. Sie wissen, es gibt das Schengener Abkommen...

NF: Es gibt bereits 1,5 Millionen illegale Ausländer in Italien. Das ist die Situation. Wenn ich ein Europa ohne Grenzen habe, dann habe ich diese 1,5 Millionen illegalen Ausländer auch in der Bundesrepublik, weil sie keiner an den Grenzen abhalten kann.

Das Ziel ist klar, wir wollen diese Wanderungen nicht. In einem Europa ohne Grenzen ist es natürlich nicht möglich, die Wanderungsbewegungen zu steuern. Ein Europa ohne Grenzen wird aber zu einer rapiden Zunahme der Wanderungen führen, so daß das Volk aufbegehren und es keine Schwierigkeit sein wird, innerhalb kurzer Zeit eine nationalistische Partei an die Macht zu bringen. Ich darf daran erinnern, daß 1928 die NSDAP 2,8% hatte - die NF ist nicht die NSDAP - und 1930 war die NSDAP stärkste Partei und dazwischen...

Del Pozo: Ein interessanter Vergleich...

NF: Ich nehme sie als Vergleich, um zu zeigen, wie schnell sich politische Dinge wandeln, - und dazwischen lag die Weltwirtschaftskrise. Und wir kriegen eine neue Weltwirtschaftskrise, und wir kriegen neue Zuwanderungen, und wir kriegen hier noch eine Massenarbeitslosigkeit der Deutschen, und dann will ich den Deutschen mal sehen, der zufrieden ist, wenn ein Ausländer Arbeit hat und er hat keine. Dann gehen sie auf die Straßen und dann wird das Klima hier sehr viel härter für Ausländer werden. Viele Ausländer werden sich dann schon aus eigener Sicherheit überlegen müssen, ob sie hierbleiben wollen oder nicht.

Roper: Was passiert mit den Menschen? Können wir so das nächste Jahrhundert überhaupt angehen? Die wirtschaftliche Situation wird sich verschlechtern. Es wird zur Rezession kommen, das haben Sie recht erkannt. Aber wie geht man damit um? Rezession kann nur dann entstehen, wenn die verschiedenen Länder, so wie Sie auch gesagt haben, ihre Grenzen überschreiten, ihre natürlichen Fähigkeiten übersteigern. Das System, die Ordnung nicht stimmt. Und so wie das System nicht stimmt, müssen neue Wege, neue Ansätze gefunden werden. Wir können nicht mit alten, verbrauchten Ansätzen neue Welten schaffen.

NF: Die Zuwanderung können wir in den Griff kriegen, wenn wir hier politisch maßgeblichen Einfluß haben. Und das ist machbar. Wenn unser Volk das nicht will und eine entsprechende Regierung wählt oder jedenfalls eine andere politische Macht so stark macht, dann könnte in Bonn keiner mehr daran vorbeiregieren. Die würden sich schon überlegen, ob sie eine ungehemmte Zuwanderung und ihr Einwanderungs- und Integrationskonzept weiter machen. Das werden sie nicht machen, weil ihnen die Wähler weglaufen. Es reicht ja, siehe Frankreich mit Le Pen, eine viel kleinere Prozentzahl schon, damit die Politiker oben wach werden.

Ulbrich: Und was soll mit den Ausländern hier im Land geschehen?

NF: Auch das ist ein Problem, was gelöst werden sollte und gelöst werden kann. Wenn hier ein Ausländer arbeitslos ist, hat er kein Recht unser Sozialsystem in Anspruch zu nehmen und muß gehen. Der SPD-Sozialsenator in Berlin hat schon vor 10 Jahren ausgerechnet, daß die Vollintegration eines Ausländers, Schulen, Sozialwohnungen, ausländischer Unterricht, Kindergärten, etc. umgerechnet heute ca. 400.000 DM kostet. Da sehe ich nicht ein, daß die Steuerzahler dies bezahlen, aber der Unternehmer den Profit einschiebt.

Der Unternehmer bekommt eine Integrationssteuer auferlegt von 50.000 DM pro Jahr und Ausländer, den er beschäftigt. Dann möchte ich einmal sehen, wo es dann noch Ausländer gibt, die hier beschäftigt sind. Blitzartig sind die deutschen Arbeitslosen von der Straße weg und die Ausländer, werden dann nur noch in dem Umfang hier sein, wie sie eben Arbeitsmöglichkeit haben und wie sie dadurch letztendlich auch beitragen, unsere Volkswirtschaft in Gang zu halten. Das Problem ist schon durch ein paar kleine Gesetzesänderungen zu lösen. Da braucht man gar nicht einmal das Grundgesetz zu ändern.

Ich verweise auf Nigeria. Nigeria hat zwei Millionen Gastarbeiter innerhalb von zwei Wochen über die Grenze zurückgeschickt in ihre Heimatländer, ganz einfach deswegen, weil sie keine Arbeit mehr hatten und zunächst einmal für die eigenen Menschen Arbeit schaffen wollten. Man hat sich furchtbar darüber aufgeregt, daß die nigerianische Regierung dies gemacht hat. Die Methoden waren nicht richtig, aber vom Prinzip her war es durchaus richtig.

Ich würde es nicht so lösen wie in Nigeria, wo man die Leute mit Knüppeln an die Grenze getrieben hat. Das ist eines Kulturvolkes wie den Deutschen nicht würdig. Es gibt aber andere Möglichkeiten, wie man das auf menschliche Art und Weise durchaus lösen kann.

Roper: Ich bin geplättet, muß ich wirklich sagen. Ihre Argumentation ist so niederschlagend, daß ich nicht mehr an die Menschlichkeit glauben darf. Es gibt auch einen Prozentsatz in dieser deutschen Bevölkerung mit deutschem Paß, nicht eingebürgert, sondern hier geboren, aber die sehen anders aus als Sie. Die sollen auch raus, nehme ich an? Und gleichzeitig die Mütter oder Väter, die gerade nicht der Meinung sind wie Sie. Die sollen mit ihren Kindern, obwohl sie Deutsche sind und somit auch das Anrecht haben hierzubleiben, auch raus, weil sie die Familientrennung nicht akzeptieren? Das ist Ihre Position. Sehe ich das auch richtig?

NF: Ich habe jetzt über Ausländer gesprochen, ich habe nicht über Deutsche mit deutschem Paß geredet...

Roper: Ich rede über Leute, die anders aussehen. Das sind Vermischte, so wie Sie das nennen. Die sollen auch raus?

NF: Man sollte ihnen vielleicht Möglichkeiten einräumen, Übersiedlungshilfen geben, oder...

Roper: Übersiedlungshilfen?!...

NF: Übersiedlungsmöglichkeiten, indem man ihnen finanzielle Anreize gibt auszuwandern. Es gibt keine juristischen Möglichkeiten, Menschen, die zwar von der Abstammung her keine Deutschen sind, aber inzwischen eine deutsche Staatsbürgerschaft erworben haben, herauszusetzen. Man könnte ihnen aber beispielsweise Geld geben, damit sie als Entwicklungshelfer in die Entwicklungsländer gehen und die Fähigkeiten, die sie hier gelernt haben, dort zur Verfügung stellen...

Roper: Sie reden über etwas anderes. Ich habe von denjenigen Deutschen geredet, gebürtigen Deutschen, nicht eingebürgerten, die im Zuge der Multikulturalität entstanden sind. Die sehen etwas anders aus als Sie, blondes Haar ist da nicht die Regel. Die sollen aber auch raus?

NF: Wenn Sie jetzt einmal davon ausgehen, daß Rassenmischung als solches biologisch schädlich ist, und daß mithin durch Rassenmischung die Qualität eines jeden Volkes verschlechtert wird, und zwar sowohl eines afrikanischen wie auch eines deutschen Volkes, so wäre es wünschenswert, daß diejenigen, die jetzt beispielsweise eine schwarze Hautfarbe haben, in irgendein Land gehen, wo sie klimatisch besser angepaßt sind.

Roper: Also eine Reinheit der Rasse und des Volkes muß eingeführt werden?

NF: Das muß nicht, aber das wäre zweckmäßig.

Roper: Zweckmäßig?! Auch mit jedem Mittel, das moralisch zulässig ist?

NF: Ich habe gerade gesagt, daß man diese Leute nicht zwingen kann, weil sie deutsche Staatsbürger sind. Ich kann also jetzt kein Gesetz machen, durch das diese Menschen die deutsche Staatsbürgerschaft verlieren. Aber wenn ich denen viel Geld gebe und sage, du gehst als Entwicklungshelfer nach Ghana, beispielsweise, dann hat man das selbe Ziel erreicht: Sie sind draußen, aber man hat es mit menschlich befriedigenden Methoden gemacht.

Roper: Ah ja? Da gibt es zwei verschiedene Ansätze, unsere Seite, Ihre Seite. Ich respektiere Ihre Einstellung, Ihre Position, aber ich kann sie leider nicht teilen. Ich sehe aber auch, daß sich Ihre Argumentation mehr auf Informationen bezieht, die sehr gefiltert zu Ihrer Wahrnehmung kommen. Wenn Sie die ganze Breite von verschiedenen Umständen, die einen Menschen, auch den Deutschen, betreffen, auch noch bewerten, würden Sie vielleicht zu einer anderen Auffassung kommen.

Ich sehe auch noch Ihre eingeschränkte Wahrnehmung über das Erkennen der grundsätzlichen Schuld eines industrieellen Landes. Ein Land wie Deutschland könnte niemals dieses Potential haben, wenn es gerechte Preise bezahlen würde. Das ist illusorisch.

NF: Der Preis regelt sich durch Angebot und Nachfrage. Es ist unzulässig, von *gerechten* Preisen sprechen. Für Gold wird kein *ungerechter* Preis bezahlt, weil es relativ knapp ist und deswegen ein hoher Preis bezahlt wird. Wenn Kupfer zahlreich gefördert wird, dann wird ein niedriger Preis dafür gezahlt.

Roper: Sie sehen zwar die Tatsache der Ausbeutung, aber nur in der sog. kolonialen Zeit. Ich sehe Ausbeutung sowohl als eine Tatsache in der Geschichte, als auch eine Tatsache der Aktualität. Ausbeutung heißt nicht nur, in die Dritte Welt zu gehen und meine politische Vorherrschaft dort aufzudrücken, sondern Ausbeutung hat heute andere Farben genommen. Aber ich möchte lieber über die Zukunft reden, über die zukünftige Gesellschaft und nicht über etwaige Vergangenheit...

NF: Wir müssen doch aus der Vergangenheit lernen...

Roper: Aus den Fehlern der Vergangenheit sollten wir nicht neue Fehler machen. Sie machen einen Fehler, den ich sehr kritisiere. Die Geschichte hat sehr viel gelehrt. Das Gute, was die Geschichte gelehrt hat, haben Sie in Ihrer Argumentation ausgelassen. Sie haben nicht über die Möglichkeit der Koexistenz geredet. Sie müssen auch diejenigen Deutschen sehen, die bereit sind, mit anderen Völkern auszukommen und das tatsächlich als eine Bereicherung ansehen. Das sehen Sie aber nicht.

Wie kommen Sie dazu zu sagen, daß es einem Deutschen noch besser geht, wenn ein Ausländer raus geht? Nein, wenn ein Ausländer seine Arbeit verläßt, findet sich nicht so schnell ein Deutscher, der diese Arbeit macht. Von den Fähigkeiten, von der Kapazität her.

Del Pozo: Wenn Sie heute die Krankenhäuser sehen, da sehen Sie die Multikulturalität. Es sind Asiaten, es sind Jugoslawinnen, es sind Pakistani, die heute das Pflegepersonal in den Krankenhäusern stellen. In Frankfurt z.B. sind 35% des Pflegepersonals des städtischen Krankenhauses heute Ausländerinnen und die Männer von der Müllabfuhr zu 99% Marokkaner. Schauen Sie sich einmal das Gaststätten- und Hotelgewerbe an. Ohne die Ausländer würde heute kaum noch ein Hotel hier in Frankfurt funktionieren. Das ist logischerweise nicht unser Anspruch, nur Tellerwäscher zu sein oder als Kellner rumzumachen, aber das ist ja auch die Realität und das kann man nicht verleugnen.

NF: Es ist durchaus so, daß man für jeden Beruf, ich habe das bei der Müllabfuhr genannt, auch Deutsche bekommt, die bereit sind, das zu machen. Es muß nur hinreichend bezahlt werden.

Del Pozo: Es gibt keine Deutschen mehr, die diese Arbeit leisten wollen. Wenn die Ausländer weggehen würden, würden viele Betriebe schließen, würde es zu einer Wirtschaftskrise kommen. Schauen Sie sich die Farbwerke Hoechst an, schauen Sie sich die Flughäfen an, schauen Sie sich doch mal die Gesellschaft an. Manchmal glaube ich, Sie leben in einer ganz anderen Welt.

Roper: Die meisten Arbeitslosen hatten eine Arbeit, aber sie wurden nicht durch einen Ausländer herausgedrängt. Dieser Posten wurde wieder von einem Deutschen beansprucht. Wir Ausländer hier haben unsere Arbeitsstellen. Es ist nicht so, daß ich einem Deutschen die Arbeitsstelle raube, nein. Ich wurde gerade von den Deutschen gebeten, hier zu arbeiten. Es war nicht nur mein freier Wille, sondern auch die Möglichkeit stand offen. Die Fähigkeit der Deutschen hat auch eine Grenze, gesehen als Masse, nicht als einzelner Mensch.

Ich glaube, jeder Mensch hat gleichwertige Fähigkeiten, der eine auf dem kulturellen oder auf dem geistigen, der andere auf dem technischen oder naturwissenschaftlichen Gebiet. Diese Fähigkeit ist dem Menschen eigen. Nicht einem Volk. Jedes Volk hat eine gewisse Reserve von Kapazitäten, aber die kann auch überstiegen werden. Die Belastung der nächsten Jahre werden die Deutschen nicht alleine packen.

NF: Es soll zu einer Rezession kommen, wenn die Ausländer hier rausgehen würden? Ich bin gegenteiliger Auffassung. Daß es auch ohne Ausländer wirtschaftlich zu machen ist, läßt sich am Beispiel Japan zeigen. Japan hat einen ähnlichen Wirtschaftsaufschwung wie die Bundesrepublik nach 1945 gehabt, Japan stand genauso wie wir vor der Frage, ob es Gastarbeiter hereinholen solle. Es gab einen starken Druck seitens der japanischen Wirtschaft, aber die japanische Regierung hat das trotzdem nicht gemacht. Das hat dazu geführt, daß die Japaner investieren mußten in technologische Neuerungen, sie mußten mit den vorhandenen Arbeitskräften effektiver arbeiten. Zur Zeit ist die japanische Wirtschaft die bestentwickelte Wirtschaft auf der Welt, und sie hat deswegen auf vielen Bereichen die amerikanische und die westdeutsche Wirtschaft überflügelt - gerade deswegen, weil sie keine Gastarbeiter hereingenommen haben.

Sie haben gesagt, man soll aus der Geschichte lernen. Das meine ich auch. Und wenn ich aus der Geschichte lerne, dann sehe ich eben, daß multikulturelle Gesellschaften nie auf Dauer existiert haben. Ägypten, als es multikulturell und multirassisch wurde, ist zugrundegegangen, ebenso Assyrien. Die berühmte Sprachverwirrung in Babylon, das war eben eine Folge der Rassenmischung, wie die Historiker festgestellt haben. Die griechische Kultur und das römische Weltreich sind an der Rassenmischung zugrundegegangen. Wir haben kein einziges Beispiel, daß eine multikulturelle Gesellschaft über Jahrhunderte existiert hat.

Durch die multikulturelle Gesellschaft geht die Kultur kaputt, geht der Wohlstand kaputt, wachsen Kriminalität und Unsicherheit. Jeder Staat braucht Identifizierung seiner Bürger mit sich selbst. Wenn ich Menschen in meiner Umgebung habe, die ganz anders aussehen als ich, die eine andere Mentalität haben als ich, dann kümmere ich mich zunächst einmal nur um mich selbst, und nicht um die anderen. Wir sehen die negativen Folgen der multikulturellen und multirassischen Gesellschaft in der Vergangenheit, wir haben sie in der Gegenwart, beispielsweise in Südamerika oder in New York. Genau das führt zu verringerter Menschlichkeit.

Gregorio Roper

Roper: Angenommen, Sie schaffen es, daß die Nationalistische Front irgendwann einmal eine Partei ist, die in das Parlament kommt - und ich hoffe, daß Sie das mal schaffen - dann werden Sie eines erkennen: die Menge an Menschen, die eher an Menschlichkeit denken, werden Sie gerade an dieser Machtstellung hindern, die Sie sich in Ihrer Verblendung erhoffen.

NF: Was bedeutet denn Menschlichkeit? Menschlichkeit bedeutet, daß der Mensch menschenwürdig leben kann. Wenn ich schußsichere Scheiben einbauen muß, wenn ich mich in meinem eigenen Haus nicht mehr sicher fühle, wenn ich im Laden um die Ecke die Lebensmittel nur durch eine Klappe durchgereicht bekomme, ist das keine Menschlichkeit. Da existiert Menschlichkeit nicht mehr, und diese mangelnde Menschlichkeit, die haben wir in den multirassischen Gesellschaften.

Die Germanen sind immer gastfreundlich gewesen, und wenn jemand gekommen und wieder gegangen ist, dann war die Sache in Ordnung. Aber bei den Germanen gab es auch das Sprichwort: ein Gast stinkt nach drei Tagen. Jeder konnte als Gast kommen, in die ärmste Hütte, drei Tage war er gerne gesehen und dann mußte er wieder gehen. Und wenn er dann nicht ging, wurde er zwangsweise rausgesetzt. So ist es heute auch. Wenn wenige kommen oder wenn die wenigen nicht so lange bleiben, dann sind sie gern gesehen. Wenn aber Massen kommen und wenn die lange bleiben, sind sie nicht mehr gern gesehen. Das führt dann zu Spannungen, zu Auseinandersetzungen, zu Intoleranz, zu Fremdenfeindlichkeit, zu Kämpfen zwischen *street gangs*. Das ist die Folge dieser Einwanderungs- und multikulturellen Politik. Das wollen wir verhindern.

Del Pozo: Ich bin nicht der Meinung, daß die Nationalistische Front ins Parlament muß. Wirklich nicht. Die soll bleiben, wo sie ist. Erfreulicherweise ist es immer noch so, daß die deutsche Bevölkerung sachlich zu den Wahlen geht und sie unterscheiden kann zwischen Parolen bzw. Demagogie und Realität bzw. Argumente. Bei Ihnen sind viel Parolen und Demagogie dahinter, und wenig Realitätssinn. Und das ist Gott sei Dank auch gut so, daß Sie keinen großen Einfluß in dieser Gesellschaft haben, auch wenn wir uns natürlich Sorgen machen über solche rechtsradikalen Gruppierungen.

Die multikulturelle Gesellschaft, die kann man nicht aufzwingen. Das ist eine Realität, die besteht heute schon. Da können Sie herumreden, wie Sie wollen. Sie können es versuchen mit biologischen Theorien, mit Rassentrennungstheorien, aber die Realität ist anders. Heute kommunizieren die Jugendlichen mit- und untereinander, sie sind befreundet, sie gehen zusammen aus, ins Theater, ins Kulturleben. Heute ist das eine Bereicherung für die neue Generation, die hier aufwächst. Das ist gut so, daß immer mehr Ängste dadurch abgebaut werden, daß das Miteinander besser zum Tragen kommt.

Meine Hoffnung ist, daß diese multikulturelle Gesellschaft, die heute schon Realität ist, weiter im sozialen Bereich und im juristischen Bereich voranschreitet. Die sozialen Nöte und Probleme, die diese verschiedenen Nationalitäten noch haben, müssen gelöst werden, einfach indem sie die Gleichstellung bekommen, weil sie ja auch gleichgestellt sind in ihrem Arbeitsleben, bei den Steuern, etc. Wir sind für eine Bürgerbewegung, wir sind für Bürgerrechte, und deswegen treten wir auch ganz offen dafür ein, daß wir den Anspruch haben, uns auch politisch zu artikulieren in dem Rahmen des Grundgesetzes. Das heißt, wir fordern das kommunale Wahlrecht, damit wir uns hier genauso gut einbringen können wie jeder andere Bürger auch. Denn auch ich zahle Steuern, auch ich möchte mitreden können, ob die Straße verkehrsberuhigt werden soll oder nicht, weil ich genauso davon betroffen bin wie mein Nachbar, der Deutsche.

Das gibt mir an sich Hoffnung, denn sonst würde unsere ganze Arbeit von SOS-Rassismus keinen Sinn haben. Wir sehen den Sinn eben darin, viele Menschen dafür zu gewinnen, Ängste abzubauen, nicht mit Haß, nicht mit Demagogie, nicht mit Drohung, sondern mit menschenwürdigem Verhalten. Das ist das Vernünftigste, was wir heute hier machen können.

NF: Das Bundesverfassungsgericht hat ja erfreulicherweise gesagt, daß das Kommunalwahlrecht für Ausländer verfassungswidrig ist. Deswegen wird es das auch nicht geben.

Ulbrich: Welches Prinzip soll die multikulturelle Gesellschaft tragen: Assimilation oder kulturelle Vielfalt?

NF: Die Auffassung der CDU dazu ist klar. Die wollen Assimilation, die wollen Integration, für die ist letztlich das Ausländerproblem gelöst, wenn jeder richtig deutsch lesen und schreiben kann und zum katholischen Glauben übergetreten ist, sofern er mal Mohammedaner war. Dann ist die Assimilation abgeschlossen. Das ist nicht unsere Auffassung. Wir wollen die Rückkehrmöglichkeit offen halten. Wir wollen die Menschen nicht entwurzeln, weil eine Entwurzelung, eine Heimatlosigkeit das Schlimmste überhaupt ist. Um diese Rückkehrmöglichkeit offen zu halten, auch psychologisch offen zu halten, muß es natürlich den Ausländern gestattet sein, hier ihre Bräuche, ihren Glauben zu praktizieren, und zwar in der Form, wie sie das in ihrem Heimatland auch gewohnt waren. Und ob wir daran Anstoß nehmen oder nicht, das ist dann unser Bier. Das Ausländerproblem hat sich nicht so zu lösen, daß der Ausländer sich anzugleichen hat. Das wäre Germanisierung, das würde dann wiederum bedeuten, daß ich sage, unsere Lebensart als solche ist unbedingt eine höherwertige und alle anderen müssen sich dieser Lebensart anpassen - am deutschen Wesen muß die Welt genesen. Das ist nicht unsere Auffassung. Die Ausländer sollen durchaus, solange sie hier sind, die Möglichkeit haben, ihr eigenständiges Leben in jeder Form zu praktizieren. Die Frauen sollen verschleiert laufen, wenn das im Islam so üblich ist. Da sollte es keine Gesetze von uns geben, die das untersagen, obwohl das und anderes nicht unbedingt unserem Menschenbild der Frau entspricht. Für uns gilt das aber nur für eine Übergangszeit.

Es ist zwar eine Realität, daß 6 Millionen Ausländer im Lande sind. Nur, Realitäten sind dazu da, um geändert zu werden, und das ist die Aufgabe der Politik. Die deutsche Politik hat sich sehr lange nur dazu verstanden zu verwalten. Wir verstehen Politik anders, wir verstehen Politik eben als eine Änderung der Realitäten in unserem Sinne.

Und man mag das als eine Verarmung ansehen oder als ein provinzielles Denken, aber das ist das einzige Denken, das gewährleistet, daß es in 200 Jahren noch ein Deutschland gibt.

Roper: Ich finde es einen Schritt nach vorne, daß Sie jedem, der hier lebt, das Recht zu leben, so wie er es für richtig erachtet, zugestehen. Solange er hier ist, und das heißt für mich, 200 Generationen, nicht 200 Jahre nur.

Nun, Assimilation, Integration, Koexistenz: ich glaube eher an Koexistenz. Auch Assimilation ist nicht unbedingt zu verwerfen. Ich assimiliere, indem ich von Ihnen etwas lerne, sei es z.B. Sauerkrautessen. Ich assimiliere etwas, ich gehe auf Sie zu, auf Ihre Kultur zu. Und diese Freiheit eines Menschen ist das, was ich am höchsten halte. Die Freiheit zu entscheiden, für sich persönlich, wie man leben will. Ansonsten hätte ich eigentlich keine Möglichkeit gefunden, Ihre Thesen zu hören und Sie noch als Mensch zu achten. Ich respektiere Ihre Meinung. Aber genau so möchte ich auch das verstanden wissen: wenn ein Mensch eine Kultur, eine Lebensweise besitzt, dann soll er die leben dürfen, ohne natürlich die gewissen Grenzen anderer zu überschreiten. Wenn es aber darum geht, daß von oben diktiert wird, ich habe mich zu assimilieren, ich habe diese oder jene Art zu leben anzunehmen, dagegen wehre ich mich grundsätzlich.

Das heißt aber nicht, daß ich bereit bin, Ghettos zu favorisieren. Nein, die Toleranz muß soweit gehen, daß man das auch auf den Mensch bezieht, und nicht auf ein Konglomerat von Menschen, auf ein Volk. Es geht nur um den Einzelnen. Jeder hat seine eigene Art. Die Individualität des Menschen muß vor allem bewahrt werden. Die Rechte des anderen, die greifen nicht in die eigenen Rechte. Daß ein anderer essen kann, heißt nicht, daß ich nicht essen darf. Integration ist ein zwangsläufiger Prozeß. Bin ich integriert, weil ich nicht mit einem Esel durch die Straßen laufe, sondern einen PKW benutze? Wenn Sie das als Integration verstehen wollen, dann bin ich integriert. Wenn aber Integration heißt, daß ich auch das Recht habe, meine Kultur und meine Sprache zu pflegen, dann habe ich kein Problem mit Integration.

Der Punkt ist, wie können Menschen miteinander leben? Das geht nur auf einer Basis der Toleranz und der gegenseitigen Achtung. Selbst wenn Sie Deutschland rein bekämen, was ich eigentlich nur für utopisch halte, müssen Sie auch Toleranz walten lassen. Wenn ein Deutscher eine ausländische Frau, meinetwegen eine Türkin, heiratet, aber hier in Deutschland leben will, dann müssen Sie für sich selbst regeln, wie Sie mit dem Umstand auskommen, nicht umgekehrt.

NF: Ihnen geht es im wesentlichen um den Einzelnen, nicht um das Volk. Das ist verständlich, denn wenn Sie anders denken würden, wären Sie gar nicht hier, sondern würden unter Ihrem Volk leben. Diejenigen Ausländer, die hierher kommen, sind alle Individualisten - ich sage das jetzt einmal ganz wertfrei - sind Menschen, die an ihr eigenes Volk eine recht geringe Bindung haben. Wenn Sie eine stärkere Bindung hätten, würden Sie in Ihrem eigenen Volk leben, weil dort Ihre Tradition und Ihre Wurzeln sind. Diese Menschen sind, weil sie letztlich nicht typisch sind für ihr Volk, natürlich auch nicht in der Lage, hier integrationsbildend zu wirken, weil sie Individualisten sind, weil sie Liberalisten sind...

Roper: Wissen Sie, was Humanismus ist?

NF: Ich bin auf einem humanistischen Gymnasium gewesen, also, mir brauchen Sie nichts über Humanismus zu erzählen

Weil Sie letztendlich auf einem individualistischen Standpunkt beharren, deswegen werden Sie auch keine neue Kultur bilden können, unabhängig von den Rassenunterschieden. Uns geht es nicht um den Einzelnen, uns geht es um das Volk.

Del Pozo: Ich möchte stark bestreiten, daß wir Individualisten sind, die ihre Kultur einfach nicht mehr haben wollen. Das ist einfach falsch. Diejenigen, die hierher gekommen sind, sind nicht gekommen, weil sie Individualisten sind, sondern aus einer bestimmten Notlage. Nicht jeder hat die Lust gehabt, irgendwohin auszuwandern...

NF: Herr Roper ja nicht, er hat selbst gesagt, er ist gebeten worden, hierher zu kommen, weil er so qualifiziert war. Ich gehe also davon aus, daß er in seinem Lande...

Del Pozo: Es gibt auch qualifizierte Nicht-Deutsche, die hier ihre Arbeit leisten, aber die Mehrheit, gut, die Mehrheit ist das nicht. Die Realität ist so, daß es meist Menschen waren - ich kann das für meine Familie konkret sagen - die aus finanzieller Notlage nach Deutschland gekommen sind. Die haben hier gearbeitet, weil sie das nicht in ihrem Land machen konnten. Das heißt aber nicht, daß die ihre Kultur, ihre Identität verlieren wollen. Im Gegenteil, deswegen sind wir ja gegen eine Assimilierung.

Wir sind für eine Koexistenz. Das bedeutet aber auch, daß die juristischen Gegebenheiten da sein müssen. Wir können zwar von Koexistenz reden, aber solange keine Gleichstellung da ist, gibt es keine Koexistenz. Die Koexistenz muß juristisch abgedeckt sein.

Wenn Sie sagen, Sie haben nichts dagegen, daß sich die Kulturen weiter hier bewegen, daß es muttersprachlichen Unterricht geben muß, ja dann muß es ihn auch wirklich geben, dann muß in den Schulen auch türkisch oder spanisch als zweite Fremdsprache unterrichtet werden. Aber Sie machen ja schon bei der Eßkultur eine Trennung, aber andererseits trinken Sie indischen Tee. Sie widersprechen sich doch. Da müssen Sie einen deutschen reinen Tee trinken, aus Hamburg oder wo auch immer. Wenn Sie solche radikalen Trennungen machen, dann heißt es für mich, daß Sie überhaupt nicht bereit sind, Toleranz zu zeigen, daß Sie sich total einigeln in Ihre Positionen. Gott sei Dank ist es nur eine kleine Minderheit in Deutschland, aber wenn diese Minderheit eine Mehrheit würde, dann gäbe es nicht nur Gefahren für uns hier, sondern es würden auch Gefahren für andere Menschen entstehen. Die Erfahrungen haben wir ja schon gesammelt.

NF: Daß wir auf der richtigen Seite der Geschichte stehen, zeigt ja nun gerade die Entwicklung im Osten. Warum zerfällt die Sowjetunion, dieser gigantische Vielvölkerstaat? Weil der Nationalismus hoch kommt, weil die Aserbaidschaner mit den Armeniern nicht mehr zurande kommen, weil die Ukrainer nicht mehr mit den Russen wollen, weil die Esten, Letten, Litauer selbständig sein wollen. Jugoslawien zerfällt, alle Vielvölkerstaaten zerfallen. Die multikulturellen Gesellschaften, die wir jetzt hier haben, gehen zugrunde. Wir sehen die Basken, die um ihre Selbständigkeit kämpfen, wir sehen die Iren, die Bretonen, die Korsen, usw. Überall gibt es den Regionalismus, überall gibt es den Aufstand der Völker. Und Sie reden hier darüber, daß es nur den Einzelnen zu betrachten gilt und nicht das Volk. Das ist doch völlig weltfremd. Diese Meinung kann zwar ein einzelner haben, aber diese Meinung haben die Völker nie gehabt.

Der Nationalismus ist im Kommen und ist die beherrschende Kraft in den nächsten Jahrhunderten, davon müssen wir ausgehen. Aber wenn wir davon nicht ausgehen, dann sind wir einfach blind und weltfremd und dann rennen wir in eine Welt hinein, in der zwar alle anderen Nationalisten sind, nur wir nicht, und das bedeutet, daß wir ausgelöscht werden.

Del Pozo: Sie haben einen Standpunkt, der von einer reinrassigen Gesellschaft bis zur Eßkultur geht, bis zum Teetrinken, und ich habe eine Einstellung, daß wir eine multikulturelle Gesellschaft auch juristisch abdecken müssen, das heißt gleiche Rechte für alle. Das ist für uns das Ziel. Ein Ziel und auch eine Zukunft und eine Vision, die heute jeder haben sollte, der eine menschenwürdige und humanistische Denkweise hat. Das andere ist für mich Intoleranz und das bringt gar nichts. Das bringt nur noch mehr Zerreibung und sogar Gewalttätigkeiten. Das lehnen wir ab, weil wir gewaltfrei sind.

Ulbrich: Meine Herren, ich danke für das Gespräch. Keiner von uns hat einen allzu großen Konsens ewartet. Und doch glaube ich, daß dieser faire Dialog ein wichtiger Schritt nach vorne war.

Asylbewerber vor einer Meldestelle

Informationen zur politischen Bildung, 210/86

Kulturpolitik für eine multikulturelle Gesellschaft

Dr. Beate Winkler

Promovierte Juristin, SPD-Mitglied. Seit 1981 im Amt der Beauftragten der Bundesregierung für Ausländerfragen, dort zuständig für Kultur und Öffentlichkeitsarbeit.

Die Thesen lagen zur deutsch-deutschen Klausurtagung "Kulturstaat Deutschland" im August 1990 an der evangelischen Akademie Loccum und beim Kongreß "Kulturelle Vielfalt Europa" im November 1990 zur Diskussion aus.

1. Zum Begriff "Multikulturelle Gesellschaft"

Der Begriff "Multikulturelle Gesellschaft" wird in Politik und Gesellschaft immer stärker propagiert, aber auch kritisiert und rigoros abgelehnt. In seiner Verwendung spiegeln sich Beschreibung einer Realität, gesellschaftliche Utopie, aber auch das Schreckgespenst einer Entwicklung, die es zu verhindern gilt.

Multikulturelle Gesellschaft heißt: Mehrheit und Minderheit leben gleichberechtigt zusammen in gegenseitiger Achtung und Toleranz für die kulturell unterschiedlich geprägten Einstellungen und Verhaltensweisen der jeweils anderen. Multikulturelle Gesellschaft beinhaltet damit: Gemeinsames Verstehen, aber auch Auseinandersetzung zwischen Mehrheit und Minderheit. Im Prozeß des Austauschs, des In-Frage-Stellens, aber auch des Konflikts wird kulturelle Unterschiedlichkeit lebendig.

Multikulturelle Gesellschaft meint immer eine soziale Verpflichtung, die Dimension der Gleichberechtigung, der Chancengleichheit. Würde sie nur das "Nebeneinander" von unterschiedlichen kulturellen Formen erfordern, hieße dies: "Jeder für sich, Apartheid für alle." Multikulturelle Gesellschaft muß sich in ihrer gelebten Form immer an Artikel 3 des Grundgesetzes, daß heißt am Gleichheitsangebot messen lassen. Dies ist auch eine Absage an "weltoffene Kulturschickeria", die eine soziale Verpflichtung nicht kennt.

Jedoch: Zugewanderte ethnische, kulturelle Minderheiten werden in der Bundesrepublik Deutschland nach wie vor diskriminiert. Sie sind nicht gleichberechtigt. Aus diesem Grund ist die Bundesrepublik Deutschland keine multikulturelle Gesellschaft. Mit dem weitgehenden Abbau der vielfachen Diskriminierung ist der Weg zu einer multikulturellen Gesellschaft eingeschlagen.

Durch die vielen Initiativen im politischen, gesellschaftlichen und kulturellen Bereich entwickelt sich die Bundesrepublik Deutschland schrittweise zu einer multikulturellen Gesellschaft. Schon jetzt kann man von einem "multikulturellen Zusammenleben" sprechen. Dieser Weg muß behutsam, aber auch entschieden unterstützt werden, ohne die Menschen, die davor Angst haben, zu überfordern, zu diskriminieren und auch auszugrenzen.

Multikultur, daß heißt die Verschiedenheit der Kulturen und deren Akzeptanz, kann sich in einem Grundwiderspruch zu Gedanken der Aufklärung befinden. Der Anspruch des einzelnen auf sein "Recht auf kulturelle Unterschiedlichkeit" kann in Widerspruch geraten zu den allgemeinen Menschenrechten, die eben menschheitsübergreifend sind. Das bedeutet, man darf nicht alles mit dem "Recht auf kulturelle Differenz" legitimieren, wie zum Beispiel strengen, religiösen, kulturellen Fundamentalismus. Dem sind die Menschenrechte, die Würde des einzelnen immer entgegenzusetzen. Es besteht also ein Konflikt, nach Maßgabe der Menschenrechte, der immer konkret zu entscheiden ist, der Konflikt zwischen gesellschaftlichen und ideellen Werten. Aber er muß ausgetragen werden. Multikulturelle Gesellschaft beschreibt also das Spannungsfeld, die Dialektik von "solidaire" und "solitaire".

Der Begriff der multikulturellen Gesellschaft stößt in ein gesellschaftliches Vakuum, auf verlorene Utopien. Mit der Abwertung des Sozialismus weicht eine der letzten großen umfassenden Gesellschaftsentwürfe, so daß die Beschreibung einer multikulturellen Gesellschaft, die viele Formen ermöglicht, an diese Stelle treten könnte. Der Begriff der multikulturellen Gesellschaft gibt jedoch kein konkretes Ziel vor, zu dem sich die Gesellschaft und ihre einzelnen Mitglieder hin zu entwickeln hätten. In diesem Sinn kann sie auch keine "Konkrete Utopie" sein. Es geht darum, unterschiedliche kulturelle Lebensformen, Ausdrucksweisen, Einstellungen und Verhaltensweisen neben- und miteinander gelten zu lassen in einem sich stets neugestaltenden gesellschaftlichen Prozeß.

Es geht gerade darum, grundsätzlich zu akzeptieren, daß man seine Leitbilder, seine konkreten Lebensvorstellungen und auch Ideale in erster Linie selbst entwickeln muß. Das erfordert Ich-Stärke, persönliche Kompetenz und stabile Identität.

2. Voraussetzungen einer Kulturpolitik, die auf eine multikulturelle Gesellschaft hinwirkt und hinwirken muß

Multikulturelle Gesellschaft erfordert bei ihrer kulturpolitischen Umsetzung Konzeptionen und Strategien, die von einem ganzheitlichen Ansatz her entwickelt werden müssen. Das bedeutet auch: stärkere Berücksichtigung und Auseinandersetzung mit Emotionen und Ängsten. Vor allem Ängste müssen enttabuisiert und thematisiert werden. Die dunkle Seite im Menschen muß anerkannt werden, damit sie nicht auf "andere", Fremde, projiziert wird.

Multikulturelle Gesellschaft erfordert die Entwicklung von sozialen und individuellen kulturellen Verhaltensnormen, die Konsens finden.

Multikulturelle Gesellschaft erfordert die Entwicklung von Konfliktfähigkeit, Kulturpolitik muß es erleichtern, daß Konflikte angesprochen und damit auch verarbeitet werden können. Unsere Gesellschaft leidet an Verdrängungen und an zu weitgehenden Harmonievorstellungen.

Kulturpolitik für eine multikulturelle Gesellschaft verbietet es, eine gesellschaftliche Gruppe, eine Minderheit, eine einzelne Person abzuwerten und auszugrenzen. Dort, wo Identität und Selbstwertgefühl nur dadurch entstehen, daß eine Gruppe oder Person abgewertet und die eigene Gruppe oder Person aufgewertet werden, gibt es letztlich keine Grenzen mehr, bis hin zur Vernichtung der anderen.

Multikulturelle Gesellschaft trägt weltweit in sich eine Verpflichtung gegenüber den Ländern der Dritten und Vierten Welt. Dies ist eine Absage an die "Herr-im-Haus-Haltung", gegen jede Form des Ethnozentrismus und auch des aggressiven Nationalismus.

Kulturpolitische Maßnahmen müssen vorbereiten, daß in zunehmender Weise Wanderung und Einwanderung stattfinden werden. Denn:
a: Die erweiterte europäische Freizügigkeit ab 1992 wird aller Voraussicht nach größere Migrationsbewegungen innerhalb der EG auslösen.
b: Die Nord-Süd-Spannung wird sich verschärfen. Einmal durch die wirtschaftlichen Gegebenheiten, zum anderen aber auch durch die demographische Entwicklung vor allem der nordafrikanischen Länder, Europa wird sich einem immer stärker werdenden Zuwanderungsdruck ausgesetzt sehen.
c: Die Zahl der Aussiedler wird wegen anhaltender schlechter Wirtschaftslage und der politischen Verhältnisse aller Voraussicht nach nur unwesentlich abnehmen.

Nur wenn uns bewußt ist, daß wir uns auf eine Wanderung und Einwanderung einlassen müssen, nur wenn wir bereit sind, Verantwortung für die Gestaltung unserer zukünftigen Gesellschaft zu übernehmen, werden wir nicht in die kaum zu bewältigenden Spannungen und Kampffelder geraten. Dazu brauchen wir ein neues kulturelles Selbstverständnis, gesellschaftlich und individuell, das sich auch in Einstellung und konkretem Verhalten zeigt und einen ganzheitlichen Ansatz in sich birgt: daß heißt Enttabuisierung der Angst, Akzeptanz von Fremdheit, sozialer Ausgleich, Abbau von Diskriminierung, Solidarität, Offenheit, aber auch konkrete Nachbarschaftshilfe und Abkehr von aggressivem Nationalismus und von Fremdenfeindlichkeit auch in Verantwortung für die Menschen aus der Dritten Welt.

3. Vorschläge für konkrete Maßnahmen für eine Kulturpolitik für eine multikulturelle Gesellschaft

Beispielhaft seien nur genannt:
Abbau von Diskriminierung auch im Kulturbereich,
Informationen über Kulturen anderer Länder,
Verstärkte Förderung des Kulturaustausches,
Maßnahmen, um das gesellschaftliche Bewußtsein für eine plurale, liberale Gesellschaft zu stärken, denn nur eine plurale Gesellschaft, die ihre Gestaltungsmöglichkeiten kennt und ausschöpft, ist eine, die sich in freier Form weiterentwickeln kann,
Übernahme von Meinungsführerschaft auch im Kulturbereich für eine multikulturelle Gesellschaft, daß heißt positive Besetzung der Felder,
Öffnung der Kulturbetriebe für Minderheiten. Das bedeutet, daß die Interessen, die Anliegen von Minderheiten bei der Entwicklung von kultur-

politischen Konzeptionen und Maßnahmen stärker berücksichtigt werden müssen. Es heißt auch, daß bei der Einstellung von Mitarbeitern in Kulturbetrieben Mitglieder der Minderheiten stärker berücksichtigt werden. Nur dann können deren Sichtweisen und Anliegen in selbstverständlicher Weise einfließen.

Multikulturelles Zusammenleben ist aber auch eine Aufgabe im individuellen Lebensalltag: Es geht gerade darum, grundsätzlich zu akzeptieren, daß man seine Leitbilder, seine konkreten Lebensvorstellungen und Ideale in erster Linie selbst entwickeln muß.

Zitty, 17/90

Buntheit, Vielfalt, wechselseitiges Lieben und Lernen - Daniel Cohn-Bendits multikulturelle Gesellschaft. Aber die, die viel Ausländer rein wollen, wollen sie aus Motiven, die aus der untersten Schublade kommen. Billige, brave Arbeitskräfte.Und nicht multikulturelle Vielfalt - lieber Dany! -, sondern Mc-Donaldisierung, Cocacolaisierung, Tevauisierung.
Gleich, frei und brüderlich sei das Konsummidummi überall auf dem Globus, damit ihm überall das gleiche dumme Zeug verkauft werden kann. Nationen, wenn ihr schon da seid, wieder da seid, nicht wegzupredigen seid - werdet wenigstens Kulturnationen ... Irgendwas denken wir falsch, wir Aufklärer sind nicht richtig aufgeklärt. Wir wollen die Eine Welt, die Weltgesellschaft, Weltwirtschaft, klar. Na, da sind wir auf kapitalistische PR ganz schön reingefallen.

Günther Nenning

Verdammt viele Thesen ...

Warum Multikulturalismus ein Konzept der Neuen Rechten ist

Stefan Ulbrich

Geboren 1963 in München. Diplomingenieur für Umweltschutz. Seit 1989 freier Schriftsteller, Aktionskünstler und Verleger. Autor des Buches "Im Tanz der Elemente" (1990). Herausgeber des Sammelbandes "GEDANKEN ZU großdeutschland" (1990). Lebt heute mit seiner Familie auf einem Bauernhof in Niederbayern.

Die *Alte* und die *Neue Rechte*

Wenn wir über die multikulturelle Gesellschaft reden, dann müssen wir auch über einen ihrer Hauptgegner reden: Und das ist die *Alte Rechte*, diese schwer zu umfassende Masse an reaktionärem Geist, die es schafft, aus einer an sich beachtlichen Vielfalt eine graue, langweilige Konturenlosigkeit zu machen. Zur *Alten Rechten* zähle ich Reaktionäre, Deutschnationale, Christnationale, Patrioten genauso wie Bürgerliche, Konservative, Kapitalismusgläubige und Nationalliberale. Wenn auch anfangs diese Aufzählung recht abenteuerlich anmuten mag, so wird sich im Laufe meiner Erörterungen zeigen, daß dieser Überbegriff und das, was darunter subsummiert wird, so falsch nicht ist.

Die *Alte Rechte* ist super-eschatologisch. Sie glaubt an den ewigen inneren und äußeren Frieden eines Volkes; an dessen gottgegebenen Wohlstand; an die Segnungen eines sozialen Friedens in Arbeit und Sicherheit; an die harmonische Volksgemeinschaft plus Führer, also an das Prinzip *Alle gegen das Feindbild*; an die Überlegenheit ihres statischen Weltbildes. Und sie glaubt nicht zuletzt, ihr einseitiger Sozialdarwinismus sei ehrenhaft: wir haben zwar die anderen "gefressen", weil wir stärker und besser waren und daher das Recht dazu hatten. Solange man zerstören konnte, spielten moralische oder ethische Fragen keine Rolle. Jetzt, da sich angesichts der Migrantenströme die Situation umzukehren scheint, wird Moral zum Hauptargument der *Alten Rechten.*

"Die alte Rechte ist tot. Sie hat es wohl verdient"[1], provoziert Alain de Benoist. Während kein Zweifel darüber besteht, daß sie es wirklich verdienen würde, möchte ich aufgrund der aktuellen politischen Entwicklungen in Deutschland und Europa bestreiten, daß sie wirklich schon tot ist. Wenn hier im folgenden auch der Terminus *Neue Rechte* Verwendung findet, dann um zu zeigen, daß die Rechte kein monolithischer Block ist, der in trauter Einigkeit und gesellschaftspolitischer Quarantäne lebt. Vielmehr soll im Rahmen der Multikulturalismusdebatte auch der Versuch unternommen werden, anhand dieser Thematik die bedeutenden Unterschiede zwischen diesen beiden Gruppen aufzuzeigen.

Doch wer oder was ist die *Neue Rechte*? Sie ist sicherlich nichts, was sich anhand bestimmter Parteien eindeutig greifen ließe. Feste organisatorische Strukturen sind ihr fremd. Vielmehr handelt es sich um kleine Denkzirkel, die sich um Zeitschriften und Verlage gruppieren oder in Freundeskreisen verdichten. Widersprüchlichkeiten sind bei ihr mehr die Regel als Eindeutigkeiten. Daß sie organisatorisch und personell schwer greifbar ist, hindert nicht ihren beachtlichen Einfluß auf die politisch-gesellschaftlich-kulturelle Debatte. **Die** *Neue Rechte* gibt es eigentlich gar nicht. So drängt sich natürlich die Frage auf, wozu diese Selbstzuordnung des Autors zur *Neuen Rechten*?

Selbstverständlich gab es die Überlegungen, daß ich mich als Publizist weder selbst schubladisieren sollte, noch einer Denkströmung zuordnen, die in der Öffentlichkeit kaum bekannt und mit Klischees behaftet ist. Dennoch schien mir diese Vorgehensweise in einer Zeit der allgemeinen Orientierungslosigkeit wichtig, persönlich lebensnotwendig fast. Wo kann es Standpunkte geben ohne Verortung? Und hat nicht auch der Leser ein Recht zu wissen, wo sich der Autor ansiedelt? Wer die Gedanken und Thesen liest, wird sowieso merken, daß der Kulturbegriff, den ich unter dem Begriff *Neue Rechte* verortet habe, nicht das geringste mit den bekannten (alt)rechten Positionen zu tun hat, sondern diesen vielmehr revolutionär gegenübersteht.

Wem also der kursiv gesetzte Begriff *Neue Rechte* nicht paßt, der nehme einen Rotstift und schreibe seine Version darüber. Ich persönlich empfand ihn passend. Die Zeit ist wohl auch reif für eine *Neue Rechte* - kursiv gesetzt, wohlgemerkt.

In diesem Zusammenhang sei auf die Definition eines ihrer Wortführer, des französischen Philosophen und Publizisten Alain de Benoist verwiesen: "Ich nenne hier - aus reiner *Konvention* - die Haltung *rechts*, die darin besteht, die *Vielgestaltigkeit* der Welt und folglich die *relativen* Ungleichheiten, die ihr notwendiges Ergebnis sind, als ein Gut und die fortschreitende Vereinheitlichung der Welt, die durch den Diskurs der egalitären Ideologie seit zweitausend Jahren gepredigt und verwirklicht wird, als ein Übel anzusehen. Ich nenne die Doktrinen *rechts*, die die Ansicht vertreten, daß die relativen Ungleichheiten der Existenz zu *Kräfteverhältnissen* führen, deren Ergebnis das *geschichtliche Werden* ist, und die dafürhalten, daß *die Geschichte weitergehen muß* - kurz, daß 'das Leben das Leben ist, das heißt ein *Kampf*, für eine Nation ebenso wie für jeden einzelnen Menschen' (Charles de Gaulle)...

...Ohnehin heißt eine antiegalitäre Lebensauffassung zu vertreten nicht, die oft verabscheuungswürdigen Ungleichheiten verstärken zu wollen, die wir um uns her sich einrichten sehen. Sondern es bedeutet, der Ansicht zu sein, daß die Vielgestaltigkeit die *Weltgegebenheit* par excellence ist; daß diese Vielgestaltigkeit unweigerlich zu *relativen* Ungleichheiten führt, daß die Gesellschaft diesen Ungleichheiten Rechnung tragen und zugestehen muß; und daß der Wert der Personen je nach den vielfältigen Kriterien, auf die wir uns im täglichen Leben beziehen, unterschiedlich ist. Es bedeutet, der Ansicht zu sein, daß sich dieser Wert in den sozialen Beziehungen wesentlich nach den Verantwortlichkeiten bemißt, die jeder auf sich nimmt, bezogen auf die konkreten Befähigungen, über die er verfügt; daß die Freiheit in der tatsächlichen Möglichkeit beschlossen liegt, diese Verantwortlichkeiten auszuüben; daß mit diesen Verantwortlichkeiten entsprechende Rechte einhergehen und daß daraus eine Hierarchie resultiert, die auf dem Prinzip beruht: *suum cuique*."[2]

Ich denke, dieser grundlegende Versuch, einen *neurechten* Ansatz zu beschreiben, dürfte für ein erstes Verständnis genügen. Das weitere wird sich in den nachfolgenen Erläuterungen finden und das Bild ergänzen. Es stellt sich jedoch die Frage, warum überhaupt den Unterschied machen zwischen *neuen* und *alten* Rechten? Sind beide Spielarten denn nicht eingeschworene Gegner der multikulturellen Gesellschaft? Es ist Ziel dieses Beitrages zu zeigen, daß dem nicht so ist. Unter Berücksichtigung des Diskussionsstandes in Sachen Multikulturalismus wird erkannt werden, daß das Weltbild der *Neuen Rechten* und die multikulturellen Thesen sich nicht so fern sind, wie allgemein vermutet wird.[3]

Ich erhoffe mir natürlich auch, daß durch meine Thesen die festgefahrenen Weltbilder manch rechter Zeitgenossen gründlich durcheinandergewirbelt werden und Stoff für angeregten Diskurs geliefert wird. Es ist an der Zeit, daß die Rechte allgemein wieder etwas mehr und etwas intensiver zu denken beginnt und nicht alles bereitwillig schluckt, was ihr falsche Freunde vorgekaut vor die Füße spucken. "Nicht nur, daß sie dem Gegner nicht mehr antwortet, nicht nur, daß sie nicht mehr versucht, sich selbst zu definieren, sie schenkt auch den Bewegungen im Bereich der Ideen, den aktuellen Polemiken, den neuen Disziplinen beinahe keinerlei Beachtung. Mehr noch, sie interessiert sich innerhalb dieser Ideenbewegungen nicht einmal für das, was sie in dem bestärken könnte, was sie ist."[4] Dieser Vorwurf, 1985 von Alain de Benoist geäußert, bewahrheitet sich, wie wir noch sehen werden, auf äußerst fatale Weise. Noch scheint es, als ob die Rechte auf die Herausforderung des Multikulturalismus nur mit dem Absondern deutschnationaler Sprechblasen reagieren kann. Und schrecklich bewahrheitet sich auch heute im Falle der *Alten Rechten* ihr totales Versagen: "So läßt sich die Rechte nach und nach ihre Themen und ihre geistigen Positionen entwinden. Und es kommt sogar vor, daß sie sie kritisiert, wenn sie sie beim Gegner wiederfindet, ohne zu begreifen, daß sie ihrem eigenen Schoße entnommen sind, und ohne aus dem Widerspruch Nutzen zu ziehen, zu dem sie bei ihrer Vereinnahmung durch die Linke führen müssen."[5]

Es ist daher an der Zeit, daß die *Neue Rechte* sich abkoppelt und ihren eigenen Weg geht. Statt sich auf als absolut empfundene Autoritäten zu stützen und sich auf als absolut geglaubte Wahrheiten zu verlassen (Staat, Nation, Kirche, Militär, etc.), ist es an der Zeit, daß eine *neue Rechte* die gesellschaftlichen Situationen und Vernetzungen anhand einer "rigorosen Praxis" selbst beurteilt. Es wird Zeit, daß eine *neue Rechte* auch einen neuen Zugang zu den modernen Ideen, Konzepten und Konstellationen findet und sich damit am gesellschaftlichen Diskurs beteiligt.

"Verstehen wir uns recht", schreibt Benoist, "Ich glaube nicht, daß es wirklich rechte und linke *Ideen* gibt. Ich meine, daß es eine rechte und linke *Art* gibt, sich diese Ideen zu eigen zu machen und sie zu vertreten."[6] Nicht von Gramsci, sondern von Caesar stammen die Worte: "Allemal gilt, daß, wer Begriffe und Gedanken bestimmt, auch Macht über die Menschen hat. Denn nicht die Taten sind es, die die Menschen bewegen, sondern die Worte über die Taten." Im Krieg der Theorien entscheiden nicht die Dinge selbst, sondern die Ansichten über die Dinge. "Wer heute und morgen die Welt verändern will, muß nicht Truppen, sondern die Phantasie der Menschen und ihren Geist bewegen"[7]: das hat wiederum nicht Gramsci gesagt, sondern Heiner Geißler. Der Multikulturalismus ist in diesem Sinne weder eine linke noch eine rechte Idee, aber indem die Linke darauf hinarbeitet, sich dieses Begriffes zu bemächtigen, wird er zwangsläufig zu einem linken Konzept, dem die *Alte Rechte* grundsätzlich dann mit Ablehnung, Selbstmitleid und Unverständnis entgegentritt. Und zwar auf der Stelle.

Die *Neue Rechte* wäre schlecht beraten, wenn sie sich wie die *Alte Rechte* auf den Ergebnissen der Meinungsumfragen, die bei einer schweigenden Mehrheit eine latente Ausländerfeindlichkeit feststellen, zur Ruhe legt. Denn diese ominöse Mehrheit ist mehr schweigend als wirklich politisch bedeutsame Mehrheit: "sie ist nur im Schweigen Mehrheit". Aber der *Alten Rechten* stellt sich diese Frage nicht, somit bleibt ihr die Analyse und das Verständnis der gesellschaftlichen und soziokulturellen Vorgänge erspart. Ihr Konzept heißt: warten - und die Schuld am eigenen Versagen den *anderen* zuschreiben, die sich gegen das eigene Volk verschworen haben. Europa wird das Futter der Armen, weil wir geistig schwach geworden sind - das ist die Moral und das Recht dieser Welt. Was wäre die *Alte Rechte* ohne ihren Sündenbock?

So bleibt es die Aufgabe der *Neuen Rechten*, die Schätze zu heben, die sich in ihrem Innersten befinden, Analysen durchzuführen und Ursachen zu erkennen, selbst wenn viele Erkenntnisse manchmal schmerzlich sein könnten. "Ich glaube", bekennt Benoist, "daß eine neue Rechte dieser Herausforderung gewachsen sein könnte. Eine Rechte, deren wahre Stärke nicht darin bestünde, im Besitz der Wahrheit zu sein, sondern darin, deren Manifestationen nicht zu fürchten."[8] Die multikulturelle Herausforderung wird zeigen, ob die *Neue Rechte* der historischen Aufgabe gerecht werden wird, Dinge gleichzeitig zu denken, die bisher nur widersprüchlich gedacht worden sind.

Warum kritisiere ich die *Alte Rechte* mehr als die Linke? Weil die Linke in ihrem perversen Selbsthaß und ihrer biedermeierlichen Fremdentümelei ("Intellektuellenseuche Volkshaß"[9]) deutlich bewiesen hat, daß sie eigentlich schon tot ist. Die *Alte Rechte* jedoch erfreut sich einer phönixhaften Lebendigkeit - leider, sie ist sozusagen ein ideologischer Leichnam bei bester Gesundheit.

Warum ist mir dennoch die Rechte, wenn auch nur die neue, trotzdem lieb? Weil die Biotechniker ausreichend bewiesen haben, daß aus Mist über Vergärungsprozesse wertvolle Energie entstehen kann. Darum. Es bleibt an einer *Neuen Rechten*, die architektonischen Zukunftskonzepte bauend zu verwirklichen.

Ceterum censeo...

Was bedeutet denn die multikulturelle Gesellschaft? Multikulturelle Gesellschaft ist schon vom Namen her nicht gleichzusetzen mit dem universalistischen Gesellschaftsmodell der "One World". In einer multikulturellen Bundesrepublik, so sagt man, gäbe es dann eben nicht nur Deutsche als Staatsbürger, sondern auch Türken, Italiener, Marokkaner, etc., sofern diese die deutsche Sprache ausreichend beherrschen und bereit sind, die Gesetze und die Verfassung zu achten. Selbstverständlich schließt das die Übernahme aller staatsbürgerlichen Pflichten ein. Eine konkrete Aussage über die Intensität der jeweilig eigenen Kultur ist damit noch nicht gefällt, jedoch führt der multikulturelle Prozeß zwangsläufig zu einem kulturellen Polyzentrismus auf engstem Raum. Die multikulturelle Gesellschaft ist einem so vielfältigen inneren Druck ausgesetzt, daß sie, anstatt wie befürchtet einheitlich zu werden, nur immer differenzierter werden kann.

Im Seminarbericht der Deutschen UNESCO-Kommission Nr.37 liest sich das ähnlich: "Unter einer multikulturellen Gesellschaft versteht man den Fall, daß die ethnisch-kulturellen Zugehörigkeiten für Interaktionen, Institutionen und auch politische Orientierungen systematisch bedeutsam sind, daß aber auf die Gruppen bezogen eine ökonomische Ungleichheit nicht existiert."[10] Dieses Gesellschaftsmodell setzt voraus, daß die Deutschen die Vielfalt der kulturellen und politischen Ausdrucksformen anerkennen. In Zukunft werden in der Bundesrepublik Menschen zunehmend verschiedener Kulturen leben. Die Multikulturalität stellt sicher, daß jeder seine Sprache, seine Sitten und Gebräuche, seine Religion offen pflegen und bewahren kann. Die Multikulturalität ist die Antwort auf die gescheiterten Versuche, die Ausländer kulturell zu assimilieren, also der bundesrepublikanischen Kultur gleichzuschalten, oder zu integrieren, was bis heute auf das gleiche hinauslief.

Multikulturalität ist wie Mikado. Ein Ineinanderverschachteltsein unterschiedlichster Farben und Hierarchien, Werte und Subkulturen. Kein Glied kann sich bewegen, ohne die anderen mitzubewegen oder zu beeinflußen. Die Deutschen werden akzeptieren müssen, daß auf dem Boden der Bundesrepublik künftig eine noch größere Pluralität der Kulturen, Sprachen, Sitten und Werte anzutreffen sein wird.

Es bleibt zu erkennen, daß die multikulturelle Gesellschaft per definitionem die Kulturen weder entwurzeln noch einebnen will. Vielmehr scheint die Multikulturalität die einzige Zukunftsperspektive zu sein, die es erlaubt, die modernen Industriegesellschaften nicht als egalitaristische Monotonie zu erfahren, sondern als buntes Mit- und Nebeneinander. Unsere Antwort auf die

Herausforderung der modernen Völkerwanderung einerseits und die kulturelle Verpöbelung durch die Amerikanisierung andererseits, kann nicht die Forderung nach der Festung Europa oder die kulturelle Abschottung gegen die Satellitenmedien sein. Die Anwort liegt vielmehr im Denkgebäude der Multikulturalität verborgen. Deutschland geographisch zu orten, wird in Zukunft schwerfallen. Aber ein deutsches "Geisterreich"[11] wird herrschen, größer und spritziger als es jemals gewesen ist.

Multikulturelle Gesellschaft bedeutet auch, die Sprachen der Minderheiten, also Türkisch, Spanisch, etc., in den Regelunterricht der Schulen aufzunehmen und sie sowohl den nicht-deutschen Schülern gegen Entfremdung und den deutschen Schülern als Bereicherung anzubieten. Die *Alte Rechte* sieht das Abendland einstürzen und das Bildungsniveau sinken. Sie muß sich aber die provokante Frage gefallen lassen, ob nicht seit dem Aufstieg des Bürgertums, welches für die *Alte Rechte* unumstritten die Heimat des wahren Deutschtums darstellt, die traditionellen Schulen mehr abendländisch als deutsch waren. Die Kaderschmieden des *richtigen* Deutschtums waren die humanistischen Gymnasien, aber nie hat man aus den Kreisen der *Alten Rechten* den Appell vernommen, Latein und Altgriechisch würden die deutsche Jugend ihrer Identität entfremden. Im Gegenteil galten die romantische Verklärung des Hellenismus als Idealbild des Deutschtums und die humanistische Ausbildung als höchste Stufe kultureller Bildung überhaupt. Was wäre die vielgerühmte deutsche Philosophie ohne die Vorarbeit der Griechen und Römer? Wer sich heute die Schriften aus der Bibliothek der *Alten Rechten* zur Hand nimmt, denkt oft, er blättere im Ausstellungskatalog eines Museums für antike Statuen.[12] Die *Alte Rechte* beklagt oft die Entfremdung des Menschen. Sie muß sich aber fragen lassen, ob nicht sie es ist, die sich der Realität und somit der modernen Gesellschaft entfremdet hat.

Beuys und Gramsci - Thesen zu einem erweiterten Kulturbegriff

Der italienische Marxist Antonio Gramsci war es, der den Marxisten riet: "Wir müssen aufhören, die Kultur als enzyklopädisches Wissen zu verstehen."[13] Die heutige Gesellschaft benötigt ein wesentlich erweitertes Verständnis von Kultur. Kultur ist vor allem einmal das komplizierte Netz aus Verhaltensmustern, welches dem Menschen erlaubt, sich in dieser Welt zu orientieren und gestaltend einzugreifen. Kulturelle Identität beinhaltet gemeinsame Verhaltensmaßregeln genauso wie Ziele, Werte und Normen des gemeinsamen Lebens. Identität ist deshalb die Verwurzelung des eigenen bewußten Ich in einer Kultur. Es ist dieses rational schwer zu beschreibende Gefühl des *Bei-sich-seins*, des Einklangs und der Teilhabe an gemeinsamen Überlieferungen, an Erlebnissen und Wissenserkenntnissen, an einem überindividuellen System von Werten und Normen. Nach Gramsci ist die kulturelle Identität die Disziplinierung der eigenen Person und damit "Inbesitznahme der eigenen Persönlichkeit".[14] Nur so läßt sich ein höheres Bewußtsein erlangen, von dem ausgehend die eigene Stellung und Funktion im Leben, die eigenen Rechte und Pflichten erkannt und akzeptiert werden können.

"Kultur ist mehr als eine zufällige Struktur, mehr als ein beliebiges System von Werten und Normen. Kultur ist immer auch Gestaltung von Wirklichkeit; sie ist die besondere Form, in der die Realität empfunden, bewältigt, gestaltet und bewertet wird; das betrifft auch die von Menschen geschaffene oder veränderte Realität. Kultur ist also auch mehr als ein Symbolsystem; sie ist vielmehr ein wertbesetztes System des Handelns, ja eigentlich *ist* sie die Wertbesetzung des Handelns."[15] Damit werden mehrere Dinge klar: erstens sind Kultur und Identität keine statischen Zustände, sondern Ergebnis gesellschaftlicher Prozesse und zweitens sind Kultur und Identität heute mehr denn je Produkte der individuellen Entscheidung und Auseinandersetzung mit der vorgefundenen Realität. Wem also an Kultur und Identität gelegen ist, der schafft Möglichkeiten und Räume, in denen sich diese reiben, entzünden, entfalten können. Multikulturalität ist eine dieser Möglichkeiten. Wer, wie die *Alte Rechte*, nur dauernd davon spricht, daß die kulturellen Identitäten erhalten werden müssen, verkennt völlig den dynamischen Charakter der kulturellen Evolution.

Hilmar Hoffmann, Kulturdezernent in Frankfurt, erkennt deutlich, daß die Zeit der kulturellen *Homelands* vorbei ist: "Wir sind in der Bundesrepublik Zeugen eines Kulturwandels. Nicht das Nebeneinander verschiedener Kulturen ist das Charakteristikum, sondern die Verarbeitung sich wandelnder Lebensbedingungen mit den Mitteln der Kultur, das heißt der Entwicklung von Formen der Orientierung, der Bewertung und der Gestaltung mittels der eigenen traditionellen und aktuellen Kultur sowie der mannigfachen kulturellen Einflüsse der umgebenden fremden Kulturen."[16] So ist klar, daß die Multikulturalität auch die sogenannte *deutsche Kultur*, wenn dieser Überbegriff für die gesellschaftlich-kulturelle Pluralität der BRD überhaupt zulässig ist, nicht unangetastet lassen wird. Es wird zweifellos etwas Neues entstehen. Welchen kulturellen und historischen Stellenwert dieses Neue einnehmen wird und ob es besser sein wird als das Vorhergehende, bleibt abzuwarten. Aus Angst oder reaktionärem Konservatismus diesen Schritt in die Zukunft zu verweigern, zeugt von Lebensangst und einer gewissen historischen Müdigkeit, die schon immer der Dekadenz und dem kulturellen Verfall vorausgegangen sind.

Aber es wundert nicht: der konservative Kulturbegriff, reduziert auf das Phänomen Kunst, gestattet es dieser Gruppe nur, ehrfürchtig staunend vor den Errungenschaften der Kultur vorbeizudefilieren. Für den reaktionären Geist bleibt Kultur das Konsumgut und Objekt passiven Genusses - edel, schön, wahr. Inspiriert u.a. von Antonio Gramsci und Joseph Beuys akzeptieren wir heute einen erweiterten Kunst- und Kulturbegriff. "In einem erweiterten Kulturbegriff werden...alle Produkte und Tätigkeiten menschlichen Denkens und Hervorbringens, Gesetze und Regeln, die das menschliche Zusammenleben bestimmen, insbesondere aber die Haltung der Menschen auch zu Neuem und Fremdartigem sowie gegenüber bestehenden Ideen, Wertsystemen und Lebensformen zusammengefaßt."[17] Neben den traditionellen Sparten Konzert, Theater, Literatur, Ausstellung berücksichtigt der erweiterte Kulturbegriff auch Innovationen wie den biologischen Landbau, die Gestaltung des Arbeitslebens, die Intensität des Umweltschutzes, die Ausgestaltung des Fremden- und Asylrechts, etc. In der kulturellen Identität verknüpfen, vermitteln und vollenden sich Alltags-, Volks- und Hochkultur. Nur wenn man diesen Kulturbegriff als seinen eigenen erkennt, gelingt es, die gesellschaftliche Passivität zu überwinden und sich selbst aktiv in die Kulturprozesse einzubringen, also selbst bewegender Teil der Geschichte zu werden.

Die *Alte Rechte* behauptet, es gibt eine deutsche nationale Kultur. Dagegen kann man behaupten, daß es in jeder Gesellschaft eine Vielzahl unterschiedlichster Kulturen gibt: z.B. die regionale Kultur mit ihren Dialekten und Trachten; die klassenspezifische Kultur mit Bauerntheater, Modenschau oder Spielhölle; die gruppenspezifische Kultur der Schützenvereine und Punks, des Bundes für deutsche Schrift und der Hafenstraße-Szene; die religiöse Kultur der Christen, Esoteriker, Heiden und Atheisten. Nicht selten stehen diese kulturellen Besonderheiten und individuellen Varianten in heftigem Widerspruch zueinander.

Erste These: Das Kennzeichen der Kultur des 21.Jahrhunderts ist nicht ihre Homogenität, sondern ihre Vielgestaltigkeit.

Die *Alte Rechte* behauptet, Kultur muß bewahrt und erhalten werden. Dabei sagt sie nie, welche Kultur sie eigentlich meint, sondern geht auf der verzweifelten Suche nach Reinheit und Vertrautheit blind und rückwärts in vergangene Welten hinein, die es in dieser idealen Reinheit und Vertrautheit nie gegeben hat. Dagegen kann man behaupten, daß sich Kultur in einem kontinuierlich fortschreitenden und historischen Prozeß der Entwicklung befindet. Das Bemühen um Bewahrung und die Dynamik der Entwicklung werden nicht als Gegensätze, sondern als sich ergänzende Komponenten einer lebendigen Kultur begriffen. Diese lebendige Kultur kann heute aber nur zum geringsten Teil geerbt werden: "Jede neue Identität kommt nur in der Konfrontation zustande, und eigen wird nur das, was einer als eigen erkämpft und sich integriert."[18] Manchmal hat es den Eindruck, daß viele nicht mehr kämpfen wollen. Deren *Nein* zu den sozialen Wirklichkeiten gewährt ihnen den bequemen Frieden des Selbstmitleids und der eingeredeten Hoffnungslosigkeit, ein *Ja* aber erkämpft Identität über Identifikation.

Zweite These: Das Kennzeichen der Kultur ist nicht ihre statische Ruhe, sondern ihre historische und dynamische Veränderung.

Die *Alte Rechte* behauptet, Kultur befinde sich heute nur noch im Museum und müsse mit den Maßstäben der vergangenen Jahrhunderte bewertet werden - je älter desto mehr Kultur. Dagegen kann man behaupten, daß die modernen Industriegesellschaften einen neuen, erweiterten Kulturbegriff brauchen. Kultur läßt sich nicht pessimistisch auf das Vergangene oder Gewohnte beschränken oder auf Exotik und Folklore reduzieren.

Dritte These: Das Kennzeichen der Kultur ist ihr den gesamten menschlichen Wirkungsbereich umfassendes Wesen.

Die *Alte Rechte* unterteilt die Kultur in Hoch-, Primitiv- und Subkulturen. Die eigene Kultur ist dabei immer die Hochkultur, die anderen Kulturen werden an diesem Maßstab gemessen. Dagegen kann man behaupten, daß die Vielfalt der Kulturleistungen aller Völker den Reichtum der Welt darstellt. Die Kulturen sind, unter Berücksichtigung ihrer charakteristischen Ausformungen, gleichwertig. Diese Argumentation wirft natürlich das Problem der Akzeptanz von Gewalt und sogenannten inhumanen Verhaltensweisen auf. Während manche Multikulturalisten als gemeinsamen Nenner und "letzte ethische Instanz"[19] die universalistischen Menschenrechtskonventionen benennen, erklären überzeugte Ethnopluralisten die uneingeschränkte Souveränität der Kulturen.

Vierte These: Das Kennzeichen der Kultur ist die prinzipielle Gleichwertigkeit ihrer unterschiedlichsten Varianten.

Die *Alte Rechte* behauptet, die deutsche Kultur sei ausschließlich das Ergebnis deutschen Wesens, deutscher Gene. Dagegen kann man behaupten, daß jede moderne Kultur letztlich ein nach dem eigenem Empfinden gestaltetes Konglomerat aus eigenen kulturellen Leistungen und abgeschauten, eingebürgerten, eingekauften, umgestalteten oder nachgeahmten Teilen anderer Kulturen darstellt. Die Kartoffel, neben dem Sauerkraut typisches deutsches Lebensmittel, kommt aus dem amerikanischen Kontinent. Der Tabak, von der Industriegesellschaft zum Massenkonsum- und Suchtmittel entartetes religiös-rituelles Gut, ist von den Indianern übernommen. Der Schellenbaum, des deutschen Militaristen liebstes Kind, ist türkischer Herkunft.

Wer jetzt angesichts dieser provokanten Nestbeschmutzung aus Trotz das in deutschnationalen Kreisen beliebte und geschätzte Lied "Kein schöner Land in dieser Zeit..." anstimmt, der sollte vorsichtshalber bedenken, daß Text und Melodie von Wilhelm von Waldbröl stammen. Der deutsche Name an sich sagt noch nicht viel, deutlicher wird es erst, wenn wir den richtigen Namen des 1803 in Deutschland geborenen Sohnes italienischer Einwanderer hören: Anton Florentin von Zuccalmaglio!

Die besseren Deutschen waren manchmal eben die "Beutegermanen", die besseren Franzosen manchmal die, über die Frank Ballot in der

MOZ schreibt: “Hatten sie es aber einmal geschafft, waren es häufig sie, die am lautesten riefen: ‘La France aux Francais!’In Frankreich sagt man ‘Le dernier qui entre, ferme la porte.’Frei übersetzt: wer es als jeweils letzter geschafft hat, ins Haus zu kommen, hält die Türe zu...und so ist es auch nur scheinbar paradox, wenn die ‘Front National’ viele Anhänger hat, deren Namen durchaus nicht französisch klingen, sondern italienisch, spanisch oder polnisch.”[20]

Das geistige Leben einer modernen Gesellschaft, auch ohne sogenannte Überfremdung, ist ein amorphes Durcheinander (siehe 1.These). Kulturelles Erleben ist in Zukunft immer mehrdimensional, vielfältig vernetzt, “dialektisch übers Kreuz”[21], uneindeutig und chaotisch widersprüchlich. Das Eindeutige zu fordern kommt einer kulturellen Verarmung gleich und zeugt von individueller Schwäche bei der Schaffung einer eigenen Identität.

Fünfte These: Das Kennzeichen einer Kultur ist ihr spezifisches Mischungsverhältnis.

Die *Alte Rechte* behauptet, die abendländische Variante sei die höchste zu erreichende Stufe der deutschen Kultur. Nach Arno Breker könne nichts mehr kommen. Dagegen kann man behaupten, daß Kultur immer auch die Möglichkeit ihrer eigenen Negation oder In-Frage-Stellung beinhaltet. Die Raserei der modernen Gesellschaften zwingt immer mehr dazu, diejenigen kulturellen Leistungen in die Bestimmung mit einzubeziehen, die sich aus dem rationalen Denken ergeben.

Sechste These: Das Kennzeichen der Kultur ist die ständige neue Suche nach dem anderen Denken.

Zukunft braucht Herkunft[22] - Eine notwendige Antwort an Alain Finkielkraut

Multikulturalität bedeutet Pluralismus der Ethnien, Werte und Normen innerhalb eines gesellschaftlichen und staatlichen Verbandes. Soll sich jedoch diese Pluralität nicht nur auf Zaziki, Gyros und folkloristische Einlagen beschränken, sondern in ihrer jeweiligen Ursprünglichkeit blühen, dann stellt sich natürlich neben der Betonung des Trennenden die Frage nach den verbindenden Werten, die dieses Gesellschaftskonglomerat zusammenhalten sollen. Diese Werte müssen überethnischen Charakter haben und von den unterschiedlichen Ethnien in gleichem Ausmaß zu verinnerlichen sein.

Die Ergebnisse dieser Konsens-Vorstellung scheinen klar: Die Allgemeine Erklärung der Menschenrechte gibt den Rahmen vor, innerhalb dessen sich die unterschiedlichen Wertesysteme bewegen dürfen. Verbunden ist mit dieser Erklärung in der Realität jedoch die “Zentriertheit auf westeuropäische, insbesondere angelsächsische politische und kulturelle Traditionen”[23], d.h. die Vorgabe des Wirtschaftssystems, nämlich das kapitalistisch-westliche, die Vorgabe des politischen Systems, nämlich des parlamentarischdemokratischen, die Vorgabe der hierarchischen Strukturierung der konkurrierenden gesellschaftlichen Gruppen, nämlich die Sicherung der Führungsmacht des ökonomischen Denkens, sowie der Stellenwert der kulturell-religiösen Eigenarten der Völker und Volksgruppen, nämlich die Zurückdrängung des Religiösen als wertsetzendes Instrumentarium aus dem öffentlichen Leben.

Der Staats- und Verfassungsrechtler Quaritsch plädiert für eine Integration der Ausländer, fordert aber, daß diese bereit sind zur "Assimilation der national wesentlichen Eigenschaften", wozu er "kulturelle Standards" und "Industrietugenden" ebenso zählt wie eine "deutsche Einstellung zur Arbeit" und eine ebensolche, d.h. "grundsätzlich positive zum Staat".[24] Und damit ist die Lunte bereits an das Pulverfaß gelegt, denn die Vertreter eines aufgeklärten Multikulturalismus müssen sich natürlich die Frage gefallen lassen, was nach diesem Katalog an Vorgaben von den wahren Identitäten übrigbleibt.

Zwei Extrempositionen sind auszumachen. Da ist zum einen die Position des Egalitarismus, der die grundsätzliche Unterschiedlichkeit der Kulturen leugnet bzw. ihrer reichen Vielfalt wenig bis gar keine Bedeutung beimißt. Da ist zum anderen die Position des Differenzialismus, die genau das Gegenteil vertritt. Interessant wird es, wenn sich die beiden Positionen vermischen und sich in den Denkfamilien des Universalimus und des Pluralismus/Relativismus wiederfinden. Ersterer erkennt die kulturelle und ethnische Vielfalt der Welt zwar an, beurteilt diese jedoch nach hierarchischen Gesichtspunkten, wobei er die eigene Kultur als höchststehende bewertet. Die Überzeugung des Pluralisten geht dahin, die prinzipielle Gleichwertigkeit der unterschiedlichen Kulturen anzuerkennen, ihr Dasein als menschlichen Reichtum zu feiern und sie nicht nur, wie der Universalist bestenfalls, aber letztendlich als unbedeutende Variantenspielerei zu bewerten.

Der französische Philosoph Alain Finkielkraut war einer der ersten, der in der Forderung nach einer pluralistischen multikulturellen Gesellschaft bzw. einem erweiterten Kulturbegriff einerseits und dem universalistischen Anspruch der Menschenrechte andererseits einen Grundwiderspruch zu den Gedanken der Aufklärung entdeckte. Sein Buch "Die Niederlage des Denkens" ist ein scharfsinniges Plädoyer gegen das "Wuchern des Kulturbegriffs" und die selbstmörderische Toleranz der liberalen Gesellschaften. Obwohl beide, Toleranz und universalistischer Anspruch, Kinder ein und desselben aufklärerischen Denkens sind, geraten beide angesichts der Bedrohung durch den fundamentalistischen Islam und andere religiös-kulturelle Äußerungen der Migranten in einen gefährlichen Widerspruch.

Finkielkraut geht den Dingen auf den Grund und nagt an den Wurzeln eines Ideenkonstrukts, das die Individuen daran hindert, sie selbst zu sein. Das, was Herder und andere "Volksgeist" nannten, also die Theorie, wonach die Individuen sich mehr durch ihre abstammungsbedingte Zugehörigkeit zu einem Kollektiv als durch universale Werte und Ideen auszeichnen, ist Aufschlagzone seiner intellektuellen Schrapnells. In der Feststellung, daß es den einzelnen Menschen nicht gäbe, sondern daß die Menschen im Plural dekliniert werden müßten, sieht er den Gefängnischarakter solcher kollektiven Begriffe wie Nation, Volk, Kultur. Sicherlich zu Recht greift er den konservatorischen Geist der Reaktion an: "Der Wert der Institutionen richtet sich fortan nach ihrem Alter und nicht mehr nach dem Grad ihrer Annäherung an ein ideales Modell. Die Sitten und Gebräuche sind legitim, weil es sie seit Jahrhunderten gibt...Kein rationales Argument kommt gegen diese Patina des Alters, gegen diese Weihe der Zeit an. Wenn die ganze Metaphysik abgeschafft ist, liegt Wahrheit nur noch in der Langlebigkeit der Dinge."[25] Und er erkennt scheinbar auch die Gefahren, die dem entwurzelten, das heißt in der Sprache der Aufklärer "von seinen ihn gefangen haltenden Kollektivismen befreiten", Menschen drohen, wenn er schreibt: "Diese Verleumder des Gemeinplatzes haben den Verstand nicht von seinen Ketten befreit, sie haben ihn von seinen Quellen abgeschnitten. Der einzelne, der durch sie aus seiner Unmündigkeit heraustreten sollte, hat in Wirklichkeit sein Innerstes entleert. Weil er für sich selbst eintreten wollte, hat er sich aufgegeben. In seinem Kampf um die Unabhängigkeit hat er sein ganzes Wesen verloren. Denn die Versprechungen des *Cogito* sind irreführend: vom Vorurteil befreit, geschützt vor dem Einfluß der nationalen Grundsätze, ist das Subjekt nicht frei, sondern schrumpft zusammen wie ein Baum, dem der Saft entzogen wird."[26]

Aber Finkielkraut läßt die Argumente nicht gelten, wonach jede Zeit und jede Gesellschaft ein eigenes, für sie unerlässliches und nicht vergleichbares Repertoire an Werten und kultureller Äußerung braucht, weil diese kollektive Vorausbestimmtheit das von ihm so hochgeschätzte Individuum und seine als absolut gesetzte Vernunft in der Freiheit *zu sein* beschneidet. Finkielkrauts Ideal ist die menschliche *tabula rasa*, die sich allein mit Hilfe der Vernunft zum Kulturwesen emporschwingt. Mit Renan ist er der Ansicht, "daß das Nationalgefühl nicht einer unbewußten Determiniertheit, sondern einer freien Entscheidung entspringt", folglich also Nation nichts anderes sei als eine "tägliche Volksabstimmung".[27] Mit Renan glaubt er an die Universalität des Philosophischen: "Neben den anthropologischen Merkmalen", zitiert er Renan, "gibt es noch die Vernunft, die Gerechtigkeit, das Wahre, das Schöne, die für alle dieselben sind."[28] Daß aber genau dieses Empfinden abhängig vom Wertekodex einer kollektiv wirkenden Kultur ist, also nicht zu jeder Zeit, an jedem Ort und für jeden Menschen gleich gültig sein kann, sieht er dabei nicht.

Türkische Frauen und Mädchen genießen in einem traditionellen kulturellen Kontext sicherlich nicht die gleichen Rechte wie z.B. deutsche Frauen. Das heißt aber nicht, daß türkische Frauen deswegen mehr und härter unterdrückt würden als deutsche; die Frage nach der Unterdrückung ist keine einseitige und keine quantitativ-objektive, sondern nur relativ zu erfassen. Während deutsche Frauen die türkischen Be-Kleidungsvorschiften meist als unterdrückend empfinden, sehen viele Türkinnen die Ent-Kleidungsriten der Deutschen als sexistisch und entwürdigend. Für sie zeugt die massenweise und anonyme Verdinglichung der Frau als Sexualobjekt und Werbeträger weder von hoher Kultur noch von Freiheit, denn Freiheit und ehrvolle Achtung sind für sie untrennbar miteinander verbunden.

Die Geschichte der Menschheit zeigt nämlich nicht, wie die Aufklärer behaupten, überall die gleichen Anfänge, die gleichen Erfahrungen und den gleichen Fortgang. Die gegenteilige Auffassung untermauerte den Kolonialismus und seine heilige Mission, den schnellsten und edelsten Weg zu gehen, "die Nachzügler in den Bannkreis der Zivilisation zu holen."[29] Welche fürchterlichen Folgen der Kreuzzug gegen die Andersartigkeit unter den Fahnen der abendländischen Universalität in der Dritten Welt angerichtet hat, sehen wir heute. Ein ganzer Olymp an Göttern wurde gestürzt zu Ehren des wahren Einzigen, Traditionen wurden aus dem Gedächtnis ausgetilgt, Werte und Sitten in den Sand getreten, Volkserfahrung im Blut der Widerspenstigen ertränkt. Entwurzelung heißt auch Abrichtung. Entwurzelung heißt auch, die dunkle staubige Kammer der Tradition mit dem eisernen Besen ausfegen, um sie mit dem lichten Wesen eines abendländischen Freiheitsbegriffes daraufhin nur noch heller erleuchten zu können. Entwurzelung ist immer auch Ausstopfen und Zurschaustellung des Nur-noch-Musealen.

Und Finkielkraut sagt offen, wie er über das kollektive Wesen der Kulturen denkt: "Wo man dem anderen Menschen, seine Kultur zurückgibt, nimmt man ihm seine Freiheit: sein Eigenname verschwindet im Namen seiner Gemeinschaft, er ist nur noch ein Muster, der austauschbare Repräsentant einer bestimmten Klasse von Menschen. Unter dem Vorwand, ihn bedingungslos anzunehmen, verbaut man ihm jede Bewegungsfreiheit, jeden Ausweg, verbietet man ihm die Eigenständigkeit, lockt man ihn hinterhältig in die Falle seiner Andersartigkeit; man glaubt, vom abstrakten Menschen zum wirklichen Menschen überzugehen und hebt die Distanz zwischen der Person und ihrer Herkunftsgemeinschaft auf, die die Anthropologie der Aufklärung bestehen ließ und sogar zu festigen versuchte..."[30] Sein Traum ist das freie Individuum, welches sich Kraft seiner entwickelten Vernunft einem universal gültigen Kulturbegriff anschließt. Herkunft und verwurzelte Tradition sind in diesem aufgeklärten Denken, welches den Lauf der Welt als eingleisigen Weg in die Zukunft verkündet und sich selbst dabei als Zugmaschine empfindet, nur ein dunkler Ort in der Vergangenheit, an den man nicht erinnert, geschweige denn zurückversetzt werden möchte.

Diesem Denken ist eine Haltung immanent, vor der der Anthropologe Claude Lévi-Strauss eindringlich warnte, denn "die Einstellung von Individuen oder Gruppen, die ihre Treue zu bestimmten Werten für andere teilweise oder vollkommen unempfänglich macht"[31], muß damit zwangsläufig zu Rassismusvorwürfen führen. Lévi-Strauss forcierte damit nicht eine "vorsichtige Rehabilitierung bestimmter Formen der Intoleranz", wie ihm das von Finkielkraut vorgeworfen wird, sondern bezog Stellung für das fast vergessene Menschenrecht, bei sich daheim zu sein, und zwar so wie man das selbst für richtig erachtet, und nicht, wie es einem die Philosophen der Aufklärung überheblich und dünkelhaft vorschreiben wollen.

Nachdem Finkielkraut das gegnerische Bollwerk auf knapp hundert Seiten sturmreif geschossen hat, holt er zum Angriff aus. "Multikulturell", so erkennt er, "das ist das Schlüsselwort im Kampf gegen die Verteidigung der ethnischen Integrität, der Grundbegriff, der den Reiz und die Vorzüge der Verschiedenartigkeit gegen die Eintönigkeit einer homogenen Landschaft setzt. Doch darauf kann man nicht bauen. So kraß die Gegensätze und so gespannt die Beziehungen zwischen den beiden Lagern auch sein mögen, so bekunden sie doch den gleichen Relativismus. Die Glaubensbekenntnisse gehen auseinander, nicht aber die Weltbilder: die einen wie die anderen begreifen die Kulturen als umfassende Totalitäten und überlassen deren Mannigfaltigkeit das letzte Wort."[32] Hier lokalisiert, oder besser vermutet er die Zentrierung des Individuums auf seine Ethnie. Da Kultur nur im Plural ausgesprochen werde, sei den Menschen die Möglichkeit verweigert, über den engen Bereich ihrer kulturellen Werte hinauszugelangen.

Und darauf baut sich dann auch seine Kritik der multikulturellen Gesellschaft auf. "Den Verfechtern der multikulturellen Gesellschaft gelingt das, was die Doktrin 'der Erde und der Toten' nicht geschafft hatte: damit der Andere sich selbst ungehindert entfalten kann, begrenzen sie ihre Nation auf deren einzigartigen Geist, definieren sie Frankreich durch *seine* Kultur und nicht mehr durch den zentralen Platz, den *die* Kultur dort haben sollte..." Eine klare Warnung folgt: "Jedenfalls auf das ruhmreiche und rachsüchtige Auftrumpfen der kulturellen Identität zu antworten 'wir sind nur eine Kultur', ist kein Gegenschlag, sondern eine Kapitulation. In dem Bemühen, die Alte Welt endlich gastlich zu machen, zerstören die Apostel des Zusammenlebens der Kulturen gewissenhaft den Geist Europas..."[33], der sich für ihn in der Universalität des aufgeklärten Denkens offenbart, aber auch beschränkt.

"Den Einwanderern helfen", schreibt Père Lelon, "heißt zunächst einmal sie zu achten, so wie sie sind, so wie sie in ihrer nationalen Identität, ihrer kulturellen Eigenart, ihrer geistigen und religiösen Verwurzelung sein wollen."[34] Ein Plädoyer, wie es in den Augen Finkielkrauts unmenschlicher, d.h. anti-individualistischer nicht gehalten werden kann. Angesichts dieser Herausforderung reagiert er deutlich: "Gibt es eine Kultur da, wo man über Delinquenten körperliche Züchtigungen verhängt, wo die unfruchtbare Frau verstoßen und die Ehebrecherin mit dem Tode bestraft wird, wo die Aussage eines Mannes soviel wert ist wie die von zwei Frauen, wo eine Schwester nur Anspruch auf die Hälfte des Erbes hat, das ihrem Bruder zufällt, wo die Frauen beschnitten werden, wo die Mischehe verboten und die Polygamie erlaubt ist?...In unserer von der Transzendenz verlassenen Welt bürgt die kulturelle Identität für die barbarischen Traditionen, die sich mit Gott nicht mehr rechtfertigen lassen...Und doch sind die Menschenrechte gegen das Ältestenrecht, einen im Boden des Alten Kontinents fest verwurzelten Brauch, eingeführt worden, hat das europäische Individuum *auf Kosten seiner Kultur* nach und nach alle seine Freiheiten errungen, bildet schließlich - auf einer allgemeineren Ebene - die Traditionskritik die geistige Grundlage Europas."[35]

Aber die Frage prallt mit voller Wucht zurück: Gibt es eine Kultur dort, wo die für den Produktionsprozeß unbrauchbaren Alten zum Sterben abgesondert werden, wo die Aussage eines Uniformierten mehr gilt als die eines freien Menschen, wo die fruchtbaren Frauen in den Abtreibungskliniken hunderttausendfachen Genozid an der Zukunft begehen, wo engagierte Ökologen vom Geheimdienst in die Luft gesprengt (die Affäre Rainbow-Warrior) oder mit CS-Gas bekämpft werden (die Affäre Wackersdorf), wo Waffen aus Profitdenken an Drittweltländer verkauft werden?

Gibt es Kultur dort, wo die Christen ihre widernatürlichen Dogmen (Verbot des vorehelichen Geschlechtsverkehrs, Verbot der Verhütung, etc.) und ihre permanenten Drohungen (Fegefeuer, Jüngstes Gericht, etc.) ausstoßen dürfen und damit mindestens genauso gegen das Menschenrecht der geistigen und körperlichen Unversehrtheit verstoßen wie die traditionelle Beschneidungen und oft grausame Einweihungsriten, deren spirituell-religiöse Bedeutung wir nur nicht verstehen?

Die kulturelle Identität der Einwanderer zu schützen, hieße also, sie dem weiteren Mißbrauch durch ihre Tradition auszuliefern; sie vor den Folgen einer Totalentwurzelung zu bewahren, liest sich bei Finkielkraut als Auslieferung auf Gedeih und Verderb an eine als barbarisch und unzivilisiert gedachte Gemeinschaft. Der kulturelle Relativismus führe zielgerichtet zum Hohelied der Knechtschaft.

Und wenn sich die Einwanderer schön gefügig zeigen, dann dürfen sie auch an den süßen Früchten unserer hohen Geisteskultur und Zivilisation naschen: "Der Geist der europäischen Neuzeit dagegen findet sich sehr gut mit der Existenz von nationalen oder religiösen Minderheiten ab, unter der Bedingung, daß diese sich nach dem Vorbild der Nation aus gleichen und freien Einzelpersonen zusammensetzen. Eine solche Forderung hat zur Folge, daß alle Bräuche, die die Grundrechte der Person verhöhnen - auch die, deren Wurzeln weit in die Geschichte zurückreichen - als ungesetzlich erachtet werden."[36] Finkielkrauts Ausführungen zeigen klar zwei Dinge: Indem er dermaßen radikal für individuelle Emanzipation und gegen Identität, für individuelle Souveränität und gegen kollektive Eigentümlichkeit votiert, reduziert er den Menschen auf sein Dasein als Einzelperson, aber gleichzeitig gesteht er ihm, dem angeblich freien Individuum, nicht einmal die freie Wahl seines kulturellen Bezugsrahmens zu. So liefert er die philosophische Rechtfertigung dafür, die Menschheit weiter einer universalen Weltkultur entgegenzutreiben und die wertvollen Partikularismen zu zerstören, von denen Lévi-Strauss behauptete, sie seien die Quelle aller ästhetischen und spirituellen Werte, die dem Leben seinen Sinn verleihen. Finkielkraut hätte merken müssen, welchen unmenschlichen Totalitarismus er mit seinen Äußerungen präsanktioniert.

Aber bloß weil die Aufklärer ihre Lehre von den Menschenrechten als universal gültig definierten, sind die Menschenrechte deswegen noch lange nicht wirklich universal. Das wären sie erst, wenn alle Menschen diese Werte auch wirklich als die ihren anerkennen und gleich auslegen würden. Aber genau das ist ja nicht der Fall. Hendrik Otten, Coautor des Bandes 270 der Bundeszentrale für politische Bildung, erkennt zwar, daß es in Sachen Menschenwürde "keine weltweit gültige einzige Definition gibt", und daß deshalb der Begriff Menschenwürde "ein Wert mit Universalitätsanspruch ist, zumindest in der westlichen Welt". So viel Widerspruch mit wenigen Worten hindert ihn nicht daran, noch einen drauf zu setzen. Zehn Seiten weiter schreibt er: "Zwar sind Begriff und Auslegung der modernen Menschenrechte umstritten und noch nicht allgemein anerkannt...", trotzdem seien sie aber "universal und individuell".[37] Fast humoristisch wirkt die Vaterschaft der Menschenrechtler Benjamin Franklin und Thomas Jefferson. "Weniger witzig finde ich Franklins Meinung", schreibt Henning Eichberg, "die Indianer sollten am sinnvollsten durch Rum ausgerottet werden, und seine Arbeit für die Walpole Company, die illegal mit Indianerland spekulierte. Für Jefferson waren die Indianer Wilde an der Grenze zum Tier, und Afrikaner hielt er sich als Sklaven."[38]

Wenn nach der Übernahme der Regierungsgeschäfte durch den Mc Donalds-Konzern alle Identitätsextremisten zu BigMacs zerhackt würden, so könnte man zwar die Notwendigkeit dieser Maßnahme mit dem Hinweis auf ein universal gültiges Menschenrecht zur Aufrechterhaltung des Allgemeinen Sozialen Friedens begründen, widersinnig bliebe sie trotzdem. Allein die Verkündung, irgendetwas sei universal gültig, bedeutet gar nichts, sondern ist nur eine totalitäre Anmaßung. Somit bleibt der Universalitätsanspruch der Menschenrechte das was er ist: eines der unendlich vielen Postulate zur Regelung menschlichen Zusammenlebens in den Köpfen der aufgeklärten Intellektuellen.

Die eindeutige Absage, die Miriam Makeba der universalistischen Anmaßung der Aufklärer erteilt, gilt nicht nur für die Gemeinschaften in Afrika, sondern auch für die der Zuwanderer hier: "Die Europäer müssen aufhören, uns ihre Lebensweise, ihre Zivilisation aufzuzwingen...Die Europäer kommen zu uns, strecken ihre Füße bei uns auf den Tisch und geben uns Ratschläge. Wenn sie Afrika helfen wollen, dann sorgen sie dafür, daß diese Leute ihre Füße von unserem Tisch nehmen und verschwinden. Wir brauchen ihre Hilfe nicht, um unsere Identität zu finden...Wir brauchen beileibe keine Ratschläge, wie wir zu leben, zu denken, zu fühlen oder uns zu verhalten haben. Das ist allein unser Problem...Wenn die Europäer gelernt haben, uns so zu akzeptieren, wie wir sind - ob in ihren Augen 'primitiv' oder nicht -, wenn sie gelernt haben, uns als Menschen, als Schwarze, als Afrikaner anzuerkennen, uns in Ruhe zu lassen, dann können wir vielleicht auf gleicher Ebene, gleichberechtigt miteinander zusammenleben."[39]

Indem Finkielkraut diesen Äußerungen nicht den geringsten Wert beimißt, bringt er nur zum Ausdruck, daß er seiner Wahrheit, das heißt der Menschheitskultur, eine spezifische, höhere Wertigkeit einräumt, was induziert, daß es auch nicht-erhaltenswerte und minderwertige Kultursysteme gibt, die sich ihm durch sein Nichtverstehen zeigen. Finkielkraut geht davon aus, daß seine Art zu denken, die universal gültige sein muß, daß er eine höhere Denkfähigkeit beanspruchen darf und daher auch glaubt, diese politisch durchsetzen zu müssen. Er reserviert sich das Recht, besser die Anmaßung, vorzuschreiben, was Menschlichkeit ist und was nicht, was richtiges Denken ist und was nicht. Und indem er daraus konkrete Maßnahmen der Selektion und Unterdrückung Andersartiger ableitet, entpuppt sich sein Denken als rassistisch und totalitär. In seinen Äußerungen erscheint die kalte Logik der universalistischen Macht und der überheblichen Anmaßung, die sich im Begriff "Aufklärung" tradiert. Isaiah Berlin schließt sich dieser Auslegung an, wenn er schreibt: "Die Auffassung, auf normative Fragen müsse es endgültige, objektive Antworten geben, die Wahrheit könne bewiesen oder unmittelbar intuitiv erfaßt werden; es sei im Prinzip möglich, ein harmonisches Modell aufzudecken, in dem alle Werte versöhnt seien, und wir müßten uns auf dieses umfassende Ziel hinbewegen; wir könnten ein gewisses zentrales Prinzip, das diese Einsicht präge, aufhellen, ein Prinzip, das, sobald erst entdeckt, unser Leben regieren werde - dieser alte, fast universelle Glaube, auf dem ein Großteil des traditionellen Denkens und Handelns und der philosophischen Lehren beruht, scheint mir keine Gültigkeit zu besitzen und zuweilen zu Absurditäten in der Theorie und zu barbarischen Konsequenzen in der Praxis geführt zu haben (und noch zu führen)."[40]

In einer multikulturellen Gesellschaft wird Identität künftig nur noch als Mosaik, als Bricolage verstanden werden können. Das verneint weder die Unterschiede zwischen dem Eigenen und dem Fremden, sondern verhilft zur Betonung und Zuspitzung, das heißt Rückführung auf das Wesentliche. "Die reale Vielfalt der Welt beginnt für universalistische Politikkonzepte höchst unbequem zu werden."[41]

Diese Situation hat wahrlich eine faustische Dimension. Sie setzt nicht primär auf den friedlichen Charakter des kulturellen Nebeneinanders, sondern sie zählt auf die Macht der Differenz. Was uns an der Zukunft reizen sollte, ist das Gleichgewicht "nicht nur widerstreitender Dogmen, sondern auch widerstreitender Wirklichkeiten", konstatiert der Philosoph Odo Marquard, "die eben dadurch...dem Einzelnen Freiheiten läßt und jene Entlastung vom Absoluten gewährt, die vor allem auch...als 'mythische Gewaltenteilung' wirkt."[42] Wir sollten vor der Zukunft nicht zurückweichen. Darin liegt unser Risiko und das Europas.

Januskopf Europa - Kultur und Gewalt

Das gute Europa: ein harmonisches Miteinander kultureller Vielfalt, das ein "mildes, seltsam konfliktbereinigtes abendländisches Licht"[43] gekonnt bildungsbürgerlich in Szene setzt; das wahre Europa: das befruchtende Konglomerat aus kulturellem Reichtum und ausgreifender expansiver Aggression. Die Multikulturalität des europäischen Festlandes ist historische Tatsache seit Beginn der Geschichtsschreibung. Nirgendwo im gedrängten Europa gab es jemals Zonen der Ruhe, des statischen Verharrens, der romantischen Harmonie. Der multikulturelle Kontinent kannte nur das Gegenteil: Zusammenstoß, Reibung, Konflikt, Kampf. Die gegenseitige kulturelle Durchdringung war daher genauso ein Akt der Begegnung wie der Krieg. Historisch gewachsen sind die europäischen Kulturen nur durch die permanente Unruhe und dem Zwang zur geistigen Mobilität, ihre Vielfalt verdanken sie den ständigen Konflikten, denen sie ausgesetzt waren. "Man sollte nicht vergessen, daß das Überwinden von Grenzen in der Geschichte Europas meist beides war: ein Akt der Gewalt und ein Akt des Austausches. Niemand soll glauben, diese so ungeheuer lange Geschichte ließe sich über Nacht entmischen."[44]

Viele jedoch unterliegen dem Glauben, daß Kultur und Weiterentwicklung nur in einem friedlichen Umfeld gesichert seien. Aber es ist doch im Gegenteil so, daß sich die Regionen und Traditionen immer befehdet und gegenseitig herausgefordert haben. Europa ist doch nicht trotz, sondern wegen dieser Auseinandersetzungen zu dem geworden, was es heute ist. Man muß sich der Frage stellen, ob nicht "dieser Streit sogar Europas wirksamster und dauerhaftester kultureller Entwicklungsmotor" gewesen ist. "Es wäre daher müßig , das streitsüchtige bis grausame vom friedfertigen und kulturell so produktiven Europa trennen zu wollen. In aller Regel handelt es sich um ein und dasselbe Europa."[45]

Die Zukunft Europas liegt daher nicht in der Monotonie eines als ideal geträumten gesellschaftlichen Friedens, sondern in der Auseinandersetzung seiner unterschiedlichsten Teile. Und wenn es gestern die Klassen und sozialen Schichten waren, die sich in den Haaren hatten, so sind es morgen die

Ethnien und Rassen, die sich zu einem neuen Gebilde und einer neuen Utopie zusammenraufen müssen.

Die *Alte Rechte* liebt die zwingenden, starren, unverrückbaren, von Gott oder sonst einer Autorität legitimierten und sanktionierten Unterschiede. Laßt uns dagegen schwärmen von den Unterschieden, die flexibel sind, die hinterfragt und faustisch überwunden werden können! Die wahren Unterschiede sind die, die im Kampf behauptet werden können. Europa war nie das Hinterzimmer des Präparators, sondern das Experimentierlabor, in dem die kulturellen Bewegungsgesetze erprobt wurden. Der *melting pot* hat in Europa nie eine Chance gehabt und wird auch in Zukunft keine bekommen. Das ist zwar so nicht ganz richtig, doch dort, wo sich mehrere Kulturen vermischt haben, zum Beispiel in Wien, ist daraus etwas Neues entstanden, etwas, das heute kein kulturbewußter Europäer missen möchte. Zu sehr liebt Europa die Unterschiede, die kulturellen wie die ethnischen. "Die *kulturellen* Fertigkeiten des Unterscheidens, des Unterschiede-Machens, der Konkurrenz, der Nutzung von Unterschieden, Differenzen und kulturellen Gefällen sowie auch des neugierigen Spiels mit dem Anderen - all diese Fertigkeiten...waren es, die die Europäer überlegen machten."[46]

Multikulturalismus als Instrument der Herrschenden?

Von linker und marxistischer Seite wird gegen die multikulturelle Gesellschaft vorgetragen, daß das Konzept des Multikulturalismus klare Züge einer Ideologie beinhalte. Vornehmlich richten sich die Kritikpunkte gegen die weit verbreitete Vorstellung, mit einer multikulturellen Gesellschaft sei eine Romantisierung und Idyllisierung realer gesellschaftlicher Verhältnisse gekoppelt. Ungeachtet der ökonomischen Zwänge und der daraus resultierenden Migrationsbewegungen werde in den Empfängerländern stets die multikulturelle Bereicherung gesehen. Es gerate dabei oft aus dem Blickfeld, daß der kulturelle Reichtum der Empfängerländer auf Kosten einer kulturellen Verarmung der Herkunftsländer geht. In gewisser Weise könne man auch von einer neuen modernen Form der Ausbeutung und Kolonisation sprechen.

Die Reduzierung der komplexen Situation der Ausländer auf die Kulturfrage lasse zudem die vielzähligen ökonomischen, rechtlichen und politischen Zwänge, denen diese Menschen ausgesetzt sind, völlig außer Acht. Die Bezeichnung Ausländer ist aber "kein kultureller Begriff, sondern ein nationalpolitischer und in der Bundesrepublik ein arbeitsmarktpolitischer".[47] Neben der Gefahr einer kulturell sanktionierten Entpolitisierung taucht jedoch noch ein anderes Gespenst auf: "So käme das Konzept der Multikulturellen Gesellschaft einem 'Abschied vom Ziel gesellschaftlicher Integration auf der Grundlage universalistischer Normen' gleich. Zudem wäre das Konzept mit der Gefahr verbunden, in einer 'falschen', nämlich rechten politischen Richtung zu wirken. Mit der Betonung von kulturellen Besonderheiten und deren Erhaltung bewegten sich die Befürworter nämlich 'auf dem Terrain des rechten Gegners'".[48] Wie wir sehen, liegt dieser Hinweis gar nicht so daneben, wie es oberflächlich scheinen mag. Fast könnte man glauben, diese angesprochene Rechte kennt Gramsci und seine Theorie der kulturellen Hegemonie besser als so mancher Marxist.

Nach marxistischer Diktion laufe der Multikulturalismus darauf hinaus, der führenden Klasse ein "Herrschaftsinstrument zum Zwecke des Krisenmanagements"[49] und der soziokulturellen Überwachung in die Hand zu geben. Die in den multikulturellen Theorien extensiv enthaltene Betonung des kulturellen, ethnischen und religiösen Pluralismus sowie des gegen assimilierende Bestrebungen gerichteten Rechtes auf eine eigene Identität sei bisher in dieser Ausgeprägtheit nur in den Schriften der *Neuen Rechten* zu finden gewesen. Die marxistische Kritik befürchtet daher, daß durch die Hervorhebung der Kulturalität verschiedener ethnischer Gruppen eben diese gegen die Klasseninteressen ausgespielt werden könnte und somit die gesellschaftlichen Klassenwidersprüche auf reine Wertkonflikte reduziert werden würden. Multikulturalismus sei daher ein Instrument, um die "Hegemonie kapitalistisch-bürgerlicher gesellschaftlicher und politischer Gruppen zu sichern"[50], und: "Identitätspolitik spiegelt...Autonomie und Authentizität zurück, um die Reproduktion der kapitalistischen Ordnung zu sichern."[51] Wer die Argumentation Heiner Geißlers unter diesem Aspekt kritisch durchleuchtet, wird diesen Vorwurf nicht von der Hand weisen können.[52]

Ein weiterer Vorwurf an den Multikulturalismus bezieht sich auf die offensichtliche Kongruenz multikultureller und rechter Vorstellungen, wonach Völker als homogene Einheiten und deren Kulturen als ein Insgesamt begriffen werden. Diese Sichtweise werde weder dem gesellschaftlichen Pluralismus gerecht noch sei eine gewisse Nähe zu nationalen Positionen, die stets die Homogenität von Volk, Staat und Kultur betonen, von der Hand zu weisen. So wie der von der Außenwelt abgeschottete Volkskörper in der Ideologie der *Alten Rechten* das deutschnationale Paradies darstelle, so wachse sich das multikulturelle Verlangen vor allem in kirchlichen und linkshedonistischen Kreisen zum "Kuscheltraum" eines "langersehnten Garten Eden" aus.[53]

So wertvoll und notwendig der marxistische Ansatz im multikulturellen Diskurs auch sein mag, so stellt seine Kritik doch eine Vereinfachung des aktuellen Diskussionsstandes und eine Verkürzung der komplexen Idee des Multikulturalismus dar. In dieser reduktionistischen Haltung ähneln sich marxistische Linke und rassistische Rechte auf bemerkenswerte Weise.

Die Schlacht am reichen Buffet...

Multikulturalität heißt auch: eine Schlacht hat sich angekündigt, deren erste Scharmützel einen ungewissen Ausgang befürchten (oder erhoffen?)

lassen. Es steht etwas auf dem Spiel, was für die Menschen und Völker des 21.Jahrhunderts überlebensnotwendig sein wird.

Warum aber wehren sich nationale *Alte Rechte* und marxistische *Alte Linke* in trauter Eintracht gegen die multikulturelle Gesellschaft? Beide trauern nicht nur dem ausgehenden 20.Jahrhundert nach, ihre Trauer reicht hinein bis ins neunzehnte. Die einen beweinen den Niedergang der guten alten Zeit, die saubere Ordnung der Nationalstaatlichkeit (Verdun ist so sauber, da wächst heute noch kein Baum - wenn ich mir diese Nestbeschmutzung erlauben darf), die anderen suchen nach ihrer trauten Klassenseligkeit und ihrem verlorenen Sozialismus, da sie den realen nie als den ihrigen anerkennen wollten. Für den Deutschnationalen ist das Absinken der Geburtenrate eine Folge der Zuwanderung von Fremden, während dieses Absinken doch erst möglich wurde durch den selbstverschuldeten demographischen Niedergang. Die marxistische Linke hat das Scheitern des wahren Sozialismus zu erklären, bzw. sucht sich neue Bataillone zusammen. Da käme ihr die neue Klasse eines entwurzelten Ausländerproletariats gerade recht, wenn da nicht die Multikulturalisten wären, die ein Entstehen eben dieses Proletariats durch die Unterstützung der traditionellen Religionen und Identitäten verhindern. Die Ablehnung, von verschiedenen Beweggründen ausgehend, hat denselben Grund und die gleiche Aufgabe: den eigenen Mißerfolg zu vertuschen. "Beide sind diktiert von der Angst vor der Veränderung, von dem Ressentiment, das eine Gesellschaft erweckt, bei der man zu seinem Mißvergnügen spürt, daß sie für Lösungen aller Art und aller Tendenzen als zentrales Laboratorium dient."[54]

Dabei ist es doch klar, daß die Dinge längst einen anderen Weg genommen haben, als es sich Deutschnationale und Marxisten gewünscht hätten. Es ist ein Weg, der von beiden nicht recht verstanden wird und in ihren heiligen Büchern nie vorgesehen war. Beide erschaudern bei dem Gedanken, daß da am Ende dieses Weges eine völlig neue Revolution wartet, ja vielleicht sogar dynamisch auf einen zukommt, über die man sich keine Vorstellungen machen kann, weil die Schriftgläubigen aus den heiligen Büchern nichts zum Thema herauslesen können.

"Nun, es ist nicht die Bestimmung der Revolution, den Schriftgelehrten zu gefallen", bemerkt der konservative französische Publizist Jean-Francois Revel: "und auch nicht, Prophezeiungen in Erfüllung gehen zu lassen. Wer Revolution sagt, spricht von einem neuen Geschehen, das noch nie stattgefunden hat und auf anderen Wegen als den historisch bekannten eintritt. Wer Revolution sagt, spricht von etwas, was sich nicht ausdenken und nicht einmal vorstellen läßt, wenn man sich der alten Konzeptionen bedient. Die Ausgangsposition und der erste Erfolg revolutionären Denkens ist die Fähigkeit, Neuerungen einzuführen, ist das der kollektiven Phantasie gegebene Versprechen gegen autoritäre Entscheidungen, ist die Mobilität hinsichtlich der Vergangenheit und die schöpferische Spontaneität."[55] Revolution ist also Krise und Erneuerung!

Die Multikulturalität des zukünftigen Europa und ihr revolutionärer Impetus demütigt national- wie marxistisch-egalitaristisch denkende Ewiggestrige auf gleiche Weise. Die multikulturelle Revolution ist mit dem romantischen Revolutionsmodell des 19.Jahrhunderts nicht zu greifen, schon eher mit dem Gramscismus. So geht es nicht darum, die multikulturelle Gesellschaft unreflektiert zu mißbilligen oder enthusiastisch herbeizuloben. Beides wäre primitiv und sinnlos. Vielmehr geht es darum, die in ihr wirkenden antagonistischen Kräfte zu erkennen und sich ihr grenzenlos anmutendes Kreativitätspotential zunutze zu machen. Auf die tendenziösen Thesen des systematischen Antimultikulturalismus, der - auf einen Nenner gebracht - an einer multikulturellen Gesellschaft überhaupt nichts Positives, und zwar auf keinem Gebiet, finden will, kann man nicht mit dem ebenso tendenziösen wie systematischen Philomultikulturalismus antworten. Beide Haltungen gegenüberzustellen ist nutzlos, da beide im selben Grad irrational sind. Gesucht wird eine analytische Haltung als Ersatz für drei leidenschaftliche, "denn Revolutionen sind letztlich nicht etwas, was man macht, sondern etwas, was man entweder unterdrückt oder aber geschehen läßt."[56]

Gehen wir deshalb davon aus, daß den Kräften des Wandels Raum gegeben werden muß, wenn die Revolution eine menschliche, kulturelle und soziale Höherentwicklung bewirken und nicht Zuflucht zu Bürgerkrieg und Zerstörung nehmen soll. "Den Klischees der romantischen revolutionären Vorstellungen zum Trotz ist es kein Zeichen von Stärke, sondern von Schwäche, wenn man sich genötigt sieht, sein Haus anzuzünden, um Ameisen aus einem Wandschrank zu vertreiben."[57]

Faust und das Dämonische

Solange die Kultur mit der Religion verschmolzen war, wurde die Gegenwart aus der Vergangenheit heraus beurteilt. Die Tradition stellte die notwendige Kontinuität für diesen Prozeß her. Daraus erklärt sich auch, warum selbst heute noch die *Alte Rechte* die gesellschaftlichen Entwicklungen immer vergangenheitsbezogen, d.h. aus ihrem christlichen Kontext heraus interpretiert. Mit dem Zerfall der theologischen Autorität etwa um die Mitte des 19.Jahrhunderts nahm die Kultur die Beziehung zu den dämonischen Elementen des Lebens auf. "Aber anstatt, wie die Religion, das Dämonische zu zähmen, begann die modernistische Kultur, es zu akzeptieren, es zu erforschen, darin zu schwelgen und es (mit Recht) als Quelle bestimmter Kreativität zu betrachten."[58]

Diese Entwicklung menschlichen Seins hat Goethe in der Figur des Faust personalisiert und damit den menschlichen Sehnsüchten nach Selbsterhöhung eine mächtige Symbolfigur geschaffen.

Faust: wißbegierig, hungrig nach der absoluten Erfahrung, unersättlich. Doch als ihm der Erdgeist den brodelnden, kochenden Kessel des Lebens vorhält, scheitert Faust an dem Widerspruch zwischen Einbildungskraft und Leben und bricht zusammen. Die zentrale Botschaft des ersten Teiles der Tragödie ist bekannt. Der unstillbare Wissensdrang des Menschen, des faustischen Menschen, gleicht einem Fluch, der auf der Menschheit lastet und sie nie zur Ruhe kommen läßt. Mit Hegel erkennen wir im Urfaust das Bestreben der Selbstverwirklichung durch die Erfahrung der Grenze. Der erste Teil offenbart dann als zweites Moment die Negation, das Auskosten der Ausschweifung, die Lebenserfahrung im "trunkenen Wirbel einer sich unaufhörlich selbsthervorbringenden Unordnung." Mit 82 Jahren, 55 Jahre nach der Fertigstellung des Urfaust, versiegelt Goethe das Manuskript des zweiten Teiles. Doch einen Abschluß hat er in dieser Zeit nicht gefunden, "weil es keine Lösungen gibt", wie er in seinem Tagebuch festhält. So endet Faust III platt, ironisch und mehrdeutig. Während Faust II eine prometheische Hymne an den Menschen ist, entsprechend dem ungestümen Wesen des jungen Goethe, gerät Faust III zu einer frömmelnden Anklage an eben diesen faustischen Charakter - entsprechend der todesbereiten Bewegungslosigkeit des greisen Dichters. So bleibt als Botschaft, daß die Ruhelosigkeit des Menschen zutiefst menschlich ist, ja fast die einzige menschliche Eigenschaft ist, die seine Menschlichkeit bestimmt.

Die Kontinuität mit der Vergangenheit, das bewußte Erinnern scheint abgelegt und so bleibt nur der Weg in die Tragödie. Neue Abenteuer weichen neuen Genüssen weichen neuen Enttäuschungen weichen neuen Revolutionen weichen neuen Abenteuern... Faust gleicht Proteus, dem fernen Wanderer, "der niemals lange genug vor uns haltmacht, als daß wir seine wahre Gestalt oder seine letzten Ziele erkennen könnten."[59] Aber das Leben Fausts auf Erden - und somit das Leben des Menschen - ist nicht "nur (als) eine Widerspiegelung der siebenstufigen Hölle"3 zu bewerten, wie dies der konservativ-christliche Publizist Daniel Bell in Anlehnung an die biblische Mythe des "irdischen Jammertales" folgert, sondern kann aus heidnischer Sicht auch als unschuldiges Spiel des Seins zur Aufrechterhaltung des Lebens interpretiert werden.

Aber jetzt wird vieles klar: Multikulturalität bedeutet Veränderung, bedeutet vermehrtes Chaos, bedeutet, daß kein Ende in Sicht ist. So ist klar, daß deutschnationales altrechtes Denken, das schon immer auf christlichen Fundamenten gedieh, wesentlich am Erhalt des völkischen Status quo interessiert ist, da im Zuge der Verweltlichung christlichen Denkens die *Alte Rechte* das biblische Paradies, sprich das Ende der Geschichte, auf die Reinheit des eigenen Volkes und der eigenen Rasse projeziert hat. Aber der brodelnde, kochende Kessel der menschlichen Geschichtlichkeit läßt ein statisches Weltbild nicht zu. Wenn Reinheit der Rasse und des Volkes also bereits das eschatologische Ziel des Menschentums sind und die Geschichtlichkeit des 21.Jahrhunderts diesem Ziel entgegenwirkt, dann bleibt der *Alten Rechten* nur der einzige Schluß, in die letzten Verteidigungstellungen abzutauchen und das göttliche Paradies gegen den Ansturm der teuflischen Apokalypse zu behaupten.

Menschliche Evolution läßt sich jedoch weit besser mit den Modellen von Schwingung und Spiralität beschreiben, als mit dem Glaubensgebäude eines linear verlaufenden und zielgerichteten Entwicklungsprozesses, der einen von Gott verursachten Anfang, einen von Gott gegebenen Ablauf und ein von Gott bestimmtes Ende aufweist. Die Geschichte ist nach wie vor offen, es gibt keine historische Finalität und somit auch keinen gesellschaftlichen Prozeß, der nur zu einem einzigen Resultat führen kann. Das Modell Amerika ist folglich nicht zwingend. Da kein Mensch letztendlich sagen kann, was kommen wird, bleiben nur zwei grundsätzliche Entscheidungen vor der Geschichte bestehen: manche verweigern sich der Ungewißheit und klammern sich an Dinge, die schon morgen vergessen sein werden; andere dagegen sind sich des Risikos voll bewußt und bejahen die Herausforderung, die das tosende Leben an sie stellt.

Damit soll nicht gesagt sein, daß man den Untergang der Völker herbeiwünschen und eine unterschiedslose Schmelztiegelgesellschaft befürworten sollte. Die Ausführungen zeigen, daß es stets das Anliegen war, entschieden für den Erhalt der Völker und gegen die egalitäre Massengesellschaft Stellung zu beziehen. Aber die Herausforderungen des 21.Jahrhunderts zwingen zu einem Überdenken bisher stabil geglaubter Lehrgebäude insofern, daß man die Relativität der absoluten Wahrheiten von gestern erkennt und begreift, daß morgen schon andere Herausforderungen neue Wahrheiten entstehen lassen werden.

Multikulturalität ist Ausgriff auf das Morgen

Das wohl herausragendste Kennzeichen moderner Gesellschaften ist das Phänomen der Veränderung, das heißt sowohl deren Schnelligkeit wie auch deren Penetranz und zunehmende Schrankenlosigkeit. Deshalb stellt sich den davon Betroffenen die Frage, was heute für morgen zu tun sein wird, immer häufiger und intensiver, weil folgenschwerer. Immer schneller geraten wir deshalb auf den Punkt zu - wenn wir nicht schon längst daran vorbei sind - an dem die Frage, was wir zur Bewältigung der Zukunft brauchen, nicht mehr aus der Vergangenheit beantwortet werden kann. Die Gegenwart ist nicht mehr der Stachel der Vergangenheit in die Zukunft, sondern die Nachhut des morgen Seienden. Die Zukunft ist der visionäre Maßstab für die Gegenwart.

Wenn uns die Erfahrung der Vergangenheit die Orientierungshilfen, die wir heute für morgen brauchen, versagt, dann helfen nur Prognosen und

Planungen. "Die Frage nach der Zukunft ist deshalb heute nicht mehr ein müßiges Spiel utopischer Schwärmer und verstiegener Idealisten; sie ist, wenngleich in wechselndem Maße, für jeden zur Lebensnotwendigkeit geworden."[60] Es stellt sich demnach nicht mehr die Frage, ob wir utopisch denken wollen oder nicht. Wir sind zur Verwirklichung der Utopie gezwungen, wenn wir überleben wollen.

Diese vorausgehenden Gedanken sind notwendig gewesen, um die Tragweite der Warnung zu begreifen, die Georg Picht vor mehr als 20 Jahren an die westliche Welt gerichtet hat. Die rasante Zunahme der Kommunikationstechnik selbst in den Entwicklungsländern hat dazu geführt, daß die Menschen dort zwar auf einer niedrigeren Zivilisationsstufe leben, aber dennoch gut über die Lebensverhältnisse in den Industriestaaten informiert sind. "Das hat vor allem in den Entwicklungsländern zu einer Revolution des Bewußtseins geführt, die man als "Revolution der steigenden Erwartungen" bezeichnet hat. Die ungeheuren Unterschiede zwischen den armen und den reichen Ländern sind den hungernden Völkern bekannt, und sie sind nicht länger bereit, diese Unterschiede hinzunehmen, sondern fordern ihren Anteil am Reichtum der Welt...Die Erwartungen sind legitim; sie sind außerdem eine unentbehrliche Triebkraft der Modernisierung."[61]

So droht dieses riesenhafte wachsende Potential aus Hunger und proletarischer Verelendung eine neue Form des Krieges heraufzubeschwören, gegen die sich die Militärsysteme der industrialisierten Welt als machtlos erweisen werden. Das Feuer des Weltbürgerkrieges, ausgelöst durch die Not der hungernden Welt und die Bevölkerungsexplosion, in Gang gebracht durch eine gedankenlose Expansion der Weltwirtschaft, beschleunigt durch das Tempo des technischen Fortschritts, vollendet durch die ökologische Verwüstung der Welt, verwirklicht die Theorie der *permanenten Revolution* und dringt ein im Gewand einer gigantischen Völkerwanderung der Milliarden. Sie ist mit Waffen nicht zu bekämpfen, sondern man kann ihre legitimen Forderungen nur dadurch zum Schweigen bringen, indem man sie erfüllt.

Jede andere Antwort an eine zukünftige Welt führt zur Vergewaltigung der beiden Menschenrechte, dem auf Freizügigkeit und dem auf Heimat. "Denn welche Chancen haben die beiden Menschenrechte, wenn offene Grenzen identisch sind mit doppelter Entfremdung", fragt Günther Nenning. "Fremd in der neuen Heimat bleiben die zuziehenden Fremden; fremd bei sich selber werden die geängstigten Einheimischen...Natürlich gibt es das Menschenrecht auf freie Bewegung in der Welt und auf freien Zuzug überallhin. Aber es gibt auch ein ebenso heiliges Menschenrecht auf Leben im unzerstörten Zusammenhang mit seiner eigenen Tradition und Zukunft, in einem überschaubaren Bereich, welcher Wärme und Heimat bietet."[62]

Eine wesentliche Bedingung für das Funktionieren der multikulturellen Gesellschaft ist daher die rigorose, längst ausstehende Bekämpfung der eigentlichen Ursachen der Migrationen und die ebenso rigorose Handhabung des Asylrechts.

Die Jagd nach dem Glück

Multikulturalität ist kein Harmoniebegriff, sondern ein Kampf- und Konfliktvokabular. Die multikulturelle Gesellschaft wird nicht friedlich werden, es wird zu harten Auseinandersetzungen kommen. "'Diese Brutalisierung macht mir schwer zu schaffen', seufzt da ein derart angegangener Lehrer. Das strenge Patriarchat der bestens intakten türkischen Familien, mehr noch die frauenfeindliche Tradition des Islam, habe 'lauter kleine Machos' in die Schule gebracht - vitale, harte Männertypen", schreibt die ZEIT. Und der SPIEGEL ergänzt: "Unter den rund 500 Krawallos, schätzt die Polizei, waren etwa 80 Prozent jugendliche Türken."[63] In der Beschwörung der furchtbaren gesellschaftlichen Folgen des multikulturellen Experiments übertreffen sich daher die Warner von Monat zu Monat. Aber sie haben sich nie der Frage gestellt, ob eine befriedete Gesellschaft überhaupt erstrebenswert ist.

Sicherlich sind dem einzelnen seine individuellen Glücksmomentchen wichtiger als die Förderung der geschichtlichen Kräfte, sicherlich sind die Glücksvorstellungen der Individuen weniger abstrakt als die der Philosophen. Dagegen steht die Tatsache, daß gerade der nicht vorhandene gesellschaftliche Friede die Evolution in Gang hält, "da die persönliche Glückserfahrung sich weniger der Abwesenheit von Konflikten, Ängsten oder Ärger verdankt als vielmehr dem Grad der Intensität, mit der jemand Dinge erlebt und durch diese Erlebnisse zum produktiv Handelnden wird...".[64]

Das politische Programm der bürgerlichen Pazifisten ist das des Kleinglücks und des utilitaristischen Komforts, ihr Lebensideal ist das vegetarische einer starren, endgültig befriedeten Gesellschaft.

Der rechte Bürger und sein wahrer Krieg

Die *Alte Rechte* ist in ihrem Innersten und Geheimsten bürgerkriegsbesessen und apokalyptisch. Diese Spezies sieht in der Multikultur die Antikultur schlechthin und prophezeit sie als unwiderrufliches Zeichen des Verfalls. Das ist gefährlich, "denn nichts ist leichter hervorzurufen oder zu erzeugen als äußere Gefahren."[65] Die unterschwellige Aggressivität der verbürgerten Rechten, ihr verborgener Hang zur Selbstzerstörung, die fixe Idee verfolgt zu werden oder einer Weltverschwörung ausgeliefert zu sein, zieht Verallgemeinerungen und Vereinfachungen nach sich, die die Gewaltbereitschaft über Jahre bis zum Siedepunkt aufkochen, jedoch vorher psychisch beschwichtigen und die signifikante geistige Trägheit dieser Leute rechtfertigen. Den Apokalyptikern kann vorgeworfen werden, daß sie ein ernsthaftes Verständnis der gesellschaftlichen Entwicklungen nie versucht haben. Statt das Phänomen im einzelnen zu analysieren, negieren sie es insgesamt. Für die gesellschaftliche Vielfalt und die belebenden Unterschiede bleibt da kaum Platz, die apokalyptische Verdammung umgreift alles mit dem Schleim ihrer moralisierenden Vorurteile. "Fremd ist, was nicht meinem Bild entspricht; fremd wird, was meinen Wahn enttäuscht."[66] Da sie schließlich selbst zu keiner werterhaltenden Handlung, geschweige denn einer echten Wertsetzung mehr fähig sind, flüchten sie in die scheinbar befreiende Vision des Bürgerkrieges, des Krieges aller gegen alle. Zu ihrer inneren geistigen und kulturellen Monotonie und Phantasielosigkeit vermögen sie sich als Gegengewicht nur die alles zerstörende Apokalypse vorzustellen. Untergang als Befreiung. "Wer innen leer ist, ist außen aggressiv".[67]

Eine gesellschaftliche Entwicklung, die sie selbst in ihrer Komplexität nicht mehr durchschauen und begreifen können, soll mittels eines umfassenden Krieges wieder auf das erhofft einfache Modell des Dschungelgesetzes, einer waffenstarrenden Macho-Gesellschaft herabgeschraubt werden.

Ich spüre förmlich, wie sich die Mündung einer 12er Pump-action-riot-gun der bürgerkriegsbessenen Rechtsmilitanten auf meine Stirn richtet. Aber diejenigen jungen Altrechten, die zu jeder freien Minute eifrig US-Brutalo-Videos konsumieren und dabei, ohne sich ihrer inneren Widersprüche bewußt zu sein, auf ihre deutsche Identität pochen, sind gleichzeitig die, die zwar andauernd mit dem warnenden Zeigefinger auf die bürgerkriegsähnlichen Zustände zeigen, aber gerade diese Zustände im geheimsten herbeiwünschen, um sich endlich abreagieren zu können. Die Rechten sind die größten Chaoten. Diejenigen, die den Law-and-Order Demagogen des Rechtspopulismus ihre Stimme geben, sehnen sich die Zeiten herbei, wo's endlich wieder losgeht, wo man aus den selbstgebauten Mauern seiner Obrigskeitshörigkeit, seiner eschatologischen Hoffnung auf Ruhe und Wohlstand und Bürgerlichkeit (Amen) ausbrechen kann. Flucht aus der eigenen inneren Nervenklinik.

Dialektik hat nichts mit Dialekt zu tun - oder doch?

Krieg der Werte im Wirbel der Zeit

Noch einmal: Der Begriff der multikulturellen Gesellschaft ist kein Harmoniebegriff. Vielmehr trägt er eine geballte Ladung Zündstoff in sich. Manche bejammern das, weil sie Angst vor der Auseinandersetzung haben. Einige erkennen darin die wertvolle Chance, die durch die westliche Lebensart verflachten traditionellen europäischen Kulturen und Regionalismen wiedererstarken zu lassen. Denn jeder Druck, der von außen auf eine kulturelle Gruppe wirkt, erzeugt automatisch, sofern die Gruppe überhaupt noch als solche wirklich lebendig ist, einen Gegendruck, der die Gruppe dazu befähigt, an den Werten und kulturellen Eigenheiten, die sie als wesentlich empfindet, festzuhalten und diese zu verteidigen.

Kulturelle wie menschliche Größe blüht meist in aussichtslos scheinenden Grenzsituationen: "Vieles bleibt in den Menschen und ohne Schicksal, weil die Katastrophen fehlen, die es erst möglich machen und wecken. Der Zwang, auf einmal groß zu handeln, macht manche zu Größen. Man gebe seinen Untertanen Gelegenheit zu ertrinken, damit sie schwimmen lernen"[68], beschwört Jürgen von der Wense nietzscheanische Lebensführung. Und genau diesen Druck, diesen titanischen Zwang erzeugt die multikulturelle Realität. Aber die *Alte Rechte* hat nie wirklich Nietzsche gelesen: die Multikulturalität ist der Sturm, der die ausgebrannten und blutleeren Kulturen und Traditionen hinwegfegt, um Platz für die stärkeren zu machen. Ein moralisches Lamento hilft da nicht weiter. Die Geschichte kennt kein Mitleid. Wer sich nicht behaupten kann in dieser Welt des Kampfes, der verdient das Leben nicht - das kommt der *Alten Rechten* seltsam bekannt vor und doch überfällt sie das Schaudern. Kein Wunder, denn das waren die Worte Adolf Hitlers. Die *Alte Rechte* besitzt nicht die menschliche Größe, aufrecht stehen zu bleiben, wenn sich der Spieß jetzt umdreht. Sie jammert um Gnade und argumentiert moralinsauer.

Man klassifiziert die kulturellen Werte eines Volkes oder einer Gruppe in Religion, Familie, Volkstum und Geschichtlichkeit. Geschichtlichkeit ist Sinn und Intensität der Kommunikation mit den Vorfahren und ihrer Lebensart. Diese verinnerlichten Werte garantieren das Überleben des Volkes. Je nachdem, wie wichtig die ethnische oder kulturelle Gruppe ihr eigenes Überleben als charakteristisch-authentische Gruppe in einem pluralistischen Umfeld nimmt, umso stärker ausgebildet wird das Phänomen der *ethnischen oder kulturellen Stärke* sein. Das Judentum hat seine Ethnie damit erfolgreich über 2000 Jahre Diaspora hinübergerettet. Vielleicht ist jetzt die historische Stunde gekommen, wo das Deutschtum in eine gewaltige kathartische Diaspora abtauchen muß, bevor das neue *Germanien* entstehen kann?

Dieser Gedanke kann der *Alten Rechten* nur abstrus vorkommen, glaubt sie doch, felsenfest in der abendländischen Tradition stehend, daß die Zeit linear verlaufe und dies der einzig mögliche Begriff der Zeit sei. Mit Herodot aber ist gewiß, daß das Gesetz der Zeit, dem die Ereignisse gehorchen, nicht vorwärts drängt zu einer einzigen wahren Zukunft, sondern zyklisch verläuft. Die Zeit eilt immer zurück zu einem neuen Anfang, wenn einmal das Ende erreicht ist. Sie verläuft deswegen nicht kreisförmig, eher gleicht ihre Bahn einer sich in die Unendlichkeit schraubenden Spirale. "Die Spirale", sagt Friedensreich Hundertwasser in einer seiner Schriften aus dem Jahr 1974, "ist das Symbol des Lebens und des Todes." Die Form der Spirale widersetzt sich der Geometrie der geraden Linie, mit der das Übel des abendländisch-universalistischen Rationalismus begann.

Es ist eine fundamentale anthropologische Hypothese, daß systematische, endgültige und wesentliche Veränderungen, so wie es sie nachgewiesen für physikalische und biologische Phänomene gibt, auch für die kulturellen Phänomene zutreffen.

Fremdheit ist Ganzheitsverlust

Fremdheit und Besitzdenken sind zwei Begriffe, die nicht entkoppelt werden können. Seit alle Europäer Wohlstand genießen, heißt Heimat auch Besitztum. Je mehr Bedeutung der Mensch dem erworbenen materiellen Besitz beimißt, umso größer ist auch seine Fremdenfeindlichkeit. Die Konsumgesellschaft hat neue Fronten geschaffen: "Eigenes (das heißt Besitz) gegen Fremdes."[69] Seit die *Alte Rechte* mit dem Begriff "fremd" operiert, hat sie durch politische Manipulation eine neue Front der psycho-sozialen Kriegsführung eröffnet. Fremd ist, wer nicht patriotisch dem Deutschnationalismus huldigt. Fremd ist, wer selbstbewußt anders ist.

Die *Alte Rechte* denkt monotheistisch, monokausal und monokulturell. Sie hat ein total irreales Konzept einer *heilen* und *reinen* Welt, in der es nur jeweils *einen* Grund für eine Sache geben darf. Ruhe und Ordnung, Überwachung und Regelmäßigkeit sind die obersten Werte der eingebürgerten Menschen. Ausweise und Identitätskarten, Nummern und digitalisierte Bilder im Zentralcomputer sind die Götzen dieser Religion der Formalitäten. Wirkliche Kultur, nämlich Stammbaum, Ahnen und Wurzeln, wird fremd.

"Die Warner vor der Überfremdung reden kaum von fremden Waren, fremden Geld und fremden Konsumgütern; nur der fremde *Mensch* paßt ihnen nicht. Überall in der Produktewerbung werden Abwechslung und Vielfalt postuliert; sie gehören wesentlich zum freien Wettbewerb; bloß bei den Menschen muß alles gleich und angeglichen sein: nur weiß, nur rein, nur völkisch, nur Ruhe und Ordnung"[70], gibt Al Imfeld zu denken.

Doch schon Herder hat darauf hingewiesen, daß die Nationen nicht ungestraft auf einen einzigen Mittelpunkt zurückgestutzt werden dürfen, sondern ihren elliptischen Charakter bewahren müssen. Günther Nenning hat diesen Gedanken kürzlich wieder aufgegriffen: "Der eine Mittelpunkt ist das Eigene, die Sehnsucht nach sich selber, das Wurzeln in sich selber. Der zweite Mittelpunkt ist das Fremde, andere, Geheimnisvolle, Zukünftige."[71] Henning Eichberg dagegen arbeitet mit der Trialektik des Nationalismus.[72] Da ist zum einen der Leistungs- oder Produktionsnationalismus, verkörpert in der Ideologie der Expansion und des grenzenlosen Wachstums; der Integrationsnationalismus, der anderes einverleibt und egalisiert, so z.B. der Verfassungspatriotismus; und zum anderen der Nationalismus der volklichen Identität, der eine bewußte Differenzierung in kleine überschaubare Einheiten propagiert. Die beiden erstgenannten Nationalismen können auf die Ausländerfrage nur eine egalitäre Antwort geben. Einzig die letzte Nationalismusvariante ist überhaupt fähig, auf multikulturelle Fragen differentialistische Antworten bereitzuhalten.

Somit gehört zum Gleichgewicht von Nation und Heimat nicht nur das Eigene, Vertraute, sondern auch das Neue, Fremde. Heimat ist also nicht nur Rückgriff - wenn sie nur das wäre, sähen wir nach 50 Jahren materialistischer Diktatur und ökologischer Verwüstung alt aus -, sondern auch utopischer Ausblick und Ausgriff.

Lernen kann man nur das bisher Fremde...

Die Antwort der *Alten Rechten* auf die multikulturelle Gesellschaft und die Irritationen, die sie in ihrem Weltbild auslöst, ist klar und primitiv: Fußtritt rhetorisch, Fußtritt körperlich, Fußtritt per Genozid per Bürgerkrieg. Das ist natürlich keine Position, mit der es zu argumentieren lohnt. Vielmehr ist bei vielen das Bewußtsein gewachsen, daß die neuen Fremden nicht nur Traditionen und Identitäten untergraben und zerstören, sondern auch etwas für uns Brauchbares beitragen können.

Haben wir uns je wirklich die Mühe gemacht, zu hinterfragen, was wir von den Türken lernen könnten? Gerade türkische Werte wirken oft wie archaisches Prickeln im aufgeklärten Werteeinerlei des Abendlandes, sind die "schöpferische Irritation am Eigenen".[73] Wagen wir uns also heran an den türkischen Ehrbegriff, an ihre Autoritätsstrukturen, an die Stellung der Alten in der Familie. Wir werden doch deshalb nicht zu Türken, eher finden wir eigenes, längst verlorenes, aufbewahrt in einer als fremd geglaubten Kultur, die uns so plötzlich seltsam heimelig anmutet. Von den islamischen Schulen hören wir nichts Gutes, von altrechts nur: Überfremdung, von links: Indoktrination. Dieser egozentrierte Monolog der Abendländler ist schwer zu ertragen. Indem man danach fragt, was die islamischen Schulen denen bedeuten, die sie wollen und besuchen, eröffnet man sich die Möglichkeit zum Dialog.

Wer sich den Blick in die afrikanischen Kulturen nicht durch rassistischen oder aufgeklärten Dünkel versperrt, findet erstaunliches. Heidnisch-traditionale Werte, nach denen wir zu Hause verzweifelt Ausschau halten, liegen hier offen zutage: die Erfahrung der göttlichen Allgegenwart im Leben der Natur, die Wertschätzung der Ehe, der Ahnenstolz, das Interesse an Genealogien. "Das afrikanische Bild vom Menschen in der Gesellschaft betont im allgemeinen mehr seine Gruppenzugehörigkeit als seine Individualität. Die Zugehörigkeit zur Gruppe dauert nach dem Tod fort und reicht bis ins Nachleben hinein. Totes, Lebendiges und noch Ungeborenes bilden eine unverbrüchliche Gemeinschaft."[74]

Wieviel Liebe und Menschlichkeit spricht aus der Geste im Totenritus, die uns Kwabena Nketia beschreibt: "Die Kinder besorgen den Sarg für den Vater und...reichen ihm den letzten Schluck Wasser...".[75] Dem gegenüber wirkt das Alleingelassensein der Alten und Kranken, d.h. deren Quarantäne und Selektion in den Siechstationen unserer Sozialeinrichtungen nicht wie die Errungenschaft einer zivilisierten Hochkultur, sondern wie Barbarei.

Die heute wiederentdeckte ökologische Variante des Blut-und-Boden-Mythos findet sich in vielen afrikanischen Riten wieder. So wird in Afrika das neugeborene Kind gleich nach der Geburt auf die Erde gelegt. Dieses heidnische Ritual, welches uns auch aus dem germanischen Kulturkreis überliefert ist, offenbart die Fruchtbarkeit der Erde und huldigt damit der zeugenden Kraft von Mutter und Boden. Aus der Berührung des Säuglings mit der heimatlichen Erde erwächst dem geborenen Menschen die innige Verbundenheit mit dem Boden, den Pflanzen und Tieren. Es ist in Afrika ein häufig anzutreffender Ritus, an dem Ort, wo die Plazenta vergraben wird, dem neugeborenen Kind einen Lebensbaum zu pflanzen.[76]

Diese Riten sind den europäischen Heiden nicht fremd. Wie in Afrika so auch bei uns wurden diese heidnische Verbundenheit mit den Göttern, den Ahnen und der Natur durch die christliche Missionierung bekämpft und unterdrückt. So kann uns die Multikulturalität wieder in die Lage versetzen, von fremden Menschen zu lernen, um von dem Gelernten ausgehend und inspiriert die eigenen Wurzeln wiederzufinden. Es fragt sich freilich, ob die Zuwanderer nicht selbst schon zu entwurzelt sind, um uns etwas mitzubringen? Aber das hätte dann auch keine weiteren Auswirkungen mehr, denn einen Entwurzelten kann man nicht ein zweites Mal entwurzeln. In diesem Falle würden wir weitermachen wie bisher, das heißt *keine* Bäume zur Geburt unserer Kinder pflanzen und die Plazenta unserer Mütter dem Frischzellenmarkt einer kapitalistisch-hedonistischen Schickimicki- und Bussibussigesellschaft zur Verfügung stellen. Gegen Cash - versteht sich.

Wenn in Nairobi Wagner gegeben wird, dann feiert die *Alte Rechte* die Genialität der deutschen Kultur, auch wenn es sich in Wahrheit um eine kosmopolitische Angelegenheit multikulturellen Charakters handelt. Wenn sich junge Deutsche bei der Suche nach ihren heidnischen Wurzeln von afrikanischen Schamanen in den rituellen Gebrauch der Trommel einführen lassen, dann, so argumentiert die *Alte Rechte*, sei das Überfremdung. Hier wird mit zweierlei Maß gemessen - der kolonialistische Herrenmenschengeist weht immer noch in einer leichten Brise übers Land.

Der Verfall einer Kultur, so Ibn Chaldun, der arabische Geschichtsphilosoph, kündigt sich an, wenn die einfache Lebensweise dem Luxus und der Asketizismus dem Hedonismus Platz macht. Das hedonistische Leben untergräbt die Willenskraft und zerstört den Mut. Das Wetteifern um Luxus und Freizeitgestaltung verdrängt die Fähigkeit zu teilen und zu opfern. Die Deutschen stehen einem mächtigen Feind gegenüber: der großen Völkerwanderung aus dem Süden. Diese Gefahr wird den Deutschen den Asketizismus lehren: die Liebe zu den nichtmateriellen Werten, den Verzicht auf körperliche Vergnügen, Einfachheit, Selbstverleugnung und zielgerichtete Disziplin. Wenn die Deutschen diese Lehre nicht begreifen, werden sie eines Tages aufhören deutsch zu sein. Wenn die Deutschen diese multikulturelle Herausforderung nicht annehmen werden, werden sich die Herausforderer der Deutschen annehmen.

Rasse und Kultur

Die *Alte Rechte* ist rassistisch. Nicht nur in dem Sinne, daß sie andere Rassen als minderwertig betrachten würde, sondern weil sie vehement für eine Weltordnung eintritt, die eine reinliche Scheidung der Rassen in "eugenisch genormten Homelands"[77] vorsieht. Angesichts der Tatsache, daß eine weltweite Apartheid nie realisierbar wäre, muß man sich fragen, ob sie überhaupt wünschenswert wäre. Der Anthropologe Claude Lévi-Strauss hat die Erkenntnisse der modernen Populationsgenetik mit seinen eigenen Ergebnissen verglichen und kam zu dem Schluß, daß der Komplex "Rasse und Kultur" völlig neu gesehen werden muß. Lévi-Strauss konnte zeigen, daß alle wesentlichen Faktoren menschlichen Lebens aus der Kultur erwachsen: die Mechanismen der Gruppenbildung und -teilung, die Modalitäten und Bräuche für das Paarungs- und Fortpflanzungsverhalten, das Recht, die Magie, die Religion und die Kosmologie. Diese Faktoren sind es, die - direkt oder indirekt - die Selektion formen und deren Richtung bestimmen. "Folglich finden sich die Gegebenheiten des Problems bezüglich der Beziehungen zwischen den Begriffen von Rasse und Kultur auf den Kopf gestellt. Im Laufe des gesamten 19. und in der ersten Hälfte des 20.Jahrhunderts hat man sich gefragt, ob und auf welche Weise die Rasse die Kultur beeinflusse. Nachdem wir festgestellt haben, daß das auf diese Weise aufgeworfene Problem unlösbar ist, werden wir jetzt gewahr, daß die Dinge in anderer Richtung verlaufen: es sind die Kulturformen, die die Menschen sich hier und da zu eigen machen, und ihre Lebensweisen, wie sie in der Vergangenheit vorgeherrscht haben oder noch in der Gegenwart vorherrschen, die in einem sehr weitgehenden Maße den Rhythmus ihrer biologischen Evolution und ihre Richtung beherrschen. Weit davon entfernt, uns fragen zu müssen, ob die Kultur eine Funktion der Rasse ist oder nicht, entdecken wir, daß die Rasse...eine Funktion der Kultur unter anderem ist."[78]

Das scheint auch klar zu sein, da die Zahl der Kulturen die der Rassen im Verhältnis "einige tausend gegen einige Dutzend"[79] übertrifft. Die von den Rassisten vertretene These, wonach der Verlauf der Geschichte in letzter Instanz vom Erbmaterial bestimmt werde, wird durch diese Tatsache klar widerlegt. Während das Erbmaterial seit tausenden von Jahren nahezu konstant geblieben ist, vollzog sich der Wandel der Geschichte unendlich schneller und vielgestaltiger als eben dieses Erbmaterial.

Laut Lévi-Strauss ist dem Menschen nur die allgemeine Anlage zum Erwerb einer beliebigen Kultur vererbt, "aber die Kultur, die die seine werden wird, hängt von den Zufällen seiner Geburt und der Gesellschaft ab, die ihm seine Erziehung vermittelt."[80] Damit verbunden ist seine Warnung vor der kulturellen und genetischen Abschottung: "Individuen, die von ihrem genetischen Erbteil dazu prädestiniert sind, nur eine besondere Kultur zu erwerben, hätten also ungewöhnlich benachteiligte Nachkommen, weil die kulturellen Variationen, denen sie ausgesetzt wären, schneller einträten, als ihr genetisches Erbteil sich im Verhältnis zu den Anforderungen jener neuen Situationen selbst entwickeln und diversifizieren könnte."[81] Aber er wird noch deutlicher, wenn er in diesem Zusammenhang darlegt, "daß isolierte Kulturen sich keinerlei Hoffnungen machen konnten, von und aus sich selbst heraus die Bedingungen einer wirklich kumulativen Geschichte hervorzubringen. Dazu muß...der Fall eintreten, daß unterschiedliche Kulturen willentlich oder unwillentlich ihre jeweiligen Errungenschaften kombinieren und sich so eine größere Chance einräumen, im großen Spiel der Geschichte jene langen Zeiträume zu verwirklichen, die ihr den Fortschritt erlauben."[82]

Ähnlich dachte auch der afrikanische Staatsmann Leopold Sédar Senghor, als er anläßlich seiner Rede zur Eröffnung der Salzburger Festspiele 1977 die folgenden ermutigenden Worte an die Österreicher richtete: "Nun waren die Mischehen gerade in Wien am häufigsten und die Durchdringung von deutschem, slawischem, magyarischem und romanischem Blut am intensivsten. Es genügt, im Wiener Telefonbuch zu blättern, um sich davon zu überzeugen. Und in diesem letzten Viertel des 20.Jahrhunderts, in welchem die weltweite Kultur des 21.Jahrhunderts erarbeitet werden muß, wissen wir, daß im Gegensatz zur Theorie von der angeblichen Vortrefflichkeit der Rassenreinheit alle großen Kulturen erst aus der Kreuzung verschiedenartiger biologischer und kultureller Strömungen entstanden sind."[83]

Kulturelle und biologische Evolution stehen somit nicht nur in analoger Beziehung zueinander, sondern auch komplementär. Daher kann man wagen zu sagen, daß jede kulturelle Ausprägung bestimmte genetische Anlagen selektiert, und diese wiederum in Rückkopplung auf die Kulturform einwirken, der sie ihre Verstärkung verdanken.[84]

So sind es nicht die Unterschiede der Rasse, die die Menschen trennen, sondern mehr die Unterschiedlichkeit der kulturellen Erscheinung. Es ist ein oft zu beobachtendes Phänomen, daß sich Angehörige einer gesellschaftlichen Gruppe, obwohl ethnisch verschieden, besser verstehen, als Deutsche untereinander, zum Beispiel der deutsche Polizist und der deutsche Punk aus Kreuzberg. Die Unterschiede in Lebensweise, Kleidung, Moral und Haartracht sind schon so groß, daß die gegenseitigen Gefühle der Abscheu und der Feindseligkeit substantiell denen des Rassenhaß ähneln.

Den Antrag auf Mitgliedschaft in der altrechten Artgemeinschaft e.V. kann nur stellen, wer "überwiegend nordische Menschenart verkörpert".[85] Was soll denn "überwiegend" heißen? Man muß doch klar sehen: Was sich heute unheimlich rassistisch gibt, wäre zu besseren, sprich arischeren, Zeiten schlicht der topmodernste Multikulti-Verein gewesen. So spielt das Leben.

Evolution als Experiment

Der *Countdown* läuft. Die Veränderung unserer natürlichen Lebensbedingungen sowie die Zunahme der unkontrollierten und unerforschten Nebenwirkungen einer technisierten und künstlichen Welt haben die biologische wie kulturelle Umwelt des Menschen radikal und nachhaltig verändert. Heute schon unterliegen wir nicht mehr den gleichen Selektionsbedingungen wie gestern und morgen werden die maßgebenden Selektionsbedingungen nicht mehr mit den heutigen vergleichbar sein. "Entsprechend werden sich die Selektionsprodukte ändern. Die zukünftige Menschheit wird biologisch mit der bisherigen Menschheit nicht identisch sein; aber niemand vermag heute zu sagen, ob die Veränderungen, die unentrinnbar sind, negativ als Degenerationserscheinungen oder positiv als Symptome der Fortentwicklung zu deuten sind. Der Prozeß ist in Gang gesetzt und kann nicht wieder rückgängig gemacht werden; wir wissen nicht, ob er der Erhaltung der Gattung Mensch zugute kommt oder ob er die Gattung in ihrem Kern gefährdet."[86]

Wann aber, diese Frage sei erlaubt, war die aktuelle Variante der Gattung Mensch jemals identisch mit ihrer jeweils vorhergehenden? Die ganze Evolution funktioniert bekanntlich gegenteilig. Die *Alte Rechte* vermag auf solche Fragestellungen nur zu argumentieren wie der Australopithecus beim Anblick eines Homo erectus: "Der aufrechte Gang ist der Untergang der Hochkultur", orakelt der Australopithecus unheilschwanger und trottet unwissend dem Ende seiner Entwicklungphase entgegen.

Da wir wissen, daß menschliche Evolution stets abenteuerndes Experiment mit den Möglichkeiten des Lebens ist, stehen wir vor der paradoxen Entscheidung, "daß wir den selben Prozeß befördern müssen, von dem wir wissen, daß er die Menschlichkeit des Menschen zerstören und damit auch sich selbst aufheben könnte."[87] Diese Entscheidung zu leugnen oder das Risiko nicht wagen zu wollen, hieße das Leben als solches zu verneinen, die heroische Tendenz im Menschen lächerlich zu machen. Da hilft es wenig, vor Angst zu schlottern und zu versuchen, sich an der Realität vorbeizuleben. Vielmehr sollten wir uns bemühen, das Paradoxon freudig als Herausforderung zu empfinden, zu akzeptieren und kraftvoll zu durchstoßen.

Evolution ist Entfremdung ist Geschichte

Entfremdung ist nicht ausschließlich ein Produkt der amerikanischen Massenkultur oder ein Erzeugnis des Kapitalismus, sondern steht am Anfang der Geschichte des Menschen. Entfremdung im eigentlichen Sinn ist sogar die Voraussetzung zur Geschichtlichkeit, das heißt zur Fortbewegung von einem seienden Zustand zu einem werdenden. Entfremdung ist daher notwendig gekoppelt mit der Zeitlichkeit des Menschen. Die *Alte Rechte*, durch und durch vollgepfropft mit ungeordnet unverstandenem christlich-biblischem Gedankengut, verbindet mit ihrem Kampf gegen Entfremdung daher nicht den Kampf gegen den ebenfalls biblischen Egalitarismus, sondern sie verwirklicht mit der Forderung nach dem Ende der Entfremdung nur das alte biblische Ideal nach dem Ende der Zeitlichkeit, der Geschichtlichkeit und der Evolution im Paradies des Garten Eden, so paradox das auch im ersten Moment klingen mag.

Das moderne Menschenbild jedoch geht davon aus, daß der Mensch, um Mensch bleiben zu können, zu jeder Zeit und an jedem Ort über sich hinausgehen und seinen gegenwärtigen Zustand hinter sich lassen muß. "Der Mensch ist sich selbst immer entfremdet, denn er ist das Lebewesen, das sich im Dasein nur behaupten kann, indem es zu werden versucht, was es noch *nicht* ist."[88]

Und dieser Werdungsprozeß, dieses Hineintauchen in eine stets als ungewiß antizipierte Zukunft ist das dynamische Menschenbild, welches auch der multikulturellen Gesellschaft zugrundeliegt. Die Denkmodelle der *Alten Rechten* basieren auf statischem Verharren oder ahistorischem Rückgriff auf die Zeiten erlogener Rassenreinheit. Konrad Lorenz hat es immer wieder deutlich ausgesprochen: "Im Organismus entsteht ein immer vollständigeres Bild der Umwelt, und zwar durch aktives Herumprobieren. Dieses Herumprobieren ist Aktivität des Lebens, nicht passives Warten. Das Leben unternimmt etwas, es riskiert etwas. Daß dieses Riskieren auch als Irrtum erscheint, das tut gar nichts zur Sache. Das Leben riskiert, es experimentiert."[89] Worauf Popper während des Altenberger Kamingespräches antwortet: "Und jene, die diese Initiative haben, gelangen durch Auslese auf eine höhere Ebene", und Lorenz ergänzt: "Daß ein Lebewesen was Neues erfinden, was riskieren muß, und zwar umso mehr riskieren muß, je höher es hinaus will."[90]

Die geschichtliche Krise, ihr unerbittliches Fortschreiten der Zeit ist die einzige Form, in der sich die Gattung Mensch am Leben erhalten kann. Die Theorie der multikulturellen Gesellschaft steht daher weit mehr in Einklang mit den Evolutionstheorien als die Apartheidmodelle der *Alten Rechten.*

Ehrlicherweise muß jedoch gesagt werden, daß die Evolution nicht zielgerichtet verläuft: "Und daher muß man es dem Menschen unter die Nase reiben, daß er von jedem erreichten Niveau der Evolution nach oben, aber auch nach unten gehen kann..."[91] Dieser ungeheure Freiheitsgrad ist jedoch weit mehr ein gigantischer Appell, als eine niederschmetternde Offenbarung. Die Evolution ist ein ständiges Auf und Ab, ein Werden und Vergehen, ein Kommen und Gehen. Wuketits hat dargelegt, daß selbst der Untergang zur menschlichen Evolution gehört: "Man muß davon ausgehen, daß also das *Aussterben* untrennbar mit der Evolution verbunden ist (auch wenn das für manche paradox klingt), daß es ein offenbar 'unabdingbares Schicksal der Evolutionslinien ist'."[92]

Aber der Mensch hat ein Doppelantlitz: er ist ein Naturwesen, somit Folgeprodukt der organischen Evolution, und er ist ein Kulturwesen, somit Motor seiner kulturellen Evolution. Das bedeutet keinen Widerspruch, sondern zeigt zwei Gesichter seiner Existenz. "Aber die kulturelle Evolution", schreibt Wuketits, "verläuft nicht einfach analog zur organischen Evolution, sondern entwickelt sozusagen ihre Eigendynamik. Dadurch, daß der Mensch mit seiner Schaffung von Kultur(en) sich gleichsam eine eigene Welt schuf, gewinnt hier die Evolution eine spezifische Richtung, die in der organischen Evolution nicht vorgezeichnet war."[93] Kultur ist also postevolutionär. Die ungeheuren Möglichkeiten, die sich aus den organisch-evolutionären und kultur- und erkenntnisevolutionären Differenzierungen ergeben, verbürgten nicht nur in der Vergangenheit eine ungeheure Vielfalt menschlicher Kulturen, sondern geben uns für die Zukunft eine reichhaltige Palette an Differenzierungspfaden zur Schaffung neuer Werte und Normen, sprich Kulturen, in die Hand. Die Zukunft zeigt uns das Bild einer offenen Evolution.

Es ist also nicht die Veränderung, die uns bedroht, sondern die Angst vor der Veränderung. Mit Popper müssen wir daher sagen, daß kein Grund zum Pessimismus besteht: "Ich sehe die größte Gefahr eigentlich im Pessimismus, das heißt in dem dauernden Versuch, den jungen Menschen zu sagen, daß sie in einer schlechten Welt leben. Das sehe ich als die größte Gefahr unserer Zeit, größer noch als die Atombomben."[94]

Kampf der Wiegen

Statistisch entfielen 1981, also vor zehn Jahren, auf jede verheiratete türkische Frau 3,5 Kinder, auf jede verheiratete deutsche Frau dagegen nur 1,3 Kinder. Sollte dieser Trend anhalten, und neueste Zahlen weisen darauf hin, dann kommt es innerhalb der nächsten Jahre zu dem, was Hepp "Die Endlösung der Deutschen Frage"[95] genannt hat. Den Deutschen steht die Verdrängung ihres biologischen Erbes vor der Tür. Das Schreckgespenst rüttelt schon an der Türklinke - der deutsche Michel dreht den Fernseher lauter, seine Lebensgefährtin liest indessen "Cosmopolitan".

Der Humanethologe Eibl-Eibesfeldt warnt: "Zu erwarten, daß Einwanderer zugunsten der Eingesessenen ihr Fortpflanzungsverhalten einschränken, ist naiv. Für die Einwanderer wäre dies ja eine falsche Strategie: wollen sie ihre Existenz absichern, dann müssen sie Macht erlangen, um sich von der Dominanz der Eingesessenen zu lösen. Und Macht gewinnt man über Anzahl. Ein 'Kampf der Wiegen' ist in dieser Situation fast unausweichlich, wobei es sich im wesentlichen um Automatismen und nur zum geringsten Teil um bewußte Strategien handelt."[96] Was aber können die Einwanderer dafür, daß sie familien- und kinderfreundlicher sind als die Nenningschen "Konsumidumies" deutscher Bauart?

M & M - der Islam hat das gewisse Etwas

Minarett und Muezzin kann morgen schon Realität in Deutschland sein. Das paßt weder der katholischen noch der evangelischen *Alten Rechten.* Christentum und Rechtsextremismus - das ist ideologische Unduldsamkeit in doppelter Ausführung. Aber worin unterscheiden sich eigentlich Christentum und Islam? Bevor man antworten kann, sei festgelegt, wo der Standpunkt des Betrachters liegt: der Autor ist Heide, sein religiöses Weltbild ist vor allem nicht monotheistisch.[97] Aus diesem verborgenen Winkel heraus kann die Frage nach dem Unterschied zwischen den beiden konkurrierenden Religionen beantwortet werden: es gibt keinen!

Ein Vergleich zwischen Bibel und Koran belegt das eindeutig. Christentum und Islam sind vielfältig miteinander verflochten, ihre Wurzeln sitzen im gleichen Boden. Beiden eigen ist der semitische Ursprung, die semitische Denk- und Vorstellungswelt. Die tragenden Grundüberzeugungen sind: der Glaube an einen Gott und die daraus resultierende monotheistische Anmaßung (Sure 112/Ex.20,1-7/1.Kor.8,4/Eph.4,6); der Glaube an den Gott als Schöpfer (Sure 16,1-23/Gen.1,1-4/Gen.2,4b.7); der Glaube an die Abhängigkeit des Menschen gegenüber dem richtenden Gott und die eschatologische Erwartung des Jüngsten Gerichtes (Sure 78/Mt.24,29-31/Offb.20,11-15/ Sure 49,56,74); die lineare Zeitauffassung (Sure 23,94-118); der Glaube an Engel und Teufel-Satan-Schaitan, das heißt *Hochmut* und *Ungehorsam* gegenüber dem Gott (Sure 40,7/Sure 2,97/Sure 7,12-27/1 Petr.5,8-9/Sure 16,98-100/Suren 113 & 114); beide Religionen sind Kinder Abrahams (Sure ,75-91/Gen.15,1-21/Mt.1,1); das Gebot des Glaubensbekenntnisses (Sure 57/ Psalm 139,1-14); das Gebet und dessen ritualisierter Ablauf (allgemeines Schuldbekenntnis, Reuegelöbnis und Bitte um Vergebung); das Gebot des Fastens und die Speiseverbote (Koran 2,183-87/Mt.4,1-2/Koran 2,172f/ Lev.11,1-9); das Gebot der Wallfahrt; die Opferfeste (Sure 37,99-128/ Gen.22,1-19); die Verschleierung (vgl. Nonnentracht); der Glaube an die Minderwertigkeit der Frau (Sure 4,34/Kor.11,2-16); der Glaube an den *Heiligen Krieg* (gihad/Sam.15,1-35/Kreuzzüge/Golfkrieg 1990/91).[98]

Alle anderen Unterschiede treten gegenüber den entscheidenen Gemeinsamkeiten zurück oder sind für Polytheisten völlig unbedeutend und nebensächlich. Als Heide kann man sich daher getrost der Forderung von Günter Grass anschließen: “In Kreuzberg fehlt ein Minarett”. Man vergibt sich damit nichts, denn die Auswahl zwischen zwei unduldsamen monotheistischen Religionen ist nur eine unvollständige. Berücksichtigt man den geographischen Ursprung beider Religionen, sowie ihre inhaltliche Übereinstimmung, dann ist es offensichtlich, daß die Frage Christentum oder Islam falsch gestellt ist, da es sich in beiden Fällen um eine Kolonisation der europäischen Mentalität handelt. Die europäischen Völker wurden genau demselben Kolonisationsprozeß unterworfen, mußten die gleiche barbarische Missionierungspolitik ertragen wie die Völker der Dritten Welt. Die Antwort kann daher nicht ein hilfloses *entweder-oder* sein, sondern ein trotziges selbstbewußtes *weder-noch*, eben Widerstand gegen das, was Eichberg die "Ausschaltung unseres eigenen wilden Denkens"[99] nennt.

Für die Christen mag das Vordringen des Islam bedrohlich erscheinen: "Wenn die Religionen glauben, Gott habe nur einen einzigen Stuhl in den Raum gestellt - und alle wollen darauf sitzen, dann heißt das Kampf."[100] Die Zukunft verspricht interessant zu werden. Es wird eine Freude sein, ihr beizuwohnen. Als Heide kann man sich jedoch beruhigt zurücklehnen - es ist nicht unser Kampf!

Kriminalität - Krieg der ethclass

Die "Nachrichten von der Überfremdungsfront" sind ein inhaltlicher Schwerpunkt der altrechten Publikation "Nation und Europa".[101] Dort wird mit säuberlich aufgelisteten Zeitungsmeldungen nachgewiesen, daß die Kriminalitätsrate der ausländischen Bevölkerung höher ist als die der Deutschen. Die Frage nach dem "warum" wird dort jedoch nicht gestellt. Schlimm genug erst darauf hinweisen zu müssen, daß die Primitivgleichung *Ausländer = Krimineller* nicht stimmt. Während sich die *Alte Rechte* in diesen Pauschalurteilen narzistisch gefällt, kann man durchaus die These wagen, daß die steigende Kriminalität in den westlichen Gesellschaften und dort besonders in den Städten vielleicht auch andere soziologische Ursachen haben könnte, die nur scheinbar mit dem Ausländerproblem korrelieren.

Sicherlich steht fest, daß Ausländer statistisch überproportional hoch an Verbrechen beteiligt sind. Aber das überrascht nicht. "Verbrechen sind eine *unorganisierte* Form des Klassenkampfes, und die untersten Schichten der Gesellschaft haben immer eine überproportionale hohe Zahl von Verbrechen begangen"[102], berichtigt der konservative Publizist Daniel Bell. Was gestern für die deutschen Arbeiter in den Industriezentren galt, trifft heute auf die ausländischen Arbeiter zu. Die Konzentration der Ausländer in den Städten und die proletarische Lebenssituation der Entwurzelten unter ihnen läßt diesen Sachverhalt deutlich zu Tage treten.

Eine Studie des Augsburger Pädagogikprofessors Werner Glogauer hat in diesem Kontext deutlich den Zusammenhang zwischen Gewalt, Kriminalität und dem Konsum von Mediengewalt, z.B. Brutal-Videos festgestellt. Sein Fazit: "'Je häufiger sich ein Kind oder ein Jugendlicher brutalen Medien aussetzt, desto größer ist seine Bereitschaft, selbst Gewalt anzuwenden. Die Menge 'der Fernsehgewalt, die ein Kind im Alter von neun Jahren zu sehen bekommt, bestimmt noch zehn Jahre später den Grad der Aggression'".[103] Der Nährboden, auf dem die Gewalt der Medienvorbilder aufgehen kann, sind schlechte soziale Verhältnisse oder schwere seelische Konflikte, vor allem in der Pubertät. Beides Faktoren, die bei entwurzelten ausländischen

Jugendlichen in verstärktem Maße anzutreffen sind.

Aber was heißt schon “Verbrechen”? Wenn ein Asylbewerber aus Ghana einer Dreizehnjährigen Heroin spritzt, dann ist das sicherlich ein abscheuliches Verbrechen und als solches schärfstens zu ahnden. Wenn aber deutsche Rüstungsfirmen Waffenexporte tätigen und damit zur Zerstörung der Dritten Welt beitragen, dann fällt das nicht unter die Kategorie “Verbrechen”, sondern unter die “Außenhandelsbilanz” und findet sich im Bruttosozialprodukt wieder. Unter diesem Gesichtspunkt berichtigte Kriminalstatistiken würden vielleicht ein anderes Bild ergeben. Ausländerkriminalität ist also immer auch ein Stück hausgemacht. Zum einen, weil wir es verstanden haben, den soziokulturellen Rahmen bzw. die ethische Leitschiene der Migranten zu zerstören, zum anderen, weil sich diese in unserer Gesellschaft von selbst zersetzten. Aber es ist nie zu spät.

So hat die Stadt Rotterdam durchaus positive Erfahrungen mit einem von Anhängern der Rastafari-Ideologie surinamesischer Herkunft geleiteten Jugendzentrum gemacht. Zum einen ist dort der Umgang mit Heroin, gemäß den strengen Vorschriften der Rasta-Religion, strikt verboten, zum anderen hat sich der Konsum von Marihuana, der Kultdroge der Rastas, auf ein rituell begrenztes Maß zurückgeschraubt. “Wir wußten, daß die Rastafari-Ideologie eindeutig emanzipatorisch ist in dem Sinne, daß sie ihren Anhängern ein erhöhtes Bewußtsein für den Wert ihres ethnischen Ursprunges und ein Handlungskonzept für eine bessere Zukunft vermittelt”.[104] Das selbstorganisierte Instrument im Kampf der Stadt gegen Drogen hat sich bis heute bewährt.

In den USA hat sich der Islam als eine starke Kraft gegen Drogenmißbrauch und Kriminalität erwiesen. “Eine andere Form des organisierten Widerstandes gegen den offenen Drogenhandel und die damit verbundene Polizeipräsenz in den Vierteln der Schwarzen, sind die Straßenpatrouillen, die sog. ‘Dopebusters’, und ‘Anti-Drogen teachs-ins’ der *Nation of Islam*. Der feste Moral- und Verhaltenskodex der *Nation of Islam* und ihr offensives Eintreten für schwarze Selbstbestimmung üben eine starke Anziehungskraft auf viele orientierungslose Jugendliche aus und führen dazu, daß die Mitgliederzahlen der Nation of Islam kontinuierlich ansteigen.”[105]

Barbara John, Ausländerbeauftragte für Berlin, berichtet ähnliches: “In den Ghettos gedeiht inzwischen ein eigenständiges wirtschaftliches und soziales Leben mit unverwechselbar orthodox islamischer Prägung. Im Straßenbild fallen die kopftuchtragenden Frauen und Mädchen auf. Täglich bewegen sich am Kottbusser Tor gegen 15 Uhr große Kinderscharen in die im Neuen Kreuzberger Zentrum gelegene “Mevlana Moschee” zum Koranunterricht...Türkische Geschäfte offerieren Fleisch ‘Islam adetlerine göre kesilmektedir’, d.h. nach islamischem Ritus geschlachtet. Insider wissen zu berichten, daß in den Ghettos zunehmend eine strenge soziale

Kontrolle von selbsternannten Hodschas...über die Lebensgewohnheiten der muslimischen Familien ausgeübt wird."[106]

Wer weiß, wie die meisten Muslime über Kriminalität und soziale Gewalt denken, der begreift, daß in diesem Klima keine für die innere Sicherheit der BRD relevante Gefahr entstehen kann. Kriminalität faßt nur dort Fuß, wo kulturelle Entfremdung und Assimilation ein geistig ethisches Vakuum hinterlassen haben und deutsche Sozialpädagogik entgegen ihrer Intention keine befreiende und bereichernde Wirkung, sondern sozialpsychologisches Elend und menschliche Vereinsamung verbreitet hat. "In dem Maße, in dem die biographisch wie kulturell erarbeiteten Raster der Wahrnehmung, Deutung und Behandlung alltäglicher Wirklichkeit versagen, werden die Menschen an ihrer Fähigkeit irre, ihr rational wirksam begegnen zu können", konstatiert der jüdische Psychologe Ernest Jablonski und nennt die Konsequenzen: "Selbsthaß und Verleugnung der *eigenen* Geschichte, unreflektierte Begeisterung und blindwütiger Haß, Vernunftfeindlichkeit und Flucht in illusionäre Paradiese und fiktive 'Alternativen' sind die Konsequenzen dieser Identitätszerstörung."[107]

Die Zerstörung der Identität wirkt sich umso bedrohlicher aus, je tiefer die betroffenen Menschen in der gesellschaftlichen Hierarchie angesiedelt sind. Ihr niedriger sozioökonomischer Status sowie die Brutalität der Arbeits- und Wohnbedingungen und der familiären Situation verschärfen diese Entwicklung. Der Schulpädagoge Prof. Zimmer stimmt dem zu: "In einem relativen Oberschichtenmilieu ist durchaus bikulturelle bis multikulturelle Erziehung möglich, sie verschafft sogar Vorteile. Das gelungene Beispiel im Bereich von deprivilegierten Gruppen kenne ich nicht."[108] Da wundert es nicht, wenn psychosomatische Erkrankungen und Defizite bei vielen entwurzelten ausländischen Jugendlichen die Folge sind und in Kriminalität münden.[109] Ein neuer Klassenkonflikt bahnt sich an: "Mit ethclass ist schließlich gemeint, daß sich ökonomische und ethnisch-kulturelle Ungleichheiten derart miteinander verbinden, daß bestimmte ethnische Gruppen in Verteilung und Durchschnitt der Verfügung über Macht, Einkommen und Prestige sich von anderen Gruppen systematisch und insgesamt unterscheiden. Von einem Kasten- bzw. Feudalsystem ist dieser Fall dadurch unterschieden, daß formal gesehen es für diese Ungleichheiten keinerlei Legitimation oder politische Begründung gibt."[110,111]

Somit kann das Entstehen von oben sogenannten Ghettos nicht gebührend genug eingeschätzt werden, da hier das soziokulturelle Netz straff gespannt erscheint und seinem Auftrag als Auffangmechanismus gerecht wird. Solange aus einem Ghetto keine verbotene Zone wird, kein Staat im Staate, kein Ort gesellschaftlicher Segregation, kann das nur gefördert werden.

Man sollte sich auch nicht am Begriff des Ghettos stören, denn morgen schon wird auch das Villenviertel der Reichen ein Ghetto sein - ein Steinchen im bunten Mosaik der Multikulturalität. Doch die *Alte Rechte* kann dazu nicht viel mehr bieten als neurotisch erstarrte Allgemeinplätze und knöchrige Denk- und Verhaltensmuster aus der Mottenkiste ihrer so hoch geschätzten Vergangenheit. Hatte sie schon zu Marx und auf die historische Dimension des Klassenkampfes nichts Vernünftiges zu erwidern, so scheint sie auf die noch größere historische Aufgabe der multikulturellen Gesellschaft nur mit geistiger Sterilität antworten zu können.

Vom Wert der Arbeit

"Die Ausländer nehmen uns die Arbeitsplätze weg", jammert die *Alte Rechte*. Indem sie die Arbeit zur weltanschaulichen Idee erhebt und den Wert des Menschen an seiner Arbeit bemißt, verrät sie die traditionale Unterscheidung von Arbeit und Tat und macht sich die Sklavenmentalität der kapitalistischen Gesellschaft zu eigen. In ihrer bürgerlich-konsumorientierten Ideologie, wie übrigens auch in der marxistischen der Linken, erhebt sich die Arbeit zur Religion ("Arbeit macht frei", "Arbeit adelt"!). Julius Evola verdeutlicht diesen ethischen Verfallsprozeß: "Und der Haß des Sklaven verkündet sadistisch: 'Wer nicht arbeitet, soll nicht essen', und seine sich selbst glorifizierende Dummheit macht aus den Dünsten des Menschenschweißes heiligen Weihrauch."[112] Und an anderer Stelle schreibt er: "Zwischen der echten Rechten und der ökonomischen Rechten gibt es nicht nur keine Identität, sondern es gibt sogar einen totalen Gegensatz."[113] Damit soll keiner modernen Variante einer auf Apartheid gründenden Sklavengesellschaft Vorschub geleistet, sondern die kulturell niedere Stufe altrechter Argumentation verdeutlicht werden.

Indem die *Alte Rechte* die kriegerischen Ideale und das aristokratische Ethos, das man bei ihr fälschlicherweise gut aufgehoben dachte, plebejisch verrät, leistet sie dem kulturellen Niedergang weit mehr Vorschub als die ausländischen Sündenböcke, die sie im allgemeinen dafür verantwortlich machen will. So bleibt es anderen vorbehalten, dem sklavischen Wesen der kapitalistisch-marxistischen Lohnarbeit den traditionalen Wert der Tat entgegenzuleben und die fremdbestimmte Lohnarbeit denen zu lassen, die sich darin wohlfühlen.

Was ist neu an der *Neuen Rechten*?

Der Mensch ist ein Kulturwesen. Kulturelles Leben strebt jedoch nicht nach Anhäufung von Äußerlichkeiten, sondern beinhaltet den Rückgriff auf die Urfragen menschlichen Lebens. Es sind dies die existentiellen Fragen, gültig zu allen Zeiten und an allen Orten, geboren aus der Endlichkeit des individuellen Lebens und gezüchtet an den Spannungen, die im Bestreben entstehen, "ständig *über* etwas *hinaus*zugelangen."[114] Es sind Fragen wie: wie werte ich das Ereignis des Todes?, wie werde ich dem Wesen der Treue und der Pflicht gerecht?, wie stehe ich zum tragischen Charakter des Lebens?, welchen Sinn hat Mut, Liebe, Gemeinschaft, Ehre und Tradition? Während die Fragen immer die gleichen bleiben, fallen die Antworten jeweils verschieden aus, abhängig von dem rassischen, religiösen, sozialen, kulturellen und charakterlichen Mutterboden des Menschen. Im Streben um Kultur und Identität greifen die Menschen zurück - auf die Inhalte und Seinsweisen, nicht auf die Formen.

Die *Alte Rechte* greift zurück: auf die Formen und Äußerlichkeiten; nicht um etwas Neues daraus zu schaffen, sondern um das Alte, Abgestandene zwei weltgeschichtliche Sekunden länger lauwarm zu halten. Antworten und Konzepte bietet sie nur für die Vergangenheit. Sie steuert auf Sichtweite: dem technischen Fortschritt schon immer feindlich gesonnen, mißtraut sie auch den politischen Seismologen und Radaroperateuren. Die *Neue Rechte* greift zurück: auf die Inhalte, um daraus neue Werte und Aristokratien des Geistes zu formen. Sie greift zurück in das Schatzkästchen der Werte, um für die Zukunft Antworten leben zu können. So steht ihr das japanische Kriegerethos eines Yukio Mishima näher als das bundesdeutsche "Sieg Heil" - Proletengegröhle in den Fußballstadien, so wärmt indianisches und afrikanisches Heidentum ihre Seele mehr als deutschnational-christliche Erlösergläubigkeit, so fasziniert sie der traditionale, anti-nationalistische Ansatz des italienischen Philosophen Julius Evola intellektuell weit mehr als die rechtspopulistische Law-and-order-Hysterie des Franz Schönhuber.

Die *Alte Rechte* träumt von einer homogenen, vor allem ethnisch homogenen Gesellschaft; das Volk sieht sie nur als monolithischen Block. Die Wirklichkeit jedoch sieht anders aus. Es ist Tatsache, daß die modernen Industriegesellschaften im Kern ihres Wesen und auf fast allen Gebieten pluralistisch sind. Die Existenz von Gruppen, die ihre Forderungen klar artikulieren, ist eine soziologische Tatsache ebenso wie die Legitimität ihrer Forderungen. Eine pluralistische Gesellschaft teilt sich in mehrere Dutzend der vielfältigsten Gruppenzugehörigkeit: Rasse, Volkstum, Klasse, Religion, Sozialstand, Weltanschauung, Politik, Sexualität, Ökonomie, um nur einige zu nennen. Zu sagen, daß eine dieser Gruppenzugehörigkeiten grundsätzlich und allgemein dominant über die anderen sei, also z.B. die Volkszugehörigkeit über die Religionszugehörigkeit, ist eine Behauptung im Rang eines Glaubenssatzes. In diesem Zusammenhang ähnelt der Glaube der *Alten Rechten* an die Kraft, die Universalität und die Dominanz des Rassenbewußtseins eher einem religiösen Wahn als einer gesellschaftlichen Realität.

Daß ganz andere Maßstäbe anzulegen sind, zeigt die Diskussion um die Quotenregelung für den Ausländerzuzug. "Wieviel 'Multi-Kulti'...verträgt eine Gesellschaft?", fragt die PRESSE. "Die Xenophilen wollen soviel wie möglich, die Wirtschaft soviel wie nötig, die Gewerkschaften möglichst wenig, die Xenophoben gar keine Fremden. Es zeigt sich: Eine Zahl ist so wertlos wie die andere."[115] Wie viel Fremde eine Gesellschaft ertragen kann und sollte, kann kein objektives Kriterium ermitteln. Jede Zahl ist Ausdruck dahinterstehender Wertstrukturen. Und diese Werte sowie die ethische Hierarchie, in die sie eingebaut werden, sind Funktionen verschiedenster, vielfältig miteinander vernetzter individueller Gruppenzugehörigkeiten und Ergebnis der persönlichen Selbstfindung im weiten Feld zwischen Determination und freier Wahl.

Kultur bedeutet somit nicht ein statisches Verharren in konfliktfreien Räumen, sondern eine permanente Auseinandersetzung der eigenen Werte mit denen der Mitmenschen. Kultur ist somit nicht nur Frieden, sondern vor allem eine geregelte Form des zwischenmenschlichen und gesellschaftlichen Krieges. Der polnische Philosoph Leszek Kolakowski hat ein geniales Plädoyer für die wahrhaft mythische Dimension dieses Kulturkampfes geschrieben: "Der Konflikt zwischen Werten ist immer ein Ort des Antriebs der Kultur, wobei jeder Wert versucht, auf Kosten des anderen Ausschließlichkeit zu erobern, und zugleich gezwungen wird, seine Aspirationen einzuschränken. Mit anderen Worten, die Kultur lebt stets aus dem Wunsch nach endgültiger Synthese ihrer zerstrittenen Bestandteile und aus der organischen Unfähigkeit, sich diese Synthese zu sichern. Der Vollzug der Synthese wäre ebenso der Tod der Kultur wie der Verzicht auf den Willen zur Synthese. Die Ungewißheit über die Absichten und die Zerbrechlichkeit der Errungenschaften erweisen sich als Bedingungen für das schöpferische Fortbestehen der Kultur. Das Schicksal der Kultur erscheint als Epos, das dank seiner Labilität großartig ist."[116]

Während die *Neue Rechte* die Vielfalt der miteinander konkurrierenden Werte als Bedingung für kulturelles Fortschreiten und den daraus resultierenden Kampf als eine Auseinandersetzung nietzschescher Dimension erkennt, beschränkt sich das Weltbild der *Alten Rechten* auf das bloße Konservieren längst überlebter Wertvergangenheit. Was aber, wenn die multikulturelle Gesellschaft sich wirklich so entwickelt, wie die Gegner warnen: Dekadenz, Bürgerkrieg, Zerfall des Abendlandes und der demokratischen Ordnung? Dann ist es immer noch besser, einem Weltuntergang wahrhaft historischer Dimension beizuwohnen, als den Seildrehern zu gleichen: "sie ziehen ihren Faden in die Länge und gehen dabei selber immer rückwärts".[117] *Neue Rechte*, das heißt in letzter Konsequenz nur gut leben mit der Gewißheit einer allzeit möglichen Götterdämmerung. *Alte Rechte*, das heißt in letzter Konsequenz zu entscheiden, doch lieber glücklich und selbstzufrieden weiterzuleben. Es ist nicht die Empfindungswelt der *Neuen Rechten*, in dieser, rein auf das Materielle fixierten Denkungsart und der letztendlich völligen Sinnlosigkeit des bürgerlichen Daseins, einen zu bewahrenden Wert zu sehen. Die Katastrophe, der Zusammenbruch ist zu jeder Zeit der dürren Banalität des Wohlstands vorzuziehen. Der kriegerischen Haltung der *Neu-*

en Rechten kommt die Herausforderung der multikulturellen Gesellschaft daher gerade recht. Die kulturhedonistische Veranlagung der *Alten Rechten* zittert ob einer historischen Herausforderung, die wenig Wert auf die Fähigkeiten eines ausgeprägten Schwelgens in den kulturellen Reichtümern der Vergangenheit legt, sondern an der Schaffung neuer Werte die Größe der Zeit und ihrer Menschen bemißt. Die *Neue Rechte* ist fasziniert vom Gedanken an den frischen Frühling, der dem Winter einer Katastrophe folgen wird. Die *Alte Rechte* dagegen sitzt schon im Hochsommer fröstelnd und wehleidig in der staubigen Ecke ihrer völkischen Reinheit, zu Tode kränkelnd am Gedanken an die bevorstehende Prüfung. Was ist geblieben von der Schicksalsverachtung eines Hagen Tronje? Tod und Untergang dürfen nichts Klägliches an sich haben. Der Tod ist keine "winzige Arglist der Natur", sondern zu gehen heißt "...auf jenem Gipfel einen Tod zu sterben wie weißer Schnee".[118]

Die multikulturelle Realität der Neuen Rechten

Nach alledem: immer noch ein provokanter Titel. Selbst wenn sich Teile der *Neuen Rechten* gegen die Erkenntnis versperren mögen, daß die *Neue Rechte* längst multikulturell geworden ist, ändert das nichts an ihrer Realität. Ach ja, die Realität. Ich darf Persönliches niederschreiben: Der *neurechte* Kreis, in dem ich mich bewege und heimisch fühle, ist alles andere als purdeutsch. Da sind die Wiener, deren Nachnamen auf böhmisch-tschechische Herkunft verweisen; da sind die Franzosen und Holländer, deren Freundschaft mir ermöglicht, öfter in Paris zu sein als im 150 km entfernten Passau; da sind die Kurden, denen unsere Solidarität gilt; da ist der Italiener, ein esoterischer Meister; da ist die Tochter eines österreichischen Diplomaten und einer Finnin, aufgewachsen in Paris und halb Europa; da ist mein Schwager, Halbitaliener, dessen künstlerisches Schaffen mythisch verwurzelt und daher zukunftsweisend ist; ...

Kulturelle Identität dagegen ist immer weniger in nationalen Gesichtsräumen faßbar, das lebt die *Neue Rechte* tagtäglich vor. Die Nation kann daher nicht mehr ausschließlich das Ziel einer *neurechten* Politik sein - sie war es vielleicht einmal als Mittel zum Zweck, sie war jedoch nie Endzweck. Wo liegen die Wurzeln der Werte? Mag sein, daß die Zukunft wieder die Frontstellung Elite - Pöbel favorisiert, anstatt wahllos jedes Gesocks in einem Herrentopf zu sammeln, bloß weil es nicht beschnitten ist. Völker und Volksgruppen werden weiterhin notwendig sein, aber nicht als Selbstzweck, sondern als Mutterboden, aus dem die europäischen Eliten des 21.Jahrhunderts wachsen.

Die Elite wird eine Elite der Werte sein und universell in dem Sinne, daß sie nicht mehr Völker gegeneinanderhetzt, sondern Haltungen vereint und Charaktere zusammenführt. Darum sei der *Neuen Rechten* noch einmal das in Erinnerung gerufen, was Alain de Benoist vor 10 Jahren als eine seiner

"25 'Moral'-Prinzipien genannt hat: "In sich das kultivieren, was der wertvolle Mensch in jeder Lage in sich bewahrt: das *Jen* des Konfuzius, das *Parusha* der Arier, die *humanitas* der Römer - den innersten Kern des Menschen."[119] Und als letzte Botschaft steht etwas verwirrendes: "*Alle wertvollen Menschen sind Brüder*, ungeachtet ihrer Rasse, ihres Landes, der Zeit, in der sie leben."[120]

Deutschland den Deutschen?

Drei Worte und ein Fragezeichen, wo sonst ein Ausrufungszeichen Respekt gebietet und Tatkraft symbolisiert. Wer "Deutschland den Deutschen" sagt, muß ehrlicherweise gleich dazufragen, welchen? Allen? Das entspräche doch wohl kaum der Realität.

Die Fremden können mir kein Vaterland wegnehmen, denn mein Vater hatte nie eigenes Land und ich besitze bis heute auch keines. Und wenn ich sage, ich erweitere den Bereich des Vaterlandes auf das Gebiet der gesamten Bundesrepublik, dann hilft mir das recht wenig. Denn hier sind es nicht die Fremden, die mir etwas eigenes wegnehmen, sondern die deutschen Landsleute. Wer heute hier Land raubt und zerstört, sind: die Gemeinderäte, die scharf auf Industriegebiete sind; verkommene Bauern, die ihre totgespritzten Äcker und Wiesen an Baufirmen verkaufen; fortschrittliche Menschen, die noch mehr Autobahnen und noch mehr Landstraßen bauen, um noch schneller dorthin zu kommen, wo man immer weniger Sehenswertes zu Gesicht bekommt; und es sind die Politiker und Wirtschaftsgrößen, die Dickbäuchigen, die in den Aufsichtsräten ihren Hintern plattsitzen, während draußen das Land plattgewalzt wird.

Mich hat nie jemand danach gefragt, ob ich mit dem Zubetonieren, mit dem Raubbau meiner Heimat, meines "Vaterlandes" einverstanden bin. Deutschland gehört mir nicht. Deutschland gehört der Dummheit und der Korruption der eigenen Landsleute. Ich bin hier fremd im eigenen Land.

Wer "Deutschland den Deutschen" brüllt, sollte Radikalökologe mit anarchistischem Einschlag a lá Gustav Landauer werden, aber kein Fremdenfeind.

Anmerkung:

1: Alain de Benoist: Kulturrevolution von rechts; Sinus, Krefeld 1985.
2: ebd.
3: Vgl. dazu den Bericht über den Kongreß "Kulturelle Vielfalt Europa" am Anfang dieses Buches.
4: Benoist: aaO.
5: ebd.
6: ebd.
7: Heiner Geißler: Zugluft; Bertelsmann, München 1990.
8: Benoist: aaO.
9: Günther Nenning: Die Nation kommt wieder; Edition Interfrom, Zürich 1990.
10: Deutsche UNESCO-Kommission/Seminarbericht Nr. 37: Die Multikulturellen; Saur, München 1985.
11: Günther Nenning: Grenzenlos deutsch; Knesebeck & Schuler, München 1988.
12: vgl. Thule-Seminar/Pierre Krebs (Hrsg): elemente; Kassel 1990.
13: Antonio Gramsci: zit. n. Hilmar Hoffmann: Kultur für morgen; Fischer, Frankfurt 1985.
14: Gramsci: aaO.
15: Hoffmann: aaO.
16: aaO.
17: Lutz Götze & Gabriele Pommerin: in: Michele Borelli (Hrsg): Interkulturelle Pädagogik; Schneider, Baltmannsweiler 1986.
18: Al Imfeld: in: Ulrich Schmidt (Hrsg): Kulturelle Identität und Universalität; Verlag für interkulturelle Kommunikation, Frankfurt 1987.
19: Lutz Götze & Gabriele Pommerin: aaO.
20: Frank Ballot: Moz, Juli 89.
21: Imfeld: aaO.
22: Dieser Begriff ist entlehnt von Odo Marquard: Abschied vom Prinzipiellen; Reclam, Stuttgart 1981.
23: Axel Schulte: Multikulturelle Gesellschaft: Chance, Ideologie oder Bedrohung?, in: Aus Politik und Zeitgeschichte, Beilage zur Wochenzeitung "Das Parlament", B 23-24/90.
24: Helmut Quaritsch: Einwanderungsland Bundesrepublik Deutschland?; München 1981.
25: Alain Finkielkraut: Die Niederlage des Denkens; Rowohlt, Reinbeck 1989.
26: ebd.
27: ebd.
28: ebd.
29: ebd.
30: ebd.
31: Claude Lévi-Strauss: Der Blick aus der Ferne; Supplemente Band 5 & 6, Fink, München 1985.
32: Finkielkraut: aaO.
33: ebd.
34: Père Lelon, zit. n. Finkielkraut: Etre musulman en France, in: Etudes, Mai 1986.
35: Finkielkraut: aaO.
36: ebd.
37: Bundeszentrale für politische Bildung (Hrsg): Grundlagen unserer Demokratie; Bd. 270, Bonn 1988; vgl. auch Bd. 256, Bonn 1987.
38: Henning Eichberg: Abkoppelung; Bublies, Koblenz 1987.
39: Miriam Makeba: Afrika. Kolonialismus-Gesellschaft-Literatur; in: KIS-Materialsammlung Nr.5, Bensheim 1985.
40: Isaiah Berlin: Four Essays on Liberty; Oxford University Press, London 1969.
41: Hilmar Hoffmann: Kultur für morgen; Fischer, Frankfurt 1985.
42: Odo Marquard: aaO.
43: Thomas Schmid: Europa - Kultur und Gewalt; in: Volkszeitung, 12/90.
44: aaO.
45: aaO.
46: aaO.
47: Bendix Klingenberg: Was heißt multikulturelle Gesellschaft, in: Widersprüche, 9/83.
48: Axel Schulte: Multikulturelle Gesellschaft: Chance, Ideologie oder Bedrohung?, in: Aus Politik und Zeitgeschichte, Beilage zur Wochenzeitung "Das Parlament", B 23-24/91; unter Verwendung von Textstellen von Klaus Naumann und Bodo Schulze.
49: ebd.
50: Klaus Geiger: Gesellschaft ohne Ausländerfeinde oder multikulturelle Gesellschaft, in: Otger Autrata (Hrsg): Theorien über Rassismus; Hamburg 1989 (Argument - Sonderband AS 164).
51: Karl Homuth: Normalisierung ohne Normalität: Integration in der multikulturellen Gesellschaft, in: Kulturpolitische Mitteilungen, 2/90.
52: Siehe den Beitrag in diesem Buch.
53: Marcella Heine: Mehr als ein linker Kuscheltraum, in: Stadtrevue Köln, 6/89.
54: Jean-Francois Revel: Die Revolution kommt aus Amerika; Hoffmann & Campe, Hamburg 1971.
55: ebd.
56: ebd.
57: ebd.
58: Daniel Bell: Die Zukunft der westlichen Welt; Fischer, Frankfurt 1976.
59: ebd.
60: Georg Picht: Mut zur Utopie - Die großen Zukunftsaufgaben; Piper, München 1969.
61: ebd.
62: Günther Nenning: Die Nation kommt wieder; aaO.
63: Der Spiegel, 19/90.
64: Hilmar Hoffmann: aaO.
65: Jean-Francois Revel: aaO.
66: Al Imfeld: aaO.
67: Günther Nenning: aaO.
68: Jürgen von der Wense: Epidot; aus dem Nachlaß von Dieter Heim, Matthes & Seitz, München 1987.
69: Al Imfeld: aaO.
70: ebd.
71: Günther Nenning: aaO.
72: Henning Eichberg: aaO.
73: ebd.
74: K.A. Busia: Das afrikanische Weltbild, in: Horst Bürkle (Hrsg): Theologie und Kirche in Afrika, Stuttgart 1968.
75: J.H. Kwabena Nketia: Geburt, Pubertät und Tod, in: ebd.
76: P. Enry: L'enfant dans la pensée traditionelle de l'Afrique Noire; Paris 1968.
77: Claus Leggewie: Multi Kulti; Rotbuch, Berlin 1990
78: Claude Lévi-Strauss: aaO.
79: ebd.
80: ebd.
81: ebd.
82: ebd.
83: Leopold Ségar Senghor: in: Wilhelm Otte (Hrsg): Interkulturelle Kommunikation und Neuorientierung von Mensch und Gesellschaft; Bd. 5, Wegener, Bonn 1985.
84: Vgl. dazu die gleichlautenden Ausführungen von Franz Wuketits: Gene, Kultur und Moral; Wissenschaftliche Buchgesellschaft, Darmstadt 1990, S.76.
85: Artbekenntnis, in: Nordische Zeitung, 4/90.
86: Georg Picht: aaO.
87: ebd.
88: ebd.
89: Karl Popper, Konrad Lorenz: Die Zukunft ist offen; Piper, München 1985.
90: ebd.
91: ebd.
92: Franz Wuketits: aaO.
93: ebd.
94: Popper, Lorenz: aaO.
95: Robert Hepp: Die Endlösung der Deutschen Frage; Grabert-Hohenrain, Tübingen 1988.
96: Irenäus Eibl-Eibesfeld: Der Mensch - Das riskierte Wesen;

Piper, München 1991.
97: Was darunter zu verstehen ist, habe ich versucht, in dem Buch "Im Tanz der Elemente", Arun-Verlag, 1990, darzulegen.
98: vgl. außer Koran und Bibel die folgenden Schriften: Hans Küng: Christentum und Weltreligionen; Piper, München 1984. Hans Küng: Projekt Weltethos; Piper, München 1990; Walter Kettler & Maria Weidenbach: Islam - Christentum; ILF, Heft 17, Mainz 1985; Peter Anils & Günter Bilmer: Weltreligionen im Religionsunterricht - Sekundarstufe II; München 1975; A. Becker & E. Niggemeyer: Meine Religion, deine Religion; Maier, Ravensburg 1982; J.P. Asmussen (Hrsg): Handbuch der Religionsgeschichte; Bd. 3, Göttingen 1975; Mircea Eliade: Geschichte der religiösen Ideen; Bd. 3/1, Freiburg 1983; Udo Tworuschka: Methodische Zugänge zu den Weltreligionen; Diesterweg/Kösel, München 1982; Peter Freimark (Hrsg): Große fremde Religionen - Grundlagen für einen Dialog; Schroedel, Hannover 1978; Monika Tworuschka: Islam; Vandenhoeck & Ruprecht, Göttingen 1982; Paul Schwarzenau: Korankunde für Christen; Kreuz, Stuttgart/Berlin 1982; Hanns Thomä-Venske: Islam und Integration; Rissen, Hamburg 1981; Hans-Jürgen Brandt (Hrsg): Begegnung mit Türken, Begegnung mit dem Islam; Rissen, Hamburg 1981; Jürgen Micksch: Zusammenleben mit Muslimen; Lembeck, Frankfurt 1980; A. Th. Khoury (Hrsg): Muslimische Kinder in der deutschen Schule; Verlag für christlich-islamisches Schrifttum, Altenberge 1982.
99: Henning Eichberg: aaO.
100: Der Spiegel, 9/91.
101: Vgl. Nation und Europa, Peter Dehoust (Hrsg), Coburg.
102: Daniel Bell: aaO.
103: Zit. n. VIB, 24.11.90.
104: Deutsche UNESCO-Kommission: aaO.
105: konkret, 9/90.
106: Barbara John: Kreuzberg und anderswo, in: Das Parlament; Nr. 35-36/81.
107: Ernest Jablonski: in: Ulrich Schmidt: Kulturelle Identität und Universalität; Verlag für interkulturelle Kommunikation, Frankfurt 1987.
108: Jürgen Zimmer, in: Helmut Essinger (Hrsg): Erziehung in der multikulturellen Gesellschaft; Schneider, Baltmannsweiler 1984.
109: vgl. Der Spiegel, 12/83.
110: Deutsche UNESCO-Kommission: aaO.
111: vgl. Der Spiegel, 26/89.
112: Julius Evola: Revolte gegen die moderne Welt; Ansata, Interlaken 1982.
113: Julius Evola: Le fascisme vu de droite, in: Totalité, 1981.
114: Daniel Bell: aaO.
115: Die PRESSE, 05./06.01.91.
116: Leszek Kolakowski: Die Gegenwärtigkeit des Mythos; Piper, München 1984.
117: Friedrich Nietzsche: Vom freien Tode, in: Also sprach Zarathustra I; Werke in vier Bänden, Bd. 1, Bergland-Buch, Salzburg 1985.
118: Yukio Mishima: Unter dem Sturmgott; Goldmann, München 1988.
119: Alain de Benoist: Gleichheitslehre, Weltanschauung und 'Moral', in: Pierre Krebs (Hrsg): Das unvergängliche Erbe; Grabert, Tübingen 1981.
120: ebd.

Epilog

Im Vorwort zu dem Sammelband "GEDANKEN ZU großdeutschland" schrieb ich vor etwa einem Jahr folgende Mahnung an die Europäer nieder: "Wer glaubt, sich als Mitteleuropäer, als Deutscher noch dazu, aus der Geschichte wegstehlen zu können, wird ein böses Erwachen haben. Wer glaubt, nicht über die eigene Zukunft nachdenken zu müssen, über den werden Ereignisse hereinbrechen, deren Gewalt und Dimension er unterschätzt haben wird." Ich forderte den radikalen Diskurs. "Ein guter Diskurs muß ein gefährlicher Diskurs sein!" Diesen Ausruf Günther Nennings habe ich mir zu eigen gemacht. Die Auswahl an Texten in diesem Buch kommt der Vorgabe nahe.

Sicherlich ist dieses Buch unvollendet. Aber darf uns das irritieren? Sehen wir die Nicht-Vollendung heute denn wirklich als Mangel oder als Zeichen von Unvermögen und nicht viel mehr als ein mächtiges Werkzeug zu Ergriffenheit, Identifikation und Interesse? Unsere Welt steht heute im Zeichen der Erfindung. Insofern sollten wir alles begrüßen, was unsere Erfindungsgabe reizt und unseren Geist beflügelt. Unvollendetheit kann das erreichen.

Unsere Welt ist nicht eine Welt der abgeschlossenen Entwicklung, sondern der vielfältigen Anfänge. Alle großen Abenteuer der Menschheit wirken klein gegen das, welches wir gerade beginnen. “Sie sind vollendet, gewiß”, spöttelte Edgar Degas, ein Zeitgenosse Rodins über die offensichtlich vollendeten Gemälde seiner Zeit, “aber kann man auch sagen, daß sie angefangen sind?” Es ist nicht so sehr die Rückkehr in eine Vergangenheit, die durch die Unvollendetheit angeregt werden soll, als vielmehr eine lustvolle Teilnahme an der Zukunft.

Daß auf der Titelseite dieses Buches der *Denker* von Rodin sitzt, umwunden von der farbenprächtigen Spirale des Lebens, ist kein Zufall. Wer ist der *Denker*? - Und die Hölle, die ihn scheinbar umgibt? Trotz seines Namens wirkt der *Denker* als mächtiges körperliches Wesen und das, was wir heute stolz Kultur nennen, scheint ihm fremd und unwirklich. Seine Roheit erinnert an die Vorzeit, seine archaische Aura weckt Atavismen, sein muskelbetonter Körper läßt an Arbeiter und Krieger glauben. “Manche seiner Profillinien verlaufen im Zickzack”, schreibt Yvon Taillandier, “und beschwören Blitz und Donner. Der sitzende Mann ist Beute einer Art inneren Gewitters; er könnte auch die Personifizierung des Gewitters sein, das die ersten menschlichen Ideen gebar.” Die Zerbrechlichkeit eines neuen Gedankens liegt in der Gewalt des *Denkers* verborgen, die kalte Aggressivität seiner Zurückgezogenheit brütet warm über einer Idee: dem Anfang, der Geburt.

Die Figur des *Denkers* verrät nicht nur viel über die Begeisterung Rodins für kosmo-soziologische Kompositionen, sondern fast mehr noch über seine bevorzugte Art des Sehens. Der skulpturale Kolorismus Rodins steht in eigenartiger Beziehung zum Wesen eines neuen Menschen: das lebendige Volumen. So wie die lebendige Farbe in der Zweidimensionalität der Malerei zur Kunst hinführt, so versucht Rodin mit dem lebendigen Volumen dem dreidimensionalen Raum der Skulptur seine Zeichen der Schönheit aufzuprägen. “Beide Volumina haben die dieselben Feinde: die Forderungen der deutlichen Kontur”, bemerkt Taillandier, “Die deutliche Kontur ist sehr anspruchsvoll, weil sie sehr leicht zerbricht. Die geringste Nuance in der Farbe, die kleinste Schwingung im Volumen läßt sie unklar werden und vernichtet sie dadurch - denn nur in der Deutlichkeit zeigt sie sich. Dies hat zur Folge, daß alle jene, die das Volumen oder die Farbe leben sehen, Konturen nicht zu fassen vermögen.” Wie sehr Kunst und Gesellschaft ineinanderfließen können, zeigt die Belehrung Constants an den jungen Rodin: “Alle deine Blätter sehen flach aus - darum scheinen sie nicht wirklich zu sein. Mach sie so, daß einige die Spitzen gegen dich richten! Dann wird man bei ihrem Anblick den Eindruck der Tiefe haben. Sieh Formen nie auf Ausdehnung, sondern auf Tiefe hin an. Betrachte eine Oberfläche nie als etwas anderes als die Begrenzung eines Rauminhaltes und als die mehr oder weniger breite Spitze, die er dir zuwendet!”

Rodins *Denker* sitzt in der Mitte des Höllentores. Mit seiner ganzen Individualität erfaßt er den Geist und die Seele der Wesen, die Physiognomie der Dinge, die da kommen. In seinem Denken ist er Verschwender von Schicksalen. Er zelebriert den ewigen Kampf, der die Wurzeln unseres menschlichen Seins wachsen läßt und der Körper und Geist beherrscht. In ihm heiligen sich die Manifestationen des Lebens und die ewigen Gesetze, die zwar Einzelmenschen in den Untergang zwingen können, aber die trotzdem oder gerade deshalb die Bewahrer der Welt sind. Sein Körper “besteht aus lauter Schauplätzen des Lebens” (Rilke) und seinen neuen Augen gelingt es, das scheinbar Vertraute neu zu sehen und im scheinbar Neuen ewig Altes zu erkennen. Der *Denker* ist skulpturale Ganzheit und plastische Invention von überraschender Gegenwartsnähe.

Die Worte Rainer Maria Rilkes, mit denen dieser das Werk des Meisters würdigt und in der "Schlacht der Geschlechter" gleichnishaft verklärt, klingen wie das faustische Manifest des alten Europa: “Und in allen Lastern, in allen Lüsten wider die Natur, in allen diesen verzweifelten und verlorenen Versuchen, dem Dasein einen unendlichen Sinn zu finden, ist etwas von jener Sehnsucht, die die großen Dichter macht. Hier hungert die Menschheit über sich hinaus. Hier strecken sich Hände aus nach der Ewigkeit. Hier öffnen sich Augen, schauen den Tod und fürchten ihn nicht, hier entfaltet sich ein hoffnungsloses Heldentum, dessen Ruhm wie ein Lächeln kommt und geht und wie eine Rose blüht und bricht. Hier sind die Stürme des Wunsches und die Windstillen der Erwartung; hier sind Träume, die zu Taten werden, und Taten, die in Träumen vergehen. Hier wird, wie in einer Riesenspielbank, ein Vermögen von Kraft gewonnen oder verloren...In den still geschlossenen Raum (der oberen Zone des "Höllentores") ist die Gestalt des Denkers gesetzt, des Mannes, der die ganze Größe und alle Schrecken dieses Schauspiels sieht, weil er es denkt. Er sitzt versunken und stumm, schwer von Bildern und Gedanken, und alle seine Kraft (die die Kraft eines Handelnden ist) denkt. Sein ganzer Leib ist Schädel geworden und alles Blut in seinen Adern Gehirn. Er ist der Mittelpunkt des Tores."

Stefan Ulbrich

Arun - Verlag : Eine Auswahl

Im Tanz der Elemente
Kult und Ritus der heidnischen Gemeinschaft

“Für den Wissenssucher hält Ulbrich ... ein breites Spektrum an Detailinformationen bereit. Überzeugend wirken die Ausführungen über einen erdreligiös begründeten Naturschutz.”

esotera, 11/90

“Der Autor ... will provozieren - gar keine Frage. Doch er verletzt nicht. Er will eine spirituelle Alternative aufzeigen. Doch er lehnt andere Denkweisen nicht ab. Ulbrichs Buch ist keines jener Werke, die auf der herrschenden Esoterikwelle billig zum Profit surfen.”

DIE PRESSE, 26.01.91

542 Seiten, 44 Abbildungen, 49,80 DM, 370.- ÖS

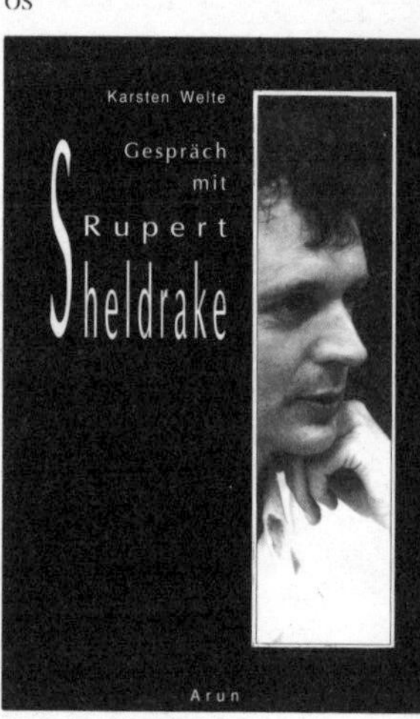

Gespräch mit Rupert Sheldrake

“Die konventionelle Idee, daß unsere Gedanken private Angelegenheiten sind, die innerhalb von unseren Gehirnen passieren, diese Idee möchte ich durch meine Überlegungen und Vorschläge anfechten. Wenn morphische Resonanz tatsächlich existiert, dann ist die wichtigste Begleiterscheinung unserer bewußten Gedanken, daß alles was wir denken, genauso wie das, was wir tun und sagen, andere beeinflussen kann. Das gibt uns eine größere Verantwortung für unser Denken, für den Standpunkt und die Geisteshaltung, welche wir einnehmen.”

Rupert Sheldrake

96 Seiten, 5 Abbildungen, 12,80 DM, 100.- ÖS

GEDANKEN ZU großdeutschland

“Ein capriccio aus Deutschnationalem, Anarchistischem, (fast) Nationalbolschewistischem, Grün-Alternativem und Post-Sozialistischem. Nie langweilig. Nie weiß man so genau: Sind das - nach der alten Gesäßgeographie - Linke oder Rechte, die da schreiben?”

Rheinischer Merkur, 15.02.91

"Was immer fehlte, meldet sich jetzt zu Wort ... Manche bislang tabuisierte Ideenblüte kommt in dem spritzig aufgemachten Paperback zur Sprache und verströmt narkotisierende Gerüche."

Junge Freiheit, 5/90

250 Seiten, 15 Abbildungen, 32.- DM, 240.- ÖS